MW00653448

LES ANORMAUX

Cours de Michel Foucault au Collège de France

Leçons sur la volonté de savoir
suivi de
Le Savoir d'Œdipe
(1970-1971)
paru

Théories et Institutions pénales
(1971-1972)

La Société punitive
(1972-1973)
paru

Le Pouvoir psychiatrique
(1973-1974)
paru

« Il faut défendre la société »
(1975-1976)
paru

Sécurité, Territoire et Population
(1977-1978)
paru

Naissance de la biopolitique
(1978-1979)
paru

Du gouvernement des vivants
(1979-1980)
paru

Subjectivité et Vérité
(1980-1981)

L'Herméneutique du sujet
(1981-1982)
paru

Le Gouvernement de soi et des autres
(1982-1983)
paru

Le Courage de la vérité
Le Gouvernement de soi et des autres II
(1983-1984)
paru

Michel Foucault

Les anormaux

Cours au Collège de France
(1974-1975)

Édition établie sous la direction
de François Ewald et Alessandro Fontana,
par Valerio Marchetti et Antonella Salomoni

HAUTES ÉTUDES

EHESS
GALLIMARD
SEUIL

« Hautes Études » est une collection des Éditions
de l'École des hautes études en sciences sociales,
qui en assurent le suivi éditorial,
des Éditions Gallimard et des Éditions du Seuil

Édition établie sous la direction
de François Ewald et Alessandro Fontana,
par Valerio Marchetti et Antonella Salomoni

ISBN : 978-2-02-030798-7

www.seuil.com

AVERTISSEMENT

Michel Foucault a enseigné au Collège de France de janvier 1971 à sa mort en juin 1984 – à l'exception de l'année 1977 où il a pu bénéficier d'une année sabbatique. Le titre de sa chaire était : *Histoire des systèmes de pensée*.

Elle fut créée le 30 novembre 1969, sur proposition de Jules Vuillemin, par l'assemblée générale des professeurs du Collège de France en remplacement de la chaire d'Histoire de la pensée philosophique, tenue jusqu'à sa mort par Jean Hyppolite. La même assemblée élut Michel Foucault, le 12 avril 1970, comme titulaire de la nouvelle chaire[1]. Il avait 43 ans.

Michel Foucault en prononça la leçon inaugurale le 2 décembre 1970[2].

L'enseignement au Collège de France obéit à des règles particulières. Les professeurs ont l'obligation de délivrer 26 heures d'enseignement par an (la moitié au maximum pouvant être dispensée sous forme de séminaires[3]). Ils doivent exposer chaque année une recherche originale, les contraignant à renouveler chaque fois le contenu de leur enseignement. L'assistance aux cours et aux séminaires est entièrement libre ; elle ne requiert ni inscription ni diplôme. Et le professeur n'en dispense aucun[4]. Dans le vocabulaire du Collège de France, on dit que les professeurs n'ont pas des étudiants mais des auditeurs.

Les cours de Michel Foucault se tenaient chaque mercredi de début janvier à fin mars. L'assistance, très nombreuse, composée d'étudiants,

1. Michel Foucault avait conclu une plaquette rédigée pour sa candidature par cette formule : « Il faudrait entreprendre l'histoire des systèmes de pensée » (« Titres et travaux », in *Dits et Écrits,* 1954-1988, éd. par D. Defert & F. Ewald, collab. J. Lagrange, Paris, Gallimard, 1994, vol. I, p. 846).
2. Elle sera publiée par les éditions Gallimard en mai 1971 sous le titre : *L'Ordre du discours.*
3. Ce que fit Michel Foucault jusqu'au début des années 1980.
4. Dans le cadre du Collège de France.

d'enseignants, de chercheurs, de curieux, dont beaucoup d'étrangers, mobilisait deux amphithéâtres du Collège de France. Michel Foucault s'est souvent plaint de la distance qu'il pouvait y avoir entre lui et son « public », et du peu d'échange que rendait possible la forme du cours[5]. Il rêvait d'un séminaire qui fût le lieu d'un vrai travail collectif. Il en fit différentes tentatives. Les dernières années, à l'issue du cours, il consacrait un long moment à répondre aux questions des auditeurs.

Voici comment, en 1975, un journaliste du *Nouvel Observateur*, Gérard Petitjean, pouvait en retranscrire l'atmosphère : « Quand Foucault entre dans l'arène, rapide, fonceur, comme quelqu'un qui se jette à l'eau, il enjambe des corps pour atteindre sa chaise, repousse les magnétophones pour poser ses papiers, retire sa veste, allume une lampe et démarre, à cent à l'heure. Voix forte, efficace, relayée par des haut-parleurs, seule concession au modernisme d'une salle à peine éclairée par une lumière qui s'élève de vasques en stuc. Il y a trois cents places et cinq cents personnes agglutinées, bouchant le moindre espace libre […] Aucun effet oratoire. C'est limpide et terriblement efficace. Pas la moindre concession à l'improvisation. Foucault a douze heures par an pour expliquer, en cours public, le sens de sa recherche pendant l'année qui vient de s'écouler. Alors, il serre au maximum et remplit les marges comme ces correspondants qui ont encore trop à dire lorsqu'ils sont arrivés au bout de leur feuille. 19 h 15. Foucault s'arrête. Les étudiants se précipitent vers son bureau. Pas pour lui parler, mais pour stopper les magnétophones. Pas de questions. Dans la cohue, Foucault est seul. » Et Foucault de commenter : « Il faudrait pouvoir discuter ce que j'ai proposé. Quelquefois, lorsque le cours n'a pas été bon, il faudrait peu de chose, une question, pour tout remettre en place. Mais cette question ne vient jamais. En France, l'effet de groupe rend toute discussion réelle impossible. Et comme il n'y a pas de canal de retour, le cours se théâtralise. J'ai un rapport d'acteur ou d'acrobate avec les gens qui sont là. Et lorsque j'ai fini de parler, une sensation de solitude totale[6]… »

5. En 1976, dans l'espoir – vain – de raréfier l'assistance, Michel Foucault changea l'heure du cours qui passa de 17 h 45 en fin d'après-midi à 9 heures du matin. Cf. le début de la première leçon (7 janvier 1976) de *« Il faut défendre la société »*. *Cours au Collège de France, 1976*, éd. s.dir. F. Ewald & A. Fontana par M. Bertani & A. Fontana, Paris, Gallimard/Seuil, 1997.
6. Gérard Petitjean, « Les Grands Prêtres de l'université française », *Le Nouvel Observateur*, 7 avril 1975.

Michel Foucault abordait son enseignement comme un chercheur : explorations pour un livre à venir, défrichement aussi de champs de problématisation, qui se formuleraient plutôt comme une invitation lancée à d'éventuels chercheurs. C'est ainsi que les cours au Collège de France ne redoublent pas les livres publiés. Ils n'en sont pas l'ébauche, même si des thèmes peuvent être communs entre livres et cours. Ils ont leur propre statut. Ils relèvent d'un régime discursif spécifique dans l'ensemble des « actes philosophiques » effectués par Michel Foucault. Il y déploie tout particulièrement le programme d'une généalogie des rapports savoir/pouvoir en fonction duquel, à partir du début des années 1970, il réfléchira son travail – en opposition avec celui d'une archéologie des formations discursives qu'il avait jusqu'alors dominé[7].

Les cours avaient aussi une fonction dans l'actualité. L'auditeur qui venait les suivre n'était pas seulement captivé par le récit qui se construisait semaine après semaine ; il n'était pas seulement séduit par la rigueur de l'exposition ; il y trouvait aussi un éclairage de l'actualité. L'art de Michel Foucault était de diagonaliser l'actualité par l'histoire. Il pouvait parler de Nietzsche ou d'Aristote, de l'expertise psychiatrique au XIXe siècle ou de la pastorale chrétienne, l'auditeur en tirait toujours une lumière sur le présent et les événements dont il était contemporain. La puissance propre de Michel Foucault dans ses cours tenait à ce subtil croisement entre une érudition savante, un engagement personnel et un travail sur l'événement.

*

Les années soixante-dix ayant vu le développement, et le perfectionnement, des magnétophones à cassettes, le bureau de Michel Foucault en fut vite envahi. Les cours (et certains séminaires) ont ainsi été conservés.

Cette édition prend comme référence la parole prononcée publiquement par Michel Foucault. Elle en donne la transcription la plus littérale possible[8]. Nous aurions souhaité pouvoir la livrer telle quelle. Mais le passage de l'oral à l'écrit impose une intervention de l'éditeur : il faut,

---

7. Cf., en particulier, « Nietzsche, la généalogie, l'histoire », in *Dits et Écrits*, II, p. 137.
8. Ont été plus spécialement utilisés les enregistrements réalisés par Gérard Burlet et Jacques Lagrange, déposés au Collège de France et à l'IMEC.

au minimum, introduire une ponctuation et découper des paragraphes. Le principe a toujours été de rester le plus près possible du cours effectivement prononcé.

Lorsque cela paraissait indispensable, les reprises et les répétitions ont été supprimées ; les phrases interrompues ont été rétablies et les constructions incorrectes rectifiées.

Les points de suspension signalent que l'enregistrement est inaudible. Quand la phrase est obscure, figure, entre crochets, une intégration conjecturale ou un ajout.

Un astérisque en pied de page indique les variantes significatives des notes utilisées par Michel Foucault par rapport à ce qui a été prononcé.

Les citations ont été vérifiées et les références des textes utilisés indiquées. L'appareil critique se limite à élucider les points obscurs, à expliciter certaines allusions et à préciser les points critiques.

Pour faciliter la lecture, chaque leçon a été précédée d'un bref sommaire qui en indique les principales articulations[9].

Le texte du cours est suivi du résumé publié dans l'*Annuaire du Collège de France*. Michel Foucault les rédigeait généralement au mois de juin, quelque temps donc avant la fin du cours. C'était, pour lui, l'occasion d'en dégager, rétrospectivement, l'intention et les objectifs. Il en constitue la meilleure présentation.

Chaque volume s'achève sur une « situation » dont l'éditeur du cours garde la responsabilité : il s'agit de donner au lecteur des éléments de contexte d'ordre biographique, idéologique et politique, replaçant le cours dans l'œuvre publiée et donnant des indications concernant sa place au sein du corpus utilisé, afin d'en faciliter l'intelligence et d'éviter les contresens qui pourraient être dus à l'oubli des circonstances dans lesquelles chacun des cours a été élaboré et prononcé.

*

Avec cette édition des cours au Collège de France, c'est un nouveau pan de « l'œuvre » de Michel Foucault qui se trouve publié.

Il ne s'agit pas, au sens propre, d'inédits puisque cette édition reproduit la parole proférée publiquement par Michel Foucault, à l'exclusion du support écrit qu'il utilisait et qui pouvait être très élaboré.

9. On trouvera en fin de volume, exposés dans la « Situation de cours », les critères et les solutions adoptés par les éditeurs pour cette année de cours.

Daniel Defert, qui possède les notes de Michel Foucault, a permis aux éditeurs de les consulter. Qu'il en soit vivement remercié.

Cette édition des cours au Collège de France a été autorisée par les héritiers de Michel Foucault, qui ont souhaité pouvoir satisfaire la très forte demande dont ils faisaient l'objet, en France comme à l'étranger. Et cela dans d'incontestables conditions de sérieux. Les éditeurs ont cherché à être à la hauteur de la confiance qu'ils leur ont portée.

FRANÇOIS EWALD et ALESSANDRO FONTANA

Cours
Année 1974-1975

COURS DU 8 JANVIER 1975

Les expertises psychiatriques en matière pénale. – À quel genre de discours appartiennent-elles ? – Discours de vérité et discours qui font rire. – La preuve légale dans le droit pénal du XVIIIe siècle. – Les réformateurs. – Le principe de l'intime conviction. – Les circonstances atténuantes. – Le rapport entre vérité et justice. – Le grotesque dans la mécanique du pouvoir. – Doublet psychologico-moral du délit. – L'expertise montre comment l'individu ressemblait déjà à son crime avant de l'avoir commis. – L'émergence du pouvoir de normalisation.

Je voudrais commencer le cours de cette année en vous faisant la lecture de deux rapports d'expertise psychiatrique en matière pénale. Je vous les lis directement. Le premier date de 1955, il y a vingt ans exactement. Il est signé d'au moins l'un des grands noms de la psychiatrie pénale de ces années-là, et se rapporte à une affaire dont certains d'entre vous ont peut-être gardé le souvenir. C'est l'histoire d'une femme et de son amant, qui avaient tué la petite fille de la femme. L'homme, l'amant donc de la mère, avait été accusé de complicité dans le meurtre ou, en tout cas, d'incitation au meurtre de l'enfant ; car il avait été établi que c'était la femme elle-même qui avait tué de ses mains son enfant. Voici donc l'expertise psychiatrique qui a été faite à propos de l'homme, que j'appellerai, si vous voulez, A., parce que je n'ai jamais pu encore déterminer jusqu'à quel point il est licite de publier, en y laissant les noms, les expertises médico-légales[1].

« Les experts se trouvent évidemment mal à l'aise pour exprimer leur jugement psychologique sur A., étant donné qu'ils ne peuvent prendre parti sur la culpabilité morale de celui-ci. Toutefois, on raisonnera dans l'hypothèse où A. aurait exercé sur l'esprit de la fille L., d'une manière quelconque, une influence qui aurait conduit celle-ci au meurtre de son enfant. Dans cette hypothèse donc, voici comment nous nous représenterions les choses et les acteurs. A. appartient à un milieu peu homogène et socialement mal établi. Enfant illégitime, il a été élevé par sa mère, n'a été reconnu que très tardivement par son père, et s'est alors trouvé des demi-frères sans qu'une véritable cohésion familiale puisse s'établir. D'autant plus que, le père mort, il s'est retrouvé seul avec sa mère, femme de condition assez trouble. Malgré tout, il a été appelé à faire des études secondaires, et ses origines ont pu peser un peu sur son orgueil naturel. Les êtres de son espèce ne se sentent, en somme, jamais très bien assimilés au monde où ils sont parvenus ; d'où leur culte pour le paradoxe et pour tout ce qui crée du désordre. Dans une ambiance d'idées un peu révolutionnaires – [je vous rappelle qu'on est en 1955 ; M.F.] – ils se sentent moins dépaysés que dans un milieu et dans une philosophie compassés. C'est l'histoire de toutes les réformes intellectuelles, de tous les cénacles ; c'est celle de Saint-Germain-des-Prés, de l'existentialisme[2], etc. Dans tous les mouvements, des personnalités véritablement fortes peuvent émerger, surtout si elles y ont conservé un certain sens de l'adaptation. Elles peuvent ainsi parvenir à la célébrité et fonder une école stable. Mais nombre ne peuvent s'élever au-delà de la médiocrité et cherchent à attirer l'attention par des extravagances vestimentaires, ou bien encore par des actes extraordinaires. On trouve chez eux de l'alcibiadisme[3] et de l'érostratisme[4]. Ils n'en sont plus évidemment à couper la queue de leur chien ou à brûler le temple d'Éphèse, mais ils se laissent parfois corrompre par la haine de la morale bourgeoise, au point d'en renier les lois et d'aller jusqu'au crime pour enfler leur personnalité, d'autant plus que cette personnalité est originellement plus falote. Naturellement, il y a dans tout cela une certaine dose de bovarysme[5], de ce pouvoir départi à l'homme de se concevoir autre qu'il n'est, surtout plus beau et plus grand que nature. C'est pourquoi A. a pu se concevoir comme un surhomme. Le curieux, d'ailleurs, c'est qu'il ait résisté à l'influence militaire. Lui-même disait que le passage à Saint-Cyr formait les caractères. Il semble pourtant que l'uniforme n'ait pas beaucoup normalisé l'attitude d'Algarron[6]. D'ailleurs, il était toujours pressé de quitter l'armée pour aller à ses fredaines. Un autre trait psychologique de A. [après donc le bovarysme, l'érostratisme et l'alcibiadisme ; M.F.], c'est le donjuanisme[7]. Il passait littéralement toutes ses heures de liberté à collectionner les maîtresses, en général faciles comme la fille L. Puis, par une véritable faute de goût, il leur tenait des propos qu'elles étaient en général, de par leur instruction première, peu aptes à comprendre. Il avait plaisir à développer devant elles des paradoxes "hénaurmes", suivant l'orthographe de Flaubert, que certaines écoutaient bouche bée, d'autres d'une oreille distraite. De même qu'une culture trop précoce pour son état mondain et intellectuel avait été peu favorable à A., la fille L. a pu lui emboîter le pas, de façon à la fois caricaturale et tragique. Il s'agit d'un *nouveau degré inférieur de bovarysme.* Elle a mordu aux paradoxes de A., qui l'ont en quelque sorte intoxiquée. Il lui semblait parvenir à un plan intellectuel supérieur. A. parlait de la nécessité pour un couple de faire en commun des choses extraordinaires, pour se créer un lien indissoluble : tuer, par exemple, un chauffeur de taxi ; supprimer un enfant pour rien ou pour se prouver sa capacité de décision. Et la fille L. a décidé de tuer Catherine. Telle est du moins la thèse de cette fille. Si A. ne l'accepte pas complètement, du moins ne la repousse-t-il pas tout à fait, puisqu'il admet avoir développé devant elle, peut-être imprudemment, les paradoxes dont elle a pu faire, faute d'esprit critique, une règle d'action. Ainsi, sans prendre parti sur la réalité et le degré de culpabilité de A., nous pouvons comprendre comment son influence sur la fille L. a pu être pernicieuse. Mais la question pour nous est surtout de rechercher et de dire quelle est, au point de vue pénal, la responsabilité de A. Nous demandons encore instamment qu'on ne se méprenne pas sur les termes. Nous ne cherchons pas quelle est la part de responsabilité morale de A. dans les crimes de la fille L. : cela, c'est l'affaire des magistrats et des jurés. Nous recherchons simplement si, médico-légalement, ses anomalies de caractère ont une origine pathologique, si elles réalisent un trouble mental suffisant pour atteindre la responsabilité pénale. La réponse sera bien entendu négative. A. a évidemment eu tort de ne pas s'en tenir au programme des écoles militaires et, en amour, aux escapades de week-end, mais ses paradoxes n'ont pourtant pas valeur d'idées délirantes. Bien entendu, si A. n'a pas simplement développé devant la fille L., de façon imprudente, des théories trop compliquées pour elle, s'il l'a intentionnellement poussée au meurtre de l'enfant, soit pour être éventuellement débarrassé de celui-ci, soit pour se prouver sa puissance de <persuasion>, soit par pur jeu pervers comme Don Juan dans la scène du pauvre[8], sa responsabilité reste toujours entière. Nous ne pouvons pas présenter autrement que sous cette forme conditionnelle des conclusions qui peuvent être attaquées de tous les côtés, dans une affaire où nous risquons de nous entendre accuser d'outrepasser notre mission et d'empiéter sur le rôle du jury, de prendre parti pour ou contre la culpabilité proprement dite de l'inculpé, ou encore de nous entendre reprocher un laconisme excessif, si nous avions sèchement dit ce qui, au besoin, aurait suffi : à savoir que A. ne présente aucun symptôme de maladie mentale et que, d'une façon générale, il est pleinement responsable. »

Voici donc un texte qui date de 1955. Excusez-moi pour la longueur de ces documents (mais enfin vous comprenez tout de suite qu'ils font problème) ; je voudrais maintenant en citer d'autres qui sont beaucoup plus brefs, ou plutôt un rapport qui a été fait à propos de trois hommes qui avaient été accusés de chantage dans une affaire sexuelle. Je lirai le rapport au moins pour deux d'entre eux[9].

L'un, disons X., « intellectuellement, sans qu'il soit brillant, n'est pas stupide ; il enchaîne bien ses idées et a bonne mémoire. Moralement, il est homosexuel depuis l'âge de douze ou treize ans, et ce vice n'aurait été qu'une compensation, au début, aux moqueries qu'il essuyait alors qu'enfant, élevé par l'assistance publique, il se trouvait dans la Manche [le département ; M.F.]. Peut-être, son allure efféminée a-t-elle aggravé cette tendance à l'homosexualité, mais c'est l'appât du gain qui a amené X. au chantage. X. est totalement immoral, cynique, voire même bavard. Il y a trois mille ans, il aurait certainement habité Sodome et les feux du ciel l'auraient très justement puni de son vice. Il faut bien reconnaître que Y. [qui est l'objet du chantage ; M.F.] aurait mérité la même punition. Car enfin il est âgé, relativement riche, et n'avait rien d'autre à proposer à X. que de l'installer dans une boîte d'invertis, dont il aurait été le caissier, se remboursant, au fur et à mesure, de l'argent investi dans cet achat. Cet Y., successivement ou simultanément amant ou maîtresse, on ne sait pas, de X., incite au mépris et au vomissement. X. aime Z. Il faut avoir vu l'allure efféminée de l'un et de l'autre pour comprendre qu'un tel mot puisse être employé, quand il s'agit de deux hommes tellement efféminés que ce n'est plus Sodome, mais Gomorrhe, qu'ils auraient dû habiter ».

Et je pourrais continuer. Alors, pour Z. : « C'est un être assez médiocre, opposant, ayant bonne mémoire, enchaînant bien ses idées. Moralement, c'est un être cynique et immoral. Il se vautre dans le stupre, il est manifestement fourbe et réticent. Il faut littéralement pratiquer une maïotique à son égard [maïotique est écrit m.a.i.o.t.i.q.u.e., quelque chose du maillot, sans doute ! M.F.][10]. Mais le trait le plus caractéristique de son caractère semble être une paresse dont aucun qualificatif ne saurait donner une idée de son importance. Il est évidemment moins fatigant de changer des disques dans une boîte de nuit et d'y trouver des clients, que de véritablement travailler. Il reconnaît d'ailleurs qu'il est devenu homosexuel par nécessité matérielle, par appât du gain, et que, ayant pris goût à l'argent, il persiste dans cette façon de se conduire. » Conclusion : « Il est particulièrement répugnant. »

Vous comprenez qu'il y aurait à la fois très peu de choses et beaucoup de choses à dire sur ce genre de discours. Car, après tout, ils sont tout de même rares, dans une société comme la nôtre, les discours qui possèdent à la fois trois propriétés. La première, c'est de pouvoir déterminer, directement ou indirectement, une décision de justice qui concerne, après tout, la liberté ou la détention d'un homme. À la limite (et nous en verrons des cas), la vie et la mort. Donc, ce sont des discours qui ont, à la limite, un pouvoir de vie et de mort. Deuxième propriété : ce pouvoir, ils le détiennent de quoi ? De l'institution judiciaire peut-être, mais ils le détiennent aussi du fait qu'ils fonctionnent dans l'institution judiciaire comme discours de vérité, discours de vérité parce que discours à statut scientifique, ou comme discours formulés, et formulés exclusivement par des gens qualifiés, à l'intérieur d'une institution scientifique. Discours qui peuvent tuer, discours de vérité et discours – vous en êtes la preuve et les témoins[11] – qui font rire. Et les discours de vérité qui font rire et qui ont le pouvoir institutionnel de tuer, ce sont après tout, dans une société comme la nôtre, des discours qui méritent un peu d'attention. D'autant plus que si certaines de ces expertises, la première en particulier, concernaient – vous l'avez vu – une affaire relativement grave, donc relativement rare, en revanche, dans la seconde affaire, qui date de 1974 (elle s'est donc passée l'an dernier), c'est évidemment le pain quotidien de la justice pénale, et j'allais dire de tous les justiciables, qui est en question. Ces discours quotidiens de vérité qui tuent et qui font rire, ils sont là, au cœur même de notre institution judiciaire.

Ce n'est pas la première fois que le fonctionnement de la vérité judiciaire non seulement fait problème, mais fait rire. Et vous savez bien que, à la fin du xviiie siècle (je vous en avais parlé il y a deux ans, je crois[12]), la manière dont on administrait la preuve de la vérité, dans la pratique pénale, suscitait à la fois ironie et critique. Vous vous souvenez de cette espèce, à la fois, scolastique et arithmétique, de la preuve judiciaire, de ce qu'on appelait à l'époque, dans le droit pénal du xviiie siècle, la preuve légale, où on distinguait toute une hiérarchie de preuves qui étaient quantitativement et qualitativement pondérées[13]. Il y avait les preuves complètes et les preuves incomplètes, les preuves pleines et les preuves semi-pleines, les preuves entières, les demi-preuves, les indices, les adminicules. Et puis, on combinait, on additionnait tous ces éléments de démonstration pour arriver à une certaine quantité de preuves que la loi, ou plutôt la coutume, définissait comme le minimum nécessaire pour obtenir la condamnation. À partir de ce moment-là, à partir de cette arithmétique, de ce calcul de la preuve, le tribunal devait prendre sa décision. Et il était lié, dans sa décision, au moins jusqu'à un certain point, par cette arithmétique de la preuve. En plus de cette légalisation, de cette définition légale de la nature et de la quantité de la preuve, en dehors de cette formalisation légale de la démonstration, il y avait le principe selon lequel on devait déterminer des punitions d'une façon qui était proportionnelle à la quantité de preuves réunies. C'est-à-dire qu'il ne suffisait pas de dire : Il faut arriver à une preuve pleine, entière et complète, pour déterminer une punition. Mais le droit classique disait : Si l'addition ne parvient pas à ce degré minimum de preuves à partir duquel on peut appliquer la peine pleine et entière, si l'addition reste en quelque sorte en suspens, si l'on a simplement trois quarts de preuve, et pas au total une preuve pleine, cela ne veut pas dire pourtant qu'il ne faudra pas punir. À trois quarts de preuve, trois quarts de punition ; à demi-preuve, demi-peine[14]. Autrement dit, on n'est pas suspect impunément. Le moindre élément de démonstration ou, en tout cas, un certain élément de démonstration suffira à entraîner un certain élément de peine. C'est cette pratique-là de la vérité qui a suscité, chez les réformateurs de la fin du XVIIIe siècle – que ce soit chez Voltaire, chez Beccaria, chez des gens comme Servan ou Dupaty –, à la fois critique et ironie[15].

C'est à ce système de la preuve légale, de l'arithmétique de la démonstration, que l'on a opposé le principe de ce qu'on appelle l'intime conviction[16] ; principe dont on a l'impression aujourd'hui, quand on le voit fonctionner et quand on voit la réaction des gens à ses effets, qu'il autorise à condamner sans preuves. Mais, à dire vrai, le principe de l'intime conviction, tel qu'il a été formulé et institutionnalisé à la fin du XVIIIe siècle, avait un sens historique parfaitement précis[17].

Premièrement, celui-ci : on ne doit plus condamner avant d'être parvenu à une certitude totale. C'est-à-dire qu'il ne doit plus y avoir de proportionnalité entre la démonstration et la peine. La peine doit obéir à la loi du tout ou rien, une preuve non complète ne peut pas entraîner une peine partielle. Une peine, aussi légère qu'elle soit, ne doit être décidée que lorsque la preuve totale, complète, exhaustive, entière, de la culpabilité de l'inculpé aura été établie. C'est la première signification du principe de l'intime conviction : le juge ne doit commencer à condamner que s'il est intimement persuadé de la culpabilité, et pas simplement s'il a des soupçons.

Deuxièmement, le sens de ce principe est celui-ci : on ne peut pas valider seulement des preuves définies et qualifiées par la loi. Mais, pourvu qu'elle soit probante – c'est-à-dire pourvu qu'elle soit de nature à emporter l'adhésion d'un esprit quelconque susceptible de vérité, susceptible de jugement, donc de vérité –, toute preuve doit pouvoir être acceptée. Ce n'est pas la légalité de la preuve, sa conformité à la loi, qui fera qu'elle est une preuve : c'est sa démonstrativité. C'est la démonstrativité de la preuve qui la rend recevable.

Et enfin – c'est la troisième signification du principe de l'intime conviction – le critère auquel on reconnaîtra que la démonstration a été établie, ce n'est pas le tableau canonique des bonnes preuves, c'est la conviction : la conviction d'un sujet quelconque, d'un sujet indifférent. En tant qu'individu pensant, il est susceptible de connaissance et de vérité. C'est-à-dire que, avec le principe de l'intime conviction, on est passé de ce régime arithmético-scolastique et si ridicule de la preuve classique au régime commun, au régime honorable, au régime anonyme de la vérité pour un sujet supposé universel.

Or, en fait, ce régime de la vérité universelle, à laquelle la justice pénale a semblé se plier depuis le XVIIIᵉ siècle, abrite deux phénomènes, réellement et dans la manière dont il est effectivement mis en œuvre ; il abrite deux faits ou deux pratiques qui sont importantes, et qui, je crois, constituent la pratique réelle de la vérité judiciaire et, à la fois, la déséquilibrent par rapport à cette formulation stricte et générale du principe de l'intime conviction.

Premièrement, vous savez en effet que, malgré le principe selon lequel on ne doit jamais punir avant d'être parvenu à la preuve, à l'intime conviction du juge, dans la pratique il se maintient toujours une certaine proportionnalité entre le degré de certitude et la gravité de la peine infligée. Vous savez parfaitement que, quand on n'est pas tout à fait certain d'un délit ou d'un crime, le juge – qu'il soit magistrat ou juré – a tendance à traduire son incertitude par une atténuation de la peine. À une incertitude pas tout à fait acquise correspondra, de fait, une peine légèrement ou amplement atténuée, mais une peine toujours. C'est-à-dire que de fortes présomptions, même encore dans notre système, et en dépit du principe de l'intime conviction, ne restent jamais tout à fait impunies. C'est de cette manière-là que fonctionnent les circonstances atténuantes.

Les circonstances atténuantes, en principe, étaient destinées à quoi ? D'une façon générale, à moduler la rigueur de la loi telle qu'elle avait été formulée, en 1810, dans le Code pénal. Le véritable objectif poursuivi par le législateur de 1832, quand il avait défini les circonstances atténuantes, ce n'était pas de permettre un adoucissement de la peine ; c'était, au contraire, d'empêcher des acquittements qui étaient décidés trop souvent par le jury lorsqu'il ne voulait pas appliquer la loi dans toute sa rigueur. En particulier dans le cas de l'infanticide, les jurys provinciaux avaient l'habitude de ne pas condamner du tout, parce que, s'ils avaient condamné, ils auraient été obligés d'appliquer la loi, qui était la peine de mort. Pour ne pas appliquer la peine de mort, ils acquittaient. Et c'est pour rendre aux jurys et à la justice pénale un juste degré de sévérité que l'on a donné aux jurys, en 1832, la possibilité de moduler l'application de la loi par les circonstances atténuantes.

Mais en fait, derrière cet objectif, qui était explicitement celui du législateur, que s'est-il passé ? C'est que la sévérité des jurys a augmenté. Mais il s'est produit également ceci, qu'on a pu, à partir de là, contourner le principe de l'intime conviction. Lorsque les jurés se sont trouvés dans la situation d'avoir à décider de la culpabilité de quelqu'un, culpabilité à propos de laquelle on avait beaucoup de preuves, mais pas encore la certitude, on appliquait le principe des circonstances atténuantes et l'on donnait une peine légèrement ou largement inférieure à la peine prévue par la loi. La présomption, le degré de présomption, se transcrivait ainsi dans la gravité de la peine.

Dans l'affaire Goldman[18], qui vient de se dérouler il y a quelques semaines, si le scandale a éclaté au sein même de l'institution judiciaire, si le procureur général, qui avait demandé une peine, a lui-même formulé son étonnement devant le verdict, c'est qu'au fond le jury n'avait pas appliqué cet usage, qui est pourtant absolument contraire à la loi et qui veut que, quand on n'est pas très sûr, on utilise les circonstances atténuantes. Dans l'affaire Goldman, qu'est-ce qu'il s'est passé ? Le jury a au fond appliqué le principe de l'intime conviction ou, si vous voulez, ne l'a pas appliqué, mais a appliqué la loi elle-même. C'est-à-dire qu'il a considéré qu'il avait une intime conviction, et il a appliqué la peine telle qu'elle avait été demandée par le procureur. Or, le procureur était tellement habitué à voir que, lorsqu'il y a quelques doutes, on n'applique pas exactement les réquisitions du parquet, mais on se situe à un niveau au-dessous, qu'il a été lui-même étonné de la sévérité de la peine. Il trahissait, dans son étonnement, cet usage absolument illégal, en tout cas contraire au principe qui fait que les circonstances atténuantes sont destinées à marquer l'incertitude du jury. En principe, elles ne doivent jamais servir à transcrire l'incertitude du jury ; s'il y a encore incertitude, il faut purement et simplement acquitter. De fait, derrière le principe de l'intime conviction, vous avez donc une pratique qui continue, exactement comme dans le vieux système des preuves légales, à moduler la peine selon l'incertitude de la preuve.

Une autre pratique conduit également à fausser le principe de l'intime conviction et à reconstituer quelque chose qui est de l'ordre de la preuve légale, qui ressemble en tout cas, par certains traits, au mode de fonctionnement de la justice tel qu'on le voyait mis en œuvre au XVIIIᵉ siècle. Cette quasi-reconstitution, cette pseudo-reconstitution de la preuve légale, on la voit non pas, bien sûr, dans la reconstitution d'une arithmétique des preuves, mais dans le fait que – contrairement au principe de l'intime conviction qui veut que toutes les preuves puissent être apportées, toutes puissent être réunies, et que seule la conscience du juge, juré ou magistrat, doive les peser – certaines preuves ont, en elles-mêmes, des effets de pouvoir, des valeurs démonstratives, qui sont plus grandes les unes que les autres, et indépendamment de leur structure rationnelle propre. Non pas donc en fonction de leur structure rationnelle, mais en fonction de quoi ? Eh bien, du sujet qui les énonce. C'est ainsi, par exemple, que les rapports de police ou les témoignages des policiers ont, dans le système de la justice française actuelle, une sorte de privilège vis-à-vis de tout autre rapport et témoignage, parce qu'ils sont énoncés par un fonctionnaire de police assermenté. D'autre part, le rapport des experts – dans la mesure où leur statut d'experts confère à ceux qui le prononcent une valeur de scientificité ou plutôt un statut de scientificité – a, vis-à-vis de tout autre élément de la démonstration judiciaire, un certain privilège. Ce ne sont pas des preuves légales au sens où l'entendait le droit classique, encore à la fin du XVIIIᵉ siècle, mais ce sont pourtant des énoncés judiciaires privilégiés qui comportent des présomptions statutaires de vérité, présomptions qui leur sont inhérentes, en fonction de ceux qui les énoncent. Bref, ce sont des énoncés avec des effets de vérité et de pouvoir qui leur sont spécifiques : une sorte de supra-légalité de certains énoncés dans la production de la vérité judiciaire.

Je voudrais m'arrêter un instant sur ce rapport vérité-justice, parce que, bien sûr, c'est l'un des thèmes fondamentaux de la philosophie occidentale[19]. C'est après tout un des présupposés les plus immédiats et les plus radicaux de tout discours judiciaire, politique, critique, qu'il existe une appartenance essentielle entre l'énoncé de la vérité et la pratique de la justice. Or, il se trouve que, au point où viennent se rencontrer l'institution destinée à régler la justice, d'une part, et les institutions qualifiées pour énoncer la vérité, de l'autre, au point, plus brièvement, où se rencontrent le tribunal et le savant, où viennent se croiser l'institution judiciaire et le savoir médical ou scientifique en général, en ce point se trouvent être formulés des énoncés qui ont le statut de discours vrais, qui détiennent des effets judiciaires considérables, et qui ont pourtant la curieuse propriété d'être étrangers à toutes les règles, même les plus élémentaires, de formation d'un discours scientifique ; d'être étrangers aussi aux règles du droit et d'être, comme les textes que je vous ai lus tout à l'heure, au sens strict, grotesques.

Textes grotesques – et quand je dis « grotesque », je voudrais l'employer en un sens sinon absolument strict, du moins un petit peu serré ou sérieux. J'appellerai « grotesque » le fait, pour un discours ou pour un individu, de détenir par statut des effets de pouvoir dont leur qualité intrinsèque devrait les priver. Le grotesque, ou, si vous voulez, l'« ubuesque [20] », ce n'est pas simplement une catégorie d'injures, ce n'est pas une épithète injurieuse, et je ne voudrais pas l'employer dans ce sens. Je crois qu'il existe une catégorie précise ; on devrait, en tout cas, définir une catégorie précise de l'analyse historico-politique, qui serait la catégorie du grotesque ou de l'ubuesque. La terreur ubuesque, la souveraineté grotesque ou, en d'autres termes plus austères, la maximalisation des effets de pouvoir à partir de la disqualification de celui qui les produit : ceci, je crois, n'est pas un accident dans l'histoire du pouvoir, ce n'est pas un raté de la mécanique. Il me semble que c'est l'un des rouages qui font partie inhérente des mécanismes du pouvoir. Le pouvoir politique, du moins dans certaines sociétés et, en tout cas, dans la nôtre, peut se donner, s'est donné effectivement la possibilité de faire transmettre ses effets, bien plus, de trouver l'origine de ses effets, dans un coin qui est manifestement, explicitement, volontairement disqualifié par l'odieux, l'infâme ou le ridicule. Après tout, cette mécanique grotesque du pouvoir, ou ce rouage du grotesque dans la mécanique du pouvoir, est fort ancien dans les structures, dans le fonctionnement politique de nos sociétés. Vous en avez des exemples éclatants dans l'histoire romaine, essentiellement dans l'histoire de l'Empire romain, où ce fut précisément une manière, sinon exactement de gouverner, du moins de dominer, que cette disqualification quasi théâtrale du point d'origine, du point d'accrochage de tous les effets de pouvoir dans la personne de l'empereur ; cette disqualification qui fait que celui qui est le détenteur de la *majestas,* de ce plus de pouvoir par rapport à tout pouvoir quel qu'il soit, est en même temps, dans sa personne, dans son personnage, dans sa réalité physique, dans son costume, dans son geste, dans son corps, dans sa sexualité, dans sa manière d'être, un personnage infâme, grotesque, ridicule. De Néron à Héliogabale, le fonctionnement, le rouage du pouvoir grotesque, de la souveraineté infâme, a été perpétuellement mis en œuvre dans le fonctionnement de l'Empire romain [21].

Le grotesque, c'est l'un des procédés essentiels à la souveraineté arbitraire. Mais vous savez aussi que le grotesque, c'est un procédé inhérent à la bureaucratie appliquée. Que la machine administrative, avec ses effets de pouvoir incontournables, passe par le fonctionnaire médiocre, nul, imbécile, pelliculaire, ridicule, râpé, pauvre, impuissant, tout ça a été l'un des traits essentiels des grandes bureaucraties occidentales, depuis le XIXᵉ siècle. Le grotesque administratif n'a pas simplement été l'espèce de perception visionnaire de l'administration qu'ont pu avoir Balzac, Dostoïevski, Courteline ou Kafka. Le grotesque administratif, c'est en effet une possibilité que s'est réellement donnée la bureaucratie. « Ubu rond de cuir » appartient au fonctionnement de l'administration moderne, comme il appartenait au fonctionnement du pouvoir impérial à Rome d'être entre les mains d'un histrion fou. Et ce que je dis de l'Empire romain, ce que je dis de la bureaucratie moderne, on pourrait le dire de bien d'autres formes mécaniques de pouvoir, dans le nazisme ou dans le fascisme. Le grotesque de quelqu'un comme Mussolini était absolument inscrit dans la mécanique du pouvoir. Le pouvoir se donnait cette image d'être issu de quelqu'un qui était théâtralement déguisé, dessiné comme un clown, comme un pitre.

Il me semble qu'il y a là, depuis la souveraineté infâme jusqu'à l'autorité ridicule, tous les degrés de ce que l'on pourrait appeler l'indignité du pouvoir. Vous savez que les ethnologues – je pense en particulier aux très belles analyses que Clastres vient de publier[22] – ont bien repéré ce phénomène par lequel celui à qui l'on donne un pouvoir est en même temps, à travers un certain nombre de rites et de cérémonies, ridiculisé ou rendu abject, ou montré sous un jour défavorable. S'agit-il, dans les sociétés archaïques ou primitives, d'un rituel pour limiter les effets du pouvoir ? Peut-être. Mais je dirais que, si ce sont bien ces rituels que l'on retrouve dans nos sociétés, ils ont une tout autre fonction. En montrant explicitement le pouvoir comme abject, infâme, ubuesque ou simplement ridicule, il ne s'agit pas, je crois, d'en limiter les effets et de découronner magiquement celui auquel on donne la couronne. Il me semble qu'il s'agit, au contraire, de manifester de manière éclatante l'incontournabilité, l'inévitabilité du pouvoir, qui peut précisément fonctionner dans toute sa rigueur et à la pointe extrême de sa rationalité violente, même lorsqu'il est entre les mains de quelqu'un qui se trouve effectivement disqualifié. Ce problème de l'infamie de la souveraineté, ce problème du souverain disqualifié, après tout, c'est le problème de Shakespeare ; et toute la série des tragédies des rois pose précisément ce problème, sans que jamais, me semble-t-il, on ait fait de l'infamie du souverain la théorie[23]. Mais, encore une fois, dans notre société, depuis Néron (qui est peut-être la première grande figure initiatrice du souverain infâme) jusqu'au petit homme aux mains tremblantes qui, dans le fond de son bunker, couronné par quarante millions de morts, ne demandait plus que deux choses : que tout le reste soit détruit au-dessus de lui et qu'on lui apporte, jusqu'à en crever, des gâteaux au chocolat – vous avez là tout un énorme fonctionnement du souverain infâme[24].

Je n'ai ni la force, ni le courage, ni le temps de consacrer mon cours de cette année à cela. Mais je voudrais au moins reprendre ce problème du grotesque à propos des textes que je viens de vous lire. Je crois qu'il n'y a pas à considérer comme pure et simple injure le fait de reconnaître comme grotesque, et de poser le problème de l'existence du grotesque et de la fonction du grotesque dans ces textes. En sa pointe extrême, là où la justice se donne le droit de tuer, elle a instauré un discours qui est le discours d'Ubu, elle fait parler Ubu savant. Pour dire les choses d'une manière solennelle, disons ceci : l'Occident, qui – depuis, sans doute, la société, la cité grecque – n'a pas cessé de rêver de donner pouvoir au discours de vérité dans une cité juste, a finalement conféré un pouvoir incontrôlé, dans son appareil de justice, à la parodie, et à la parodie reconnue telle du discours scientifique. Laissons alors à d'autres le soin de poser la question des effets de vérité qui peuvent être produits, dans le discours, par le sujet supposé savoir[25]. Moi, j'essayerai plutôt d'étudier les effets de pouvoir qui sont produits, dans la réalité, par un discours qui est à la fois statutaire et disqualifié. Cette analyse, on pourrait évidemment la tenter dans différentes directions, essayer de repérer l'idéologie qui peut animer les discours dont je vous ai donné quelques exemples. On pourrait aussi essayer de partir de l'institution qui les supporte, ou des deux institutions qui les supportent, judiciaire et médicale, pour voir comment ils ont pu naître. Ce que j'essayerai de faire (ceux d'entre vous qui sont venus les années précédentes se doutent bien que c'est dans cette direction que je vais aller) c'est – plutôt que de tenter une analyse idéologique ou une analyse « institutionnaliste » – de repérer, d'analyser la technologie de pouvoir qui utilise ces discours et essaye de les faire fonctionner.

Pour cela, en première approche, je poserai la question : qu'est-ce qu'il se passe dans ce discours d'Ubu qui est au cœur de notre pratique judiciaire, de notre pratique pénale ? Théorie, donc, de l'Ubu psychiatrico-pénal. Pour l'essentiel, je crois que l'on peut dire que, à travers les discours dont je vous ai donné quelques exemples, ce qui se passe c'est une série, j'allais dire de substitutions, mais je crois que le mot n'est pas bon : il faudrait dire plutôt de doublages. Car il ne s'agit pas, à vrai dire, d'un jeu de remplacements, mais de l'introduction de doublets successifs. Il ne s'agit pas, autrement dit, pour ces discours psychiatriques en matière pénale, d'instaurer, comme disent les gens, une autre scène ; mais, au contraire, de dédoubler les éléments *sur* la même scène. Il ne s'agit donc pas de la césure qui marque l'accès au symbolique, mais de la synthèse coercitive qui assure la transmission du pouvoir et le déplacement indéfini de ses effets[26].

Premièrement, l'expertise psychiatrique permet de doubler le délit, tel qu'il est qualifié par la loi, de toute une série d'autres choses qui ne sont pas le délit lui-même, mais une série de comportements, de manières d'être qui, bien entendu, dans le discours de l'expert psychiatre, sont présentées comme la cause, l'origine, la motivation, le point de départ du délit. En effet, dans la réalité de la pratique judiciaire, elles vont constituer la substance, la matière même punissable. Vous savez qu'au titre de la loi pénale, toujours celle du Code Napoléon de 1810 – et c'était déjà un principe qui était reconnu dans ce que l'on appelle les codes intermédiaires de la Révolution[27] – enfin, depuis la fin du XVIIIe siècle, au titre de la loi pénale ne sont condamnables que les infractions qui ont été définies telles par la loi, et par une loi qui doit être antérieure à l'acte en question. Pas de rétroactivité de la loi pénale, sauf un certain nombre de cas exceptionnels. Or, que fait l'expertise par rapport à cette lettre même de la loi qui est : « Ne sont punissables que les infractions définies telles par la loi » ? Quel type d'objets fait-elle apparaître ? Quel type d'objets propose-t-elle au juge comme étant l'objet de son intervention judiciaire et la cible de la punition ? Si vous reprenez les mots – et je pourrais vous citer d'autres textes, j'ai pris une brève série d'expertises qui datent toutes des années 1955-1974 –, quels sont donc les objets que l'expertise psychiatrique fait apparaître, qu'elle épingle au délit et dont elle constitue la doublure ou le doublet ? Ce sont les notions que l'on retrouve perpétuellement dans toute cette série de textes : « immaturité psychologique », « personnalité peu structurée », « mauvaise appréciation du réel ». Tout ceci, ce sont des expressions que j'ai effectivement trouvées dans les expertises en question : « profond déséquilibre affectif », « sérieuses perturbations émotionnelles ». Ou encore : « compensation », « production imaginaire », « manifestation d'un orgueil perverti », « jeu pervers », « érostratisme », « alcibiadisme », « donjuanisme », « bovarysme », etc. Or, cet ensemble de notions, ou ces deux séries de notions, quelle fonction ont-elles ? D'abord, de répéter tautologiquement l'infraction pour l'inscrire et la constituer comme trait individuel. L'expertise permet de passer de l'acte à la conduite, du délit à la manière d'être, et de faire apparaître la manière d'être comme n'étant pas autre chose que le délit lui-même, mais à l'état, en quelque sorte, de généralité dans la conduite d'un individu. Deuxièmement, ces séries de notions ont pour fonction de déplacer le niveau de réalité de l'infraction, puisque ce que ces conduites enfreignent, ce n'est pas la loi, car aucune loi n'empêche d'être déséquilibré affectivement, aucune loi n'empêche d'avoir des perturbations émotionnelles, aucune loi même n'empêche d'avoir un orgueil perverti, et il n'y a pas de mesures légales contre l'érostratisme. En revanche, si ce n'est pas la loi que ces conduites enfreignent, c'est quoi ? Ce contre quoi elles apparaissent, ce par rapport à quoi elles apparaissent, c'est un niveau de développement optimum : « immaturité psychologique », « personnalité peu structurée », « profond déséquilibre ». C'est également un critère de réalité : « mauvaise appréciation du réel ». Ce sont des qualifications morales, c'est-à-dire la modestie, la fidélité. Ce sont encore des règles éthiques.

Bref, l'expertise psychiatrique permet de constituer un doublet psychologico-éthique du délit. C'est-à-dire de délégaliser l'infraction telle qu'elle est formulée par le code, pour faire apparaître derrière elle son double qui lui ressemble comme un frère, ou une sœur, je ne sais pas, et qui en fait non plus justement une infraction au sens légal du terme, mais une irrégularité par rapport à un certain nombre de règles qui peuvent être physiologiques, psychologiques ou morales, etc. Vous me direz que ce n'est pas si grave, et que si les psychiatres, quand on leur demande d'expertiser un délinquant, disent : « Après tout, s'il a commis un vol, c'est en somme parce qu'il est voleur ; ou, s'il a commis un assassinat, c'est en somme parce qu'il a une pulsion à tuer », ce n'est rien de plus que la moliéresque analyse du mutisme de la fille[28]. Seulement, en fait, c'est plus grave, et ce n'est pas grave simplement parce que ça peut entraîner mort d'homme, comme je vous le disais tout à l'heure. Ce qui est plus grave, c'est qu'en fait, ce qui est proposé à ce moment-là par le psychiatre, ce n'est pas l'explication du crime : c'est en réalité la chose elle-même qu'il faut punir, et sur laquelle doit mordre et avoir prise l'appareil judiciaire.

Souvenez-vous de ce qui se passait dans l'expertise d'Algarron. Les experts disaient : « Nous, en tant qu'experts, nous n'avons pas à dire s'il a commis le crime qu'on lui reproche. Mais [et c'est ainsi que commençait le paragraphe final que je vous lisais tout à l'heure ; M.F.] supposons qu'il l'ait commis. Je vais, moi, expert psychiatre, vous expliquer comment il l'aurait commis, s'il l'avait commis. » Toute l'analyse de cette affaire (j'ai prononcé plusieurs fois le nom, peu importe) est en réalité l'explication de la manière dont le crime aurait pu effectivement être commis. Les experts disent d'ailleurs crûment : « On raisonnera dans l'hypothèse où A. aurait exercé sur l'esprit de la fille L., d'une manière quelconque, une influence qui l'aurait conduite au meurtre de son enfant. » Et à la fin ils disent : « Sans prendre parti sur la réalité et le degré de culpabilité, nous pouvons comprendre comment son influence a pu être pernicieuse. » Et la conclusion finale, vous vous en souvenez : « Il faut donc le considérer comme responsable. » Or, entre temps, entre l'hypothèse selon laquelle il aurait eu effectivement une responsabilité quelconque et la conclusion finale, qu'est-ce qui est apparu ? Il est apparu un certain personnage qui a été offert, en quelque sorte, à l'appareil judiciaire, un homme incapable de s'assimiler au monde, aimant le désordre, commettant des actes extravagants ou extraordinaires, haïssant la morale, reniant ses lois et pouvant aller jusqu'au crime. Si bien que, en fin de compte, celui qui sera condamné, ce n'est pas le complice effectif du meurtre en question : c'est ce personnage incapable de s'assimiler, aimant le désordre, commettant des actes allant jusqu'au crime. Et quand je dis que c'est ce personnage qui a été effectivement condamné, je ne veux pas dire qu'à la place d'un coupable on aura, grâce à l'expert, condamné un suspect (ce qui est vrai, bien sûr), mais je veux dire plus. Ce qui est en un sens plus grave, c'est que finalement, même si le sujet en question est coupable, ce que le juge va pouvoir condamner en lui, à partir de l'expertise psychiatrique, ce n'est plus précisément le crime ou le délit. Ce que va juger le juge et ce qu'il va punir, le point sur lequel portera le châtiment, ce sont précisément ces conduites irrégulières, qui auront été proposées comme la cause, le point d'origine, le lieu de formation du crime, et qui n'en ont été que le doublet psychologique et moral.

L'expertise psychiatrique permet de transférer le point d'application du châtiment, de l'infraction définie par la loi, à la criminalité appréciée du point de vue psychologico-moral. Par le biais d'une assignation causale dont le caractère tautologique est évident, mais, à la fois, importe peu (à moins qu'on n'essaye, ce qui serait inintéressant, de faire l'analyse des structures rationnelles d'un pareil texte), on est passé de ce qu'on pourrait appeler la cible de la punition, le point d'application d'un mécanisme de pouvoir, qui est le châtiment légal, à un domaine d'objets qui relève d'une connaissance, d'une technique de transformation, de tout un ensemble de coercitions rationnel et concerté*. Que l'expertise psychiatrique constitue un apport de connaissance égal à zéro, c'est vrai, mais ce n'est pas important. L'essentiel de son rôle, c'est de légitimer, dans la forme de la connaissance scientifique, l'extension du pouvoir de punir à autre chose que l'infraction. L'essentiel, c'est qu'elle permet de replacer l'action punitive du pouvoir judiciaire dans un corpus général de techniques réfléchies de transformation des individus.

La deuxième fonction de l'expertise psychiatrique (la première étant donc de doubler le délit par la criminalité), c'est de doubler l'auteur du délit par ce personnage, nouveau au XVIIIᵉ siècle, qui est le délinquant. Dans l'expertise « classique », celle qui était définie aux termes de la loi de 1810, la question était au fond simplement celle-ci : on appellera l'expert uniquement pour savoir si l'individu inculpé était, au moment où il a commis l'action, en état de démence. Car s'il est en état de démence, du coup, il ne peut plus être considéré comme responsable de ce qu'il a fait. C'est le fameux article 63 [*rectius* : 64], où il n'y a ni crime ni délit, si l'individu est en état de démence au moment de l'acte[29]. Or, dans les expertises telles que vous les voyez fonctionner maintenant et telles que je vous en ai donné l'exemple, qu'est-ce qu'il se passe ? Est-ce qu'on recherche effectivement à déterminer si un état de démence permet de ne plus considérer l'auteur de l'acte comme un sujet juridiquement responsable de ses actes ? Pas du tout. C'est tout autre chose que fait l'expertise. Elle essaye, d'abord, d'établir les antécédents en quelque sorte infraliminaires de la pénalité.

Je vous cite l'exemple d'une expertise qui a été faite, vers les années 1960, par trois des grands bisons de la psychiatrie pénale, et qui s'est d'ailleurs soldée par mort d'homme, puisque l'objet de l'expertise a été condamné à mort et guillotiné. Et on lit ceci à propos de cet individu : « À côté du désir d'étonner, le goût de dominer, de commander, d'exercer sa puissance (qui est une autre manifestation de l'orgueil) apparut très tôt chez R., qui dès son enfance tyrannisait ses parents en faisant des scènes à la moindre contrariété et qui, au lycée déjà, essayait d'entraîner ses camarades à sécher des cours. Le goût des armes à feu et des voitures, la passion du jeu ont été également, chez lui, très précoces. Au lycée, il exhibait déjà des revolvers. Chez Gibert, on le trouve en train de jouer avec un pistolet. Plus tard, il collectionnait les armes, il en empruntait, il en trafiquait et jouissait de cette sensation rassurante de puissance et de supériorité que donne aux faibles le port

---

* Le manuscrit dit : « d'une coercition rationnelle et concertée ».

d'une arme à feu. De même les motocyclettes, puis les voitures rapides, dont il paraît avoir fait une grande consommation et qu'il conduisait toujours le plus vite possible, contribuaient à satisfaire, très imparfaitement d'ailleurs, son appétit de domination[30]. »

Il s'agit donc, dans une expertise comme celle-là, de retracer la série de ce qu'on pourrait appeler les fautes sans infraction, ou encore les défauts sans illégalité. Montrer, autrement dit, comment l'individu ressemblait déjà à son crime avant de l'avoir commis. Le simple usage répétitif, tout au long de ces analyses, de l'adverbe « déjà » est, en lui-même, une manière d'épingler ainsi, par une voie simplement analogique, toute cette série des illégalités infraliminaires, des incorrections non illégales, de les cumuler pour les faire ressembler au crime lui-même. Retracer la série des fautes, montrer comment l'individu ressemblait à son crime et, en même temps, à travers cette série, faire apparaître une série que l'on pourrait dire parapathologique, proche de la maladie, mais d'une maladie qui n'en est pas une, puisqu'elle est un défaut moral. Car finalement cette série est la preuve d'un comportement, d'une attitude, d'un caractère, qui sont moralement des défauts sans être ni pathologiquement des maladies, ni légalement des infractions. C'est la longue série de ces ambiguïtés infraliminaires dont les experts ont toujours essayé de reconstituer la dynastie.

Ceux d'entre vous qui ont regardé le dossier Rivière[31] voient déjà comment, en 1836, c'était bien la pratique des psychiatres, et, en même temps, des témoins dont on sollicitait la déposition, de reconstituer cette série absolument ambiguë de l'infrapathologique et du paralégal, ou du para-pathologique et de l'infralégal, qu'est l'espèce de reconstitution anticipatrice sur une scène réduite du crime lui-même. C'est à cela que sert l'expertise psychiatrique. Or, dans cette série des ambiguïtés infraliminaires, para-pathologiques, sous-légales, etc., on inscrit la présence du sujet sous la forme du désir. Tous ces détails, toutes ces minuties, toutes ces petites vilenies, toutes ces choses pas très régulières : l'expertise montre comment le sujet y est effectivement présent sous la forme du désir du crime. C'est ainsi que, dans cette expertise, que je vous lisais tout à l'heure, de quelqu'un qui a été finalement condamné à mort, l'expert dit ceci : « Il voulait connaître tous les plaisirs, jouir de tout et très vite, éprouver des émotions fortes. Voilà le but qu'il s'était fixé. Il n'a hésité, dit-il, que devant la drogue, dont il craignait l'asservissement, et devant l'homosexualité, non par principe, mais par inappétence. À ses desseins, à ses caprices, R. ne souffrait pas d'obstacles. Il ne pouvait admettre qu'on s'oppose à ses volontés. Vis-à-vis de ses parents, il usait du chantage affectif; vis-à-vis des étrangers et du milieu, il employait les menaces et les violences. » Autrement dit, cette analyse du perpétuel désir du crime permet de fixer ce qu'on pourrait appeler la position radicale d'illégalité dans la logique ou dans le mouvement du désir. Appartenance du désir du sujet à la transgression de la loi[*] : son désir est fondamentalement mauvais. Mais ce désir du crime – et c'est encore ce qu'on trouve régulièrement dans ces expériences [*rectius* : expertises] – est toujours corrélatif d'une faille, d'une rupture, d'une faiblesse, d'une incapacité du sujet. C'est pourquoi vous voyez apparaître régulièrement des notions comme l'« inintelligence », l'« insuccès », l'« infériorité », la « pauvreté », la « laideur », l'« immaturité », le « défaut de développement », l'« infantilisme », l'« archaïsme des conduites », l'« instabilité ». C'est que, en effet, cette série infra-pénale, para-pathologique, où se lisent à la fois l'illégalisme du désir et la déficience du sujet, est destinée non pas du tout à répondre à la question de la responsabilité ; elle est destinée, au contraire, à ne pas y répondre, à éviter au discours psychiatrique de poser la question qui est pourtant implicitement définie par l'article 64. C'est-à-dire que, à partir de cette mise en série du crime avec l'infra-pénalité et le para-pathologique, à partir de cette mise en rapport, on va établir autour de l'auteur de l'infraction une sorte de région d'indiscernabilité juridique. On va constituer, avec ses irrégularités, ses inintelligences, ses insuccès, ses désirs inlassables et infinis, une série d'éléments à propos desquels la question de la responsabilité ne peut plus être posée ou ne peut même pas se poser, puisque finalement, aux termes de ces descriptions, le sujet se trouve être responsable de tout et responsable de rien. C'est une personnalité juridiquement indiscernable, dont la justice est par conséquent, aux termes mêmes de ses lois et de ses textes, obligée de se dessaisir. Ce n'est plus un sujet juridique que les magistrats, les jurés ont devant eux, mais c'est un objet : l'objet d'une technologie et d'un savoir de réparation, de réadaptation, de réinsertion, de correction. En bref, l'expertise a pour fonction de doubler l'auteur, responsable ou non, du crime, d'un sujet délinquant qui sera l'objet d'une technologie spécifique.

Enfin, je crois que l'expertise psychiatrique a un troisième rôle : non seulement donc doubler le délit par la criminalité, après avoir doublé l'auteur de l'infraction du sujet délinquant. Elle a pour fonction de

---

[*] Le manuscrit dit : « L'appartenance fondamentale de la logique du désir à la transgression de la loi ».

constituer, d'appeler un autre dédoublement, ou plutôt un groupe d'autres dédoublements. C'est, d'une part, la constitution d'un médecin qui sera en même temps un médecin-juge. C'est-à-dire que – à partir du moment où le médecin ou le psychiatre a pour fonction de dire si effectivement l'on peut trouver, dans le sujet analysé, un certain nombre de conduites ou de traits qui rendent vraisemblables, en termes de criminalité, la formation et l'apparition de la conduite d'infraction proprement dite – l'expertise psychiatrique a souvent, sinon régulièrement, valeur de démonstration ou d'élément démontrant la criminalité possible, ou plutôt l'infraction éventuelle qu'on reproche à l'individu. Décrire son caractère de délinquant, décrire le fond des conduites criminelles ou paracriminelles qu'il a traînées avec lui depuis son enfance, c'est évidemment aider à le faire passer du rang d'inculpé au statut de condamné.

Je ne vous en citerai qu'un exemple, à propos d'une histoire toute récente et qui a fait grand bruit. Il s'agissait de savoir qui avait tué une jeune fille dont on avait retrouvé le cadavre dans un champ. Il y avait deux suspects : l'un, qui était un notable de la ville, et l'autre, qui était un adolescent de dix-huit ou vingt ans. Voici comment l'expert psychiatre décrit l'état mental du notable en question (ils étaient deux, d'ailleurs, ces experts psychiatres pour expertiser le notable). Je donne le résumé – je n'ai pas eu l'expertise elle-même – tel qu'il figure dans les réquisitions du parquet devant la Chambre d'accusation : « Les psychiatres ne découvrirent aucun trouble de mémoire. Ils reçurent les confidences sur les symptômes que le sujet avait eus en 1970 ; c'étaient des ennuis professionnels et financiers. Il leur déclara avoir été bachelier à seize ans, licencié à vingt ans ; avoir obtenu deux diplômes d'études supérieures et avoir effectué vingt-sept mois de service militaire en Afrique du Nord, en qualité de sous-lieutenant. Ensuite, il avait repris l'entreprise de son père et il avait beaucoup travaillé, ses distractions n'étant que le tennis, la chasse et le bateau à voile. »

Maintenant nous passons à la description, par deux autres experts, du jeune homme qui était lui aussi inculpé dans cette affaire. Et les psychiatres aperçoivent : « peu de nuances de caractère », « immaturité psychologique », « personnalité peu structurée » (vous voyez, ce sont exactement toujours les mêmes catégories), « jugement sans rigueur », « mauvaise appréciation du réel », « profond déséquilibre affectif », « très sérieuses perturbations émotionnelles ». Par ailleurs : « Après avoir évoqué sa passion pour la lecture des bandes dessinées et des livres de *Satanik,* les experts ont pris en considération l'arrivée des pulsions sexuelles normales pour un garçon de cette stature physique [il a dix-huit ou vingt ans ; M.F.]. Ils se sont arrêtés à l'hypothèse qu'une fois mis en face <...> des aveux de la passion que lui révélait la fille en question, il ait pu brutalement ressentir une répulsion, les estimant de caractère satanique. D'où explication d'un geste engendré par cette répulsion profonde qu'il aurait alors éprouvée. »

Ces deux rapports ont été remis à la Chambre des mises en accusation pour savoir lequel des deux était coupable dans l'affaire en question. Et qu'on ne me dise pas maintenant que ce sont les juges qui jugent, et que les psychiatres ne font qu'analyser la mentalité, la personnalité psychotique ou non des sujets en question. Le psychiatre devient effectivement un juge ; il fait effectivement un acte d'instruction, et non pas au niveau de la responsabilité juridique des individus, mais de leur culpabilité réelle. Et inversement le juge, lui, va se dédoubler en face du médecin. Car à partir du moment où effectivement il va faire porter son jugement, c'est-à-dire sa décision de punition, non pas tellement sur le sujet juridique d'une infraction définie comme telle par la loi, mais sur cet individu qui est porteur de tous ces traits de caractère ainsi définis, à partir du moment où il va avoir affaire à ce doublet éthico-moral du sujet juridique, le juge, en punissant, ne punira pas l'infraction. Il pourra se donner le luxe, l'élégance ou l'excuse, comme vous voudrez, d'imposer à un individu une série de mesures correctives, de mesures de réadaptation, de mesures de réinsertion. Le vilain métier de punir se trouve ainsi retourné dans le beau métier de guérir. C'est à ce retournement que sert, entre autres, l'expertise psychiatrique.

Je voudrais, avant de terminer, tout de même souligner deux choses. C'est que peut-être vous allez me dire : Tout ceci est bien gentil, mais vous décrivez avec une certaine agressivité une pratique médico-légale qui est, après tout, de date relativement récente. La psychiatrie n'en est sans doute qu'à ses balbutiements, et péniblement, lentement, nous sommes en train de sortir de ces pratiques confuses, dont on peut encore trouver quelques traces dans les textes grotesques que vous avez méchamment choisis. Or, je vous dirai que c'est tout le contraire, et qu'en fait l'expertise psychiatrique en matière pénale, si on la reprend en ses origines historiques, c'est-à-dire – disons pour simplifier – dès les premières années d'application du Code pénal (les années 1810-1830), était un acte médical, dans ses formulations, dans ses règles de constitution, dans ses principes généraux de formation, absolument isomorphe au savoir médical de l'époque. En revanche, maintenant (et il faut tout de même rendre cet hommage aux médecins et, en tout cas, à certains psychiatres), je ne connais aucun médecin, je connais peu de psychiatres, qui oseraient signer des textes comme ceux que je viens de lire. Or, s'ils refusent de les signer en tant que médecins ou même en tant que psychiatres de pratique courante, et si ce sont finalement ces mêmes médecins et psychiatres qui acceptent de les faire, de les écrire, de les signer dans la pratique judiciaire – il s'agit après tout de la liberté ou de la vie d'un homme –, vous comprenez qu'il y a là un problème. Cette espèce de décrochage, ou encore d'involution au niveau de la normativité scientifique et rationnelle des discours, pose effectivement un problème. Il y a eu – à partir d'une situation qui, au début du XIXᵉ siècle, plaçait les expertises médico-légales sur le même plan que tout le savoir médical de l'époque – un mouvement de décrochage, un mouvement par lequel la psychiatrie pénale s'est déprise de cette normativité et a accepté, accueilli, s'est trouvée soumise à de nouvelles règles de formation.

Qu'il y ait eu une évolution dans ce sens-là, il ne suffirait pas de dire sans doute que les psychiatres ou les experts en sont purement et simplement les responsables [32]. En fait, la loi elle-même ou les décrets d'application de la loi montrent bien dans quel sens on va et par quels chemins on est passé pour en arriver là ; puisqu'en gros les expertises médico-légales sont régies, premièrement, par la vieille formule du Code pénal, article 64 : Il n'y a ni crime ni délit, si l'individu était en état de démence au moment de son acte. Cette règle a pratiquement commandé et informé l'expertise pénale pendant tout le XIXᵉ siècle. Au début du XXᵉ siècle, vous voyez une circulaire, qui est la circulaire Chaumié, datant de 1903 [*rectius* : 1905], dans laquelle se trouve déjà faussé, infléchi considérablement le rôle qui avait été confié au psychiatre ; puisque, dans cette circulaire, il est dit que le rôle du psychiatre n'est évidemment pas – parce que c'est trop difficile, parce qu'on ne peut pas [le faire] – de définir la responsabilité juridique d'un sujet criminel, mais de constater s'il existe, chez lui, des anomalies mentales qui puissent être mises en rapport avec l'infraction en question. Vous voyez que nous entrons déjà dans un tout autre domaine, qui n'est plus celui du sujet juridique responsable de son acte et médicalement qualifié comme tel. Nous entrons dans un domaine qui est celui de l'anomalie mentale, dans un rapport non défini avec l'infraction. Et finalement une autre circulaire, qui date de l'après-guerre, des années cinquante (je ne me souviens plus très bien de la date ; c'est 1958, mais je n'ose pas vous l'affirmer, excusez-moi si je me trompe), par laquelle on demande aux psychiatres de répondre, s'ils le peuvent, bien sûr, toujours à la fameuse question de l'article 64 : Était-il en état de démence ? Mais on leur demande surtout de dire – première question – si l'individu est dangereux. Deuxième question : s'il est accessible à une sanction pénale. Troisième question : s'il est curable ou réadaptable. Vous voyez donc qu'au niveau de la loi, et pas simplement au niveau mental du savoir des psychiatres, au niveau même de la loi, on repère une évolution qui est parfaitement claire. On est passé du problème juridique de l'assignation de responsabilité à un tout autre problème. L'individu est-il dangereux ? Est-il accessible à la sanction pénale ? Est-il curable et réadaptable ? C'est-à-dire que ce sur quoi désormais devra porter la sanction pénale, ce n'est pas un sujet de droit reconnu responsable, c'est un élément corrélatif d'une technique qui consiste à mettre à part les individus dangereux, à prendre en charge ceux qui sont accessibles à une sanction pénale, pour les curer ou les réadapter. Autrement dit, c'est une technique de normalisation qui désormais aura à prendre en charge l'individu délinquant. C'est cette substitution de l'individu juridiquement responsable à l'élément corrélatif d'une technique de normalisation, c'est cette transformation que l'expertise psychiatrique, parmi bien d'autres procédés, est arrivée à constituer[33].

C'est cela, cette apparition, cette émergence des techniques de normalisation, avec les pouvoirs qui y sont liés, que je voudrais essayer d'étudier en posant comme principe, comme hypothèse de départ (mais j'y reviendrai un peu plus longuement la prochaine fois) que ces techniques de normalisation, et les pouvoirs de normalisation qui y sont liés, ne sont pas simplement l'effet de la rencontre, de la composition, du branchement l'un sur l'autre du savoir médical et du pouvoir judiciaire, mais qu'en fait, à travers toute la société moderne, c'est un certain type de pouvoir – ni médical ni judiciaire, mais autre – qui est arrivé à coloniser et à refouler et le savoir médical et le pouvoir judiciaire ; un type de pouvoir qui finalement débouche sur la scène théâtrale du tribunal, en prenant appui, bien sûr, sur l'institution judiciaire et sur l'institution médicale, mais qui, en lui-même, a son autonomie et ses règles. Cette émergence du pouvoir de normalisation, la manière dont il s'est formé, la manière dont il s'est installé, sans qu'il prenne jamais appui sur une seule institution, mais par le jeu qu'il est arrivé à établir entre différentes institutions, a étendu sa souveraineté dans notre société – c'est cela que je voudrais étudier[*]. Alors, on commencera la prochaine fois.

* Le manuscrit dit : « de cela faire l'archéologie ».

*

NOTES

1. Cf. *L'Affaire Denise Labbé – [Jacques] Algarron,* Paris, 1956 (Bibliothèque nationale de France, *Factums,* 16 Fm 1449). Depuis 1971, Michel Foucault consacrait son séminaire à l'étude de l'expertise psychiatrique ; cf. M. Foucault, « Entretien sur la prison : le livre et sa méthode » (1975), in *Dits et Écrits, 1954-1988,* édition établie sous la direction de D. Defert & F. Ewald, avec la collaboration de J. Lagrange, Paris, 1994, 4 vol. ; I : *1954-1969,* II : *1970-1975,* III : *1976-1979,* IV : *1980-1988* ; cf. II, p. 746.

2. Le mot « existentialisme » est utilisé ici dans sa signification la plus banale : « Nom donné, surtout au lendemain de la Seconde Guerre mondiale, à des jeunes gens qui affectaient une mise négligée et un dégoût de la vie active et qui fréquentaient certains cafés parisiens du quartier de Saint-Germain-des-Prés » (*Grand Larousse de la langue française,* III, Paris, 1973, p. 1820).

3. D'après *Le Grand Robert de la langue française. Dictionnaire alphabétique et analogique,* I, Paris, 1985², p. 237, le nom d'Alcibiade a été souvent utilisé comme synonyme d'une « personne dont le caractère réunit de grandes qualités et de nombreux défauts (prétention, arrivisme) ». Les dictionnaires relatifs aux sciences psychiatriques n'enregistrent pas le mot.

4. Cf. A. Porot, *Manuel alphabétique de psychiatrie clinique, thérapeutique et médico-légale,* Paris, 1952, p. 149 : « Par référence à l'exemple de l'incendie du temple de Diane à Éphèse par Érostrate ; [P.] Valette [*De l'érostratisme ou vanité criminelle,* Lyon, 1903] a créé le terme d'érostratisme pour désigner l'association de la malignité avec l'amoralité et la vanité chez les débiles et caractériser le genre d'attentats résultant de ces dispositions mentales » (définition de C. Bardenat).

5. Cf. A. Porot, *op. cit.,* p. 54 : « Expression tirée du célèbre roman de Flaubert, *Madame Bovary,* [qui] a suggéré à certains philosophes d'en faire une entité psychologique », alors que Jules de Gaultier a défini le bovarysme comme « le pouvoir départi à l'homme de se concevoir autre qu'il n'est ».

6. Michel Foucault laisse échapper ici, sans le vouloir, le nom de la personne soumise à l'expertise.

7. D'après *Le Grand Robert,* III, 1985², p. 627, le « donjuanisme » en psychiatrie signifie, chez un homme, « la recherche pathologique de nouvelles conquêtes », mais les dictionnaires relatifs aux sciences psychiatriques n'enregistrent pas le mot.

8. Allusion à l'acte III, scène 2, de *Dom Juan ou le Festin de pierre* de Molière (in *Œuvres,* publiées par E. Despois & P. Mesnard, V, Paris, 1880, p. 114-120).

9. Il s'agit d'extraits des conclusions des examens médico-psychologiques de trois homosexuels détenus à Fleury-Mérogis en 1973 pour chefs de vol et de chantage. Cf. « Expertise psychiatrique et justice », *Actes. Les cahiers d'action juridique,* 5/6, décembre 1974-janvier 1975, p. 38-39.

10. Michel Foucault souligne ici l'assonance entre « maïotique » (terme inexistant) et « maïeutique », c'est-à-dire méthode socratique ou, d'une manière plus générale, heuristique, qui a pour objet la découverte de la vérité.

11. Allusion aux fréquents rires qui ont accompagné la lecture des expertises psychiatriques.

12. Voir le cours au Collège de France, année 1971-1972 : *Théories et Institutions pénales* ; résumé in *Dits et Écrits*, II, p. 389-393.

13. Cf. D. Jousse, *Traité de la justice criminelle en France*, I, Paris, 1771, p. 654-837 ; F. Hélie, *Histoire et Théorie de la procédure criminelle*, IV, Paris, 1866, p. 334-341 n. 1766-1769.

14. Foucault se réfère à la situation provoquée par les *Ordonnances* de Louis XIV. L'*Ordonnance* sur la procédure criminelle, en 28 articles, de 1670, est un code d'instruction criminelle, puisqu'elle est promulguée en l'absence de code pénal. Cf. F. Serpillon, *Code criminel ou Commentaire sur l'ordonnance de 1670*, Lyon, 1767 ; F. Hélie, *Traité de l'instruction criminelle ou Théorie du code d'instruction criminelle*, Paris, 1866.

15. Cf. C. Beccaria, *Dei delitti e delle pene*, Livorno, 1764 (trad. fr. : *Traité des délits et des peines*, Lausanne, 1766) ; Voltaire, *Commentaire sur le Traité des délits et des peines*, Paris, 1766 ; J.-M.-A. Servan, *Discours sur l'administration de la justice criminelle*, Genève, 1767 ; [C.-M.-J.-B. Mercier Dupaty], *Lettres sur la procédure criminelle de la France, dans lesquelles on montre sa conformité avec celle de l'Inquisition et les abus qui en résultent*, [s.l.], 1788.

16. Cf. A. Rached, *De l'intime conviction du juge. Vers une théorie scientifique de la preuve en matière criminelle*, Paris, 1942.

17. Cf. F. Hélie, *Traité de l'instruction criminelle...*, op. cit., IV, p. 340 (principe formulé le 29 septembre 1791, et institutionnalisé le 3 brumaire an IV [1795]).

18. Pierre Goldman comparut devant le tribunal de Paris, le 11 décembre 1974, sous l'inculpation d'assassinat et de vol. Il fut condamné à perpétuité. Le soutien d'un comité d'intellectuels, qui avaient dénoncé plusieurs irrégularités dans l'instruction et des vices de procédure, entraîna la révision du procès. Dans le jugement en appel, Goldman fut condamné à douze ans de prison pour les trois agressions reconnues. Cf., dans *Souvenirs obscurs d'un juif polonais né en France*, Paris, 1975, un extrait de l'acte d'accusation. Pierre Goldman fut assassiné le 20 septembre 1979.

19. Cf. M. Foucault, « La vérité et les formes juridiques » (1974), in *Dits et Écrits*, II, p. 538-623.

20. L'adjectif « ubuesque » a été introduit en 1922, à partir de la pièce de A. Jarry, *Ubu roi*, Paris, 1896. Voir *Grand Larousse*, VII, 1978, p. 6319 : « Se dit de ce qui, par son caractère grotesque, absurde ou caricatural, rappelle le personnage d'Ubu » ; *Le Grand Robert*, IX, 1985², p. 573 : « Qui ressemble au personnage d'Ubu roi (par un caractère comiquement cruel, cynique et couard, avec outrance). »

21. Allusion à l'essor d'une littérature inspirée par l'opposition de l'aristocratie sénatoriale au renforcement du pouvoir impérial. Illustrée notamment par le *De vita Caesarum* (Vies des douze Césars) de Suétone, elle met en scène l'opposition entre les empereurs vertueux *(principes)* et les empereurs vicieux *(monstra)*, représentés par les figures de Néron, Caligula, Vitellius et Héliogabale.

22. Cf. P. Clastres, *La Société contre l'État. Recherches d'anthropologie politique*, Paris, 1974.

23. Sur les tragédies de Shakespeare qui posent le problème du passage de l'illégitimité au droit, cf. M. Foucault, *« Il faut défendre la société ». Cours au Collège de France (1975-1976)*, Paris, 1997, p. 155-156.

24. Voir J. Fest, *Hitler*, II : *Le Führer, 1933-1945*, trad. fr. Paris, 1973, p. 387-453 (éd. orig. : Frankfurt am Main-Berlin-Wien, 1973).

25. Allusion à « Du sujet supposé savoir », in J. Lacan, *Le Séminaire*, livre XI : *Les Quatre Concepts fondamentaux de la psychanalyse*, Paris, 1973, chap. XVIII.

26. Certaines des idées ici développées sont aussi énoncées au cours d'une « Table ronde sur l'expertise psychiatrique » (1974), in *Dits et Écrits*, II, p. 664-675.

27. Sur la production des codes intermédiaires de la Révolution (en l'occurrence le *Code pénal* voté par la Constituante en 1791, mais aussi le *Code d'instruction criminelle* promulgué en 1808), voir G. Lepointe, *Petit Précis des sources de l'histoire du droit français*, Paris, 1937, p. 227-240.

28. Molière, *Le Médecin malgré lui*, acte II, scène 4 : « Une certaine malignité, qui est causée [...] par l'âcreté des humeurs engendrées dans la concavité du diaphragme, il arrive que ces vapeurs [...] *ossabardus, nequeys, nequer, potarinum, quipsa milus*, voilà justement ce qui fait que votre fille est muette » (in *Œuvres, op. cit.*, VI, 1881, p. 87-88).

29. L'article 64 du Code pénal dit : « Il n'y a ni crime ni délit, lorsque le prévenu était en état de démence au temps de l'action, ou lorsqu'il a été contraint par une force à laquelle il n'a pu résister. » Cf. E. Garçon, *Code pénal annoté*, I, Paris, 1952, p. 207-226 ; R. Merle & A. Vitu, *Traité de droit criminel*, I, Paris, 1984[6], p. 759-766 (1re éd. 1967).

30. Il s'agit du cas de Georges Rapin. Cf. *infra*, leçon du 5 février.

31. *Moi, Pierre Rivière, ayant égorgé ma mère, ma sœur et mon frère... Un cas de parricide au XIXe siècle*, présenté par M. Foucault, Paris, 1973. Le dossier, retrouvé par J.-P. Peter dans son intégralité, fut examiné au séminaire du lundi de l'année universitaire 1971-1972, où se poursuivait « l'étude des pratiques et des concepts médico-légaux ». Voir le compte rendu joint au résumé du cours, déjà cité : *Théories et Institutions pénales*, in *Dits et Écrits*, II, p. 392.

32. M. Foucault reprendra ce thème in « L'évolution de la notion d'"individu dangereux" dans la psychiatrie légale du XIXe siècle » (1978), in *Dits et Écrits*, III, p. 443-464.

33. La circulaire du garde des sceaux Joseph Chaumié a été promulguée le 12 décembre 1905. Le nouveau Code de procédure pénale est entré en vigueur en 1958 (la référence est à l'article 345 du Code d'instruction générale d'application). Le schéma utilisé par Foucault peut être retrouvé in A. Porot, *Manuel alphabétique de psychiatrie...*, *op. cit.*, p. 161-163.

COURS DU 15 JANVIER 1975

Folie et crime. – Perversité et puérilité. – L'individu dangereux. – L'expert psychiatre ne peut être que le personnage d'Ubu. – Le niveau épistémologique de la psychiatrie et sa régression dans l'expertise médico-légale. – Fin de la conflictualité entre pouvoir médical et pouvoir judiciaire. – Expertise et anormaux. – Critique de la notion de répression. – Exclusion du lépreux et inclusion du pestiféré. – Invention des technologies positives du pouvoir. – Le normal et le pathologique.

La semaine dernière, à la sortie du cours, quelqu'un m'a demandé si finalement je ne m'étais pas trompé et si je n'avais pas fait mon cours sur les expertises médico-légales, au lieu de faire le cours promis sur les anormaux. Ce n'est pas tout à fait la même chose, mais vous allez voir que, à partir du problème de l'expertise médico-légale, je vais en venir au problème des anormaux.

En effet, ce que j'avais essayé de vous montrer, c'est qu'aux termes du Code pénal de 1810, aux termes mêmes de ce fameux article 64, où il n'y a ni crime ni délit, si l'individu est en état de démence au moment du crime, l'expertise doit permettre, devrait en tout cas permettre, de faire le partage : un partage dichotomique entre maladie ou responsabilité, entre causalité pathologique ou liberté du sujet juridique, entre thérapeutique ou punition, entre médecine et pénalité, entre hôpital et prison. Il faut choisir, car la folie efface le crime, la folie ne peut pas être le lieu du crime et, inversement, le crime ne peut pas être, en lui-même, un acte qui s'enracine dans la folie. Principe de la porte tournante : quand le pathologique entre en scène, la criminalité, aux termes de la loi, doit disparaître. L'institution médicale, en cas de folie, doit prendre la relève de l'institution judiciaire. La justice ne peut pas saisir le fou, ou plutôt la folie [*rectius* : justice] doit se dessaisir du fou, dès qu'elle le reconnaît fou : principe de la relaxe, au sens juridique du terme.

Or, à ce partage et à ce principe du partage, clairement posés dans les textes, l'expertise contemporaine a substitué en fait d'autres mécanismes que l'on voit se tramer, petit à petit, tout au long du XIXᵉ siècle ; que vous voyez – par une sorte, j'allais dire, de complicité générale – s'esquisser relativement tôt : lorsque, par exemple, dès les années 1815-1820, vous voyez des jurys d'assises déclarer que quelqu'un est coupable et puis, en même temps, demander que, malgré sa culpabilité affirmée par la sentence, il soit mis dans un hôpital psychiatrique parce que malade. Donc, les jurys commencent à nouer la parenté, l'appartenance, le cousinage de la folie et du crime ; mais les juges eux-mêmes, les magistrats, acceptent jusqu'à un certain point cette sorte de jumelage, puisqu'on les voit parfois dire qu'un individu peut très bien être mis dans un hôpital psychiatrique, malgré le crime qu'il a commis, parce que, finalement, il n'a pas plus de chances de sortir d'un hôpital psychiatrique que d'une prison. Lorsque les circonstances atténuantes seront décidées en 1832, ceci permettra justement d'obtenir des condamnations qui seront modulées non pas du tout selon la circonstance même du crime, mais selon la qualification, l'appréciation, le diagnostic porté sur le criminel lui-même. Petit à petit se trame donc cette espèce de continuum médico-judiciaire, dont on voit les effets et dont on voit l'institutionnalisation maîtresse dans l'expertise médico-légale.

En gros, on peut dire ceci : à l'exclusion réciproque du discours médical et du discours judiciaire, l'expertise contemporaine a substitué un jeu qu'on pourrait appeler le jeu de la double qualification médicale et judiciaire. Cette pratique, cette technique de la double qualification organise ce qu'on pourrait appeler le domaine de la « perversité », cette très curieuse notion qui commence à apparaître dans la seconde moitié du XIXᵉ siècle et qui va dominer tout ce champ de la double détermination, et autoriser l'apparition, dans le discours d'experts pourtant savants, de toute une série de termes ou d'éléments qui sont manifestement désuets, dérisoires ou puérils. Quand vous parcourez ces expertises médico-légales, comme celles que je vous lisais la dernière fois, ce qui vous saute aux yeux, ce sont des termes comme ceux de « paresse », d'« orgueil », d'« entêtement », de « méchanceté » ; ce sont des éléments biographiques qui vous sont racontés et qui ne sont aucunement des principes d'explication de l'acte, mais des sortes de réductions annonciatrices, de petites scènes enfantines, de petites scènes puériles, qui sont déjà comme l'analogon du crime. Une sorte de réduction pour enfants de la criminalité, qualifiée par les termes mêmes qui sont ceux des parents ou de la moralité des livres d'enfants. En fait, cette puérilité même des termes, des notions et de l'analyse, qui est au cœur de l'expertise médico-légale contemporaine, a une fonction très précise : c'est elle qui va servir d'échangeur entre les catégories juridiques, qui sont définies par le code lui-même et qui veulent qu'on ne puisse punir que s'il y a véritablement intention de nuire ou dol, et puis des notions médicales, comme celles d'« immaturité », de « faiblesse du Moi », de « non-développement du Surmoi », de « structure caractérielle », etc. Vous voyez bien que des notions comme toutes celles, en gros, de la perversité permettent de couturer, l'une sur l'autre, la série des catégories juridiques définissant le dol, l'intention de nuire, et puis les catégories plus ou moins constituées à l'intérieur d'un discours médical ou, en tout cas, psychiatrique, psycho-pathologique, psychologique. Tout ce champ des notions de la perversité, monnayées dans leur vocabulaire puéril, permet de faire fonctionner les notions médicales dans le champ du pouvoir judiciaire et, inversement, les notions juridiques dans le champ de compétence de la médecine. C'est donc comme échangeur qu'il fonctionne fort, et il fonctionne d'autant plus fort qu'il est épistémologiquement plus faible.

Autre opération assurée par l'expertise : c'est de substituer à l'alternative institutionnelle « ou prison, ou hôpital », « ou bien expiation, ou bien guérison », le principe d'une homogénéité de la réaction sociale. Elle permet de mettre en place ou, en tout cas, de justifier l'existence d'une sorte de continuum protecteur à travers tout le corps social, qui ira de l'instance médicale de guérison jusqu'à l'institution pénale proprement dite, c'est-à-dire la prison, à la limite l'échafaud. Après tout, au fond de tous ces discours de la pénalité moderne, de celle donc qui commence à se tramer dès le XIXe siècle, vous savez bien que court la phrase indéfiniment répétée : « Tu finiras sur l'échafaud. » Mais si la phrase « tu finiras sur l'échafaud » est possible (au point que nous l'avons tous plus ou moins entendue, dès la première fois où on n'a pas eu une bonne note en classe), si cette phrase est effectivement possible, si elle a un socle historique, c'est dans la mesure où le continuum, qui va de la première prise corrective sur l'individu jusqu'à la dernière grande sanction juridique qui est la mort, a été effectivement constitué par une immense pratique, une immense institutionnalisation du répressif et du punitif, qui est alimentée discursivement par la psychiatrie pénale et, en particulier, par la pratique majeure de l'expertise. En somme, à la criminalité pathologique la société va répondre sur deux modes, ou plutôt elle va proposer une réponse homogène avec deux pôles : l'un expiatoire, l'autre thérapeutique. Mais ces deux pôles sont les deux pôles d'un réseau continu d'institutions, qui ont pour fonction, au fond, de répondre à quoi ? Pas tout à fait à la maladie, bien sûr, car si ce n'était que de la maladie, on aurait des institutions proprement thérapeutiques ; mais pas non plus exactement au crime, car il suffirait à ce moment-là des institutions punitives. En fait, tout ce continuum, qui a son pôle thérapeutique et son pôle judiciaire, toute cette mixité institutionnelle, répond à quoi ? Eh bien, au danger.

C'est à l'individu dangereux, c'est-à-dire ni exactement malade ni à proprement parler criminel, que s'adresse cet ensemble institutionnel. Dans l'expertise psychiatrique (et finalement la circulaire de 1958, je crois, le dit bien explicitement), ce que l'expert a à diagnostiquer, l'individu avec lequel il a à se battre dans son interrogatoire, dans son analyse et dans son diagnostic, c'est l'individu éventuellement dangereux. Si bien que nous avons finalement deux notions qui se font face et dont vous voyez tout de suite combien elles sont proches et voisines : la notion de « perversion », d'une part, qui permet de couturer l'une sur l'autre la série des concepts médicaux et la série des concepts juridiques ; et puis, d'autre part, la notion de « danger », d'« individu dangereux », qui permet de justifier et de fonder en théorie l'existence d'une chaîne ininterrompue d'institutions médico-judiciaires. Danger et perversion : c'est ceci qui constitue, je crois, l'espèce de noyau essentiel, le noyau théorique de l'expertise médico-légale.

Mais si c'est bien là le noyau théorique de l'expertise médico-légale, on peut, je crois, à partir de là, comprendre un certain nombre de choses. La première, c'est bien entendu ce caractère proprement grotesque et ubuesque que j'avais essayé de souligner la dernière fois par un certain nombre d'expertises que je vous avais lues, et dont je vous répète qu'elles émanent toutes des plus grands noms de la psychiatrie légale. Puisque maintenant je ne vous cite pas ces expertises, je peux vous donner le nom des auteurs (vous ne pourrez pas rapporter le nom des auteurs à celui des expertises). Il s'agit de Cénac, de Gouriou, d'Heuyer, de Jénil-Perrin [1]. Ce caractère proprement grotesque, proprement ubuesque du discours pénal, peut s'expliquer précisément, dans son existence et dans son maintien, à partir de ce noyau théorique constitué par le couple perversion-danger. En effet, vous voyez que la jonction du médical et du judiciaire, qui est assurée par l'expertise médico-légale, cette fonction du médical et du judiciaire n'est effectuée que grâce à la réactivation de ces catégories, que j'appellerai les catégories élémentaires de la moralité, qui viennent se distribuer autour de la notion de perversité et qui sont, par exemple, les catégories d'« orgueil », d'« entêtement », de « méchanceté », etc. C'est-à-dire que la jonction du médical et du judiciaire implique et ne peut être effectuée que par la réactivation d'un discours essentiellement parento-puéril, parento-enfantin, qui est le discours du parent à l'enfant, qui est le discours de la moralisation même de l'enfant. Discours enfantin, ou plutôt discours essentiellement adressé aux enfants, discours nécessairement en forme de b.a.-ba. Et, d'un autre côté, c'est le discours qui non seulement s'organise autour du champ de la perversité, mais autour également du problème du danger social : c'est-à-dire que ce sera aussi le discours de la peur, un discours qui aura pour fonction de détecter le danger et de s'opposer à lui. C'est donc un discours de la peur et un discours de la moralisation, c'est un discours enfantin, c'est un discours dont l'organisation épistémologique, tout entière commandée par la peur et la moralisation, ne peut être que dérisoire, même par rapport à la folie.

Or, ce caractère ubuesque n'est pas simplement lié à la personne de ceux qui le prononcent, ni même à un caractère inélaboré de l'expertise ou du savoir lié à l'expertise. Ce caractère ubuesque est, au contraire, lié de façon très positive au rôle d'échangeur qu'exerce l'expertise pénale. Il est directement lié aux fonctions de cette expertise. Pour en revenir une dernière fois à Ubu (on le quittera là), si l'on admet – comme j'ai essayé de vous le montrer la dernière fois – qu'Ubu est l'exercice du pouvoir à travers la disqualification explicite de celui qui l'exerce, si le grotesque politique est l'annulation du détenteur du pouvoir par le rituel lui-même qui manifeste ce pouvoir et ce détenteur, vous comprenez que l'expert psychiatre ne peut en effet être que le personnage même d'Ubu. Il ne peut exercer le terrible pouvoir qu'on lui demande d'assurer – et qui est finalement de déterminer la punition d'un individu ou d'y participer pour une large part – que par un discours enfantin, qui le disqualifie comme savant au moment même où c'est à titre de savant qu'il a été appelé, et par un discours de la peur, qui le ridiculise au moment même où il parle dans un tribunal, à propos de quelqu'un qui est dans le box des accusés et qui est, par conséquent, dépouillé de tout pouvoir. Il parle le langage de l'enfant, il parle le langage de la peur, lui qui est le savant, lui qui est à l'abri, protégé, sacralisé même par toute l'institution judiciaire et son glaive. Ce langage balbutiant, qui est celui de l'expertise, fonctionne précisément comme ce qui va transmettre, de l'institution judiciaire à l'institution médicale, les effets de pouvoir qui sont propres à l'un et à l'autre, à travers la disqualification de celui qui fait le joint. Autrement dit : c'est la Comtesse de Ségur à l'abri d'une part d'Esquirol, et de l'autre de Fouquier-Tinville [2]. En tout cas, vous comprenez pourquoi, depuis Pierre Rivière jusqu'à Rapin[3] ou les gens dont je vous citais les expertises l'autre jour, de Pierre Rivière à ces criminels d'aujourd'hui, c'est toujours le même type de discours que l'on tient. Qu'est-ce que l'on fait apparaître à travers ces expertises ? La maladie ? Pas du tout. La responsabilité ? Pas du tout. La liberté ? Pas du tout. Mais toujours les mêmes images, toujours les mêmes gestes, toujours les mêmes attitudes, les mêmes scènes puériles : « Il jouait avec des armes en bois » ; « Il coupait la tête des choux » ; « Il faisait de la peine à ses parents » ; « Il manquait à l'école » ; « Il ne savait pas ses leçons » ; « Il était paresseux ». Et : « J'en conclus qu'il était responsable. » Au cœur d'un mécanisme où le pouvoir judiciaire fait place avec tant de solennité au savoir médical, vous voyez que ce qui apparaît c'est Ubu, à la fois ignare et apeuré, mais qui permet précisément, à partir de là, de faire fonctionner cette même machinerie double. La pitrerie et la fonction de l'expert psychiatre font corps l'une avec l'autre : c'est en tant que fonctionnaire qu'il est effectivement un pitre.

À partir de là, je crois qu'il est peut-être possible de restituer deux processus historiques qui sont corrélatifs l'un de l'autre. Premièrement, c'est la très curieuse régression historique à laquelle on assiste depuis le XIXe siècle jusqu'à nos jours. Au départ, l'expertise psychiatrique – celle d'Esquirol, de Georget, de Marc – était la simple transposition dans l'institution judiciaire d'un savoir médical qui était constitué ailleurs : à l'hôpital, dans l'expérience clinique[4]. Or, maintenant, ce que l'on voit, c'est une expertise qui est, comme je vous le disais la dernière fois, absolument décrochée par rapport au savoir psychiatrique de notre époque. Car, quoi qu'on puisse penser du discours des psychiatres actuellement, vous avez bien entendu que ce que dit un expert psychiatre est mille fois au-dessous du niveau épistémologique de la psychiatrie. Mais qu'est-ce qui réapparaît dans cette sorte de régression, de disqualification, de décomposition du savoir psychiatrique dans l'expertise ? Ce qui réapparaît, il est facile de le repérer. C'est quelque chose comme cela, c'est-à-dire un texte que j'emprunte au XVIIIe siècle. C'est un *placet,* une demande qui a été faite par une mère de famille pour le placement de son enfant à Bicêtre, l'année 1758 [*rectius* : 1728]. J'emprunte ceci au travail qu'est en train de faire Christiane Martin sur ces lettres de cachet. Vous allez reconnaître exactement le même type de discours que celui qui est actuellement utilisé par les psychiatres.

« La suppliante [c'est donc la femme qui demande la lettre de cachet pour l'internement de son fils ; M.F.] s'était remariée après trois années de veuvage pour se conserver un morceau de pain, faisant un commerce de mercerie ; elle a cru bien faire de reprendre chez elle son fils […]. Ce libertin lui promit de la contenter pour qu'elle lui donnât un brevet d'apprenti mercier. La suppliante aimant tendrement son enfant malgré tous les chagrins qu'il lui avait [déjà] donnés, elle le fit apprenti, le garda chez elle, malheureusement pour elle et pour ses [autres] enfants il y a demeuré deux ans, pendant lequel temps il la volait journellement, et l'aurait ruinée s'il y eût resté plus longtemps. La suppliante croyant qu'il tiendrait chez autrui une meilleure conduite, étant au fait du commerce et capable de travailler, elle le mit chez M. Cochin, homme de probité, marchand mercier à la porte Saint-Jacques, il se contrefit pendant trois mois, ensuite ce libertin vola six cents livres que la suppliante a été obligée de payer pour sauver la vie de son fils et l'honneur de sa famille […]. Ce fripon ne sachant comment attraper sa mère, feignit de vouloir être religieux, pour cet effet il surprit plusieurs personnes de probité [qui], croyant de bonne foi ce que ce coquin leur disait, comblèrent sa mère par de bonnes raisons, et lui dirent qu'elle répondrait devant Dieu de ce qui arriverait à son fils, si elle s'opposait à sa vocation […]. La suppliante qui connaissait depuis plusieurs années la mauvaise conduite de son fils, ne laissa pas que de tomber dans le piège, elle lui donna généreusement [*rectius* : généralement] tout ce qui était nécessaire pour entrer au couvent d'Yverneaux […]. Ce malheureux n'y resta que trois mois disant que cet ordre ne lui plaisait pas, qu'il aimerait mieux être prémontré[5]. La suppliante qui ne voulait avoir rien à se reprocher donna à son fils tout ce qu'il lui demandait pour entrer dans la maison de Prémontré : il y prit l'habit ; mais ce misérable, en fait, qui ne cherchait qu'à tromper sa mère fit bientôt connaître la fourberie, ce qui obligea ces messieurs [prémontrés ; M.F.] à le chasser de leur maison après six mois de noviciat. » Enfin, cela continue, et se termine ainsi : « La suppliante [c'est-à-dire la mère ; M.F.] a recours à vos bontés, Monseigneur, et vous supplie [c'est au lieutenant de police que ça s'adresse ; M.F.] très humblement de lui faciliter une lettre de cachet pour renfermer son fils et l'envoyer aux Îles à la première occasion, sans quoi elle et son mari ne seront jamais en repos, ni leur vie en sûreté[6]. »

Perversité et danger. Vous voyez que nous retrouvons là, réactivée à travers une institution et un savoir qui nous sont contemporains, toute une immense pratique que la réforme judiciaire de la fin du XVIIIe siècle était censée avoir fait disparaître, et que nous retrouvons maintenant de plain-pied. Et ceci non pas simplement par une sorte d'effet d'archaïsme,

mais – à mesure que le crime se pathologise davantage, à mesure que
l'expert et le juge échangent leur rôle – toute cette forme-là de contrôle,
d'appréciation, d'effet de pouvoir lié à la caractérisation d'un individu,
tout ceci devient de plus en plus actif.

En dehors de cette régression et de cette réactivation de toute une
pratique maintenant multiséculaire, l'autre processus historique qui lui
fait face, en quelque sorte, c'est une indéfinie revendication de pouvoir, au nom de la modernisation même de la justice. C'est-à-dire qu'on
ne cesse, depuis le début du XIXe siècle, de voir revendiquer, et toujours
avec plus d'insistance, le pouvoir judiciaire du médecin, ou encore le
pouvoir médical du juge. Au tout début du XIXe siècle, au fond, le problème du pouvoir du médecin dans l'appareil judiciaire était un problème conflictuel, en ce sens que les médecins revendiquaient, pour
des raisons qu'il serait trop long d'expliquer maintenant, le droit
d'exercer leur savoir à l'intérieur de l'institution judiciaire. À quoi,
pour l'essentiel, l'institution judiciaire s'opposait comme à une invasion, comme à une confiscation, comme à une disqualification de sa
propre compétence. Or, à partir de la fin du XIXe siècle, et ceci est
important, on voit au contraire se nouer, petit à petit, une sorte de
revendication commune des juges pour la médicalisation de leur profession, de leur fonction, de leurs décisions. Et puis une revendication
jumelle de l'institutionnalisation en quelque sorte judiciaire du savoir
médical : « En tant que médecin, je suis judiciairement compé-
tent » – répètent les médecins depuis le [début du] XIXe siècle. Mais,
pour la première fois dans la seconde moitié du XIXe siècle, vous enten-
dez les juges qui commencent à dire : Nous demandons que notre fonction soit une fonction de thérapeutique, tout autant qu'une fonction de
jugement et d'expiation. Il est caractéristique de voir que, au second
congrès international de criminologie qui a eu lieu en 1892, je crois
(enfin, je ne sais pas, disons autour de 1890 – la date m'échappe pour
l'instant), des propositions très sérieuses ont été faites pour la suppression du jury, sur le thème suivant[7] : le jury [se compose] de gens qui ne
sont ni médecins ni juges, et qui, par conséquent, n'ont aucune compétence ni dans l'ordre du droit ni dans l'ordre de la médecine. Ce jury ne
peut être qu'un obstacle, qu'un élément opaque, qu'un noyau non
manipulable à l'intérieur de l'institution judiciaire telle qu'elle doit
fonctionner à l'état idéal. La véritable institution judiciaire serait composée de quoi? D'un jury d'experts sous la responsabilité juridique
d'un magistrat. C'est-à-dire [qu'on a] le court-circuitage de toutes les
instances judiciaires de type collectif, qui avaient été mises en place

dans la réforme pénale de la fin du XVIIIe siècle, pour que se rejoignent enfin, mais dans une union sans tiers, les médecins et les magistrats. Cette revendication, bien sûr, est à cette époque simplement signalétique d'un mouvement; elle a suscité immédiatement beaucoup d'oppositions chez les médecins et surtout chez les magistrats. Il n'en reste pas moins que c'est elle qui sert de point de mire à toute une série de réformes, qui ont été mises en place, pour l'essentiel, à la fin du XIXe et au cours du XXe siècle, et qui organisent effectivement une sorte de pouvoir médico-judiciaire, dont les principaux éléments ou les principales manifestations sont les suivants.

Premièrement, l'obligation pour tout individu qui passe devant les assises d'avoir été examiné par des experts psychiatres, de telle sorte que l'on n'arrive jamais devant les assises avec simplement son crime. On arrive avec le rapport d'expertise du psychiatre, et c'est chargé et de son crime et de ce rapport que l'on se présente devant les assises. Et il est question que cette mesure, qui est générale et obligatoire pour les assises, le devienne également devant les tribunaux correctionnels, où elle est simplement appliquée dans un certain nombre de cas, mais pas encore d'une façon générale.

Deuxième signe de cette mise en place, c'est l'existence de tribunaux spéciaux, les tribunaux pour enfants, dans lesquels l'information dont est chargé le juge, qui est à la fois celui de l'instruction et celui du jugement, est une information essentiellement psychologique, sociale, médicale. Elle porte, par conséquent, beaucoup plus sur ce contexte d'existence, de vie, de discipline de l'individu, que sur l'acte même qu'il a commis et pour lequel il est traduit devant le tribunal pour enfants. C'est un tribunal de la perversité et du danger, ce n'est pas un tribunal du crime que celui devant lequel passe l'enfant. C'est également l'implantation, dans l'administration pénitentiaire, de services médico-psychologiques qui sont chargés de dire comment, au cours du déroulement de la peine, se fait l'évolution de l'individu; c'est-à-dire l'étiage de perversité et le niveau de danger que représente encore l'individu à tel ou tel moment de la peine, étant entendu que, s'il a atteint un niveau suffisamment bas de danger et de perversité, il pourra être libéré, au moins de façon conditionnelle. On pourrait aussi citer toute la série des institutions de surveillance médico-légale qui encadrent l'enfance, la jeunesse, la jeunesse en danger, etc.

On a donc là, au total, un système en partie double, médical et judiciaire, qui s'est mis en place depuis le XIXe siècle et dont l'expertise, avec son très curieux discours, constitue la pièce en quelque sorte centrale, la petite cheville, infiniment faible et infiniment solide, qui fait tenir l'ensemble.

Et c'est là que je vais en venir à l'objet même du cours de cette année. Il me semble que l'expertise médico-légale, telle qu'on la voit fonctionner maintenant, est un exemple particulièrement frappant de l'irruption, ou plus vraisemblablement de l'insidieuse invasion, dans l'institution judiciaire et dans l'institution médicale, à leur frontière exactement, d'un certain mécanisme qui justement n'est pas médical et n'est pas judiciaire. Si j'ai parlé si longuement de l'expertise médico-légale, c'était pour montrer, d'une part, qu'elle faisait le joint, qu'elle assurait les fonctions de couture entre le judiciaire et le médical. Mais j'ai essayé sans cesse de vous montrer comment elle était, aussi bien par rapport à l'institution judiciaire que par rapport à la normativité interne du savoir médical, étrangère ; non seulement étrangère, mais dérisoire. L'expertise médicale viole la loi dès le départ ; l'expertise psychiatrique en matière pénale ridiculise le savoir médical et psychiatrique dès son premier mot. Elle n'est homogène ni au droit ni à la médecine. Bien qu'elle ait dans leur jonction, bien qu'elle ait à leur frontière un rôle capital pour leur ajustement institutionnel, il serait parfaitement injuste de juger du droit moderne (ou du droit, en tout cas, tel qu'il fonctionnait au début du XIXe siècle) par une pareille pratique ; il serait injuste de jauger le savoir médical et même le savoir psychiatrique à l'aune de cette pratique. C'est finalement d'autre chose qu'il est question. C'est d'ailleurs que vient l'expertise médico-légale. Elle ne dérive pas du droit, elle ne dérive pas de la médecine. N'importe quelle épreuve historique de dérivation de l'expertise pénale ne renverra ni à l'évolution du droit, ni à l'évolution de la médecine, ni même à leur évolution jumelle. C'est quelque chose qui vient s'insérer entre eux, assurer leur jonction, mais qui vient d'ailleurs, avec des termes autres, des normes autres, des règles de formation autres. Au fond, dans l'expertise médico-légale, la justice et la psychiatrie sont l'une et l'autre adultérées. Elles n'ont pas affaire à leur objet propre, elles ne mettent pas en pratique leur régularité propre. Ce n'est pas à des délinquants ou à des innocents que s'adresse l'expertise médico-légale, ce n'est pas à des malades opposés à des non-malades. C'est à quelque chose qui est, je crois, la catégorie des « anormaux » ; ou, si vous voulez, c'est dans ce champ non pas d'opposition, mais de gradation du normal à l'anormal, que se déploie effectivement l'expertise médico-légale.

La force, la vigueur, le pouvoir de pénétration et de bouleversement de l'expertise médico-légale par rapport à la régularité de l'institution juridique, par rapport à la normativité du savoir médical, tient précisément au fait qu'elle leur propose des concepts autres ; elle s'adresse à un autre objet, elle porte avec elle des techniques qui sont autres et qui forment une sorte de troisième terme insidieux et caché, soigneusement recouvert, à droite et à gauche, de part et d'autre, par les notions juridiques de « délinquance », de « récidive », etc., et les concepts médicaux de « maladie », etc. Elle propose en fait un troisième terme, c'est-à-dire qu'elle relève vraisemblablement – et c'est ce que je voudrais vous montrer – du fonctionnement d'un pouvoir qui n'est ni le pouvoir judiciaire ni le pouvoir médical, un pouvoir d'un autre type, que j'appellerai, provisoirement et pour l'instant, le pouvoir de normalisation. Avec l'expertise, on a une pratique qui concerne des anormaux, qui fait intervenir un certain pouvoir de normalisation et qui tend, petit à petit, par sa force propre, par les effets de jonction qu'elle assure entre le médical et le judiciaire, à transformer aussi bien le pouvoir judiciaire que le savoir psychiatrique, à se constituer comme instance de contrôle de l'anormal. Et c'est en tant qu'elle constitue le médico-judiciaire comme instance de contrôle non pas du crime, non pas de la maladie, mais de l'anormal, de l'individu anormal, c'est en cela qu'elle est à la fois un problème théorique et politique important. C'est en cela aussi qu'elle renvoie à toute une généalogie de ce curieux pouvoir, généalogie que je voudrais faire maintenant.

Avant de passer, la prochaine fois, à l'analyse concrète, je voudrais faire maintenant quelques réflexions qui sont un peu d'ordre méthodique. En effet, ce dont je vous parlerai à partir de la prochaine fois – c'est-à-dire l'histoire de ce pouvoir de normalisation essentiellement appliqué à la sexualité, les techniques de normalisation de la sexualité depuis le XVIIe siècle – je ne suis pas, bien entendu, le premier à en parler. Un certain nombre d'ouvrages ont été consacrés à cela, et tout récemment on a traduit en français un livre de Van Ussel qui s'appelle *La Répression de la sexualité* ou l'*Histoire de la répression de la sexualité*[8]. Or, précisément, ce que je voudrais faire se distingue de ce travail, et d'un certain nombre d'autres travaux qui ont été écrits dans cette ligne-là, je ne dirais pas exactement par une différence de méthode, mais par une différence de point de vue : une différence dans ce que ces analyses et les miennes supposent, impliquent, en fait de théorie du pouvoir. Il me semble, en effet, que dans les analyses auxquelles je fais référence la notion qui est principale, centrale, c'est la notion de « répression[9] ». C'est-à-dire que ces analyses impliquent la référence à un pouvoir dont la fonction majeure serait la répression, dont le niveau d'efficace serait essentiellement supra-structurel, de l'ordre de la superstructure, et dont enfin les mécanismes seraient essentiellement liés à la méconnaissance, à l'aveuglement. Or, c'est une autre conception, un autre type d'analyse du pouvoir que je voudrais suggérer, à travers les analyses que je ferai de la normalisation de la sexualité depuis le XVIIᵉ siècle.

Pour que les choses soient claires, je vais prendre immédiatement deux exemples, qui me paraissent travailler encore actuellement les analyses contemporaines. Et vous allez voir tout de suite que, en vous citant ces deux exemples, c'est moi-même dans des analyses antérieures que je mets en question [10].

Tout le monde sait comment se déroulait à la fin du Moyen Âge, ou même dans tout le cours du Moyen Âge, l'exclusion des lépreux [11]. L'exclusion de la lèpre, c'était une pratique sociale qui comportait d'abord un partage rigoureux, une mise à distance, une règle de non-contact entre un individu (ou un groupe d'individus) et un autre. C'était, d'autre part, le rejet de ces individus dans un monde extérieur, confus, au-delà des murs de la ville, au-delà des limites de la communauté. Constitution, par conséquent, de deux masses étrangères l'une à l'autre. Et celle qui était rejetée, était rejetée au sens strict dans les ténèbres extérieures. Enfin, troisièmement, cette exclusion du lépreux impliquait la disqualification – peut-être pas exactement morale, mais en tout cas juridique et politique – des individus ainsi exclus et chassés. Ils entraient dans la mort, et vous savez que l'exclusion du lépreux s'accompagnait régulièrement d'une sorte de cérémonie funèbre, au cours de laquelle on déclarait morts (et, par conséquent, leurs biens transmissibles) les individus qui étaient déclarés lépreux, et qui allaient partir vers ce monde extérieur et étranger. Bref, c'était en effet des pratiques d'exclusion, des pratiques de rejet, des pratiques de « marginalisation », comme nous dirions maintenant. Or, c'est sous cette forme-là qu'on décrit, et je crois encore actuellement, la manière dont le pouvoir s'exerce sur les fous, sur les malades, sur les criminels, sur les déviants, sur les enfants, sur les pauvres. On décrit, en général, les effets et les mécanismes de pouvoir qui s'exercent sur eux comme étant des mécanismes et des effets d'exclusion, de disqualification, d'exil, de rejet, de privation, de refus, de méconnaissance ; c'est-à-dire tout l'arsenal des concepts ou des mécanismes négatifs de l'exclusion. Je crois, et je continue à croire, que cette pratique ou ce modèle de l'exclusion du lépreux a bien été un modèle qui a été historiquement actif, tard encore dans notre société. En tout cas, lorsque, vers le milieu du XVIIᵉ siècle, on a commencé la grande chasse aux mendiants, aux vagabonds, aux oisifs, aux libertins, etc. – et qu'on l'a sanctionnée soit par le rejet hors des villes de toute cette population flottante, soit par son enfermement dans les hôpitaux généraux –, je crois que c'était bien encore l'exclusion du lépreux, ou ce modèle-là, qui était politiquement activé par l'administration royale [12]. En revanche, il existe un autre modèle de la mise sous contrôle, qui me paraît avoir eu une fortune historique beaucoup plus grande et beaucoup plus longue*.

Après tout, il me semble que le modèle « exclusion des lépreux », le modèle de l'individu que l'on chasse pour purifier la communauté, a finalement disparu, en gros, à la fin du XVIIe-début du XVIIIe siècle. En revanche, quelque chose d'autre, un autre modèle a non pas été mis en place, mais réactivé. Ce modèle est presque aussi ancien que celui de l'exclusion du lépreux. C'est le problème de la peste et du quadrillage de la ville pestiférée. Il me semble qu'en ce qui concerne le contrôle des individus, au fond, l'Occident n'a eu que deux grands modèles : l'un, c'est celui de l'exclusion du lépreux ; l'autre, c'est le modèle de l'inclusion du pestiféré. Et je crois que la substitution de l'inclusion du pestiféré, comme modèle de contrôle, à l'exclusion du lépreux, est l'un des grands phénomènes qui se sont passés au XVIIIe siècle. Pour vous expliquer cela, je voudrais vous rappeler comment se faisait la mise en quarantaine d'une ville, au moment où la peste s'y déclarait [13]. Bien entendu, on circonscrivait – et là on enfermait bien – un certain territoire : celui d'une ville, éventuellement celui d'une ville et de ses faubourgs, et ce territoire était constitué comme un territoire fermé. Mais, à cette analogie près, la pratique concernant la peste était fort différente de la pratique concernant la lèpre. Car ce territoire, ce n'était pas le territoire confus dans lequel on rejetait la population dont on devait se purifier. Ce territoire était l'objet d'une analyse fine et détaillée, d'un quadrillage minutieux.

La ville en état de peste – et là je vous cite toute une série de règlements, d'ailleurs absolument identiques les uns aux autres, qui ont été publiés depuis la fin du Moyen Âge jusqu'au début du XVIIIe siècle – était partagée en districts, les districts étaient partagés en quartiers, puis dans ces quartiers on isolait les rues, et il y avait dans chaque rue des surveillants, dans chaque quartier des inspecteurs, dans chaque district

---

* Le manuscrit dit : « Il se peut bien que ce modèle ait été historiquement actif à l'époque du "grand renfermement" ou de la chasse aux mendiants, mais il n'a pas cessé de perdre de sa force, lorsqu'il a été relayé par un autre modèle qui me paraît avoir eu... »

des responsables de district et dans la ville elle-même soit un gouver-
neur nommé à cet effet, soit encore les échevins qui avaient reçu, au
moment de la peste, un supplément de pouvoir. Analyse, donc, du territoire dans ses éléments les plus fins ; organisation, à travers ce territoire ainsi analysé, d'un pouvoir continu, et continu dans deux sens.
D'une part, à cause de cette pyramide, dont je vous parlais tout à
l'heure. Depuis les sentinelles qui veillaient devant les portes des maisons, à l'extrémité des rues, jusqu'aux responsables des quartiers, responsables des districts et responsables de la ville, vous aviez là une
sorte de grande pyramide de pouvoir dans laquelle aucune interruption
ne devait avoir place. C'était un pouvoir qui était également continu
dans son exercice, et pas simplement dans sa pyramide hiérarchique,
puisque la surveillance devait être exercée sans interruption aucune.
Les sentinelles devaient être toujours présentes à l'extrémité des rues,
les inspecteurs des quartiers et des districts devaient, deux fois par jour,
faire leur inspection, de telle manière que rien de ce qui se passait dans
la ville ne pouvait échapper à leur regard. Et tout ce qui était ainsi
observé devait être enregistré, de façon permanente, par cette espèce
d'examen visuel et, également, par la retranscription de toutes les
informations sur des grands registres. Au début de la quarantaine, en
effet, tous les citoyens qui se trouvaient présents dans la ville devaient
avoir donné leur nom. Leurs noms étaient écrits sur une série de
registres. Certains de ces registres étaient entre les mains des inspecteurs locaux, et les autres étaient entre les mains de l'administration
centrale de la ville. Et tous les jours des inspecteurs devaient passer
devant chaque maison, ils devaient s'y arrêter et faire l'appel. Chaque
individu se voyait assigner une fenêtre à laquelle il devait apparaître, et
lorsqu'on appelait son nom il devait se présenter à la fenêtre, étant
entendu que, s'il ne se présentait pas, c'est qu'il était dans son lit ; et
s'il était dans son lit, c'est qu'il était malade ; et s'il était malade, c'est
qu'il était dangereux. Et, par conséquent, il fallait intervenir. C'est à ce
moment-là que se faisait le tri des individus, entre ceux qui étaient
malades et ceux qui ne l'étaient pas. Toutes ces informations ainsi
constituées, deux fois par jour, par la visite – cette espèce de revue, de
parade des vivants et des morts qu'assurait l'inspecteur –, toutes ces
informations transcrites sur le registre étaient ensuite confrontées avec
le registre central que les échevins détenaient à l'administration centrale de la ville [14].

Or, vous voyez qu'une organisation comme celle-là est, en fait,
absolument antithétique, opposée, en tout cas, à toutes les pratiques qui

concernaient les lépreux. Il ne s'agit pas d'une exclusion, il s'agit d'une quarantaine. Il ne s'agit pas de chasser, il s'agit au contraire d'établir, de fixer, de donner son lieu, d'assigner des places, de définir des présences, et des présences quadrillées. Non pas rejet, mais inclusion. Vous voyez qu'il ne s'agit pas non plus d'une sorte de partage massif entre deux types, deux groupes de population : celle qui est pure et celle qui est impure, celle qui a la lèpre et celle qui ne l'a pas. Il s'agit, au contraire, d'une série de différences fines et constamment observées entre les individus qui sont malades et ceux qui ne le sont pas. Individualisation, par conséquent, division et subdivision du pouvoir, qui arrive jusqu'à rejoindre le grain fin de l'individualité. Nous sommes très loin, par conséquent, du partage massif et grouillant, caractérisant l'exclusion du lépreux. Vous voyez également qu'il ne s'agit aucunement de cette espèce de mise à distance, de rupture de contact, de marginalisation. Il s'agit, au contraire, d'une observation proche et méticuleuse. Alors que la lèpre appelle la distance, la peste, elle, implique une sorte d'approximation de plus en plus fine du pouvoir par rapport aux individus, une observation de plus en plus constante, de plus en plus insistante. Il ne s'agit pas non plus d'une sorte de grand rite de purification comme dans la lèpre ; il s'agit, avec la peste, d'une tentative pour maximaliser la santé, la vie, la longévité, la force des individus. Il s'agit, au fond, de produire une population saine ; il ne s'agit pas de purifier ceux qui vivent dans la communauté, comme c'était le cas pour la lèpre. Enfin, vous voyez qu'il ne s'agit pas d'un marquage définitif d'une partie de la population ; il s'agit de l'examen perpétuel d'un champ de régularité, à l'intérieur duquel on va jauger sans arrêt chaque individu pour savoir s'il est bien conforme à la règle, à la norme de santé qui est définie.

Vous savez qu'il existe toute une littérature sur la peste, qui est fort intéressante, dans laquelle la peste passe pour être ce moment de grande confusion panique où les individus, menacés par la mort qui transite, abandonnent leur identité, jettent leur masque, oublient leur statut et se livrent à la grande débauche des gens qui savent qu'ils vont mourir. Il y a une littérature de la peste qui est une littérature de la décomposition de l'individualité ; toute une sorte de rêve orgiaque de la peste, où la peste est le moment où les individualités se défont, où la loi est oubliée. Le moment où la peste se déclenche, c'est le moment où dans la ville toute régularité est levée. La peste franchit la loi, comme la peste franchit les corps. C'est, du moins, le rêve littéraire de la peste[15]. Mais vous voyez qu'il y a eu un autre rêve de la peste : un rêve politique de la peste, où celle-ci est au contraire le moment merveilleux où le pouvoir politique s'exerce à plein. La peste, c'est le moment où le quadrillage d'une population se fait jusqu'à son point extrême, où rien des communications dangereuses, des communautés confuses, des contacts interdits ne peut plus se produire. Le moment de la peste, c'est celui du quadrillage exhaustif d'une population par un pouvoir politique, dont les ramifications capillaires atteignent sans arrêt le grain des individus eux-mêmes, leur temps, leur habitat, leur localisation, leur corps. La peste porte avec elle, peut-être, le rêve littéraire ou théâtral du grand moment orgiaque ; la peste porte aussi le rêve politique d'un pouvoir exhaustif, d'un pouvoir sans obstacles, d'un pouvoir entièrement transparent à son objet, d'un pouvoir qui s'exerce à plein. Entre le rêve d'une société militaire et le rêve d'une société pestiférée, entre ces deux rêves que l'on voit naître au XVIᵉ-XVIIᵉ siècle, vous voyez que se noue là une appartenance. Et je crois qu'en fait, ce qui a joué politiquement, à partir justement du XVIIᵉ-XVIIIᵉ siècle, ce n'est pas le vieux modèle de la lèpre dont on trouve le dernier résidu sans doute, ou enfin l'une des dernières grandes manifestations, dans l'exclusion des mendiants, des fous, etc., et le grand « renfermement ». À ce modèle-là s'est substitué, au cours du XVIIᵉ siècle, un autre modèle, très différent. La peste a pris la relève de la lèpre comme modèle de contrôle politique, et c'est là l'une des grandes inventions du XVIIIᵉ siècle, ou en tout cas de l'Âge classique et de la monarchie administrative.

Je dirais en gros ceci. C'est que, au fond, le remplacement du modèle de la lèpre par le modèle de la peste correspond à un processus historique très important que j'appellerai d'un mot : l'invention des technologies positives de pouvoir. La réaction à la lèpre est une réaction négative ; c'est une réaction de rejet, d'exclusion, etc. La réaction à la peste est une réaction positive ; c'est une réaction d'inclusion, d'observation, de formation de savoir, de multiplication des effets de pouvoir à partir du cumul de l'observation et du savoir. On est passé d'une technologie du pouvoir qui chasse, qui exclut, qui bannit, qui marginalise, qui réprime, à un pouvoir qui est enfin un pouvoir positif, un pouvoir qui fabrique, un pouvoir qui observe, un pouvoir qui sait et un pouvoir qui se multiplie à partir de ses propres effets.

Je dirais que l'Âge classique est en général loué parce qu'il a su inventer une masse considérable de techniques scientifiques et industrielles. Il a inventé aussi, on le sait bien, des formes de gouvernement ; il a élaboré des appareils administratifs, des institutions politiques. Tout ceci, c'est vrai. Mais, et je crois qu'à cela on fait moins attention, l'Âge classique a aussi inventé des techniques de pouvoir telles que le pouvoir n'agit pas par prélèvement, mais par production et maximalisation de la production. Un pouvoir qui n'agit pas par exclusion, mais plutôt par inclusion serrée et analytique des éléments. Un pouvoir qui n'agit pas par la séparation en grosses masses confuses, mais par distribution selon des individualités différentielles. Un pouvoir qui n'est pas lié à la méconnaissance, mais, au contraire, à toute une série de mécanismes qui assurent la formation, l'investissement, le cumul, la croissance du savoir. [L'Âge classique a inventé des techniques du pouvoir] telles enfin qu'elles peuvent être transférées à des supports institutionnels très différents, que ce soient les appareils d'État, les institutions, la famille, etc. L'Âge classique a donc élaboré ce qu'on peut appeler un « art de gouverner », au sens où précisément l'on entendait, à ce moment-là, le « gouvernement » des enfants, le « gouvernement » des fous, le « gouvernement » des pauvres et bientôt le « gouvernement » des ouvriers. Et par « gouvernement », il faut entendre, en prenant le terme au sens large, trois choses. Premièrement, bien sûr, le XVIIIᵉ siècle, ou l'Âge classique, a inventé une théorie juridico-politique du pouvoir, qui est centrée sur la notion de volonté, son aliénation, son transfert, sa représentation dans un appareil gouvernemental. Le XVIIIᵉ siècle, ou l'Âge classique, a mis en place tout un appareil d'État, avec ses prolongements et ses appuis dans des institutions diverses. Et puis – c'est à cela que je voudrais un petit peu m'attacher, ou qui devrait me servir d'arrière-plan à l'analyse de la normalisation de la sexualité – il a mis au point une technique générale d'exercice du pouvoir, technique transférable à des institutions et à des appareils nombreux et divers. Cette technique constitue l'envers des structures juridiques et politiques de la représentation, et la condition de fonctionnement et d'efficacité de ces appareils. Cette technique générale du gouvernement des hommes comporte un dispositif type, qui est l'organisation disciplinaire dont je vous ai parlé l'an dernier [16]. Ce dispositif type est finalisé par quoi ? Par quelque chose qu'on peut appeler, je crois, la « normalisation ». Cette année, je me consacrerai donc non plus à la mécanique même des appareils disciplinaires, mais à leurs effets de normalisation, à ce vers quoi ils sont finalisés, aux effets qu'ils obtiennent et que l'on peut mettre sous la rubrique de la « normalisation ».

Quelques mots encore, si vous me donnez quelques minutes. Je voudrais vous dire ceci. Je voudrais vous renvoyer à un texte que vous trouvez dans la seconde édition du livre de M. Canguilhem sur le *Normal et le Pathologique* (à partir de la page 169). Dans ce texte, où il est question de la norme et de la normalisation, on a un certain lot d'idées qui me paraissent historiquement et méthodologiquement fécondes. D'une part, la référence à un processus général de normalisation sociale, politique et technique, que l'on voit se développer au XVIIIe siècle, et qui prend ses effets dans le domaine de l'éducation, avec les écoles normales ; de la médecine, avec l'organisation hospitalière ; et dans le domaine aussi de la production industrielle. Et l'on pourrait sans doute aussi ajouter : dans le domaine de l'armée. Donc, processus général de normalisation, au cours du XVIIIe siècle, multiplication de ses effets de normalisation quant à l'enfance, à l'armée, à la production, etc. Vous trouvez également, toujours dans le texte auquel je me réfère, cette idée, je crois importante, que la norme se définit non pas du tout comme une loi naturelle, mais par le rôle d'exigence et de coercition qu'elle est capable d'exercer par rapport aux domaines auxquels elle s'applique. La norme est porteuse, par conséquent, d'une prétention de pouvoir. La norme, ce n'est pas simplement, ce n'est même pas un principe d'intelligibilité ; c'est un élément à partir duquel un certain exercice du pouvoir se trouve fondé et légitimé. Concept polémique – dit M. Canguilhem. Peut-être pourrait-on dire politique. En tout cas – et c'est là la troisième idée que je crois importante – la norme porte avec soi à la fois un principe de qualification et un principe de correction. La norme n'a pas pour fonction d'exclure, de rejeter. Elle est au contraire toujours liée à une technique positive d'intervention et de transformation, à une sorte de projet normatif[17].

C'est cet ensemble d'idées que je voudrais essayer de mettre en œuvre historiquement, cette conception à la fois positive, technique et politique de la normalisation, en l'appliquant au domaine de la sexualité. Et vous voyez que derrière cela, au fond, ce à quoi je m'en prendrai, ou ce dont je voudrais me déprendre, c'est l'idée que le pouvoir politique – sous toutes ses formes et à quelque niveau qu'on le prenne – ne doit pas être analysé sur l'horizon hégélien d'une sorte de belle totalité que le pouvoir aurait pour effet soit de méconnaître, soit de briser par abstraction ou par division. Il me semble que c'est une erreur à la fois méthodologique et historique de considérer que le pouvoir est essentiellement un mécanisme négatif de répression ; que le pouvoir a essentiellement pour fonction de protéger, de conserver ou de reproduire des rapports de production. Et il me semble que c'est une erreur de considérer que le pouvoir est quelque chose qui se situe, par rapport au jeu des forces, à un niveau superstructurel. C'est enfin une erreur de considérer qu'il est essentiellement lié à des effets de méconnaissance.

Il me semble que – si l'on prend cette espèce de conception traditionnelle et omni-circulante du pouvoir que l'on trouve soit dans des écrits historiques, soit encore dans des textes politiques ou polémiques actuels – cette conception du pouvoir se trouve, en fait, construite à partir d'un certain nombre de modèles, qui sont des modèles historiques dépassés. C'est une notion composite, c'est une notion inadéquate par rapport à la réalité dont nous sommes séculairement contemporains, je veux dire contemporains depuis au moins la fin du XVIIIᵉ siècle.

En effet, l'idée que le pouvoir pèse en quelque sorte de l'extérieur, massivement, selon une violence continue que certains (toujours les mêmes) exerceraient sur les autres (qui sont eux aussi toujours les mêmes), ceci est une espèce de conception du pouvoir qui est empruntée à quoi? Au modèle, ou à la réalité historique, comme vous voudrez, d'une société esclavagiste. L'idée que le pouvoir – au lieu de permettre la circulation, les relèves, les combinaisons multiples d'éléments – a essentiellement pour fonction d'interdire, d'empêcher, d'isoler, me semble une conception du pouvoir qui se réfère à un modèle lui aussi historiquement dépassé, qui est le modèle de la société de caste. En faisant du pouvoir un mécanisme qui n'a pas pour fonction de produire, mais de prélever, d'imposer des transferts obligatoires de richesse, de priver par conséquent du fruit du travail; bref, l'idée que le pouvoir a essentiellement pour fonction de bloquer le processus de production et d'en faire bénéficier, dans une reconduction absolument identique des rapports de pouvoir, une certaine classe sociale, me semble se référer non pas du tout au fonctionnement réel du pouvoir à l'heure actuelle, mais au fonctionnement du pouvoir tel qu'on peut le supposer ou le reconstruire dans la société féodale. Enfin, en se référant à un pouvoir qui viendrait se superposer, avec sa machine administrative de contrôle, à des formes, des forces, des rapports de production qui sont établis au niveau d'une économie déjà donnée; en décrivant ainsi le pouvoir, il me semble que, au fond, on utilise encore un modèle historiquement dépassé, cette fois celui de la monarchie administrative.

Autrement dit: il me semble que – en faisant des grands caractères que l'on prête au pouvoir politique, une instance de répression, une instance superstructurelle, une instance qui a essentiellement pour fonction de reproduire et, par conséquent, de conserver des rapports de production – on ne fait pas autre chose que constituer, à partir de modèles historiques à la fois dépassés et différents, une sorte de daguerréotype du pouvoir, qui est en réalité établi à partir de ce qu'on croit pouvoir observer d'un pouvoir dans une société esclavagiste, dans une société de caste, dans une société féodale, dans une société comme la monarchie administrative. Et c'est méconnaître peut-être la réalité de ces sociétés-là, peu importe ; c'est méconnaître, en tout cas, ce qu'il y a de spécifique, ce qu'il y a de nouveau, ce qui s'est passé au cours du XVIIIe siècle et de l'Âge classique, c'est-à-dire la mise en place d'un pouvoir qui ne joue pas, par rapport aux forces productives, par rapport aux rapports de production, par rapport au système social préexistant, un rôle de contrôle et de reproduction, mais, au contraire, qui y joue un rôle effectivement positif. Ce que le XVIIIe siècle a mis en place par le système « discipline à effet de normalisation », par le système « discipline-normalisation », il me semble que c'est un pouvoir qui, en fait, n'est pas répressif, mais productif – la répression n'y figurant qu'à titre d'effet latéral et secondaire, par rapport à des mécanismes qui, eux, sont centraux par rapport à ce pouvoir, des mécanismes qui fabriquent, des mécanismes qui créent, des mécanismes qui produisent.

Il me semble aussi que ce que le XVIIIe siècle est arrivé à créer (et la disparition de la monarchie, de ce qu'on appelle l'Ancien Régime, à la fin du XVIIIe siècle, est précisément la sanction de cela), c'est un pouvoir qui n'est pas de superstructure, mais qui est intégré au jeu, à la distribution, à la dynamique, à la stratégie, à l'efficacité des forces ; un pouvoir, donc, investi directement dans la répartition et le jeu des forces. Il me semble que le XVIIIe siècle a mis en place aussi un pouvoir qui n'est pas conservateur, mais un pouvoir qui est inventif, un pouvoir qui détient en lui-même les principes de transformation et d'innovation.

Et, enfin, il me semble que le XVIIIe siècle a mis en place, avec les disciplines et la normalisation, un type de pouvoir qui n'est pas lié à la méconnaissance, mais qui, au contraire, ne peut fonctionner que grâce à la formation d'un savoir, qui est pour lui aussi bien un effet qu'une condition d'exercice. C'est donc à cette conception positive des mécanismes de pouvoir et des effets de ce pouvoir que j'essayerai de me référer, en analysant de quelle manière, à partir du XVIIe jusqu'à la fin du XIXe siècle, on a tenté de pratiquer la normalisation dans le domaine de la sexualité.

*

NOTES

1. Sur M. Cénac, P. Gouriou, G. Heuyer, Jénil-Perrin, cf. A. Porot & C. Bardenat, *Psychiatrie médico-légale,* Paris, 1959, p. 60, 92, 154, 270. En particulier, en ce qui concerne l'apport de M. Cénac à ce que Foucault appelle la « mixité institutionnelle », voir son rapport, très discuté, « Le témoignage et sa valeur au point de vue judiciaire », présenté à la XLIXᵉ session du congrès des aliénistes et neurologistes de France en 1951 (*Rapports,* Paris, 1952, p. 261-299) ; et son « Introduction théorique aux fonctions de la psychanalyse en criminologie » (signée avec J. Lacan), à l'occasion de la XIIIᵉ conférence des psychanalystes de langue française en 1950, et publiée dans la *Revue française de psychanalyse,* XV/1, 1951, p. 7-29 (puis reprise in J. Lacan, *Écrits,* Paris, 1966, p. 125-149).

2. Pour comprendre l'allusion de Foucault, il faut rappeler que Sophie Rostopchine, comtesse de Ségur (1799-1874), est l'auteur d'un grand nombre d'ouvrages pour la jeunesse, écrits, justement, dans le langage enfantin des mères ; que A.-Q. Fouquier-Tinville (1746-1795) fut accusateur public au tribunal révolutionnaire pendant la Terreur ; que J.-E.-D. Esquirol (1772-1840), fondateur, avec Ph. Pinel, de la clinique psychiatrique, fut médecin-chef de la maison royale de Charenton en 1825.

3. Sur Pierre Rivière, cf. *supra,* leçon du 8 janvier, et *infra,* leçon du 12 février. Georges Rapin assassina sa maîtresse dans la forêt de Fontainebleau, le 29 mai 1960. Défendu par René Floriot, il fut condamné à mort et exécuté, le 26 juillet 1960.

4. Sur les rapports dressés par J.-E.-D. Esquirol, E.-J. Georget et Ch.-Ch.-H. Marc, à partir des années vingt du XIXᵉ siècle, cf. *infra,* leçon du 5 février. Cf. le résumé du cours au Collège de France, année 1970-1971 : *La Volonté de savoir,* in *Dits et Écrits,* II, p. 244 : « Le séminaire de cette année avait pour cadre général l'étude de la pénalité en France au XIXᵉ siècle. Il a porté cette année sur les premiers développements d'une psychiatrie pénale à l'époque de la Restauration. Le matériel utilisé était pour une large part le texte des expertises médico-légales faites par les contemporains et disciples d'Esquirol. »

5. Ordre de chanoines réguliers, établi en 1120 et soumis à la règle augustinienne. Il fut supprimé sous la Révolution.

6. Le document cité ici provient de l'inventaire des lettres de cachet établi à la demande de Michel Foucault par Christiane Martin, décédée avant d'avoir terminé son travail ; il est publié in *Le Désordre des familles. Lettres de cachet des Archives de la Bastille,* présenté par A. Farge & M. Foucault, Paris, 1982, p. 294-296.

7. Le débat sur la suppression du jury a eu lieu au IIᵉ congrès international d'anthropologie criminelle de 1889. Les actes sont publiés in *Archives de l'anthropologie criminelle et des sciences pénales,* IV, 1889, p. 517-660.

8. Titres de la traduction allemande (*Sexualunterdrückung. Geschichte der Sexualfeindschaft,* Hamburg, 1970) et française (par C. Chevalot : *Histoire de la répression sexuelle,* Paris, 1972) du livre en néerlandais de J. Van Ussel, *Geschiedenis van het seksuele probleem,* Meppel, 1968.

9. Cf. le chapitre « L'hypothèse répressive » de M. Foucault, dans *La Volonté de savoir,* Paris, 1976, p. 23-67.

10. Allusion à l'analyse des formes de tactique punitive, proposée dans le cours au Collège de France, 1972-1973 : *La Société punitive* (en particulier, 3 janvier 1973).

11. Ces règles d'exclusion, esquissées à partir de 583 dans les conciles, reprises en 789 par un capitulaire de Charlemagne, s'épanouissent à partir des XIIe et XIIIe siècles dans les textes coutumiers et les statuts synodaux. Ainsi, vers 1400-1430, le lépreux doit subir dans certains diocèses de la France du Nord et de l'Est une cérémonie concernant sa mise à l'écart. Conduit à l'église au chant de *Libera me,* comme pour un mort, le lépreux écoute la messe dissimulé sous un catafalque, avant de subir un simulacre d'inhumation et d'être accompagné à sa nouvelle demeure. L'extinction de la lèpre entraîne après 1580 la disparition de cette liturgie. Voir A. Bourgeois, « Lépreux et maladreries », in *Mémoires de la commission départementale des monuments historiques du Pas-de-Calais,* XIV/2, Arras, 1972.

12. Cf. M. Foucault, *Histoire de la folie à l'âge classique,* Paris, 1972, p. 13-16, 56-91.

13. Cf. J.-A.-F. Ozanam, *Histoire médicale générale et particulière des maladies épidémiques, contagieuses et épizootiques, qui ont régné en Europe depuis les temps les plus reculés jusqu'à nos jours,* IV, Paris, 1835[2], p. 5-93.

14. Cf. M. Foucault, *Surveiller et Punir. Naissance de la prison,* Paris, 1975, p. 197-201.

15. Cette littérature commence avec Thucydides, *Istoriai,* II, 47, 54, et T. Lucretius Carus, *De natura rerum,* VI, 1138, 1246, et se prolonge jusqu'à A. Artaud, *Le Théâtre et son double,* Paris, 1938, et A. Camus, *La Peste,* Paris, 1946.

16. Voir le cours au Collège de France, année 1973-1974 : *Le Pouvoir psychiatrique* (en particulier, 21 et 28 novembre, 5 décembre 1973) ; résumé in *Dits et Écrits,* II, p. 675-686.

17. G. Canguilhem, *Le Normal et le Pathologique,* Paris, 1972[2], p. 169-222 (en particulier p. 177, pour la référence à la norme comme « concept polémique »). Cf. M. Foucault, « La vie : l'expérience et la science » (1985), in *Dits et Écrits,* IV, p. 774-776.

COURS DU 22 JANVIER 1975

Les trois figures qui constituent le domaine de l'anomalie : le monstre humain ; l'individu à corriger ; l'enfant masturbateur. – Le monstre sexuel fait communiquer l'individu monstrueux et le déviant sexuel. – Un historique des trois figures. – Renversement de l'importance historique de ces trois figures. – La notion juridique de monstre. – L'embryologie sacrée et la théorie juridico-biologique du monstre. – Les frères siamois. – Les hermaphrodites : cas mineurs. – L'affaire Marie Lemarcis. – L'affaire Anne Grandjean.

Je voudrais commencer aujourd'hui l'analyse de ce domaine de l'anomalie tel qu'il fonctionne au XIXe siècle. Je voudrais essayer de vous montrer que ce domaine s'est constitué à partir de trois éléments. Ces trois éléments commencent à s'isoler, à se définir à partir du XVIIIe siècle, et ils font charnière avec le XIXe siècle, introduisant ce domaine de l'anomalie qui, petit à petit, va les recouvrir, les confisquer, en quelque sorte les coloniser, au point de les absorber. Ces trois éléments sont au fond trois figures ou, si vous voulez, trois cercles, à l'intérieur desquels, petit à petit, le problème de l'anomalie va se poser.

La première de ces figures est celle que j'appellerai le « monstre humain ». Le cadre de référence du monstre humain, bien entendu, est la loi. La notion de monstre est essentiellement une notion juridique – juridique, bien sûr, au sens large du terme, puisque ce qui définit le monstre est le fait qu'il est, dans son existence même et dans sa forme, non seulement violation des lois de la société, mais violation des lois de la nature. Il est, sur un double registre, infraction aux lois dans son existence même. Le champ d'apparition du monstre est donc un domaine qu'on peut dire « juridico-biologique ». D'autre part, dans cet espace, le monstre apparaît comme un phénomène à la fois extrême et extrêmement rare. Il est la limite, il est le point de retournement de la loi, et il est, en même temps, l'exception qui ne se trouve que dans des cas précisément extrêmes. Disons que le monstre est ce qui combine l'impossible et l'interdit.

De là, un certain nombre d'équivoques qui vont continuer – et c'est pourquoi je voudrais insister un peu dessus – à hanter longtemps la figure de l'homme anormal, même lorsque l'homme anormal tel qu'il sera constitué dans la pratique et dans le savoir du XVIIIe siècle aura réduit et confisqué, absorbé en quelque sorte, les traits propres au monstre. Le monstre, en effet, contredit la loi. Il est l'infraction, et l'infraction portée à son point maximum. Et pourtant, tout en étant l'infraction (infraction en quelque sorte à l'état brut), il ne déclenche pas, du côté de la loi, une réponse qui serait une réponse légale. On peut dire que ce qui fait la force et la capacité d'inquiétude du monstre, c'est que, tout en violant la loi, il la laisse sans voix. Il piège la loi qu'il est en train d'enfreindre. Au fond, ce que suscite le monstre, au moment même où par son existence il viole la loi, ce n'est pas la réponse de la loi elle-même, mais c'est tout autre chose. Ce sera la violence, ce sera la volonté de suppression pure et simple, ou encore ce seront les soins médicaux, ou encore ce sera la pitié. Mais ce n'est pas la loi elle-même, qui répond à cette attaque que représente pourtant contre elle l'existence du monstre. Le monstre est une infraction qui se met automatiquement hors la loi, et c'est là l'une des premières équivoques. La seconde est que le monstre est, en quelque sorte, la forme spontanée, la forme brutale, mais, par conséquent, la forme naturelle de la contre-nature. C'est le modèle grossissant, la forme déployée par les jeux de la nature elle-même de toutes les petites irrégularités possibles. Et, en ce sens, on peut dire que le monstre est le grand modèle de tous les petits écarts. C'est le principe d'intelligibilité de toutes les formes – circulant sous forme de menue monnaie – de l'anomalie. Chercher quel est le fond de monstruosité qu'il y a derrière les petites anomalies, les petites déviances, les petites irrégularités : c'est ce problème qui va se retrouver tout au long du XIXe siècle. C'est la question, par exemple, que Lombroso posera lorsqu'il aura affaire à des délinquants [1]. Quel est le grand monstre naturel qui se profile derrière le petit voleur ? Le monstre est paradoxalement – malgré la position limite qu'il occupe, bien qu'il soit à la fois l'impossible et l'interdit – un principe d'intelligibilité. Et pourtant ce principe d'intelligibilité est un principe proprement tautologique, puisque c'est précisément la propriété du monstre de s'affirmer comme monstre, d'expliquer en lui-même toutes les déviations qui peuvent dériver de lui, mais d'être en soi inintelligible. Donc, il est cette intelligibilité tautologique, ce principe d'explication qui ne renvoie qu'à lui-même, qu'on va trouver tout au fond des analyses de l'anomalie.

Ces équivoques du monstre humain, qui sont très largement étalées à la fin du XVIIIe et au début du XIXe siècle, vont donc se retrouver présentes, vivaces, adoucies bien sûr, feutrées, mais tout de même réellement actives, dans toute cette problématique de l'anomalie et dans toutes les techniques judiciaires ou médicales, qui vont tourner au XIXe siècle autour de l'anomalie. Disons d'un mot que l'anormal (et ceci jusqu'à la fin du XIXe siècle, jusqu'au XXe peut-être ; souvenez-vous des expertises dont je vous donnais lecture au début) est au fond un monstre quotidien, un monstre banalisé. L'anormal va rester longtemps encore quelque chose comme un monstre pâle. C'est cette première figure que je voudrais un petit peu étudier.

La seconde, sur laquelle je reviendrai plus tard et qui fait partie, elle aussi, de la généalogie de l'anomalie et de l'individu anormal, est celle qu'on pourrait appeler la figure de l'« individu à corriger ». Lui aussi, c'est un personnage qui apparaît très nettement au XVIIIe siècle, plus récemment même que le monstre, qui a, vous le verrez, une très longue hérédité derrière lui. L'individu à corriger est, au fond, un individu très spécifique du XVIIe et du XVIIIe siècle – disons, de l'Âge classique. Son cadre de référence est évidemment beaucoup moins large que celui du monstre. Le cadre de référence du monstre était la nature et la société, l'ensemble des lois du monde : le monstre était un être cosmologique ou anti-cosmologique. Le cadre de référence de l'individu à corriger est beaucoup plus limité : c'est la famille elle-même dans l'exercice de son pouvoir interne ou dans la gestion de son économie ; ou, tout au plus, c'est la famille dans son rapport avec les institutions qui la jouxtent ou qui l'appuient. L'individu à corriger va apparaître dans ce jeu, ce conflit, ce système d'appui, qu'il y a entre la famille et puis l'école, l'atelier, la rue, le quartier, la paroisse, l'église, la police, etc. C'est donc ce cadre qui est le champ d'apparition de l'individu à corriger.

Or, l'individu à corriger présente aussi avec le monstre cette autre différence : c'est que son taux de fréquence est évidemment beaucoup plus élevé. Le monstre est par définition l'exception ; l'individu à corriger est un phénomène courant. C'est un phénomène si courant qu'il présente – et c'est là son premier paradoxe – ce caractère d'être en quelque sorte régulier dans son irrégularité. Par conséquent, à partir de là vont se déployer aussi toute une série d'équivoques que l'on va retrouver longtemps, après le XVIIIe siècle, dans la problématique de l'homme anormal. D'abord ceci : dans la mesure où l'individu à corriger est très fréquent, dans la mesure où il est immédiatement proche de la règle, il va être toujours très difficile de le déterminer. D'un côté, c'est une sorte d'évidence familière, quotidienne, qui fait qu'on va pouvoir le reconnaître immédiatement, mais le reconnaître sans qu'on ait de preuves à donner, tant il est familier. Par conséquent, dans la mesure où il n'y a pas de preuves à donner, on ne pourra jamais apporter effectivement la démonstration que l'individu est un incorrigible. Il est exactement à la limite de l'indécidabilité. On n'a pas à en donner des preuves et on ne peut pas en donner des démonstrations. Première équivoque.

Autre équivoque, c'est que, au fond, celui qui est à corriger se présente comme étant à corriger dans la mesure où toutes les techniques, toutes les procédures, tous les investissements familiers et familiaux de dressage par lesquels on a pu essayer de le corriger, ont échoué. Ce qui définit l'individu à corriger, c'est donc qu'il est incorrigible. Et pourtant, paradoxalement, l'incorrigible, dans la mesure où il est incorrigible, appelle autour de lui un certain nombre d'interventions spécifiques, de sur-interventions par rapport aux techniques familières et familiales de dressage et de correction, c'est-à-dire une technologie nouvelle du redressement, de la sur-correction. Si bien que vous voyez se dessiner, autour de cet individu à corriger, l'espèce de jeu entre l'incorrigibilité et la corrigibilité. Se dessine un axe de la corrigible incorrigibilité, où on va retrouver précisément plus tard, au XIXᵉ siècle, l'individu anormal. L'axe de la corrigibilité incorrigible va servir de support à toutes les institutions spécifiques pour anormaux, qui vont se développer au XIXᵉ siècle. Monstre pâli et banalisé, l'anormal du XIXᵉ siècle est également un incorrigible, un incorrigible que l'on va placer au milieu d'un appareillage de correction. Voilà le second ancêtre de l'anormal du XIXᵉ siècle.

Quant au troisième, c'est le « masturbateur ». Le masturbateur, l'enfant masturbateur, est une figure toute nouvelle au XIXᵉ siècle (qui est même propre à la fin du XVIIIᵉ siècle), et dont le champ d'apparition est la famille. C'est même, peut-on dire, quelque chose de plus étroit que la famille : son cadre de référence n'est plus la nature et la société comme [pour] le monstre, n'est plus la famille et son entour comme [pour] l'individu à corriger. C'est un espace beaucoup plus étroit. C'est la chambre, le lit, le corps ; c'est les parents, les surveillants immédiats, les frères et sœurs ; c'est le médecin : toute une espèce de micro-cellule autour de l'individu et de son corps.

Cette figure du masturbateur qu'on voit apparaître à la fin du XVIIIᵉ siècle présente, par rapport au monstre et par rapport aussi au corrigible incorrigible, un certain nombre de caractères spécifiques. Le premier est que le masturbateur se présente et apparaît, dans la pensée, le savoir et les techniques pédagogiques du XVIIIe siècle, comme étant un individu pas du tout exceptionnel, même pas comme un individu fréquent. Il apparaît comme un individu quasi universel. Or, cet individu absolument universel, c'est-à-dire cette pratique de la masturbation que l'on reconnaît comme universelle, on affirme en même temps que c'est une pratique qui est inconnue, ou qui est méconnue, dont personne n'a parlé, que personne ne sait et dont le secret ne s'échange jamais. La masturbation est le secret universel, le secret partagé par tout le monde, mais que personne ne communique à aucun autre. C'est le secret détenu par chacun, le secret qui n'arrive jamais à la conscience de soi et au discours universel (on reviendra sur tout ça plus tard), la formule générale étant (je déforme à peine ce qu'on trouve dans les livres de la fin du XVIIIe siècle sur la masturbation) : « Presque personne ne sait que presque tout le monde le fait. » On a là, dans l'organisation du savoir et des techniques anthropologiques du XIXe siècle, quelque chose d'absolument décisif. Ce secret, qu'à la fois tout le monde partage et que personne ne communique, est posé dans sa quasi-universalité comme étant la racine possible, et même la racine réelle, de presque tous les maux possibles. Il est l'espèce de causalité polyvalente à laquelle on peut rattacher, et à laquelle les médecins du XVIIIe siècle vont rattacher immédiatement, toute la panoplie, tout l'arsenal des maladies corporelles, des maladies nerveuses, des maladies psychiques. Il n'y aura finalement, dans la pathologie de la fin du XVIIIe siècle, pratiquement aucune maladie qui ne puisse relever d'une manière ou d'une autre de cette étiologie, c'est-à-dire de l'étiologie sexuelle. Autrement dit, ce principe quasi universel, que l'on retrouve pratiquement chez tout le monde, est en même temps le principe d'explication de l'altération la plus extrême de la nature ; il est le principe d'explication de la singularité pathologique. Puisque presque tout le monde se masturbe, ceci vous explique que certains tombent dans les maladies extrêmes que personne d'autre ne présente. C'est cette espèce de paradoxe étiologique que vous allez retrouver, jusqu'au fond du XIXe ou du XXe siècle, à propos de la sexualité et des anomalies sexuelles. Donc, il n'y a rien d'étonnant. L'étonnant, si vous voulez, c'est que déjà cette espèce de paradoxe et cette forme générale de l'analyse soient posées d'une manière si axiomatique dans les dernières années du XVIIIe siècle.

Je crois qu'on peut dire, pour situer cette espèce d'archéologie de l'anomalie, que l'anormal du XIXe siècle est le descendant de ces trois individus, qui sont le monstre, l'incorrigible et le masturbateur.

L'individu anormal du XIXe siècle va rester marqué – et très tardivement, dans la pratique médicale, dans la pratique judiciaire, dans le
savoir comme dans les institutions qui vont l'entourer – par cette
espèce de monstruosité devenue de plus en plus effacée et diaphane, par
cette incorrigibilité rectifiable et de mieux en mieux investie par des
appareils de rectification. Et, enfin, il est marqué par ce secret commun
et singulier, qui est l'étiologie générale et universelle des pires singula-
rités. La généalogie, par conséquent, de l'individu anormal nous renvoie à ces trois figures : le monstre, le correctionnaire, l'onaniste.

Je voudrais, avant de commencer cette fois-ci l'étude du monstre,
faire un certain nombre de remarques. La première serait celle-ci. Bien
sûr, ces trois figures, que je vous ai signalées dans leurs particularités
au XVIIIe siècle, communiquent entre elles et communiquent très
tôt, dès la seconde moitié du XVIIIe siècle. Vous voyez apparaître, par
exemple, cette figure qui était, au fond, ignorée aux époques précédentes : celle du monstre sexuel. Vous voyez communiquer entre elles
la figure de l'individu monstrueux et la figure du déviant sexuel. Vous
trouvez le thème réciproque que la masturbation est capable de provoquer non seulement les pires maladies, mais les pires difformités du
corps, et finalement les pires monstruosités du comportement. Vous
voyez également, dans cette fin du XVIIIe siècle, toutes les institutions
de correction porter de plus en plus d'attention à la sexualité et à la
masturbation comme étant au cœur même du problème de l'incorrigible. De sorte que le monstre, l'incorrigible, le masturbateur sont des
personnages qui commencent à échanger certains de leurs traits et
dont le profil commence à se superposer. Mais je crois – et ce sera un
des points essentiels sur lesquels je voudrais insister – que ces trois
figures restent tout de même parfaitement distinctes et séparées jus-
qu'à la fin du XVIIIe et au début du XIXe siècle. Et, précisément, le point
d'apparition de ce qu'on pourrait appeler une technologie de l'anoma-
lie humaine, une technologie des individus anormaux, se formera
lorsque aura été établi un réseau régulier de savoir et de pouvoir qui
réunira, ou en tout cas investira, selon le même système de régularités,
ces trois figures. C'est à ce moment-là seulement que se constituera
effectivement un champ d'anomalies, où l'on retrouvera et les équivoques du monstre, et les équivoques de l'incorrigible, et les équivoques du masturbateur, mais cette fois repris à l'intérieur d'un champ
homogène et relativement moins régulier. Mais avant cela, c'est-à-
dire à l'époque où je me place (fin XVIIIe-début XIXe siècle), il me
semble que ces trois figures restent séparées. Elles restent séparées

essentiellement dans la mesure où les systèmes de pouvoir et les systèmes de savoir auxquels ces trois figures sont référées restent séparés les uns des autres.

Le monstre est donc référé à ce qu'on pourrait appeler, d'une façon générale, le cadre des pouvoirs politico-judiciaires. Et sa figure va se préciser, va même se transformer, à la fin du XVIIIe siècle, à mesure que ces pouvoirs politico-judiciaires vont se transformer. L'incorrigible, lui, se définit et va se préciser, et se transformer, et s'élaborer, à mesure que vont se réaménager les fonctions de la famille et le développement des techniques disciplinaires. Quant au masturbateur, il apparaît et va se préciser dans une redistribution des pouvoirs qui investissent le corps des individus. Ces instances de pouvoir, bien sûr, ne sont pas indépendantes les unes des autres ; mais elles n'obéissent pas au même type de fonctionnement. Il n'y a pas, pour les réunir, une même technologie de pouvoir qui assurerait leur fonctionnement cohérent. Et c'est, je pense, dans cette mesure-là que l'on peut trouver, séparées les unes des autres, ces trois figures. De même, les instances de savoir auxquelles elles se réfèrent sont également séparées. L'un, le monstre, se réfère à une histoire naturelle essentiellement centrée autour de la distinction absolue et infranchissable des espèces, des genres, des règnes, etc. L'incorrigible, lui, se réfère à un type de savoir qui est en train de se constituer lentement au XVIIIe siècle : c'est le savoir qui naît des techniques pédagogiques, des techniques d'éducation collective, de formation d'aptitudes. Enfin, le masturbateur apparaît très tardivement, dans les toutes dernières années du XVIIIe siècle, référé à une biologie naissante de la sexualité qui, en fait, ne prendra que vers les années 1820-1830 sa régularité scientifique. De sorte que l'organisation des contrôles d'anomalie, comme technique de pouvoir et de savoir au XIXe siècle, devra précisément organiser, coder, articuler les unes sur les autres, ces instances de savoir et ces instances de pouvoir qui, au XVIIIe siècle, fonctionnent à l'état dispersé.

Enfin, autre remarque : il existe très manifestement une sorte de pente historique, qui est marquée au cours du XIXe siècle, et qui va renverser l'importance réciproque de ces trois figures. À la fin du XVIIIe siècle, ou en tout cas dans le cours du XVIIIe siècle, la figure la plus importante, la figure qui va dominer et celle que l'on va voir précisément émerger (et avec quelle vigueur !) dans la pratique judiciaire du début du XIXe siècle, est évidemment celle du monstre. C'est le monstre qui fait problème, c'est le monstre qui interroge et le système médical et le système judiciaire. C'est autour du monstre que toute la problématique de l'anomalie va se déployer vers les années 1820-1830, autour de ces grands crimes monstrueux, comme ceux de la femme de Sélestat, Henriette Cornier, Léger, Papavoine, etc., dont on aura à reparler[2]. C'est le monstre qui est la figure essentielle, la figure autour de laquelle les instances de pouvoir et les champs de savoir s'inquiètent et se réorganisent. Puis, petit à petit, c'est la figure la plus modeste, la plus discrète, la moins scientifiquement surchargée, celle qui apparaît comme la plus indifférente au pouvoir, c'est-à-dire le masturbateur ou, si vous voulez encore, l'universalité de la déviance sexuelle, c'est cela qui va prendre de plus en plus d'importance. C'est elle qui, à la fin du XIXe siècle, aura recouvert les autres figures et, finalement, c'est elle qui détiendra l'essentiel des problèmes qui tournent autour de l'anomalie.

Voilà, pour la mise en place de ces trois figures. Je voudrais, dans les trois ou quatre cours qui viennent, étudier un petit peu la formation, la transformation et le parcours de ces trois figures, depuis le XVIIIe jusque dans la seconde moitié du XIXe siècle, c'est-à-dire au moment où, d'un côté, elles se forment et puis, à partir d'un certain moment, sont reprises dans le problème, dans la technique et dans le savoir de l'anomalie.

Aujourd'hui, on va commencer à parler du monstre[3]. Monstre, donc, non pas notion médicale, mais notion juridique. Dans le droit romain, qui sert évidemment d'arrière-plan à toute cette problématique du monstre, on distinguait avec soin, sinon en toute clarté, deux catégories : la catégorie de la difformité, de l'infirmité, de la défectuosité (le difforme, l'infirme, le défectueux, c'est ce qu'on appelait le _portentum_ ou l'_ostentum_), et puis le monstre, le monstre proprement dit[4]. Qu'est-ce que le monstre dans une tradition à la fois juridique et scientifique ? Le monstre, depuis le Moyen Âge jusqu'au XVIIIe siècle qui nous occupe, c'est essentiellement le mixte. C'est le mixte de deux règnes, règne animal et règne humain : l'homme à tête de bœuf, l'homme aux pieds d'oiseau – monstres[5]. C'est le mélange de deux espèces, c'est le mixte de deux espèces : le porc qui a une tête de mouton est un monstre. C'est le mixte de deux individus : celui qui a deux têtes et un corps, celui qui a deux corps et une tête, est un monstre. C'est le mixte de deux sexes : celui qui est à la fois homme et femme est un monstre. C'est un mixte de vie et de mort : le fœtus qui vient au jour avec une morphologie telle qu'il ne peut pas vivre, mais qui cependant arrive à subsister pendant quelques minutes, ou quelques jours, est un monstre. Enfin, c'est un mixte de formes : celui qui n'a ni bras ni jambes, comme un serpent, est un monstre. Transgression, par conséquent, des limites naturelles, transgression des classifications, transgression du tableau, transgression de la loi comme tableau : c'est bien de cela, en effet, qu'il est question dans la monstruosité. Mais je ne pense pas que ça soit ça seulement qui constitue le monstre. Ce n'est pas l'infraction juridique à la loi naturelle qui suffit à constituer – pour la pensée du Moyen Âge sans doute, à coup sûr pour la pensée des XVIIe et XVIIIe siècles – la monstruosité. Pour qu'il y ait monstruosité, il faut que cette transgression de la limite naturelle, cette transgression de la loi-tableau soit telle qu'elle se réfère à, ou en tout cas mette en cause une certaine interdiction de la loi civile, religieuse ou divine ; ou qu'elle provoque une certaine impossibilité à appliquer cette loi civile, religieuse ou divine. Il n'y a de monstruosité que là où le désordre de la loi naturelle vient toucher, bousculer, inquiéter le droit, que ce soit le droit civil, le droit canonique, le droit religieux. C'est au point de rencontre, au point de friction entre l'infraction à la loi-tableau, naturelle, et à cette loi instituée par Dieu ou instituée par les sociétés, c'est en ce point de rencontre de deux infractions que va se marquer la diffé-rence entre l'infirmité et la monstruosité. L'infirmité est bien, en effet, quelque chose qui bouscule l'ordre naturel aussi, mais l'infirmité n'est pas une monstruosité, parce que l'infirmité a sa place dans le droit civil ou dans le droit canonique. L'infirme a beau ne pas être conforme à la nature, il est en quelque sorte prévu par le droit. En revanche, la mons-truosité est cette irrégularité naturelle, telle que, lorsqu'elle apparaît, le droit se trouve remis en question, le droit n'arrive pas à fonctionner. Le droit est obligé de s'interroger sur ses propres fondements, ou encore sur sa propre pratique, ou de se taire, ou de renoncer, ou de faire appel à un autre système de référence, ou encore d'inventer une casuistique. Le monstre est, au fond, la casuistique nécessaire que le désordre de la nature appelle dans le droit.

Ainsi on dira qu'est monstre l'être en qui se lit le mélange de deux règnes, parce que, d'une part, lorsqu'on peut lire, dans un seul et même individu, la présence de l'animal et la présence de l'espèce humaine, on est renvoyé, quand on en cherche la cause, à quoi ? À une infraction du droit humain et du droit divin, c'est-à-dire à la fornication, chez les géni-teurs, entre un individu de l'espèce humaine et un animal [6]. C'est parce qu'il y a eu rapport sexuel entre un homme et un animal, ou une femme et un animal, que le monstre, où se mêlent les deux règnes, va apparaître. Dans cette mesure-là, on est donc renvoyé à l'infraction au droit civil ou au droit religieux. Mais, en même temps que le désordre naturel renvoie à cette infraction au droit religieux et au droit civil, ce droit religieux ou ce droit civil se trouve dans un embarras absolu, qui est marqué par le fait, par exemple, que se pose le problème de savoir s'il faut ou non baptiser un individu qui aurait un corps humain et une tête animale, ou un corps animal et une tête humaine. Et le droit canon, qui a pourtant prévu combien d'infirmités, d'impuissances, etc., ne peut pas résoudre cela. Du coup, le désordre de la nature bouscule l'ordre juridique, et là apparaît le monstre. C'est de la même façon que, par exemple, la naissance d'un être informe qui est voué nécessairement à la mort, mais qui pourtant vit quelques instants, quelques heures ou quelques jours, pose également un problème, et un problème au droit [7]. C'est une infraction à l'ordre de la nature, mais c'est en même temps une énigme juridique. Dans le droit, par exemple, des successions, dans la jurisprudence, vous trouvez toute une série de discussions, de cas infiniment ressassés, dont le plus typique est celui-ci. Un homme meurt, sa femme est enceinte ; il fait un testament dans lequel il dit : « Si l'enfant que ma femme attend vient à terme, il héritera de tous mes biens. Si, au contraire, l'enfant ne naît pas ou naît mort, s'il est mort-né, à ce moment-là les biens passeront à ma famille [8]. » Si naît un monstre, à qui iront les biens ? Doit-on considérer que l'enfant est né, ou qu'il n'est pas né ? À partir du moment où naît cette espèce de mixte de vie et de mort qu'est l'enfant monstrueux, se pose au droit un problème insoluble. Lorsque naît un monstre à deux corps, ou à deux têtes, est-ce qu'il faut lui donner un baptême, ou est-ce qu'il faut lui donner deux baptêmes ? [9] Faut-il considérer qu'on a eu un enfant, ou faut-il considérer qu'on a eu deux enfants ? [10] J'ai retrouvé trace (mais malheureusement je n'ai pas pu savoir où étaient les pièces du dossier, du procès ni comment on pourrait le savoir [11]) de l'histoire de deux frères siamois, dont l'un avait commis un crime, et le problème était de savoir si on allait en exécuter un ou deux. Si on exécutait l'un, l'autre mourrait, mais si on laissait l'innocent vivre, il fallait laisser l'autre vivre [12]. C'est en cela qu'apparaît effectivement le problème de la monstruosité. Est monstre également l'être qui a deux sexes, et dont on ne sait pas, par conséquent, s'il faut le traiter comme un garçon ou comme une fille ; s'il faut l'autoriser ou non à se marier et avec qui ; s'il peut devenir titulaire de bénéfices ecclésiastiques ; s'il peut recevoir les ordres religieux, etc. [13].

Tous ces problèmes de la tératologie juridique sont développés dans un livre très intéressant et qui me paraît absolument capital pour comprendre la question de la naissance et du développement du problème juridico-naturel, juridico-médical du monstre. C'est un livre d'un prêtre qui s'appelait Cangiamila. En 1745, il a publié un texte qui s'appelle *Traité d'embryologie sacrée,* où vous avez la théorie juridico-naturelle, juridico-biologique du monstre [14]. Donc, le monstre apparaît et fonc-tionne au XVIIIe siècle exactement au point de jonction de la nature et du droit. Il porte avec lui la transgression naturelle, le mélange des espèces, le brouillage des limites et des caractères. Mais il n'est monstre que parce qu'il est aussi un labyrinthe juridique, un viol et un embarras de la loi, une transgression et une indécidabilité au niveau du droit. Le monstre est, au XVIIIe siècle, un complexe juridico-naturel.

Ce que je vous ai dit vaut pour le XVIIIe siècle – je crois qu'en fait ce fonctionnement juridico-naturel du monstre est fort ancien. On va le retrouver encore, longtemps, au XIXe siècle. C'est lui que l'on rencontre transposé, transformé, dans les expertises que je vous lisais. Mais il me semble que le point d'élaboration de la nouvelle théorie de la mons-truosité qu'on trouvera au XIXe siècle, on le trouve au XVIIIe siècle à pro-pos d'un type particulier de monstre. Je crois, d'ailleurs, qu'il y a eu à chaque époque – au moins pour la réflexion juridique et médicale – des formes de monstre privilégiées. Au Moyen Âge, c'était évidemment l'homme bestial, c'est-à-dire le mixte des deux règnes, celui qui était à la fois homme et bête. Il me semble – ça serait à étudier d'un peu plus près – qu'il est frappant de voir que, à l'époque de la Renaissance, il y a une forme de monstruosité qui a été particulièrement privilégiée dans la littérature en général, mais aussi dans les livres de médecine et dans les livres de droit, dans les livres religieux également : les frères sia-mois. L'un qui est deux, deux qui sont un. Avec une très curieuse réfé-rence, qu'on trouve pratiquement toujours, enfin très régulièrement, dans ces analyses de la fin du XVIe et du début encore du XVIIe siècle : l'individu qui n'a qu'une tête et deux corps, ou un corps et deux têtes ; c'est l'image du royaume, c'est l'image aussi de la chrétienté divisée en deux communautés religieuses. Il y a des discussions très intéressantes, où justement s'articulent l'une sur l'autre la problématique religieuse et la problématique médicale. En particulier, l'histoire de ces deux frères [*rectius* : sœurs] siamoises, qui ont été baptisées, ou plutôt dont on a entrepris le baptême. L'une a été baptisée, et voilà que la seconde est morte avant que le baptême ait pu lui être donné. Alors, immense dis-cussion, et le prêtre catholique (celui qui avait baptisé) a dit : « Ce n'est pas difficile. Si l'autre est morte, c'est qu'elle aurait été protestante. » Et on a l'image du royaume de France avec sa moitié sauvée par le baptême, et celle qui sera damnée et perdue. En tout cas, il est caracté-ristique que, dans les affaires juridiques, médicales et religieuses de la fin du XVIe et du début du XVIIe siècle, les frères siamois constituent le thème le plus fréquent [15].

Mais, à l'Âge classique, c'est un troisième type, je crois, de monstruosité qui est privilégié : les hermaphrodites. C'est autour des hermaphrodites que s'est élaborée, qu'a commencé en tout cas à s'élaborer la nouvelle figure du monstre, qui va apparaître à la fin du XVIIIe siècle, et qui va fonctionner au début du XIXe siècle. En gros, on peut admettre – mais il faudrait regarder sans doute les choses de beaucoup plus près – en tout cas, les gens vous disent qu'au Moyen Âge, et jusqu'au XVIe siècle (début au moins du XVIIe siècle aussi), les hermaphrodites étaient, en tant qu'hermaphrodites, considérés comme monstres et exécutés, brûlés, leurs cendres jetées au vent. Admettons-le. En effet, on trouve, à l'extrême fin, par exemple, du XVIe siècle, en 1599, un cas de punition d'un hermaphrodite, qui est condamné en tant qu'hermaphrodite et, semble-t-il, sans qu'il n'y ait rien d'autre que le fait qu'il soit hermaphrodite. C'était quelqu'un qui s'appelait Antide Collas, qui a été dénoncé comme hermaphrodite. Il habitait Dôle et, après visite, les médecins ont conclu que, en effet, cet individu possédait les deux sexes, mais qu'il ne pouvait posséder les deux sexes que parce qu'il avait eu des rapports avec Satan, et que c'étaient ces rapports avec Satan qui avaient ajouté à son sexe primitif un second sexe. Mis à la question, l'hermaphrodite a avoué en effet avoir eu des rapports avec Satan, et il a été brûlé vif à Dôle en 1599. C'est, me semble-t-il, l'un des derniers cas dans lesquels on trouve un hermaphrodite brûlé en tant qu'hermaphrodite [16].

Or, très tôt après, on voit apparaître une jurisprudence d'un autre type – et que vous trouvez exposée très au long dans le *Dictionnaire des arrêts des parlements de France* de Brillon [17] – qui montre qu'un hermaphrodite, à partir en tout cas du XVIIe siècle, n'était pas condamné en tant qu'hermaphrodite. S'il était reconnu tel, on lui demandait de choisir son sexe, celui qui était dominant chez lui, de se conduire en fonction du sexe qui était ainsi déterminé, d'en prendre en particulier les vêtements ; et ce n'est que s'il faisait usage de son sexe annexe que, à ce moment-là, il relevait des lois pénales et méritait d'être condamné pour sodomie [18]. On trouve, en effet, toute une série de condamnations d'hermaphrodites, pour cet usage supplémentaire du sexe annexe. C'est ainsi qu'Héricourt, dans *Les Lois ecclésiastiques de France,* qui ont été publiées en 1761 [*rectius* : 1771], se réfère à une histoire qui date du tout début du XVIIe siècle [19]. On voit un hermaphrodite qui est condamné parce que – après avoir choisi le sexe masculin – il s'était servi, avec un homme, de son autre sexe, et on l'a donc brûlé [20]. Ou encore, tout à fait aussi au début du XVIIe siècle, on trouve deux hermaphrodites qui ont été brûlés vifs, et leurs cendres jetées au vent, tout simplement parce qu'ils vivaient ensemble, et là nécessairement, on le supposait en tout cas, chacun faisait usage de ses deux sexes avec l'autre [21].

Or, l'histoire des hermaphrodites, du XVIIe à la fin du XVIIIe siècle, est, je crois, intéressante. Je vais prendre deux affaires. L'une qui date des années 1614-1615 [*rectius* : 1601 [22]], et l'autre de l'année 1765. Première affaire, c'est celle qui est connue à l'époque sous le nom d'« hermaphrodite de Rouen » [23]. Il s'agissait de quelqu'un qui avait été baptisé du nom de Marie Lemarcis et qui, petit à petit, était devenu homme, avait revêtu des habits d'homme, et s'était marié avec une veuve qui était elle-même, de son côté, mère déjà de trois enfants. Dénonciation. Marie Lemarcis – qui avait pris à ce moment-là le nom de Marin Lemarcis – passe devant le tribunal, et les premiers juges font faire une expertise médicale, par un médecin, un apothicaire, deux chirurgiens. Ceux-là ne trouvent aucun signe de virilité. Marie Lemarcis est condamnée à être pendue, brûlée et ses cendres jetées au vent. Quant à sa femme (enfin, à la femme qui vivait avec lui ou elle), elle est condamnée à assister au supplice de son mari et à être fustigée au carrefour de la ville. Peine capitale, donc appel de droit, et là, devant la Cour [de Rouen], nouvelle expertise. Les experts sont tous d'accord avec les premiers, qu'il n'y a aucun signe de virilité, sauf un des experts, qui s'appelle Duval et qui reconnaît des signes de virilité. Le verdict de la Cour de Rouen est intéressant, puisqu'il relaxe la femme, lui prescrit simplement de garder l'habit de femme, et lui fait défense d'habiter avec aucune autre personne de l'un ou de l'autre sexe, « sous peine de la vie ». Donc, interdiction de tout rapport sexuel, mais aucune condamnation pour fait d'hermaphrodisme, pour nature d'hermaphrodisme, et aucune condamnation non plus pour le fait d'avoir vécu avec une femme bien que, semble-t-il, son sexe dominant ait été celui de la femme.

Cette affaire me paraît importante pour un certain nombre de raisons. D'abord celle-ci. C'est qu'elle a donné lieu à un débat contradictoire entre deux médecins : l'un, qui était le grand spécialiste des monstres à cette époque-là et qui a écrit un certain nombre de livres sur la monstruosité, et qui s'appelait Riolan ; et puis ce fameux médecin, dont je vous parlais tout à l'heure, Duval, qui a fait l'expertise [24]. Or, l'expertise de Duval est très intéressante, parce qu'on y voit ce qu'on pourrait appeler les tout premiers rudiments d'une clinique de la sexualité. Duval se livre à un examen qui n'est pas l'examen traditionnel des matrones, des médecins et des chirurgiens. Il pratique un examen de détail avec palpation et surtout description détaillée, dans son rapport, des organes tels qu'il les a trouvés. On a là le premier, je crois, des textes médicaux où l'organisation sexuelle du corps humain est donnée non pas dans sa forme générale, mais dans son détail clinique à propos d'un cas particulier. Jusque-là, le discours médical ne parlait des organes sexuels qu'en général, dans leur conformation d'ensemble, à propos de n'importe qui et avec une grande réserve de vocabulaire. Là, au contraire, on a une description, une description détaillée, individuelle, où les choses sont appelées par leur nom.

Or, non seulement Duval fait cela, mais il donne la théorie du discours médical sur la sexualité. Et il dit ceci. Au fond, il n'est pas étonnant que jamais les organes de la sexualité ou de la reproduction n'aient pu être nommés dans le discours médical. Il était bien normal que le médecin hésite à nommer ces choses. Pourquoi ? Parce que c'est une vieille tradition de l'Antiquité. Car, dans l'Antiquité, les femmes étaient des gens particulièrement méprisables. Les femmes de l'Antiquité se conduisaient avec une telle débauche, qu'il était bien normal que quelqu'un qui fût maître du savoir ne puisse pas parler des organes sexuels de la femme. Seulement, est venue la Vierge Marie qui – dit Duval – a « porté notre Sauveur dans ses flancs ». À partir de ce moment-là, le « sacré mariage » a été institué, toutes les « lubricités ont pris fin » et les « vicieuses coutumes des femmes ont été abolies ». Du coup, suivent un certain nombre de conséquences. La première, c'est que « la matrice qui était auparavant principalement blâmée dans la femme », a dû maintenant être reconnue comme « le plus aimable, auguste, saint, vénérable et miraculeux temple de l'univers ». Deuxièmement, l'inclination que les hommes ont pour la matrice des femmes est devenue non plus ce goût de la lubricité, mais une sorte de « sensible précepte divin [25] ». Troisièmement, le rôle de la femme est devenu en général vénérable. C'est à elle que, depuis le christianisme, on confie la garde et la conservation des biens de la maison et leur transmission aux descendants. Autre conséquence encore, ou plutôt conséquence générale de tout cela : désormais, puisque la matrice est devenue cet objet sacré, au moment même et par le fait que la femme a été sacralisée par la religion, par le mariage et par le système économique de la transmission des biens, il est nécessaire de connaître la matrice. Pourquoi ? Parce que, d'abord, ceci permettra d'éviter bien des douleurs aux femmes et surtout d'éviter que meurent en couches beaucoup d'entre elles. Ceci permettra enfin et surtout d'éviter que meurent beaucoup d'enfants, au moment de leur naissance ou avant même leur naissance. Et dit-il, dans une estimation évidemment complètement délirante : il y a chaque année un million d'enfants qui pourraient voir le jour, si le savoir des médecins était assez élaboré pour pouvoir pratiquer comme il faut l'accouchement de leurs mères. Combien d'enfants n'ont pas vu le jour, et dont les mères sont mortes, enfermées dans les mêmes sépulcres à cause, dit-il, de ce « vergogneux silence » ! Vous voyez comment dans ce texte, qui date de 1601, viennent s'articuler directement l'un sur l'autre le thème, donc, de la sacralisation religieuse et économique de la femme, et puis le thème qui est celui déjà des mercantilistes, le thème strictement économique de la force d'une nation, qui est liée au chiffre de sa population. Les femmes sont précieuses parce qu'elles reproduisent ; les enfants sont précieux parce qu'ils fournissent une population, et nul « vergogneux silence » ne doit empêcher de connaître ce qui permettra justement de sauver ces existences. Et Duval écrit : « Ô cruauté, ô misère grande, ô suprême impiété de reconnaître que tant d'âmes, qui seraient promues à la lumière de ce monde [...] ne demandent qu'un dispositif de notre part. » Or, ce dispositif, nous ne l'avons pas à cause de paroles que « quelques-uns disent [être] chatouilleuses, lesquelles [paroles] pourraient induire à la lubricité », ce qui est une bien « pauvre réponse, en contrepoids de tant de maux et si grands inconvénients [26] ». Je crois que ce texte est important, puisqu'on a là non seulement, de fait, une description médicale des organes de la sexualité, une description clinique sur un cas particulier, mais aussi la théorie de l'ancien silence médical sur les organes de la sexualité et la théorie de la nécessité maintenant d'un discours explicite.

J'ouvre ici une micro-parenthèse. On dit partout que, jusqu'au XVIᵉ et au début du XVIIᵉ siècle, la licence verbale, la verdeur des discours, permettaient de nommer une sexualité qui est entrée au contraire dans le régime du silence, ou en tout cas de la métaphore, à partir de l'Âge classique. Je crois que tout ça, c'est très vrai et très faux. C'est très faux, si vous parlez de la langue en général, mais c'est très vrai à partir du moment où vous distinguez avec soin les types de formation ou de pratique discursive auxquels vous vous adressez. S'il est vrai que, dans le langage littéraire, l'énonciation de la sexualité a pu effectivement obéir à un régime de censure ou de déplacement, à partir de cette époque-là, en revanche, dans le discours médical, c'est exactement le transfert inverse qui s'est produit. Le discours médical a été, jusqu'à cette époque-là, complètement imperméable, fermé à ce type d'énonciation et de description. C'est à partir de ce moment-là, donc à propos de ce cas de l'hermaphrodite de Rouen, que vous voyez apparaître, et se théoriser en même temps, la nécessité d'un discours savant sur la sexualité et, en tout cas, sur l'organisation anatomique de la sexualité.

L'autre raison de l'importance de cette affaire de l'hermaphrodite de Rouen est celle-ci. C'est qu'on y trouve clairement l'affirmation que l'hermaphrodite est un monstre. Ceci se trouve dans le discours de Riolan, où il dit que l'hermaphrodite est un monstre parce qu'il est contre l'ordre et la règle ordinaire de la nature, qui a séparé le genre humain en deux : mâles et femelles [27]. Partant, si quelqu'un a les deux sexes ensemble, il doit être tenu et réputé pour monstre. D'autre part, puisque l'hermaphrodite est un monstre, si l'examen doit être fait, c'est – selon Riolan – pour déterminer quels habits il doit porter et si, effectivement, il doit se marier, et avec qui [28]. Nous avons donc là, d'une part, l'exigence clairement formulée d'un discours médical sur la sexualité et ses organes, et puis, d'autre part, la conception encore traditionnelle de l'hermaphrodisme comme monstruosité, mais une monstruosité dont vous voyez qu'elle a tout de même échappé de fait à la condamnation, qui était de règle autrefois.

Maintenant 1765, donc 150 ans plus tard, fin du XVIIIᵉ siècle : affaire presque semblable. C'est l'affaire d'Anne Grandjean, qui avait été baptisée comme fille [29]. Mais, comme devait le dire quelqu'un qui a écrit un mémoire en sa faveur, « un certain instinct de plaisir vers quatorze ans l'a rapprochée de ses compagnes [30] ». Inquiète de cette attirance qu'elle éprouvait pour les filles du même sexe qu'elle, elle se décide à prendre les habits de garçon, change de ville, s'installe à Lyon, où elle épouse quelqu'un qui s'appelait Françoise Lambert. Et, sur dénonciation, elle est traduite devant les tribunaux. Visite par le chirurgien, qui conclut qu'elle est femme et que, par conséquent, si elle a vécu avec une autre femme, elle est condamnable. Elle a donc usé du sexe qui n'était pas dominant chez elle, et elle est condamnée par les premiers juges au carcan, avec comme inscription : « Profanateur du sacrement du mariage [31] ». Carcan, fouet et balisier. Là encore, appel devant la Cour du Dauphiné. Elle est mise hors cour, c'est-à-dire relaxée, avec obligation de prendre des habits de femme et défense de fréquenter ni Françoise Lambert, ni aucune autre femme. Vous voyez que, dans l'affaire, le processus judiciaire, le verdict, sont à peu près les mêmes qu'en 1601, à cette différence près que Françoise Lambert [*rectius* : Anne Grandjean] est interdite de séjour avec les femmes, et avec les femmes seulement, alors que, dans le cas précédent, c'était avec toute personne de « n'importe quel » sexe [32]. C'étaient la sexualité et le rapport sexuel qui étaient interdits à Marin Lemarcis [33].

Cette affaire Grandjean, malgré son isomorphisme presque total avec l'affaire de 1601, marque tout de même une évolution qui a été très importante. C'est d'abord le fait que, dans le discours médical, l'herma-phrodisme n'est plus défini, comme il l'était encore par Riolan, comme un mixte des sexes [34]. Dans les mémoires que Champeaux a écrits et publiés à propos de l'affaire Grandjean, il se réfère explicitement à un texte presque contemporain du *Dictionnaire de médecine,* à l'article « Hermaphrodit », où il est dit : « Je regarde toutes les histoires qu'on fait des hermaphrodites comme autant de fables [35]. » Pour Champeaux, et pour la majorité des médecins à cette époque-là, il n'y a pas mélange de sexes, il n'y a jamais présence simultanée de deux sexes dans un seul organisme et chez un seul individu [36]. Mais vous avez des individus « qui ont un sexe [prédominant], mais dont les parties de la génération sont si mal conformées, qu'ils ne peuvent pas engendrer [dans eux ni hors d'eux] [37] ». Et, par conséquent, ce qu'on appelle l'hermaphrodisme n'est qu'une mauvaise conformation accompagnée d'une impuissance. Il y a ceux qui ont des organes masculins et quelques apparences (nous appellerions ça quelques caractères secondaires) des femmes, et – dit Champeaux – ceux-là sont peu nombreux [38]. Et puis il y a ceux, ou celles plutôt, qui sont des femmes, qui ont des organes féminins et des apparences, des caractères secondaires, qui sont masculins, et ces gens-là – dit Champeaux – sont très nombreux [39].

Donc, disparaît la monstruosité comme mélange des sexes, comme transgression de tout ce qui sépare un sexe d'un autre [40]. D'autre part – et c'est là que commence à s'élaborer la notion de monstruosité qu'on va trouver au début du XIXᵉ siècle – il n'y a pas de mélange de sexes : il n'y a que des bizarreries, des espèces d'imperfections, des glissements de la nature. Or, ces bizarreries, ces mauvaises conforma-tions, ces glissements, ces bafouillages de la nature sont, peuvent être, en tout cas, le principe ou le prétexte d'un certain nombre de conduites criminelles. Ce qui doit susciter, à propos de la femme Grandjean, ce qui doit provoquer la condamnation – dit Champeaux – ce n'est pas le fait qu'elle soit hermaphrodite. C'est tout simplement le fait que, étant une femme, elle a des goûts pervers, elle aime les femmes, et c'est cette monstruosité, non de nature mais de comportement, qui doit provoquer la condamnation. La monstruosité n'est donc plus le mélange indu de ce qui doit être séparé par la nature. C'est simplement une irrégularité, une légère déviation, mais qui rend possible quelque chose qui sera véritablement la monstruosité, c'est-à-dire la monstruosité de la nature. Et Champeaux dit : « Pourquoi donc supposer dans ces femmes », qui ne sont après tout que des femmes « lubriques, un prétendu partage de sexe, et rejeter sur les premières impressions de la nature envers leur propre sexe leur penchant à une débauche aussi criminelle ? Ce serait excuser le crime affreux de ces hommes, opprobres de l'humanité, qui rejettent une alliance naturelle pour assouvir leur brutalité avec d'autres hommes. Dira-t-on qu'ils n'éprouvent que de la froideur auprès des femmes, et qu'un instinct de plaisir, dont ils ignorent la cause, les rapproche, malgré eux, de leur sexe ? Malheur à celui que ce raisonnement pourrait persuader [41] ».

Vous voyez comment, à partir de cette histoire, on voit se dissocier le complexe juridico-naturel de la monstruosité hermaphrodite. Sur fond de ce qui n'est qu'une imperfection, une déviation (nous pourrions dire, par avance, une anomalie somatique), apparaît l'assignation d'une monstruosité qui n'est plus juridico-naturelle, qui est juridico-morale ; une monstruosité qui est la monstruosité de la conduite, et non plus la monstruosité de la nature [42]. Et c'est bien ce thème finalement de la monstruosité de la conduite qui a organisé et qui a été au centre de toute la discussion autour de l'affaire Grandjean. Le défenseur d'Anne Grandjean, Vermeil, qui était avocat (il ne l'a pas défendue, parce qu'il n'y avait pas d'avocat au pénal à ce moment-là, mais il a publié un mémoire pour sa défense), insistait au contraire, en dépit de l'opinion générale du médecin, sur l'importance de la difformité organique [43]. Vermeil essayait, contre les médecins, de faire valoir que chez Anne Grandjean il y avait mélange de sexes, donc hermaphrodisme vrai. Parce que, à ce moment-là, il pouvait la disculper de la monstruosité morale dont les médecins lui faisaient reproche, dans la mesure même où les médecins avaient cessé de reconnaître le caractère monstrueux de l'hermaphrodisme ou avaient cessé de reconnaître qu'il s'agissait d'un mélange effectif des sexes. On en trouverait aussi la preuve que c'est de cela qu'il s'agit. Car on a publié en faveur d'Anne Grandjean un poème, qui a circulé sous son nom, et qui était un poème d'amour à l'égard de la femme avec laquelle elle vivait. Ce poème, malheureusement et vraisemblablement, est d'une autre plume que celle d'Anne Grandjean. C'est un long poème en vers de mirliton, mais dont tout le sens réside, je crois, dans le fait qu'il s'agissait de montrer, avec les défenseurs d'Anne Grandjean, que le sentiment qu'elle avait pour la femme avec laquelle elle vivait était un sentiment parfaitement naturel et non monstrueux [44].

En tout cas, quand on compare la première et la dernière affaire, celle de Rouen et celle de Lyon, celle de 1601 et celle de 1765, vous voyez bien que s'esquisse un changement, qui est en quelque sorte l'autonomisation d'une monstruosité morale, d'une monstruosité de comportement qui transpose la vieille catégorie du monstre, du domaine du bouleversement somatique et naturel au domaine de la criminalité pure et simple. À partir de ce moment-là, on voit émerger une espèce de domaine spécifique, qui sera celui de la criminalité monstrueuse ou de la monstruosité qui a son point d'effet non pas dans la nature et le désordre des espèces, mais dans le comportement lui-même.

Ce n'est là bien entendu qu'une esquisse. C'est l'amorce d'un processus qui va prendre son développement entre justement les années 1765 et puis 1820-1830; là, explosera le problème de la conduite monstrueuse, de la criminalité monstrueuse. Ce n'est là que le point de départ de ce mouvement et de cette transformation. Mais, pour résumer tout en deux mots, je dirai ceci. C'est que, jusque vers le milieu du XVIIIᵉ siècle, il y avait un statut criminel de la monstruosité, en tant qu'elle était transgression de tout un système de lois, que ce soient des lois naturelles, que ce soient des lois juridiques. Donc c'était la monstruosité qui, en elle-même, était criminelle. La jurisprudence du XVIIᵉ et du XVIIIᵉ siècle efface le plus possible les conséquences pénales de cette monstruosité en elle-même criminelle. Mais je crois qu'elle reste, jusque tard dans le XVIIIᵉ siècle, encore essentiellement, fondamentalement criminelle. C'est donc la monstruosité qui est criminelle. Puis, vers 1750, au milieu du XVIIIᵉ siècle (pour des raisons que j'essayerai d'analyser ensuite), on voit apparaître autre chose, c'est-à-dire le thème d'une nature monstrueuse de la criminalité, d'une monstruosité qui prend ses effets dans le champ de la conduite, dans le champ de la criminalité, et non pas dans le champ de la nature elle-même. La criminalité était, jusque vers le milieu du XVIIIᵉ siècle, un exposant nécessaire de la monstruosité, et la monstruosité n'était pas encore ce qu'elle est devenue ensuite, c'est-à-dire un qualificatif éventuel de la criminalité. La figure du criminel monstrueux, la figure du monstre moral, va brusquement apparaître, et avec une exubérance très vive, à la fin du XVIIIᵉ et au début du XIXᵉ siècle. Elle va apparaître dans des formes de discours et pratiques extraordinairement différentes. Le monstre moral éclate, dans la littérature, avec le roman gothique, à la fin du XVIIIᵉ siècle. Il éclate avec Sade. Il apparaît aussi avec toute une série de thèmes politiques, dont j'essayerai de vous parler la prochaine fois. Il apparaît aussi dans le monde judiciaire et médical. Le problème est de savoir précisément comment s'est faite la transformation. Qu'est-ce qui empêchait finalement la formation de cette catégorie de la criminalité monstrueuse ? Qu'est-ce qui empêchait de concevoir la criminalité exaspérée comme une espèce de monstruosité ? Comment se fait-il que l'on

n'ait pas rapproché l'extrémité du crime de l'aberration de la nature ?
Pourquoi a-t-il fallu attendre la fin du XVIIIe et le début du XIXe siècle
pour qu'apparaisse cette figure du scélérat, cette figure du monstre criminel, où l'infraction la plus extrême vient rejoindre l'aberration de la
nature ? Et ce n'est pas l'aberration de la nature qui est en elle-même
infraction, mais l'infraction qui renvoie, comme à son origine, comme
à sa cause, comme à son excuse, comme à son cadre, peu importe, à
quelque chose qui est l'aberration même de la nature.

C'est cela que je voudrais essayer d'expliquer la prochaine fois.
C'est du côté, bien entendu, d'une espèce d'économie du pouvoir de
punir et de transformation de cette économie que se trouve, je crois, le
principe de cette transformation.

*

NOTES

1. Michel Foucault se réfère ici, bien entendu, à l'ensemble de l'activité de Cesare
Lombroso dans le domaine de l'anthropologie criminelle. Voir, en particulier,
C. Lombroso, *L'Uomo delinquente studiato in rapporto all'antropologia, alla medi-
cina legale ed alle discipline carcerarie*, Milano, 1876 (trad. fr. de la 4e édition ita-
lienne : *L'Homme criminel,* Paris, 1887).

2. Cf. *infra,* leçons du 29 janvier et du 5 février.

3. L'analyse de la figure du monstre que Foucault développe dans ce cours est fondée notamment sur E. Martin, *Histoire des monstres depuis l'Antiquité jusqu'à nos
jours,* Paris, 1880.

4. *Ibid.,* p. 7 : « Les expressions de *portentum* et d'*ostentum* désigneront une simple
anomalie, et celle de *monstrum* s'appliquera exclusivement à tout être qui n'a forme
humaine. » Le fondement du droit romain est *Digesta* I.5.14 : « Non sunt liberi qui
contra formam humani generis converso more procreantur : veluti si mulier monstro-
sum aliquid aut prodigiosum enixa sit. Partus autem, qui membrorum humanorum offi-
cia ampliavit, aliquatenus videtur effectus et ideo inter liberos connumerabitur »
(*Digesta Iustiniani Augusti,* edidit Th. Mommsen, II, Berolini, 1870, p. 16).

5. E. Martin, *Histoire des monstres...,* op. cit., p. 85-110.

6. Voir A. Paré, *Des monstres et prodiges,* in *Les Œuvres,* Paris, 1617[7], p. 1031 :
« Il y a des monstres qui naissent moitié de figure de bête, et l'autre humaine, ou du tout
retenant des animaux, qui sont produits de sodomites et athéistes, qui se joignent et
débordent contre nature avec les bêtes, et de là s'engendrent plusieurs monstres hideux
et grandement honteux à voir et à en parler : toutefois la déshonnêteté gît en effet, et
non en paroles, et est lors que cela se fait, une chose fort malheureuse et abominable, et
grande infamie et abomination à l'homme ou la femme se mêler et accoupler avec les
bêtes, dont aucuns naissent demi-hommes et demi-bêtes. » Cf. A. Pareus, *De monstris*

et prodigiis, in *Opera,* latinitate donata I. Guilleameau labore et diligentia, Parisiis, 1582, p. 751.

7. Cf. [F.E. Cangiamila], *Abrégé de l'embryologie sacrée ou Traité des devoirs des prêtres, des médecins et autres, sur le salut éternel des enfants qui sont dans le ventre de leur mère,* [traduit par J.-A.-T. Dinouart], Paris, 1762. Le chapitre sur le baptême des monstres se termine en précisant que, bien que le monstre, « entièrement difforme et affreux dans sa conformation meur[e] bientôt naturellement », il y a une législation « qui défend expressément d'étouffer ces monstres et qui ordonne d'appeler le curé pour les voir et en juger » (p. 192-193).

8. Cf. P. Zacchia, *Questionum medico-legalium tomus secundus,* Lugduni, 1726, p. 526. Sur toute la question de la succession en cas de naissance d'un *monstrum,* dans les jurisprudences de l'Europe moderne, voir E. Martin, *Histoire des monstres...,* *op. cit.,* p. 177-210.

9. « On peut former ici deux questions : "Quand peut-on croire qu'un monstre a une âme raisonnable, pour qu'on lui donne le baptême ?" ; "En quel cas n'y a-t-il qu'une âme, ou y en a-t-il deux, pour qu'on doive ne donner qu'un ou deux baptêmes ?" » (F.E. Cangiamila, *Abrégé de l'embryologie sacrée..., op. cit.,* p. 188-189).

10. « Si un monstre a deux corps qui, quoique unis ensemble, aient chacun leurs membres distincts [...], il faut conférer séparément deux baptêmes, parce qu'il y a certainement deux hommes et deux âmes ; dans un péril pressant, on peut ne se servir que d'une formule au pluriel : "Je vous baptise", "Ego vos baptiso" » (*ibid.,* p. 190-191).

11. Nous n'avons pas retrouvé la documentation à laquelle Foucault fait ici référence.

12. Le cas est cité par H. Sauval, *Histoire et Recherches des antiquités de la ville de Paris,* II, Paris, 1724, p. 564 : « Comme l'on vint à tuer un homme d'un coup de couteau, on lui fit son procès, et fut condamné à mort ; mais non pas exécuté, à cause de son frère, qui n'avait aucune part à ce meurtre, ne pouvant faire mourir l'un sans faire mourir l'autre en même temps. »

13. Les sources juridiques de la discussion – *Digesta Iustiniani,* I.5.10 *(Quaeritur)* ; XXII.5.15 *(Repetundarum)* ; XXVIII.2.6 *(Sed est quaesitum)* – se trouvent in *Digesta Iustiniani Augusti,* éd. citée, p. 16, 652, 820. En ce qui concerne la question du mariage il y a unanimité des *Summae* du Moyen Âge (par exemple : H. de Segusio, *Summa aurea ad vetustissimos codices collata,* Basileae, 1573, col. 488). Pour le sacerdoce : S. Maiolus, *Tractatus de irregularitate et aliis canonicis impedimentis in quinque libros distributos quibus ecclesiasticos ordines suscipere et susceptos administrare quisque prohibetur,* Romae, 1619, p. 60-63.

14. F.E. Cangiamila, *Embriologia sacra ovvero dell'uffizio de' sacerdoti, medici e superiori circa l'eterna salute de' bambini racchiusi nell'utero libri quattro,* Palermo, 1745 ; Id., *Embryologia sacra sive De officio sacerdotum, medicorum et aliorum circa aeternam parvulorum in utero existentium salutem libri quatuor,* Panormi, 1758. M. Foucault utilise la deuxième édition française, considérablement augmentée et approuvée par l'Académie royale de chirurgie : [Id.], *Abrégé de l'embryologie sacrée ou Traité des devoirs des prêtres, des médecins, des chirurgiens, et des sages-femmes envers les enfants qui sont dans le sein de leur mère,* Paris, 1766. Il s'appuie essentiellement, dans son analyse de la théorie « juridico-naturelle » ou « juridico-biologique », sur le chapitre VIII (« Du baptême des monstres ») du livre III, p. 188-193.

15. Le jugement de M. Foucault dérive de H. Sauval, *Histoire et Recherches des antiquités..., op. cit.,* II, p. 563 : « On a vu à Paris tant d'enfants nés accouplés et

attachés ensemble, qu'on en ferait un livre, tant il s'en trouve dans les auteurs sans les autres dont on n'a point fait mention. » On peut lire certains cas, « des plus rares et des plus monstrueux » (*ibid.*, p. 563-566). En ce qui concerne la littérature médicale, voir A. Paré, *Des monstres et prodiges,* édition critique et commentée par J. Céard, Genève, 1971, p. 9-20 (avec une bibliographie complète, établie par J. Céard, des auteurs qui ont traité des frères siamois dans leurs ouvrages sur les monstres, p. 203-218). Il faut aussi remarquer que le terme « frères siamois » a été introduit dans la littérature médicale seulement au XIXe siècle.

16. Le cas d'Antide Collas est rapporté par E. Martin, *Histoire des monstres...,* *op. cit.,* p. 106 : « Vers la fin de 1599 [...] une femme de Dôle, du nom d'Antide Collas, fut poursuivie sous l'inculpation de présenter une conformation qui, si on s'en rapporte aux détails contenus dans les pièces du procès, devait être un cas semblable à celui de Marie le Marcis. Des médecins furent requis pour procéder à un examen ; ils établirent que le vice dont Antide Collas était atteinte dans sa conformation sexuelle était le résultat d'un commerce infâme avec les démons. Ces conclusions étant favorables à l'accusation, Antide Collas fut réintégrée dans sa prison. On la soumit à la question : elle fut torturée ; elle résista quelque temps, mais, vaincue par les souffrances horribles, elle finit par se décider à faire des aveux : "Elle confessa – dit le chroniqueur – qu'elle avait eu des relations criminelles avec Satan ; elle fut brûlée vive sur la place publique de Dôle". »

17. P.-J. Brillon, *Dictionnaire des arrêts ou Jurisprudence universelle des parlements de France et autres tribunaux,* Paris, 1711, 3 vol. ; Paris, 1727, 6 vol. ; Lyon, 1781-1788, 7 vol. M. Foucault utilise la première édition, qui présente, dans le volume II (p. 366-367), six questions concernant l'hermaphrodisme.

18. *Ibid.,* p. 367 : « Des hermaphrodites. Ils sont réputés du sexe qui prévaut en eux. Quelques-uns ont estimé que l'accusation du crime de sodomie pouvait être formée contre les hermaphrodites, lesquels ayant choisi le sexe viril qui prévalait en eux, ont fait l'office de la femme. Un jeune hermaphrodite fut pour cela condamné à être pendu et ensuite brûlé par arrêt du parlement de Paris en 1603. » Mais plusieurs sources (par exemple, le *Dictionnaire universel français et latin vulgairement appelé Dictionnaire de Trévoux,* IV, Paris, 1771, p. 798) ne mentionnent pas la sodomie comme cause de la condamnation.

19. L. de Héricourt, *Les Lois ecclésiastiques de France dans leur ordre naturel et une analyse des livres du droit canonique, considérées avec les usages de l'Église gallicane,* Paris, 1719. M. Foucault utilise la dernière édition (1771).

20. *Ibid.,* III, p. 88 : « Par arrêt du parlement de Paris, de l'an 1603, un hermaphrodite, qui avait choisi le sexe viril qui dominait en lui, et qui fut convaincu d'avoir usé de l'autre, fut condamné à être pendu et brûlé. »

21. Le cas est rapporté par E. Martin, *Histoire des monstres..., op. cit.,* p. 106-107 : « En 1603 [...] un jeune hermaphrodite fut accusé d'avoir eu des relations avec une autre personne présentant la même conformation. Le fait ne fut pas plutôt connu, que l'autorité s'empara de ces deux malheureux : leur procès fut instruit. [...] La preuve ayant été faite de leur culpabilité, ils furent condamnés à mort et exécutés. »

22. Pour la correction de la datation, voir la note suivante.

23. Le procès commence le 7 janvier et se termine le 7 juin 1601. L'affaire est rapportée par J. Duval, *Des hermaphrodits, accouchements des femmes, et traitement qui est requis pour les relever en santé et bien élever leurs enfants,* Rouen, 1612, p. 383-

447 (rééd. : J. Duval, *Traité des hermaphrodits, parties génitales, accouchements des femmes*, Paris, 1880, p. 352-415).

24. J. Riolan, *Discours sur les hermaphrodits, où il est démontré, contre l'opinion commune, qu'il n'y a point de vrais hermaphrodits*, Paris, 1614 ; J. Duval, *Réponse au discours fait par le sieur Riolan, docteur en médecine et professeur en chirurgie et pharmacie à Paris, contre l'histoire de l'hermaphrodit de Rouen*, Rouen, [s.d. : 1615].

25. J. Duval, *Réponse au discours fait par le sieur Riolan…, op. cit.*, p. 23-24.

26. *Ibid.*, p. 34-35.

27. Cf. J. Riolan, *Discours sur les hermaphrodits…, op. cit.*, p. 6-10 (« qu'est-ce qu'hermaphrodit, et s'il est monstre »).

28. *Ibid.*, p. 124-130 (« comment il faut connaître les hermaphrodits, pour leur donner le sexe convenable à leur nature »), p. 130-134 (« comment il faut traiter les hermaphrodits, pour leur rendre une nature entière, capable de la génération »).

29. Sur le cas d'Anne Grandjean, cf. [F.-M. Vermeil], *Mémoire pour Anne Grandjean connu sous le nom de Jean-Baptiste Grandjean, accusé et appelant, contre Monsieur le Procureur général, accusateur et intimé. Question : « Un hermaphrodite, qui a épousé une fille, peut-il être réputé profanateur du sacrement de mariage, quand la nature, qui le trompait, l'appelait à l'état de mari ? »*, Paris, 1765 ; [C. Champeaux], *Réflexions sur les hermaphrodites relativement à Anne Grand-Jean, qualifiée telle dans un mémoire de Maître Vermeil, avocat au Parlement*, Avignon, 1765. Le cas fut divulgué en Europe grâce à la reprise de ces rares documents par G. Arnaud [de Ronsil], *Dissertation sur les hermaphrodites*, in *Mémoires de chirurgie*, I, Londres-Paris, 1768, p. 329-390, qui les publia intégralement et les fit traduire en allemand sous le titre : *Anatomisch-chirurgische Abhandlung über die Hermaphroditen*, Strassburg, 1777.

30. [F.-M. Vermeil], *Mémoire pour Anne Grandjean…, op. cit.*, p. 4.

31. *Ibid.*, p. 9.

32. « Pour arrêt de la Tournelle du 10 janvier 1765 le procureur général reçu appelant comme d'abus de la célébration du mariage d'Anne Grand-Jean, lequel a été déclaré nul. Sur l'accusation en profanation de sacrement, la sentence informée, l'accusée mise hors de cour, avec injonction de reprendre les habits de femme et défense de hanter Françoise Lambert ni autre personne du même sexe » (note manuscrite dans l'exemplaire du *Mémoire* de l'avocat Vermeil conservé à la Bibliothèque nationale de France).

33. « [La cour] lui a fait très expresses inhibitions et défense d'habiter avec aucune personne de l'un ou de l'autre sexe sur peine de la vie » (J. Duval, *Traité des hermaphrodits…, op. cit.*, p. 410).

34. Cf. J. Riolan, *Discours sur les hermaphrodits…, op. cit.*, p. 6.

35. [C. Champeaux], *Réflexions sur les hermaphrodites…, op. cit.*, p. 10. Cf. l'article « Hermaphrodit », in *Dictionnaire universel de médecine*, IV, Paris, 1748, col. 261 : « Je regarde toutes les histoires qu'on fait des hermaphrodites comme autant de fables. J'observerai seulement ici que je n'ai trouvé dans toutes les personnes qu'on me donnait pour telles, autres choses qu'un clitoris d'une grosseur et d'une longueur exorbitantes, les lèvres des parties naturelles prodigieusement gonflées et rien qui tînt de l'homme. » Ce *Dictionnaire* est la traduction française – par Denis Diderot – de R. James, *A Medicinal Dictionary*, London, 1743-1745.

36. [C. Champeaux], *Réflexions sur les hermaphrodites…, op. cit.*, p. 10.

37. *Ibid.*, p. 36.

38. *Ibid.*, p. 7, 11-15.

39. *Ibid.*, p. 7, 15-36.
40. *Ibid.*, p. 37-38.
41. *Ibid.*, p. 26-27.
42. « Tant d'observations si unanimement constatées doivent sans doute être regardées comme un corps de preuves incontestables, que quelques irrégularités de la nature dans une des parties distinctives du sexe n'en changent point l'espèce, et encore moins les inclinations de l'individu en qui cette conformation vicieuse se rencontre » (*ibid.*, p. 35-36).
43. « Ainsi l'erreur de Grandjean était une erreur commune à tout le monde. Si elle est criminelle, il faudrait donc s'en prendre à tous. Car c'est cette erreur publique qui a affermi la confiance de l'accusé. Disons mieux, c'est elle aujourd'hui qui le justifie. La nature seule est en défaut dans cette affaire, et comment pouvoir rendre l'accusé garant des torts de la nature ? » (G. Arnaud, *Dissertation sur les hermaphrodites…, op. cit.,* p. 351.)
44. [E.-Th. Simon], *L'Hermaphrodite ou Lettre de Grandjean à Françoise Lambert, sa femme*, Grenoble, 1765.

COURS DU 29 JANVIER 1975

Le monstre moral. – Le crime dans le droit classique. – Les grandes scènes de supplice. – La transformation des mécanismes de pouvoir. – Disparition de la dépense rituelle du pouvoir de punir. – De la nature pathologique de la criminalité. – Le monstre politique. – Le couple monstrueux : Louis XVI et Marie-Antoinette. – Le monstre dans la littérature jacobine (le tyran) et anti-jacobine (le peuple révolté). – Inceste et anthropophagie.

Je vais aujourd'hui vous parler de l'apparition, au seuil du XIXᵉ siècle, de ce personnage qui aura un destin si important jusqu'à la fin du XIXᵉ-début XXᵉ siècle, et qui est le monstre moral.

Je crois donc que, jusqu'au XVIIᵉ-XVIIIᵉ siècle, on pouvait dire que la monstruosité, la monstruosité comme manifestation naturelle de la contre-nature, portait avec soi un indice de criminalité*. L'individu monstrueux au niveau des règles des espèces naturelles et au niveau des distinctions d'espèces naturelles était, sinon systématiquement, du moins virtuellement, toujours référé à une criminalité possible. Puis, à partir du XIXᵉ siècle, on va voir le rapport s'inverser, et il y aura ce qu'on pourrait appeler le soupçon systématique de monstruosité au fond de toute criminalité. Tout criminel pourrait bien, après tout, être un monstre, tout comme autrefois le monstre avait une chance d'être un criminel.

Problème donc : comment s'est faite la transformation ? Quel a été l'opérateur de cette transformation ? Je crois que pour résoudre la question, il faut en poser d'abord une autre, dédoubler la question, et se demander comment il s'est fait qu'au XVIIᵉ, tard encore au XVIIIᵉ siècle, la lecture de la monstruosité n'a pas été réversible. Comment s'est-il fait que l'on a pu admettre le caractère virtuellement criminel de la

---

* Le manuscrit dit : « ... de criminalité, indice dont la valeur s'est modifiée, mais qui n'était pas encore effacée au milieu du XVIIIᵉ siècle. »

monstruosité sans établir ou poser la réciproque, qui était le caractère virtuellement monstrueux de la criminalité ? On a bien effectivement inscrit l'aberration de la nature dans la transgression des lois et, pourtant, on n'a pas fait l'inverse, c'est-à-dire qu'on n'a pas rapproché l'extrémité du crime de l'aberration de la nature. On admettait la punition d'une monstruosité involontaire et on n'admettait pas, au fond du crime, le mécanisme spontané d'une nature troublée, perturbée, contradictoire. Pourquoi ?

C'est à cette première sous-question que je voudrais d'abord répondre. Il me semble qu'il faut chercher la raison du côté de ce qu'on pourrait appeler l'économie du pouvoir de punition. Dans le droit classique – je crois être revenu là-dessus plusieurs fois et donc j'irai vite [1] – le crime était, mais n'était pas seulement, le dommage volontaire fait à autrui. Il n'était pas seulement non plus une lésion et un dommage porté aux intérêts de la société tout entière. Le crime était crime dans la mesure où, en outre, et par le fait qu'il était crime, il atteignait le souverain ; il atteignait les droits, la volonté du souverain, présents dans la loi ; il attaquait, par conséquent, la force, le corps, et le corps physique du souverain. Dans tout crime, donc, affrontement de forces, révolte, insurrection contre le souverain. Dans le moindre crime, un petit fragment de régicide. Du coup, et en fonction de cette loi d'économie fondamentale du droit de punir, en retour la punition – vous le comprenez bien – n'était pas simplement ni restitution des dommages, bien sûr, ni revendication des droits ou des intérêts fondamentaux de la société. La punition était quelque chose en plus : c'était la vengeance du souverain, c'était sa revanche, c'était le retour de sa force. La punition était toujours vindicte, et vindicte personnelle du souverain. Le souverain affrontait à nouveau le criminel ; mais, cette fois, dans le déploiement rituel de sa force, sur l'échafaud, c'était bien le retournement cérémonieux du crime qui avait lieu. Dans la punition du criminel, on assistait à la reconstitution rituelle et réglée de l'intégrité du pouvoir. Entre le crime et la punition du crime, il n'y avait pas, à dire vrai, quelque chose comme une mesure qui aurait servi d'unité commune à l'un et à l'autre. Il n'y avait pas de lieu commun au crime et à la punition, il n'y avait pas d'élément qu'on retrouvait ici et là. Ce n'était pas en termes de mesure, d'égalité ou d'inégalité mesurable, que se posait le problème du rapport crime et châtiment. Entre l'un et l'autre, il y avait plutôt une sorte de joute, de rivalité. L'excès de la punition devait répondre à l'excès du crime et devait l'emporter sur lui. Il y avait donc nécessairement un déséquilibre, au cœur même de l'acte de punition. Il fallait qu'il y ait une sorte de plus du côté du châtiment. Ce plus, c'était la terreur, c'était le caractère terrorisant du châtiment. Et par caractère terrorisant du châtiment, il faut entendre un certain nombre d'éléments constitutifs de cette terreur. D'abord, la terreur inhérente au châtiment devait reprendre en elle-même la manifestation du crime, le crime devait être en quelque sorte présenté, représenté, actualisé ou réactualisé dans le châtiment même. L'horreur même du crime devait être là, sur l'échafaud. D'autre part, il devait y avoir, dans cette terreur, comme élément fondamental, l'éclat de la vengeance du souverain, qui devait se présenter comme insurmontable et invincible. Enfin, dans cette terreur, il devait y avoir l'intimidation de tout crime futur. Le supplice, par conséquent, avait sa place tout naturellement inscrite dans cette économie, qui était l'économie déséquilibrée des punitions. La pièce principale de cette économie n'était donc pas la loi de la mesure : c'était le principe de la manifestation excessive. Et ce principe avait pour corollaire ce qu'on pourrait appeler la communication dans l'atroce. Ce qui ajustait le crime et son châtiment n'était pas une mesure commune : c'était l'atroce. L'atroce était, du côté du crime, cette forme, ou plutôt cette intensité, qu'il prenait quand il atteignait un certain degré de rareté, de violence ou de scandale. Un crime parvenu à un certain point d'intensité était considéré comme atroce, et au crime atroce devait répondre l'atrocité de la peine. Les châtiments atroces étaient destinés à répondre, à reprendre en eux-mêmes, mais en les annulant et en en triomphant, les atrocités du crime. Il s'agissait, dans l'atrocité de la peine, de faire basculer l'atrocité du crime dans l'excès du pouvoir qui triomphe. Réplique, par conséquent, et pas mesure [2].

Le crime et son châtiment ne communiquent que dans cette espèce de déséquilibre qui tourne autour des rituels de l'atrocité. Du coup, vous voyez qu'il n'y avait pas d'énormité du crime qui puisse faire question, car précisément, aussi énorme que pouvait être un crime, aussi atroce qu'il se manifestait, il y avait toujours du pouvoir en plus ; il y avait, propre à l'intensité du pouvoir souverain, quelque chose qui permettait à ce pouvoir de toujours répondre à un crime aussi atroce qu'il soit. Il n'y avait pas de crime en suspens dans la mesure où, du côté du pouvoir chargé de répondre au crime, il y avait toujours un excès de pouvoir susceptible de l'annuler. C'est pourquoi, devant un crime atroce, le pouvoir n'avait jamais à reculer ou à hésiter : une provision d'atrocités à lui intrinsèque lui permettait d'éponger le crime.

C'est ainsi qu'on a vu se dérouler les grandes scènes de supplice du XVIIe ou encore du XVIIIe siècle. Souvenez-vous, par exemple, du

crime atroce qui a été perpétré contre Guillaume d'Orange. Lorsque
Guillaume d'Orange a été assassiné, on a répondu par un supplice qui
était tout aussi atroce. Cela se passait en 1584, et c'est Brantôme qui le
raconte. L'assassin de Guillaume d'Orange a été supplicié pendant dix-
huit jours : « Le premier jour, il fut mené sur la place où il trouva une
chaudière d'eau bouillante, en laquelle fut enfoncé le bras dont il avait
fait le coup. Le lendemain, le bras lui fut coupé, lequel, étant tombé à
ses pieds, tout constamment il le poussa du pied, du haut en bas de
l'échafaud. Le troisième jour, il fut tenaillé devant aux mamelles et au
devant du bras. Le quatrième, il fut de même tenaillé par derrière au
bras et aux fesses, et ainsi consécutivement cet homme fut martyrisé
l'espace de dix-huit jours, le dernier il fut roué et mailloté. Au bout de
six heures, il demandait encore de l'eau qu'on ne lui donna pas. Enfin
le lieutenant-criminel fut prié de le faire parachever et étrangler, afin
que son âme ne désespérât point[3]. »

On trouve encore des exemples de ce même excès rituel du pouvoir
à la fin du XVIIe siècle. Cet exemple est emprunté à la jurisprudence d'Avignon (il s'agit des États du Pape et donc ce n'est pas exactement ce qui
se passait en France, mais, enfin, ça vous donne le style général et les
principes économiques qui régissaient le supplice). La *massola* consistait en ceci. Le condamné était attaché au poteau, les yeux bandés. Tout
autour de l'échafaud, on avait placé des pieux avec des crochets de fer.
Le confesseur parlait au pénitent à l'oreille et, « après qu'il lui a donné
la bénédiction, l'exécuteur qui a une masse de fer, telle qu'on s'en sert
dans les échaudoirs, en donne un coup de toute sa force sur la tempe du
malheureux, qui tombe mort ». Et c'est justement après la mort que le
supplice commence. Car, après tout, ce n'était pas tellement le châtiment
même du coupable qu'il s'agissait d'atteindre, pas tellement l'expiation
du crime, que la manifestation rituelle du pouvoir infini de punir : c'est
cette cérémonie du pouvoir de punir, se déployant à partir de lui-même
et au moment où son objet avait disparu, s'acharnant donc sur un
cadavre. Après que le malheureux soit tombé mort, à cet instant l'exécuteur, « qui a un grand couteau, lui coupe la gorge, ce qui le remplit de
sang, et fait un spectacle horrible à regarder ; il lui fend les nerfs avec les
deux talons, et ensuite il lui ouvre le ventre d'où il tire le cœur, le foie,
la rate, les poumons qu'il attache à des crochets de fer et les coupe et les
dissecte par morceaux qu'il met aux autres crochets à mesure qu'il les
coupe, ainsi qu'on fait ceux d'une bête. Regarde qui peut regarder[4] ».

Donc, vous voyez, les mécanismes de pouvoir sont si forts, leur
excès est si rituellement calculé, que le châtiment du crime n'a jamais à

réinscrire un crime, aussi énorme qu'il soit, dans quelque chose qui ferait une nature. Les mécanismes de pouvoir sont assez forts pour pouvoir en eux-mêmes absorber, exhiber, annuler, dans des rituels de souveraineté, l'énormité du crime. Dans cette mesure, il n'est pas nécessaire, il est même impossible, à la limite, qu'il y ait quelque chose comme une nature du crime énorme. Il n'y a pas de nature du crime énorme ; il n'y a, en fait, qu'un combat, qu'une rage, qu'un acharnement, à partir du crime et autour de lui. Il n'y a pas de mécanique du crime qui relèverait d'un savoir possible ; il n'y a qu'une stratégie du pouvoir, qui déploie sa force autour et à propos du crime. C'est pourquoi, jamais jusqu'à la fin du XVIIe siècle, on ne s'est véritablement interrogé sur la nature du criminel. L'économie du pouvoir était telle que cette question n'avait pas à être posée, ou plutôt on ne la trouve que d'une façon très marginale, que je vous signale en passant. Dans un certain nombre de textes, et en particulier dans un texte de Bruneau qui date de 1715, et qui s'appelle *Observations et Maximes sur les matières criminelles,* vous lisez ceci. Le juge doit étudier l'accusé. Il doit étudier son esprit, ses mœurs, la vigueur de ses qualités corporelles, son âge, son sexe. Il doit se porter, autant qu'il le peut, « dans l'intérieur » du criminel, afin de pénétrer, s'il est possible, dans son âme[5]. Un texte comme celui-là, évidemment, a l'air de démentir entièrement tout ce que je vous disais, d'une manière un peu schématique, cavalière, tout à l'heure. Mais, en fait, quand on regarde le texte, on s'aperçoit que si le savoir du criminel est requis chez le juge, s'il faut que le juge entre dans l'intérieur du criminel, ce n'est pas du tout pour comprendre le crime, mais seulement pour savoir s'il a été commis. C'est-à-dire que le juge doit connaître l'âme du criminel pour pouvoir l'interroger comme il faut, pour pouvoir le prendre au piège de ses questions, pour pouvoir tisser autour de lui toute la ruse captieuse des interrogatoires et lui extorquer la vérité. C'est en tant que sujet détenteur de la vérité, que le criminel doit être investi par le savoir du juge ; ce n'est jamais en tant que criminel, en tant qu'il a commis le crime. Car une fois qu'il a avoué, tout ce savoir devient à ce moment-là inutile quant à la détermination du châtiment. Ce n'est pas le sujet criminel, c'est le sujet sachant qui est ainsi investi par ce savoir. Donc, on peut dire, je crois, que jusqu'à la fin du XVIIIe siècle l'économie du pouvoir punitif était telle que la nature du crime, et surtout la nature du crime énorme, n'avait pas à être posée.

Comment s'est faite maintenant la transformation ? Et on passe là à la seconde partie de la question. Plus précisément, comment l'exercice du pouvoir de punir les crimes a-t-il eu besoin, à un moment donné, de se référer à la nature du criminel ? Comment le partage entre les actes licites et les actes illicites a-t-il été contraint de se doubler, à partir d'un certain moment, d'une distribution des individus en individus normaux et individus anormaux ? Je voudrais indiquer au moins la ligne de la réponse dans la direction suivante. On sait bien, tous les historiens le disent, que le XVIIIe siècle a inventé toute une série de technologies scientifiques et industrielles. On sait bien aussi que, d'autre part, le XVIIIe siècle a défini, ou du moins schématisé et théorisé, un certain nombre de formes politiques de gouvernement. On sait également qu'il a mis en place, ou développé et perfectionné, des appareils d'État et toutes les institutions qui sont liées à ces appareils. Mais ce qu'il faudrait souligner et ce qui est, me semble-t-il, au principe de la transformation que j'essaye de repérer là, maintenant, c'est que le XVIIIe siècle a fait autre chose. Il a élaboré ce qu'on pourrait appeler une nouvelle économie des mécanismes de pouvoir : un ensemble de procédés, et en même temps d'analyses, qui permettent de majorer les effets de pouvoir, de diminuer le coût de l'exercice du pouvoir et d'intégrer l'exercice du pouvoir aux mécanismes de la production. Majorer les effets de pouvoir : je veux dire ceci. Le XVIIIe siècle a trouvé un certain nombre de moyens, ou, en tout cas, il a trouvé le principe selon lequel le pouvoir – au lieu de s'exercer d'une manière rituelle, cérémoniale, discontinue, comme c'était le cas du pouvoir soit de la féodalité, soit même encore de la grande monarchie absolue – a été rendu continu. C'est-à-dire qu'il s'est exercé non plus à travers le rite, mais à travers des mécanismes permanents de surveillance et de contrôle. Majorer les effets de pouvoir, ça veut dire que ces mécanismes de pouvoir ont perdu le caractère lacunaire qu'ils avaient sous le régime féodal, et encore sous le régime de la monarchie absolue. Au lieu de porter sur des points, sur des plages, sur des individus, sur des groupes arbitrairement définis, le XVIIIe siècle a trouvé des mécanismes de pouvoir qui pouvaient s'exercer sans lacunes et pénétrer le corps social dans sa totalité. Majorer les effets de pouvoir, ça veut dire enfin qu'il a su les rendre en principe inévitables, c'est-à-dire les détacher du principe de l'arbitraire du souverain, de la bonne volonté du souverain, pour en faire une sorte de loi absolument fatale et nécessaire, pesant en principe de la même façon sur tout le monde. Donc, majoration des effets de pouvoir, abaissement aussi du coût du pouvoir : le XVIIIe siècle a mis au point toute une série de mécanismes grâce auxquels le pouvoir allait s'exercer avec des dépenses – des dépenses financières, économiques – moindres que dans la monarchie absolue. On va aussi diminuer son coût, en ce sens qu'on va abaisser les possibilités de résistance, de mécontentement, de révolte, que le pouvoir monarchique pouvait susciter. Et enfin, on diminue l'ampleur, le niveau, la surface couverte par toutes les conduites de désobéissance et d'illégalisme que le pouvoir monarchique et féodal était bien obligé de tolérer. Après cette majoration des effets de pouvoir, cet abaissement du coût économique et politique du pouvoir, intégration au processus de production : au lieu d'avoir un pouvoir qui procède essentiellement par prélèvement sur les produits de la production, le XVIIIe siècle a inventé des mécanismes de pouvoir qui peuvent se tramer directement sur les processus de production, les accompagner tout au long de leur développement, et s'effectuer comme une sorte de contrôle et de majoration permanente de cette production. Je ne fais, vous le voyez, que résumer schématiquement ce que je vous avais expliqué, il y a deux ans, à propos des disciplines [6]. Disons, en gros, ceci : que la révolution bourgeoise n'a pas été simplement la conquête, par une classe sociale nouvelle, des appareils d'État constitués, petit à petit, par la monarchie absolue. Elle n'a pas été non plus simplement l'organisation d'un ensemble institutionnel. La révolution bourgeoise du XVIIIe et du début du XIXe siècle a été l'invention d'une nouvelle technologie du pouvoir, dont les disciplines constituent les pièces essentielles.

Ceci étant dit (et encore une fois référé à des analyses antérieures), il me semble que, dans ce nouvel ensemble technologique du pouvoir, la pénalité et l'organisation du pouvoir de punir peuvent servir d'exemple. Premièrement, on a – à la fin du XVIIIe siècle – un pouvoir de punir qui va s'appuyer sur un réseau de surveillance si serré, que le crime, en principe, ne pourra plus échapper. Disparition, donc, de cette justice lacunaire au profit d'un appareil de justice et de police, de surveillance et de punition, qui ne laissera plus aucune discontinuité dans l'exercice du pouvoir de punir. Deuxièmement, la nouvelle technologie du pouvoir de punir va lier le crime et sa punition, d'une façon nécessaire et évidente, par un certain nombre de procédés, au premier rang desquels il y a la publicité des débats et la règle de l'intime conviction. À partir de ce moment-là, à un crime devra nécessairement répondre une peine, une peine qui sera appliquée d'une façon publique et en fonction d'une démonstration accessible à tous. Enfin, troisième caractère de cette nouvelle technologie du pouvoir de punir, la punition devra s'exercer de telle manière qu'on punira juste autant qu'il est nécessaire pour que le crime ne recommence pas, et rien de plus. Tout cet excès, toute cette grande économie de la dépense rituelle et magnifique du pouvoir de punir, toute cette grande économie dont je vous donnais quelques exemples, va maintenant disparaître au profit d'une économie non plus du déséquilibre et de l'excès, mais de la mesure. Il va falloir trouver une certaine unité de mesure entre le crime et le châtiment, unité de mesure qui permettra d'ajuster la punition de telle sorte qu'elle soit juste suffisante pour punir le crime et empêcher qu'il ne recommence. Cette unité de mesure que la nouvelle technologie du pouvoir de punir a été obligée de chercher, c'est ce que les théoriciens du droit pénal et ce que les juges eux-mêmes appellent l'intérêt, ou encore la raison du crime : cet élément qui peut être considéré comme la raison d'être du crime, le principe de son apparition, de sa répétition, de son imitation par les autres, de sa plus grande fréquence. Bref : l'espèce de support du crime réel, tel qu'il a été commis, et le support possible d'autres crimes analogues chez les autres. Ce support naturel du crime, cette raison du crime, c'est cela qui doit servir d'unité de mesure. C'est cet élément-là que la punition devra reprendre à l'intérieur de ses mécanismes, pour neutraliser ce support du crime, lui opposer un élément au moins aussi fort, ou un tout petit peu plus fort, de telle manière que ce support se trouve neutralisé ; un élément, par conséquent, sur lequel la punition doit porter, selon une économie qui sera une économie exactement mesurée. La raison du crime, ou encore l'intérêt du crime comme raison du crime, c'est cela que la théorie pénale et la nouvelle législation du XVIIIᵉ siècle va définir comme l'élément commun au crime et à la punition. Au lieu de ces grands rituels dispendieux, au cours desquels l'atrocité de la punition reprenait l'atrocité du crime, on va avoir un système calculé dans lequel la punition ne portera pas et ne reprendra pas en elle le crime lui-même, mais portera simplement sur l'intérêt du crime, en faisant jouer un intérêt semblable, analogue, simplement un tout petit peu plus fort que l'intérêt qui a servi de support au crime lui-même. C'est cela, cet élément intérêt-raison du crime, qui est le nouveau principe d'économie du pouvoir de punir et qui remplace le principe de l'atrocité.

Vous comprenez que, à partir de là, vont se poser toute une série de questions nouvelles. Désormais, ce n'est pas la question des circonstances du crime – vieille notion juridique – qui va être la plus importante ; ce n'est même pas la question que posaient les casuistes sur l'intention du criminel. La question qui va se poser est celle, en quelque sorte, de la mécanique et du jeu des intérêts, qui ont pu rendre criminel celui qui se trouve maintenant accusé d'avoir commis un crime. La question qui va se poser n'est donc pas l'entour du crime, ni même

l'intention du sujet, mais la rationalité immanente à la conduite criminelle, son intelligibilité naturelle. Quelle est l'intelligibilité naturelle qui
supporte le crime et qui va permettre de déterminer la punition exactement adéquate ? Le crime n'est donc plus seulement ce qui viole les lois
civiles et religieuses ; le crime n'est plus seulement ce qui viole éventuellement, à travers les lois civiles et religieuses, les lois de la nature
elle-même. Le crime est maintenant ce qui a une nature. Voilà le crime,
par le jeu même de la nouvelle économie du pouvoir de punir, lesté de
ce qu'il n'avait encore jamais reçu et de ce qu'il ne pouvait pas recevoir
dans l'ancienne économie du pouvoir de punir ; le voilà lesté d'une
nature. Le crime a une nature et le criminel est un être naturel caractérisé, au niveau même de sa nature, par sa criminalité. Du coup, vous
voyez que se trouve exigé, par cette économie du pouvoir, un savoir
absolument nouveau, un savoir en quelque sorte naturaliste de la criminalité. Il va falloir faire l'histoire naturelle du criminel comme criminel.

　Troisième série de questions, d'exigences, qu'on rencontre alors,
c'est que, s'il est vrai que le crime est quelque chose qui a en lui-même
une nature, si le crime doit être analysé et puni – et il doit être analysé
pour être puni – comme une conduite qui a son intelligibilité naturelle,
il faut alors poser la question de savoir quelle est la nature de l'intérêt
qui est tel qu'il viole l'intérêt de tous les autres et, à la limite même,
s'expose lui-même aux pires dangers, puisqu'il risque la punition. Est-
ce que cet intérêt, cet élément naturel, cette intelligibilité immanente à
l'acte criminel, n'est pas un intérêt aveugle à sa propre fin ? Est-ce que
ce n'est pas une intelligibilité qui est, en quelque sorte, affolée par
quelque chose et par un mécanisme naturel ? Est-ce que cet intérêt qui
pousse l'individu au crime, qui pousse par conséquent l'individu à
s'exposer au châtiment – qui doit être maintenant, dans la nouvelle économie, fatal et nécessaire – il ne faut pas le concevoir comme un intérêt si fort et si violent, qu'il ne calcule pas ses propres conséquences,
qu'il est incapable de voir au-delà de lui-même ? Est-ce que ce n'est pas
un intérêt qui se contredit en s'affirmant ? Et, de toute façon, est-ce que
ce n'est pas un intérêt irrégulier, déviant, non conforme à la nature
même de tous les intérêts ? Car il ne faut pas oublier que le contrat primitif, que les citoyens sont censés signer les uns avec les autres, ou
auquel ils sont censés individuellement avoir souscrit, a bien montré
qu'il est de la nature de l'intérêt de se lier lui-même à l'intérêt des
autres et de renoncer à son affirmation solitaire. Si bien que, lorsque le
criminel reprend, en quelque sorte, son intérêt égoïste, l'arrache à la
législation du contrat, ou à la législation fondée par le contrat, et le fait

valoir contre l'intérêt de tous les autres, est-ce qu'il ne remonte pas la
pente de la nature ? Est-ce qu'il n'en remonte pas l'histoire et la nécessité intrinsèque ? Est-ce que, par conséquent, on ne va pas, avec le criminel, rencontrer un personnage qui sera, à la fois, le retour de la nature
à l'intérieur d'un corps social qui a renoncé à l'état de nature par le
pacte et par l'obéissance aux lois ? Et est-ce que cet individu de nature
ne va pas être bien paradoxal, puisqu'il aura pour propriété d'ignorer le
développement naturel de l'intérêt ? Il ignore la pente nécessaire de cet
intérêt, il ignore que le point suprême de son intérêt est d'accepter le jeu
des intérêts collectifs. Est-ce qu'on ne va pas avoir un individu de
nature portant avec lui le vieil homme des forêts, porteur de tout cet
archaïsme fondamental d'avant la société, et qui sera en même temps
un individu contre nature ? Bref, est-ce que le criminel n'est pas précisément la nature contre nature ? Est-ce que ce n'est pas le monstre ?

C'est en effet dans cette espèce de climat général, où la nouvelle
économie du pouvoir de punir se formule dans une théorie nouvelle de
la punition et de la criminalité, c'est sur cet horizon qu'on voit, pour la
première fois, apparaître la question de la nature éventuellement pathologique de la criminalité *. Selon une tradition que vous trouvez chez
Montesquieu, mais qui remonte au XVIᵉ siècle, au Moyen Âge et au
droit romain aussi, le criminel et la fréquence surtout des crimes représentent, dans une société, comme la maladie du corps social[7]. C'est la
fréquence de la criminalité qui représente une maladie, mais la maladie
de la collectivité, la maladie du corps social. Fort différent est le thème,
pourtant analogue en superficie, que vous voyez pointer à la fin du
XVIIIᵉ siècle, et dans lequel ce n'est pas le crime qui est la maladie du
corps social, mais le criminel qui, en tant que criminel, pourrait bien en
effet être un malade. Ceci est dit, en toute clarté, à l'époque de la
Révolution française, dans les discussions qui ont eu lieu vers 1790-91,
au moment où l'on élaborait le nouveau Code pénal[8]. Je vous cite
quelques textes, par exemple celui de Prugnon qui disait : « Les assassins sont des exceptions aux lois de la nature, tout leur être moral est
éteint […]. Ils sont hors des proportions ordinaires[9]. » Ou encore cet
autre texte : « Un assassin est [véritablement] un être malade dont
l'organisation viciée a corrompu toutes les affections. Une humeur âcre

* Le manuscrit ajoute : « Appartenance du crime à tout ce domaine encore confus
du pathologique, de la maladie, de l'aberration naturelle, du désordre, de l'esprit et du
corps. Dans le crime, il faut voir un indicateur d'anomalies. Ceci explique qu'on assiste
à la fin du XVIIIᵉ siècle au déplacement d'un thème traditionnel. »

et brûlante le consume [10]. » Vitet, dans la *Médecine expectante,* dit que certains crimes sont peut-être en eux-mêmes des espèces de maladies [11]. Et, dans le tome XVI du *Journal de médecine,* Prunelle présente un projet d'enquête au bagne de Toulon, pour vérifier si on peut considérer que les grands criminels, qui sont actuellement enfermés à Toulon, sont ou non des malades. Première enquête, je crois, sur la médicalisation possible des criminels [12].

Je crois qu'avec cet ensemble de textes et de projets, en particulier le projet de Prunelle, se marque le point à partir duquel va s'organiser ce qu'on pourrait appeler une pathologie de la conduite criminelle. Désormais – en vertu des principes de fonctionnement du pouvoir pénal, en vertu non pas d'une nouvelle théorie du droit, d'une nouvelle idéologie, mais des règles intrinsèques de l'économie du pouvoir de punir – on ne punira, bien sûr, qu'au nom de la loi, en fonction de l'évidence manifestée à tous du crime, mais on punira des individus qui seront désormais toujours référés à l'horizon virtuel de la maladie, des individus qui seront jugés en tant que criminels, mais jaugés, appréciés, mesurés en termes de normal et de pathologique. La question de l'illégal et la question de l'anormal, ou encore celle du criminel et celle du pathologique, sont donc liées maintenant et non pas à partir d'une nouvelle idéologie relevant ou non d'un appareil d'État, mais en fonction d'une technologie caractérisant les nouvelles règles de l'économie du pouvoir de punir.

C'est cette histoire du monstre moral, dont je viens d'essayer de vous indiquer au moins les conditions de possibilité, que je voudrais commencer maintenant, en faisant apparaître d'abord le premier profil, le premier visage de ce monstre moral, appelé ainsi par la nouvelle économie du pouvoir de punir. Or, curieusement, et d'une façon qui me paraît très caractéristique, le premier monstre moral qui apparaît est le monstre politique. C'est-à-dire que la pathologisation du crime s'est opérée, je crois, à partir d'une nouvelle économie du pouvoir, et on en aurait une espèce de preuve supplémentaire dans le fait que le premier monstre moral qui apparaisse à la fin du XVIIIe siècle, en tout cas le plus important, le plus éclatant, est le criminel politique. En effet, dans la nouvelle théorie du droit pénal dont je vous parlais tout à l'heure, le criminel est celui qui, rompant le pacte auquel il a souscrit, préfère son intérêt aux lois qui régissent la société dont il est membre. Il revient donc à l'état de nature, puisqu'il a rompu le contrat primitif. C'est l'homme de la forêt qui réapparaît avec le criminel, homme de la forêt paradoxal, puisqu'il méconnaît le calcul même d'intérêt qui lui a fait,

lui et ses semblables, souscrire au pacte. Puisque le crime est donc une
sorte de rupture du pacte, affirmation, condition de l'intérêt personnel
en opposition à tous les autres, vous voyez que le crime est essentiellement de l'ordre de l'abus de pouvoir. Le criminel est toujours, d'une
certaine façon, un petit despote, qui fait valoir, comme despotisme et à
son niveau propre, son intérêt personnel. C'est ainsi que vous voyez se
formuler, d'une manière très claire, vers les années 1760 (c'est-à-dire
trente ans avant la Révolution), ce thème, qui sera si important pendant
la Révolution française, de la parenté, la parenté essentielle, entre le
criminel et le tyran, entre l'infracteur et le monarque despotique. Il y a,
de part et d'autre du pacte ainsi brisé, une sorte de symétrie, de cousinage entre le criminel et le despote, qui se tendent en quelque sorte la
main comme deux individus qui, refusant, négligeant ou brisant le
pacte fondamental, font de leur intérêt la loi arbitraire qu'ils veulent
imposer aux autres. Duport, en 1790 (et Duport, vous le savez, ne présentait pas une position extrême, loin de là), dit ceci, au moment justement des discussions sur le nouveau Code pénal : « Le despote et le
malfaiteur troublent l'un et l'autre l'ordre public. Un ordre arbitraire et
un assassinat sont des crimes égaux à nos yeux [13]. »

Ce thème du lien entre le souverain au-dessus des lois et le criminel
au-dessous des lois, le thème de ces deux hors-la-loi que sont le souverain et le criminel, on va le trouver d'abord avant la Révolution française,
sous la forme la plus pâle et la plus courante, qui sera celle-ci : l'arbitraire du tyran est un exemple pour les criminels possibles, ou c'est
encore, dans son illégalité fondamentale, la permission donnée au
crime. Qui donc, en effet, ne pourrait pas s'autoriser d'enfreindre les lois,
quand le souverain, qui doit les promouvoir, les faire valoir et les appliquer, se donne la possibilité de les tourner, de les suspendre, ou tout au
moins de ne pas se les appliquer à lui-même ? Plus, par conséquent, le
pouvoir sera despotique, plus les criminels seront nombreux. Le pouvoir
fort d'un tyran ne fait pas disparaître les malfaiteurs ; au contraire, il les
multiplie. Et de 1760 à 1780-1790, c'est un thème que vous retrouvez
perpétuellement, chez tous les théoriciens du droit pénal [14]. Mais, à partir de la Révolution, et surtout à partir de 1792, c'est sous une forme beaucoup plus concise et violente, beaucoup plus rapprochée, si vous voulez,
que vous allez rencontrer ce thème de la parenté, du rapprochement
possible entre le criminel et le souverain. Et à dire vrai, ce n'est pas simplement au rapprochement du criminel et du souverain qu'on assiste à
cette époque-là, qu'à une sorte de renversement des rôles par une nouvelle différenciation entre le criminel et le souverain.

Parce que, après tout, qu'est-ce que c'est qu'un criminel ? Un criminel est celui donc qui rompt le pacte, qui rompt le pacte de temps en temps, quand il en a besoin ou envie, lorsque son intérêt le commande, lorsque dans un moment de violence ou d'aveuglement il fait prévaloir la raison de son intérêt, en dépit du calcul le plus élémentaire de la raison. Despote transitoire, despote par éclair, despote par aveuglement, par fantaisie, par fureur, peu importe. Le despote, lui, à la différence du criminel, fait valoir la prédominance de son intérêt et de sa volonté ; il la fait prévaloir de façon permanente. C'est par statut que le despote est un criminel, alors que c'est par accident que le criminel est un despote. Et quand je dis, c'est par statut, j'exagère encore, car justement le despotisme ne peut pas avoir de statut dans la société. C'est par un état de violence permanente que le despote peut faire valoir sa volonté sur le corps social tout entier. Le despote est donc celui qui exerce en permanence – hors statut et hors la loi, mais d'une manière qui est complètement intriquée dans son existence même – et qui fait valoir d'une façon criminelle son intérêt. C'est le hors-la-loi permanent, c'est l'individu sans lien social. Le despote est l'homme seul. Le despote est celui qui, par son existence même et par sa seule existence, effectue le crime maximum, le crime par excellence, celui de la rupture totale du pacte social par lequel le corps même de la société doit pouvoir exister et se maintenir. Le despote est celui dont l'existence fait corps avec le crime, dont la nature est donc identique à une contre-nature. C'est l'individu qui fait valoir sa violence, ses caprices, sa non-raison, comme loi générale ou comme raison d'État. C'est-à-dire que, au sens strict, depuis sa naissance jusqu'à la mort, en tout cas pendant tout l'exercice de son pouvoir despotique, le roi – ou en tout cas le roi tyrannique – est tout simplement un monstre. Le premier monstre juridique que l'on voit apparaître, se dessiner dans le nouveau régime de l'économie du pouvoir de punir, le premier monstre qui apparaît, le premier monstre repéré et qualifié, ce n'est pas l'assassin, ce n'est pas le violateur, ce n'est pas celui qui brise les lois de la nature ; c'est celui qui brise le pacte social fondamental. Le premier monstre, c'est le roi. C'est le roi qui est, je crois, le grand modèle général à partir duquel dériveront historiquement, par toute une série de déplacements et de transformations successives, les innombrables petits monstres qui vont peupler la psychiatrie et la psychiatrie légale du XIXe siècle. Il me semble, en tout cas, que la chute de Louis XVI et la problématisation de la figure du roi marquent un point décisif dans cette histoire des monstres humains. Tous les monstres humains sont les descendants de Louis XVI.

Cette apparition du monstre comme roi et du roi comme monstre, on la voit, je crois, très clairement au moment même où s'est posée, à la fin de l'année 1792 et au début de l'année 1793, la question du procès du roi, de la peine qu'on devait lui appliquer, mais plus encore de la forme que devait revêtir son procès [15]. Le comité de législation avait proposé que l'on applique au roi le supplice des traîtres et des conspirateurs. À quoi un certain nombre de jacobins, et essentiellement Saint-Just, avaient répondu : Il n'est pas question d'appliquer à Louis XVI la peine des traîtres et des conspirateurs, car cette peine est précisément prévue par la loi ; elle est donc l'effet du contrat social, et on ne peut l'appliquer légitimement qu'à quelqu'un qui a souscrit au contrat social et qui, dans cette mesure-là, tout en ayant à un moment donné rompu ce pacte, accepte maintenant qu'il joue contre lui, sur lui ou à propos de lui. Le roi, en revanche, n'a jamais souscrit à un moment quelconque au pacte social. Il n'est donc pas question de lui appliquer les clauses intérieures de ce pacte ou les clauses qui dérivent du pacte. On ne peut lui appliquer aucune loi du corps social. Il est l'ennemi absolu que le corps social tout entier doit considérer comme un ennemi. Il faut donc l'abattre, comme on abat un ennemi ou comme on abat un monstre. Et encore, disait Saint-Just, cela est trop, parce que, si on demande au corps social tout entier d'abattre Louis XVI et de se débarrasser de lui comme de son ennemi monstrueux, on fait valoir le corps social tout entier contre Louis XVI. C'est-à-dire, on admet, en quelque sorte, une symétrie entre un individu et puis le corps social. Or, Louis XVI n'a jamais reconnu l'existence du corps social, et il n'a jamais appliqué son pouvoir qu'en méconnaissant l'existence du corps social et en appliquant son pouvoir à des individus particuliers, comme si le corps social n'existait pas. Ayant par conséquent subi le pouvoir du roi en tant qu'individu, et non pas en tant que corps social, les individus auront à se débarrasser de Louis XVI en tant qu'individu. C'est donc un rapport individuel d'hostilité qui doit servir de support à la disparition de Louis XVI. Ce qui veut dire, en termes clairs, au niveau des stratégies politiques de l'époque, que c'était une manière d'éviter, bien entendu, que la nation tout entière ait à se prononcer sur le sort de Louis XVI. Mais cela voulait dire, au niveau de la théorie du droit (qui est fort importante), que n'importe qui, même sans le consentement général des autres, avait le droit d'abattre Louis XVI. N'importe qui pouvait tuer le roi : « Le droit des hommes, dit Saint-Just, contre la tyrannie est un droit personnel [16]. »

Toute la discussion qui a occupé fin 1792-début 1793 à propos du procès du roi est, je crois, très importante non seulement parce qu'on y voit apparaître le premier grand monstre juridique, qui est l'ennemi politique, qui est le roi, mais également parce que tous ces raisonnements vous allez les retrouver transposés et appliqués à un tout autre domaine, au XIXᵉ siècle, et surtout dans la seconde moitié du XIXᵉ siècle, lorsque le criminel de tous les jours, le criminel quotidien, à travers les analyses psychiatriques, criminologiques, etc. (depuis Esquirol jusqu'à Lombroso [17]), aura effectivement été caractérisé comme un monstre. À partir de ce moment-là, le criminel monstrueux se trouvera porter avec lui la question : Est-ce que l'on doit effectivement lui appliquer les lois ? Est-ce que, en tant qu'être de nature monstrueuse et ennemi de la société tout entière, la société n'a pas à s'en débarrasser, sans même passer par l'arsenal des lois ? Le criminel monstrueux, le criminel-né, n'a jamais, en fait, souscrit au pacte social : Est-ce qu'il relève effectivement des lois ? Est-ce que les lois doivent lui être appliquées ? Les problèmes qui sont présents dans les discussions à propos de la condamnation de Louis XVI, les formes de cette condamnation, vous allez les retrouver transposées dans la seconde moitié du XIXᵉ siècle, à propos des criminels-nés, à propos des anarchistes qui, eux aussi, repoussent le pacte social, à propos de tous les criminels monstrueux, à propos de tous ces grands nomades qui tournent autour du corps social, mais que le corps social ne reconnaît pas comme faisant partie de lui-même.

À cette argumentation juridique faisait, à cette époque-là, écho toute une représentation qui est, je crois, aussi importante, une représentation caricaturale, polémique, du roi monstrueux, du roi qui est criminel par une sorte de nature contre-naturelle, qui fait corps avec lui. C'est l'époque où se pose le problème du roi monstrueux, c'est l'époque où l'on écrit toute une série de livres, véritables annales des crimes royaux, depuis Nemrod jusqu'à Louis XVI, depuis Brunehaut jusqu'à Marie-Antoinette [18]. C'est le livre de Levasseur, par exemple, sur les *Tigres couronnés* [19] ; de Prudhomme sur les *Crimes des reines de France* [20] ; de Mopinot, les *Effrayantes histoires des crimes horribles qui ne sont communs qu'entre les familles des rois,* qui date de 1793, et qui est un texte très intéressant parce qu'il fait une sorte de généalogie de la royauté. Il dit que l'institution royale est née de la manière suivante. À l'origine de l'humanité, il y avait deux catégories de gens : ceux qui se vouaient à l'agriculture et à l'élevage, et puis ceux qui étaient bien obligés de protéger les premiers, parce que les animaux sauvages et féroces risquaient de manger les femmes et les enfants, détruire les récoltes, dévorer les troupeaux, etc. Il fallait donc des chasseurs, des chasseurs destinés à protéger la communauté des agriculteurs contre les bêtes

fauves. Puis, il est venu un moment où ces chasseurs ont été si effi-
caces que les bêtes fauves ont disparu. Du coup, les chasseurs sont
devenus inutiles, mais inquiets devant leur inutilité, qui allait les priver
des privilèges qu'ils exerçaient en tant que chasseurs, ils se sont eux-
mêmes transformés en bêtes sauvages, ils se sont retournés contre ceux
qu'ils protégeaient. Et ils ont, à leur tour, attaqué les troupeaux et les
familles qu'ils devaient protéger. Ils ont été les loups du genre humain.
Ils ont été les tigres de la société primitive. Les rois ne sont pas autre
chose que ces tigres, ces chasseurs d'autrefois qui avaient pris la place
des bêtes fauves, tournant autour des premières sociétés[21].

C'est l'époque de tous ces livres sur les crimes des royautés, c'est
l'époque aussi où Louis XVI et Marie-Antoinette, vous le savez, sont
représentés dans des pamphlets comme le couple monstrueux, avide de
sang, à la fois chacal et hyène[22]. Et tout ceci, quel que soit le caractère
de pure conjoncture de ces textes et quelle que soit leur emphase, est tout
de même important, à cause de l'inscription à l'intérieur de la figure du
monstre humain d'un certain nombre de thèmes qui ne vont pas s'effacer tout au long du XIX⁰ siècle. C'est à propos de Marie-Antoinette surtout que cette thématique du monstre humain va se cristalliser,
Marie-Antoinette qui cumule, dans les pamphlets de l'époque, un certain nombre de traits propres à la monstruosité. Bien sûr, elle est
d'abord, elle est essentiellement l'étrangère, c'est-à-dire qu'elle ne fait
pas partie du corps social[23]. Elle est donc, par rapport au corps social du
pays où elle règne, la bête fauve, elle est en tout cas l'être à l'état de
nature. De plus, elle est la hyène, elle est l'ogresse, « la femelle du
tigre », qui – dit Prudhomme – « une fois qu'elle a vu [...] le sang, ne
peut plus s'en rassasier[24] ». Donc, tout le côté cannibale, anthropophagique du souverain avide du sang de son peuple. Et puis, c'est aussi la
femme scandaleuse, la femme débauchée, qui se livre à la licence la
plus outrée, et ceci sous deux formes privilégiées[25]. L'inceste d'abord,
puisque dans les textes, ces pamphlets qu'on lit sur elle, on apprend
qu'elle a été, quand elle était encore tout enfant, dépucelée par son frère
Joseph II ; qu'elle est devenue la maîtresse de Louis XV ; puis qu'elle a
été l'amante de son beau-frère, le dauphin étant donc le fils du Comte
d'Artois, je crois. Je vous cite un de ces textes pour vous donner une
idée de cette thématique, un texte que j'emprunte à *La Vie privée, libertine et scandaleuse de Marie-Antoinette,* qui a paru en l'an I, à propos
justement des rapports entre Marie-Antoinette et Joseph II : « Ce fut le
plus ambitieux des souverains, l'homme le plus immoral, le frère de
Léopold, enfin, qui eut les prémices de la reine de France. Et l'intro-

duction du priape impérial dans le canal autrichien y cumula, pour ainsi dire, la passion de l'inceste, les jouissances les plus sales, la haine de la France [*rectius* : des Français], l'aversion pour les devoirs d'épouse et de mère, en un mot tout ce qui ravale l'humanité au niveau des bêtes féroces [26]. » Donc, voilà l'incestueuse et, à côté de l'incestueuse, l'autre grande transgression sexuelle : elle est homosexuelle. Là aussi, rapport avec les archiduchesses, ses sœurs et ses cousines, rapports avec les femmes de son entourage, etc. [27]. Le couplage anthropophagie-inceste, les deux grandes consommations interdites, me paraît caractéristique de cette première présentation du monstre sur l'horizon de la pratique, de la pensée et de l'imagination juridique de la fin du XVIIIᵉ siècle. Avec ceci : c'est que dans cette première figure du monstre, Marie-Antoinette, la figure de la débauche, de la débauche sexuelle et, en particulier, de l'inceste, me paraît être le thème dominant.

Mais, en face du monstre royal et à la même époque, dans la littérature adverse, c'est-à-dire dans la littérature anti-jacobine, contre-révolutionnaire, vous allez trouver l'autre grande figure du monstre. Et cette fois, non pas le monstre par abus de pouvoir, mais le monstre qui rompt le pacte social par la révolte. En tant que révolutionnaire et non plus en tant que roi, le peuple va être précisément l'image inversée du monarque sanguinaire. Il va être la hyène qui s'attaque au corps social. Et vous avez, dans la littérature monarchiste, catholique, etc., anglaise aussi, de l'époque de la Révolution, une sorte d'image inversée de cette Marie-Antoinette que représentaient les pamphlets jacobins et révolutionnaires. C'est essentiellement à propos des massacres de Septembre, que vous voyez l'autre profil du monstre : le monstre populaire, celui qui rompt le pacte social, en quelque sorte par en bas, alors que Marie-Antoinette et le souverain le rompaient d'en haut. Madame Roland, par exemple, décrivant les massacres de Septembre, disait : « Si vous connaissiez les affreux détails des expéditions ! Les femmes brutalement violées avant d'être déchirées par ces tigres, les boyaux coupés, portés en ruban, des chairs humaines mangées sanglantes ! [28] » Barruel, dans l'*Histoire du clergé pendant la Révolution*, raconte l'histoire d'une certaine Comtesse de Pérignon, qui aurait été rôtie place Dauphine avec ses deux filles, et six prêtres auraient été, eux aussi, brûlés vifs sur la place, parce qu'ils avaient refusé de manger le corps rôti de la comtesse [29]. Barruel raconte aussi qu'on a mis en vente au Palais Royal des pâtés de chair humaine [30]. Bertrand de Molleville [31], Maton de la Varenne [32], racontent toute une série d'histoires : la fameuse histoire de Mademoiselle de Sombreuil buvant un verre de sang pour

sauver la vie de son père [33], ou de cet homme qui avait été obligé de
boire le sang extrait du cœur d'un jeune homme pour sauver ses deux
amis [34] ; ou encore, des massacreurs de Septembre qui auraient bu de
l'eau-de-vie dans laquelle Manuel aurait versé de la poudre à canon, et
ils auraient mangé des petits pains qu'ils auraient trempés dans des
blessures [35]. Vous avez là aussi la figure du débauché-anthropophage,
mais dans laquelle l'anthropophagie l'emporte sur la débauche. Les
deux thèmes, interdiction sexuelle et interdiction alimentaire, se nouent
donc d'une façon très claire dans ces deux grandes premières figures de
monstre et de monstre politique. Ces deux figures relèvent d'une
conjoncture précise, bien qu'elles reprennent aussi des thèmes anciens :
la débauche des rois, le libertinage des grands, la violence du peuple.
Tout ceci, ce sont de vieux thèmes ; mais il est intéressant qu'ils soient
réactivés et renoués à l'intérieur de cette première figure du monstre. Et
ceci pour un certain nombre de raisons.

D'une part, donc, parce que je crois que la réactivation de ces thèmes
et le nouveau dessin de la sauvagerie bestiale se trouvent liés à la réorganisation du pouvoir politique, à ses nouvelles règles d'exercice. Ce
n'est pas un hasard si le monstre apparaît à propos du procès de
Louis XVI et à propos des massacres de Septembre, dont vous savez
qu'ils étaient une sorte de revendication populaire d'une justice plus
violente, plus expéditive, plus directe et plus juste que la justice institutionnelle. C'est bien autour du problème du droit et de l'exercice du
pouvoir de punir que ces deux figures du monstre sont apparues. Ces
figures sont aussi importantes pour une autre raison. C'est qu'elles ont
un écho d'une très grande ampleur dans toute la littérature de l'époque,
et la littérature au sens plus traditionnel du terme, en tout cas la littérature de terreur. Il me semble que l'irruption soudaine de la littérature de
terreur à la fin du XVIIIᵉ siècle, dans les années qui sont à peu près
contemporaines de la Révolution, est à rattacher à cette nouvelle économie du pouvoir de punir. La nature contre-nature du criminel, le
monstre, c'est cela qui apparaît à ce moment-là. Et dans cette littérature,
on le voit également apparaître sous deux types. D'une part, vous voyez
le monstre par abus de pouvoir : c'est le prince, c'est le seigneur, c'est
le mauvais prêtre, c'est le moine coupable. Puis, vous avez également,
dans cette même littérature de terreur, le monstre d'en dessous, le
monstre qui revient à la nature sauvage, le brigand, l'homme des forêts,
la brute avec son instinct illimité. Ce sont ces figures-là que vous trouvez dans les romans, par exemple, d'Ann Radcliffe [36]. Prenez le
Château des Pyrénées [37], qui est tout entier construit sur la conjonction

de ces deux figures : le seigneur déchu, qui poursuit sa vengeance par les crimes les plus affreux, et qui se sert pour sa vengeance des brigands qui, pour se protéger et servir leurs propres intérêts, ont accepté d'avoir pour chef ce seigneur déchu. Double monstruosité : le *Château des Pyrénées* branche l'une sur l'autre les deux grandes figures de la monstruosité, et il les branche à l'intérieur d'un paysage, dans une scénographie, qui est d'ailleurs très typique, puisque la scène, vous savez, se déroule dans quelque chose qui est à la fois château et montagne. C'est une montagne inaccessible, mais qui a été creusée et découpée pour en faire un véritable château fort. Le château féodal, signe de la surpuissance du seigneur, manifestation, par conséquent, de cette puissance hors la loi qui est la puissance criminelle, ne fait qu'une seule et même chose avec la sauvagerie de la nature elle-même, où les brigands se sont réfugiés. On a là, je crois, dans cette figure du *Château des Pyrénées,* une image très dense de ces deux formes de monstruosité telles qu'elles apparaissent dans la thématique politique et imaginaire de l'époque. Les romans de terreur doivent être lus comme des romans politiques.

C'est également ces deux formes de monstres, bien sûr, que vous trouvez chez Sade. Dans la plupart de ses romans, dans *Juliette* en tout cas, il y a ce couplage très régulier entre la monstruosité du puissant et la monstruosité de l'homme du peuple, la monstruosité du ministre et celle du révolté, et la complicité de l'un avec l'autre. Juliette et la Dubois sont évidemment au centre de cette série de couples de la monstruosité surpuissante et de la monstruosité révoltée. Chez Sade, le libertinage est toujours lié à un détournement de pouvoir. Le monstre n'est pas simplement chez Sade une nature intensifiée, une nature plus violente que la nature des autres. Le monstre est un individu à qui l'argent, ou encore la réflexion, ou encore la puissance politique, donnent la possibilité de se retourner contre la nature. De sorte que, dans le monstre de Sade, par cet excès de pouvoir, la nature se retourne contre elle-même et finit par annuler sa rationalité naturelle, pour n'être plus qu'une sorte de fureur monstrueuse s'acharnant non seulement sur les autres, mais sur elle-même. L'autodestruction de la nature, qui est un thème fondamental chez Sade, cette autodestruction dans une sorte de monstruosité déchaînée, n'est jamais effectuée que par la présence d'un certain nombre d'individus qui détiennent un surpouvoir. Le surpouvoir du prince, du seigneur, du ministre, de l'argent, ou le surpouvoir du révolté. Il n'y a pas de monstre chez Sade qui soit politiquement neutre et moyen : ou il vient de la lie du peuple et il a redressé l'échine contre la société établie, ou il est un prince, un ministre, un seigneur qui détient sur tous les pouvoirs sociaux un surpouvoir sans loi. De toute façon, le pouvoir, l'excès de pouvoir, l'abus de pouvoir, le despotisme est toujours, chez Sade, l'opérateur du libertinage. C'est ce surpouvoir qui transforme le simple libertinage en monstruosité.

J'ajouterai encore ceci : ces deux figures du monstre – le monstre d'en dessous et le monstre d'en dessus, le monstre anthropophage, qui est surtout représenté dans la figure du peuple révolté, et le monstre incestueux, qui est surtout représenté par la figure du roi –, ces deux monstres sont importants, parce qu'on va les retrouver tout au fond de la thématique juridico-médicale du monstre au XIXᵉ siècle. Ce sont ces deux figures, dans leur gémellité même, qui vont hanter la problématique de l'individualité anormale. Il ne faut pas oublier en effet (et j'y reviendrai un peu plus longtemps la prochaine fois) que les premiers grands cas de médecine légale, à la fin du XVIIIᵉ et surtout au début du XIXᵉ siècle, n'ont pas été du tout des cas de crimes commis en état de folie flagrante et manifeste. Ce n'est pas ça qui a fait problème. Ce qui a fait problème, ce qui a été le point de formation de la médecine légale, a été l'existence justement de ces monstres, qu'on reconnaît comme monstres précisément parce qu'ils étaient à la fois incestueux et anthropophages, ou encore dans la mesure où ils transgressaient les deux grandes interdictions, alimentaire et sexuelle. Le premier monstre qu'on enregistre, vous savez, c'est cette femme de Sélestat, dont Jean-Pierre Peter a analysé le cas dans une revue de psychanalyse ; la femme de Sélestat, qui avait tué sa fille, l'avait découpée et avait fait cuire sa cuisse dans des choux blancs, en 1817 [38]. C'est également, quelques années après, l'affaire de Léger, ce berger rendu par sa solitude à l'état de nature, et qui avait tué une petite fille, l'avait violée, lui avait découpé les organes sexuels et les avait mangés, lui avait arraché le cœur et l'avait sucé [39]. C'est également, vers les années 1825, l'affaire du soldat Bertrand, qui, au cimetière Montparnasse, ouvrait les tombes, extrayait les cadavres des femmes, les violait et, ensuite, les ouvrait au couteau et accrochait comme des guirlandes leurs entrailles aux croix des tombes et aux branches des cyprès [40]. C'est cela, ce sont ces figures-là, qui ont été les points d'organisation, de déclenchement de toute la médecine légale : figures donc de la monstruosité, de la monstruosité sexuelle et anthropophagique. Ce sont ces thèmes-là, sous cette double figure du transgresseur sexuel et de l'anthropophage, qui vont courir tout au long du XIXᵉ siècle, qu'on retrouvera perpétuellement aux confins de la psychiatrie et de la pénalité, et qui donneront leur stature à ces grandes figures de la criminalité de la fin du XIXᵉ siècle. C'est

Vacher en France, c'est le Vampire de Düsseldorf en Allemagne ; c'est
surtout Jacques l'Éventreur en Angleterre, qui présentait cet avantage,
non seulement donc d'éventrer les prostituées, mais d'être vraisemblablement lié de parenté très directe avec la reine Victoria. Du coup, la
monstruosité du peuple et la monstruosité du roi venaient se rejoindre
dans sa figure brouillée.

Ce sont ces deux figures-là de l'anthropophage – monstre populaire – et de l'incestueux – monstre princier – qui ont par la suite servi
de grille d'intelligibilité, de voie d'accès à un certain nombre de disciplines. Je pense, bien entendu, à l'ethnologie, l'ethnologie peut-être pas
entendue comme pratique de terrain, mais du moins l'ethnologie
comme réflexion académique sur les populations dites primitives. Or, si
on regarde comment s'est formée la discipline académique de l'anthropologie, si vous prenez, par exemple, Durkheim comme point, sinon
exactement d'origine, [du moins] de première grande cristallisation de
cette discipline d'université, vous voyez que c'est bien ces problèmes
de l'anthropophagie et de l'inceste qui sous-tendent sa problématique.
Le totémisme comme point d'interrogation des sociétés primitives ;
avec le totémisme qu'est-ce qu'on a ? Eh bien, le problème de la communauté de sang, de l'animal porteur des valeurs du groupe, porteur
de son énergie et de sa vitalité, de sa vie même. C'est le problème de la
consommation rituelle de cet animal. Donc, de l'absorption du corps
social par chacun, ou encore de l'absorption de chacun par la totalité du
corps social. Derrière le totémisme ce qui se lit, aux yeux mêmes de
Durkheim, c'est une anthropophagie rituelle comme moment d'exaltation de la communauté, et ces moments sont pour Durkheim simplement des moments d'intensité maximale, qui ne font que scander un
état en quelque sorte stable et régulier du corps social[41]. État stable,
qui est caractérisé par quoi ? Par le fait justement que le sang de la communauté est interdit, que l'on ne peut pas toucher aux gens qui appartiennent à cette communauté même, que l'on ne peut pas toucher aux
femmes en particulier. Le grand festin totémique, le grand festin hanté
par l'anthropophagie, ne fait que scander, d'une façon régulière, une
société à laquelle préside la loi de l'exogamie, c'est-à-dire de la prohibition de l'inceste. Manger de temps en temps la nourriture absolument
interdite, c'est-à-dire l'homme lui-même, et puis d'une façon régulière
s'interdire à soi-même de consommer ses propres femmes : rêve de
l'anthropophagie, refus de l'inceste. C'est bien ces deux problèmes-là
qui ont organisé pour Durkheim, enfin, cristallisé pour Durkheim, et
depuis lui d'ailleurs, tout le développement de cette discipline. Que

manges-tu et qui n'épouses-tu pas ? Avec qui entres-tu dans les liens du
sang et qu'est-ce que tu as le droit de faire cuire ? Alliance et cuisine :
vous savez parfaitement que ce sont ces questions-là qui hantent encore
actuellement l'ethnologie théorique et académique.

C'est avec ces questions, à partir de ces questions de l'inceste et de
l'anthropophagie, que l'on aborde tous les petits monstres de l'histoire,
tous ces bords extérieurs de la société et de l'économie que constituent
les sociétés primitives. On pourrait dire en gros ceci. Ceux des anthro-
pologues et des théoriciens de l'anthropologie qui privilégient le point
de vue du totémisme, c'est-à-dire finalement de l'anthropophagie,
ceux-là finissent par produire une théorie ethnologique qui conduit à
l'extrême dissociation et distanciation par rapport à nos sociétés à nous,
puisqu'on les renvoie précisément à leur anthropophagie primitive.
C'est Lévy-Bruhl [42]. Puis, au contraire, si vous rabattez les phénomènes
du totémisme sur les règles de l'alliance, c'est-à-dire si vous dissolvez
le thème de l'anthropophagie pour privilégier l'analyse des règles de
l'alliance et de la circulation symbolique, vous produisez une théorie
ethnologique qui est une théorie de l'intelligibilité des sociétés primitives et de la requalification du soi-disant sauvage. Après Lévy-Bruhl,
Lévi-Strauss [43]. Mais vous voyez que, de toute façon, on est toujours
pris dans la fourchette cannibalisme-inceste, c'est-à-dire dans la dynastie de Marie-Antoinette. Le grand extérieur, la grande altérité qui est
définie par notre intériorité juridico-politique, depuis le XVIIIᵉ siècle,
est de toute façon le cannibalisme et l'inceste.

Ce qui vaut pour l'ethnologie, vous savez que ça vaut, bien entendu
et a fortiori, pour la psychanalyse puisque – si l'anthropologie a suivi
une ligne de pente qui l'a conduite du problème, historiquement premier pour elle, du totémisme, c'est-à-dire de l'anthropophagie, au problème plus récent de la prohibition de l'inceste – on peut dire que
l'histoire de la psychanalyse s'est faite en sens inverse, et que la grille
d'intelligibilité qui a été posée par Freud à la névrose est celle de
l'inceste [44]. Inceste : crime des rois, crime du trop de pouvoir, crime
d'Œdipe et de sa famille. C'est l'intelligibilité de la névrose. Après a
suivi la grille d'intelligibilité de la psychose, avec Melanie Klein [45].
Grille d'intelligibilité qui s'est formée à partir de quoi ? Du problème
de la dévoration, de l'introjection des bons et des mauvais objets, du
cannibalisme non plus crime des rois, mais crime des affamés.

Il me semble que le monstre humain, que la nouvelle économie du
pouvoir de punir a commencé à dessiner au XVIIIᵉ siècle, est une figure
où se combinent fondamentalement ces deux grands thèmes de l'inceste

des rois et du cannibalisme des affamés. Ce sont ces deux thèmes, formés à la fin du XVIIIe siècle dans le nouveau régime de l'économie des punitions et dans le contexte particulier de la Révolution française, avec les deux grandes formes du hors-la-loi selon la pensée bourgeoise et la politique bourgeoise, c'est-à-dire le souverain despotique et le peuple révolté ; ce sont ces deux figures-là que vous voyez maintenant parcourir le champ de l'anomalie. Les deux grands monstres qui veillent sur le domaine de l'anomalie et qui ne sont pas encore endormis – l'ethnologie et la psychanalyse en font foi – sont les deux grands sujets de la consommation interdite : le roi incestueux et le peuple cannibale [46].

*

NOTES

1. Voir le cours, déjà cité, *La Société punitive* (en particulier, 10 janvier 1973).

2. Dans toute la discussion qui suit, M. Foucault reprend et développe des thèmes abordés dans *Surveiller et Punir, op. cit.,* p. 51-61 (chap. II : « L'éclat des supplices »).

3. P. de Bourdeille seigneur de Brantôme, *Mémoires contenant les vies des hommes illustres et grands capitaines étrangers de son temps,* II, Paris, 1722, p. 191 (1re éd. 1665).

4. A. Bruneau, *Observations et Maximes sur les matières criminelles,* Paris, 1715², p. 259.

5. M. Foucault résume ici A. Bruneau, *op. cit.,* p. iij^{r°-v°}.

6. Voir le cours, déjà cité, *La Société punitive* ; résumé in *Dits et Écrits,* II, p. 456-470.

7. Voir, par exemple, l'article de L. de Jaucourt, « Crime (droit naturel) », in *Encyclopédie raisonnée des sciences, des arts et des métiers,* IV, Paris, 1754, p. 466b-468a, qui se fonde sur l'*Esprit des lois* de Montesquieu (1748).

8. M. Foucault se réfère en particulier à M. Lepeletier de Saint-Fargeau, « Extrait du rapport sur le projet de Code pénal, fait au nom des comités de constitution et de législation criminelle », *Gazette nationale, ou le Moniteur universel,* 150, 30 mai 1791, p. 525-528 ; 151, 31 mai 1791, p. 522-526, 537 (« Discussion sur la question de savoir si la peine de mort sera conservée ») ; 155, 4 juin 1791, p. 572-574. Cf. *De l'abrogation de la peine de mort. Fragments extraits du rapport sur le projet de Code pénal présenté à l'Assemblée constituante,* Paris, 1793. Le *Projet de Code pénal* est publié in M. Lepeletier de Saint-Fargeau, *Œuvres,* Bruxelles, 1826, p. 79-228.

9. L.-P.-J. Prugnon, *Opinion sur la peine de mort,* Paris, [s.d. : 1791], p. 2-3 : « Une des premières attentions du législateur doit être de prévenir les crimes, et il est garant envers la société de tous ceux qu'il n'a pas empêchés lorsqu'il le pouvait. Il doit donc avoir deux buts : l'un d'exprimer toute l'horreur qu'inspirent de grands crimes, l'autre d'effrayer par de grands exemples. Oui, c'est l'exemple, et non l'homme puni, qu'il faut voir dans le supplice. L'âme est agréablement émue, elle est, si je puis le dire,

rafraîchie à la vue d'une association d'hommes qui ne connaît ni supplices, ni écha-
fauds. Je conçois que c'est bien la plus délicieuse de toutes les méditations ; mais où se
cache la société de laquelle on bannirait impunément les bourreaux ? Le crime habite la
terre, et la grande erreur des écrivains modernes est de prêter leurs calculs et leur
logique aux assassins, ils n'ont pas vu que ces hommes étaient une exception aux lois
de la nature, que tout leur être moral était éteint ; tel est le sophisme générateur des
livres. Oui, l'appareil du supplice, même vu dans le lointain, effraye les criminels et les
arrête ; l'échafaud est plus près d'eux que l'éternité. Ils sont hors des proportions ordinaires ; sans cela assassineraient-ils ? Il faut donc s'armer contre le premier jugement du
cœur, et se défier des préjugés de la vertu. » On peut aussi lire ce passage dans *Archives
parlementaires de 1787 à 1860. Recueil complet des débats législatifs et politiques des
chambres françaises*, XXVI, Paris, 1887, p. 619.

10. Voir l'intervention à la séance de l'Assemblée nationale du 30 mai 1791
(*Gazette nationale, ou le Moniteur universel*, 153, 2 juin 1791, p. 552), reprise in
A.-J.-F. Duport, *Opinion sur la peine de mort*, Paris, [1791], p. 8.

11. Dans la classe VIII de la section « Maladies mentales » de [L.] Vitet, *Médecine
expectante*, V, Lyon, 1803, p. 156-374, il n'est pas fait mention du crime comme maladie. L'an VI de la Révolution, Louis Vitet (auteur entre autres d'une dissertation,
Le Médecin du peuple, Lyon, 1805) avait participé aux projets de loi sur les écoles spéciales de médecine. Cf. M. Foucault, *Naissance de la clinique. Une archéologie du
regard médical*, Paris, 1963, p. 16-17.

12. L'article n'a pas été publié dans le volume XVI du *Journal de médecine, chirurgie, pharmacie* (1808). Cf. C.-V.-F.-G. Prunelle, *De la médecine politique en général et de son objet. De la médecine légale en particulier, de son origine, de ses progrès
et des secours qu'elle fournit au magistrat dans l'exercice de ses fonctions*, Montpel-
lier, 1814.

13. Nous n'avons pas retrouvé ce passage.

14. Ils sont énumérés par M. Foucault, *Dits et Écrits*, II, p. 458.

15. Les documents ont été recueillis et présentés par A. Soboul, *Le Procès de
Louis XVI*, Paris, 1966.

16. Des arguments similaires sont invoqués par Louis-Antoine-Lion Saint-Just dans
ses « Opinions concernant le jugement de Louis XVI » (13 novembre et 27 décembre
1792), in *Œuvres*, Paris, 1854, p. 1-33. Cf. M. Lepeletier de Saint-Fargeau, *Opinion sur
le jugement de Louis XVI*, Paris, 1792 (et *Œuvres, op. cit.*, p. 331-346).

17. Sur l'analyse psychiatrique et criminologique d'Esquirol, cf. *infra*, leçon du
5 février ; sur Lombroso, cf. *supra*, leçon du 22 janvier.

18. M. Foucault fait allusion aux « observations historiques sur l'origine des rois et
sur les crimes qui soutiennent leur existence », de A.-R. Mopinot de la Chapotte,
*Effrayante histoire des crimes horribles qui ne sont communs qu'entre les familles des
rois depuis le commencement de l'ère vulgaire jusqu'à la fin du XVIIIe siècle*, Paris,
1793, p. 262-303. Sur Nemrod, fondateur de l'empire babylonien, voir Genèse 10,
8-12. Brunehaut, née vers 534, est la fille cadette d'Athanagild, roi des Wisigoths
d'Espagne.

19. Levasseur, *Les Tigres couronnés ou Petit Abrégé des crimes des rois de France*,
Paris, [s.d. : 4e éd. 1794]. Sur la notion de « tigridomanie », voir A. Matthey, *Nouvelles
Recherches sur les maladies de l'esprit*, Paris, 1816, p. 117, 146.

20. L. Prudhomme [L. Robert], *Les Crimes des reines de France, depuis le com-mencement de la monarchie jusqu'à Marie-Antoinette*, Paris, 1791 ; Id., *Les Crimes de Marie-Antoinette d'Autriche dernière reine de France, avec les pièces justificatives de son procès*, Paris, II [1793-1794].

21. Cf. A.-R. Mopinot de la Chapotte, *Effrayante histoire...*, *op. cit.*, p. 262-266.

22. Par exemple : *La Chasse aux bêtes puantes et féroces, qui, après avoir inondé les bois, les plaines, etc., se sont répandues à la cour et à la capitale*, 1789 ; *Description de la ménagerie royale d'animaux vivants, établie aux Tuileries près de la Terrasse nationale, avec leurs noms, qualités, couleurs et propriétés*, [s.l.], 1789.

23. *L'Autrichienne en goguettes ou l'Orgie royale*, [s.l.], 1791.

24. L. Prudhomme, *Les Crimes de Marie-Antoinette d'Autriche...*, *op. cit.*, p. 446.

25. *Bordel royal, suivi d'un entretien secret entre la reine et le cardinal de Rohan après son entrée aux États-généraux*, [s.l.], 1789 ; *Fureurs utérines de Marie-Antoinette, femme de Louis XVI*, Paris, 1791.

26. *Vie de Marie-Antoinette d'Autriche, reine de France, femme de Louis XVI, roi des Français, depuis la perte de son pucelage jusqu'au premier mai 1791*, Paris, I [1791], p. 5. Cf. *La Vie privée, libertine et scandaleuse de Marie-Antoinette d'Autriche, ci-devant reine des Français, depuis son arrivée en France jusqu'à sa détention au Temple*, [s.l.n.d.].

27. *Les Bordels de Lesbos ou le Génie de Sapho*, Saint-Pétersbourg, 1790.

28. *Lettres de Madame Roland*, publiées par C. Perroud, II, Paris, 1902, p. 436.

29. A. Barruel, *Histoire du clergé pendant la Révolution française*, Londres, 1797, p. 283.

30. L'histoire est rapportée par P. Caron, *Les Massacres de septembre*, Paris, 1935, p. 63-64, qui donne la source de la médisance et les démentis des contemporains.

31. A.-F. Bertrand de Molleville, *Histoire de la Révolution de France*, Paris, 14 vol., IX-XI [1800-1803].

32. P.-A.-L. Maton de la Varenne, *Les Crimes de Marat et des autres égorgeurs, ou Ma Résurrection. Où l'on trouve non seulement la preuve que Marat et divers autres scélérats, membres des autorités publiques, ont provoqué tous les massacres des pri-sonniers, mais encore des matériaux précieux pour l'histoire de la Révolution fran-çaise*, Paris, III [1794-1795] ; Id., *Histoire particulière des événements qui ont eu lieu en France pendant les mois de juin, juillet, d'août et de septembre 1792, et qui ont opéré la chute du trône royal*, Paris, 1806, p. 345-353.

33. Cf. A. Granier de Cassagnac, *Histoire des girondins et des massacres de sep-tembre d'après les documents officiels et inédits*, II, Paris, 1860, p. 226. L'histoire de Mademoiselle de Sombreuil a donné lieu à une vaste littérature ; voir P.-V. Duchemin, *Mademoiselle de Sombreuil, l'héroïne au verre de sang (1767-1823)*, Paris, 1925.

34. Cf. J.- G. Peltier, *Histoire de la révolution du 10 août 1792, des causes qui l'ont produite, des événements qui l'ont précédée, et des crimes qui l'ont suivie*, II, Londres, 1795, p. 334-335.

35. P.-A.-L. Maton de la Varenne, *Les Crimes de Marat et des autres égorgeurs...*, *op. cit.*, p. 94.

36. Voir, par exemple, [A.W. Radcliffe], *The Romance of the Forest*, London, 1791.

37. Le roman *Les Visions du château des Pyrénées*, Paris, 1803, attribué à A.W. Radcliffe est un apocryphe.

38. J.-P. Peter, « Ogres d'archives », *Nouvelle Revue de psychanalyse,* 6, 1972, p. 251-258. Le cas de Sélestat (Schlettstadt en Alsace) a été divulgué en France par Ch.-Ch.-H. Marc, qui publia dans les *Annales d'hygiène publique et de médecine légale,* VIII/1, 1832, p. 397-411, la traduction de l'examen médico-légal de F.D. Reisseisen, originairement paru en allemand dans le *Jahrbuch der Staatsartzneikunde* de J.H. Kopp (1817). Cf. Ch.-Ch.-H. Marc, *De la folie considérée dans ses rapports avec les questions médico-judiciaires,* II, Paris, 1840, p. 130-146.

39. E.-J. Georget, *Examen médical des procès criminels des nommés Léger, Feldtmann, Lecouffe, Jean-Pierre et Papavoine, dans lesquels l'aliénation mentale a été alléguée comme moyen de défense. Suivi de quelques considérations médico-légales sur la liberté morale,* Paris, 1825, p. 2-16. Cf. J.-P. Peter, *art. cit.,* p. 259-267 ; Id., « Le corps du délit », *Nouvelle Revue de psychanalyse,* 3, 1971, p. 71-108.

40. Cf. *infra,* leçon du 12 mars.

41. E. Durkheim, « La prohibition de l'inceste et ses origines », *L'Année sociologique,* II, 1898, p. 1-70.

42. L. Lévy-Bruhl, *La Mentalité primitive,* Paris, 1922 ; Id., *Le Surnaturel et la Nature dans la mentalité primitive,* Paris, 1932.

43. Cl. Lévi-Strauss, *Les Structures élémentaires de la parenté,* Paris, 1947 ; Id., *Le Totémisme aujourd'hui,* Paris, 1962.

44. S. Freud, *Totem und Tabu. Über einige Übereinstimmungen im Seelenleben der Wilden und der Neurotiker,* Leipzig-Wien, 1913 (trad. fr. : *Totem et Tabou. Quelques concordances entre la vie psychique des sauvages et celle des névrosés,* Paris, 1993).

45. M. Klein, « Criminal tendencies in normal children », *British Journal of Medical Psychology,* 1927 (trad. fr. : « Les tendances criminelles chez les enfants normaux », in *Essais de psychanalyse, 1921-1945,* Paris, 1968, p. 269-271).

46. Sur la « place privilégiée » de la psychanalyse et de l'ethnologie dans le savoir occidental, cf. chap. x, § v de M. Foucault, *Les Mots et les Choses. Une archéologie des sciences humaines,* Paris, 1966, p. 385-398.

COURS DU 5 FÉVRIER 1975

Au pays des ogres. – Passage du monstre à l'anormal. – Les trois grands monstres fondateurs de la psychiatrie criminelle. – Pouvoir médical et pouvoir judiciaire autour de la notion d'absence d'intérêt. – L'institutionnalisation de la psychiatrie comme branche spécialisée de l'hygiène publique et domaine particulier de la protection sociale. – Codage de la folie comme danger social. – Le crime sans raison et les épreuves d'intronisation de la psychiatrie. – L'affaire Henriette Cornier. – La découverte des instincts.

Il me semble donc que c'est le personnage du monstre, avec ses deux profils, celui de l'anthropophage et celui de l'incestueux, qui a dominé les premières années de la psychiatrie pénale ou de la psychologie criminelle. C'est avant tout comme monstre, c'est-à-dire comme nature contre-nature, que le fou criminel fait son apparition.

L'histoire que je voudrais vous raconter cette année, l'histoire des anormaux, commence tout simplement avec King Kong, c'est-à-dire qu'on est tout de suite, d'entrée de jeu, au pays des ogres. La grande dynastie des Petits Poucets anormaux remonte précisément à la grande figure de l'ogre [1]. Ils en sont les descendants, ce qui est dans la logique de l'histoire, le seul paradoxe étant que ce sont les petits anormaux, les Petits Poucets anormaux, qui ont fini par dévorer les grands ogres monstrueux qui leur servaient de pères. C'est de ce problème donc que je voudrais vous parler maintenant : comment se fait-il que la stature de ces grands géants monstrueux se soit finalement réduite, petit à petit, au cours des années, de sorte que, à la fin du XIXᵉ siècle, le personnage monstrueux, s'il apparaît encore (et il apparaît en effet), ne sera plus qu'une sorte d'exagération, de forme paroxystique d'un champ général d'anomalie, qui, lui, constituera le pain quotidien de la psychiatrie, d'une part, et de la psychologie criminelle, de la psychiatrie pénale, de l'autre ? Comment donc l'espèce de grande monstruosité exceptionnelle a pu finalement se distribuer, se partager, dans cette nuée de

petites anomalies, de personnages qui sont à la fois anormaux et familiers ? Comment la psychiatrie criminelle est-elle passée, d'une forme
où elle interrogeait ces grands monstres cannibales, à une pratique qui
est l'interrogation, l'analyse, la mesure de toutes les mauvaises habitudes, petites perversités, méchancetés d'enfants, etc. ?

Passage donc du monstre à l'anormal. Voilà le problème, étant
admis, bien entendu, qu'il ne suffit pas d'admettre quelque chose
comme une nécessité épistémologique, une pente scientifique, qui amè-
nerait la psychiatrie à poser le problème du plus petit après avoir posé
le problème du plus grand, à poser le problème du moins visible après
avoir posé celui du plus visible, du moins important après celui du plus
important ; étant admis également qu'il ne faut pas chercher l'origine,
le principe du processus qui conduit du monstre à l'anormal, dans
l'apparition de techniques ou de technologies comme la psychotech-
nique, ou la psychanalyse, ou la neuropathologie. Car ce sont plutôt ces
phénomènes-là, [c'est plutôt] l'apparition de ces techniques qui relève
d'une grande transformation allant du monstre à l'anormal.

Voilà le problème. Soit, donc, les trois grands monstres fondateurs
de la psychiatrie criminelle, le train de ces trois grands monstres qui
n'ont pas <...> bien longtemps. Le premier, c'est cette femme de
Sélestat dont je vous ai parlé plusieurs fois et qui, vous savez, avait tué
sa fille, l'avait découpée en morceaux, avait fait cuire sa cuisse dans
des choux et l'avait mangée [2]. Le cas de Papavoine, d'autre part, qui
avait assassiné dans le bois de Vincennes deux petits enfants, qu'il avait
peut-être pris pour les descendants des enfants de la Duchesse de
Berry [3]. Et, enfin, Henriette Cornier, qui avait coupé le cou à une petite
fille de ses voisins [4].

Ces trois monstres, d'une manière ou d'une autre, vous voyez qu'ils
recoupent la grande thématique du monstre dont je vous parlais la dernière fois : l'anthropophagie, la décapitation, le problème du régicide.
Ils se détachent tous les trois sur fond de ce paysage où justement est
apparu, à la fin du XVIIIᵉ siècle, le monstre non pas encore comme catégorie psychiatrique, mais comme catégorie juridique et comme fantasme politique. Le fantasme de la dévoration, le fantasme du régicide
sont présents, d'une manière explicite ou implicite, dans les trois histoires que je viens d'évoquer. Et vous comprenez pourquoi ces trois
personnages se sont trouvés chargés immédiatement d'une grande
intensité. Et pourtant, il me semble que c'est le troisième et le troisième
seulement, c'est-à-dire Henriette Cornier, qui a finalement cristallisé
le problème de la monstruosité criminelle. Pourquoi Henriette Cornier ?

Pourquoi cette histoire et pas les deux autres, ou plus, en tout cas, que les deux autres ?

Première histoire, c'était l'affaire de Sélestat. Je crois vous avoir dit vingt fois, alors je le répéterai pour la dernière, que dans cette affaire de Sélestat, ce qui à la fois nous étonne et qui a empêché que l'histoire ne fasse réellement problème pour les psychiatres, c'est tout simplement que cette femme pauvre, misérable même, avait tué sa fille, l'avait découpée, l'avait fait cuire et l'avait dévorée, à une époque – c'était en 1817 – où régnait une famine grave en Alsace. Du coup, le parquet avait pu, en déposant ses réquisitions, faire valoir que cette femme n'était pas folle, car si elle avait tué son enfant et si elle l'avait mangée, c'était mue par un mobile qui était admissible pour tout le monde et qui était la faim. Elle n'aurait pas eu faim, il n'y aurait pas eu de famine, elle n'aurait pas été misérable – là, on pouvait s'interroger sur le caractère raisonnable ou déraisonnable de son acte. Mais dès lors qu'elle avait faim, et que cette faim est un mobile (ma foi, tout à fait valable pour manger son enfant !), il n'y avait pas à poser le problème de la folie. Conseil, par conséquent : quand on mange ses enfants, il vaut mieux être riche ! Du coup, l'affaire a été désamorcée du point de vue psychiatrique.

Affaire Papavoine, affaire importante qui par la suite a été très discutée, mais qui, sur le moment même, a elle aussi été désamorcée comme problème juridico-psychiatrique, dans la mesure où, très vite, lorsqu'on a interrogé Papavoine sur ce meurtre apparemment absurde et sans raison, qui était l'assassinat de deux enfants qu'il ne connaissait pas, il a développé, ou affirmé en tout cas, qu'il avait cru reconnaître en eux deux enfants de la famille royale. Et il a, autour de cela, développé un certain nombre de thèmes, de croyances, d'affirmations, qui ont pu aussitôt être remises, réinscrites sur le registre du délire, de l'illusion, de la fausse croyance, donc de la folie. Du coup, le crime s'est résorbé dans la folie, tout comme, inversement, le crime de la femme de Sélestat s'était résorbé dans l'intérêt en quelque sorte raisonnable et quasi lucide.

En revanche, dans le cas d'Henriette Cornier, on a une affaire beaucoup plus difficile et qui, d'une certaine façon, semble échapper aussi bien à l'assignation de raison qu'à l'assignation de folie ; et qui – dans la mesure où elle échappe à l'assignation de raison – échappe au droit et à la punition. Mais, dans la mesure aussi où il est difficile, dans un cas comme celui-là, de reconnaître, de pointer le fait de la folie, elle échappe du coup au médecin et est renvoyée à l'instance psychiatrique. En effet, qu'est-ce qu'il se passe dans cette affaire Cornier ? Une femme encore jeune – qui avait eu des enfants et qui d'ailleurs les avait abandonnés, qui elle-même avait été abandonnée par son premier mari – se place comme domestique chez un certain nombre de familles à Paris. Et voilà qu'un jour, après avoir, à plusieurs reprises, menacé de se suicider, manifesté quelques idées de tristesse, elle se présente chez sa voisine, lui propose de prendre pour quelques instants la garde de sa toute petite fille, âgée de dix-huit [*rectius* : dix-neuf] mois. La voisine hésite, puis finit par accepter. Henriette Cornier emmène la petite fille dans sa chambre, et là, avec un grand couteau qu'elle avait préparé, elle lui coupe entièrement le cou, reste un quart d'heure devant le cadavre de la petite fille, avec le tronc d'un côté et la tête de l'autre, et quand la mère vient chercher sa petite fille, Henriette Cornier lui dit : « Votre enfant est mort. » La mère, à la fois, s'inquiète et ne le croit pas, essaye d'entrer dans la chambre et, à ce moment-là, Henriette Cornier prend un tablier, met la tête dans le tablier et jette la tête par la fenêtre. Elle est aussitôt arrêtée et on lui dit : « Pourquoi ? » Elle répond : « C'est une idée [5]. » Et on n'a pratiquement rien pu tirer d'autre.

On a là un cas dans lequel ne peuvent jouer ni le repérage d'un délire sous-jacent, comme dans l'affaire Papavoine, ni non plus le mécanisme d'un intérêt élémentaire, fruste, comme dans l'affaire de Sélestat. Or, il me semble que c'est autour de cette histoire, ou en tout cas à partir de cas qui, d'une manière où d'une autre, rappellent le profil général de cette histoire, entrent dans cette sorte de singularité qu'Henriette Cornier présente à l'état pur ; il me semble que ce sont ces affaires-là, ces cas-là, ces types-là d'action qui vont poser problème à la psychiatrie criminelle. Et quand je dis poser problème à la psychiatrie criminelle, je ne crois pas que mon expression soit exacte. En fait, cela ne pose pas de problème à la psychiatrie criminelle, ce sont ces cas-là qui constituent la psychiatrie criminelle, ou plutôt qui sont le terrain à partir duquel la psychiatrie criminelle pourra se constituer comme telle. C'est autour de ces cas-là qu'on va voir se développer à la fois le scandale et l'embarras. Et c'est autour de ces cas que vont se développer toute une série d'opérations, de part et d'autre de ces actes énigmatiques ; opérations dont les unes, venant plutôt en général de l'accusation et de la mécanique judiciaire, vont essayer de masquer, en quelque sorte, l'absence de raison du crime pour découvrir ou affirmer la raison, l'état de raison du criminel ; et puis, d'un autre côté, toutes les opérations de la défense et de la psychiatrie, pour faire fonctionner cette absence de raison, cette absence d'intérêt, comme point d'ancrage pour l'intervention psychiatrique.

Pour vous montrer un peu ce mécanisme qui est, je crois, très important non seulement pour l'histoire des anormaux, non seulement pour l'histoire de la psychiatrie criminelle, mais pour l'histoire de la psychiatrie tout court, et finalement des sciences humaines, et qui a joué au cours de l'affaire Cornier et des affaires de ce type, je voudrais disposer mon exposé de la manière suivante. Premièrement, vous parler des raisons générales pour lesquelles il y a eu ce qu'on pourrait appeler un double empressement autour de l'absence d'intérêt. Double empressement : je veux dire empressement des juges, empressement de l'appareil judiciaire, de la mécanique pénale autour de ces cas-là, et, d'un autre côté, empressement de l'appareil médical, du savoir médical, du tout récent pouvoir médical, autour des mêmes cas. Comment l'un et l'autre se sont rencontrés – pouvoir médical et pouvoir judiciaire – autour de ces cas-là, avec sans doute des intérêts et des tactiques différents, mais de telle manière que l'engrenage s'est fait ? Puis, après vous avoir exposé ces raisons générales, j'essayerai de voir comment elles ont joué effectivement dans l'affaire Cornier, en prenant cette affaire comme un exemple de toutes celles qui relèvent à peu près du même type.

Donc, raisons générales, d'abord, du double empressement médico-judiciaire, médical d'une part et judiciaire de l'autre, autour du problème de ce qu'on pourrait appeler l'absence d'intérêt. Premièrement, empressement de la mécanique pénale, de l'appareil judiciaire. Qu'est-ce qui fascine à ce point les juges devant un acte qui se présente comme n'étant pas motivé par un intérêt déchiffrable et intelligible ? J'ai essayé de vous montrer qu'au fond ce scandale, cette fascination, cette interrogation, ne pouvaient pas avoir lieu, ne pouvaient pas trouver d'emplacement dans l'ancien système pénal, à une époque où le seul cas où le crime serait démesuré, franchirait par conséquent toutes les lignes concevables, ça serait un crime qui serait tel qu'aucun châtiment, aussi cruel qu'il soit, ne pourrait arriver à l'éponger, à l'annuler et à restaurer, après lui, la souveraineté du pouvoir. Y a-t-il un crime tellement violent qu'aucun supplice ne puisse jamais y répondre ? De fait, le pouvoir a toujours trouvé des supplices qui soient tels qu'ils répondaient, et largement, à la sauvagerie d'un crime. Donc, pas de problèmes. En revanche, dans le nouveau système pénal, ce qui rend le crime mesurable, ce qui par conséquent permet de lui ajuster une punition mesurée, ce qui fixe et qui détermine la possibilité de punir – j'ai essayé de vous le montrer la dernière fois – c'est l'intérêt sous-jacent que l'on peut trouver au niveau du criminel et de sa conduite. On punira un crime au niveau de l'intérêt qui l'a sous-tendu. Il n'est pas question qu'une punition fasse expier un crime, sauf d'une façon métaphorique. Il n'est pas question qu'une punition fasse qu'un crime n'ait pas existé, puisqu'il existe. En revanche, ce qui pourra être annulé, ce sont tous les mécanismes d'intérêt qui ont suscité, chez le criminel, ce crime et qui pourront susciter, chez les autres, des crimes semblables. Par conséquent, vous voyez que l'intérêt, c'est à la fois une sorte de rationalité interne du crime, qui le rend intelligible, et c'est en même temps ce qui va justifier les prises punitives qu'on aura sur lui, ce qui va donner prise sur le crime, ou sur tous les crimes semblables : ce qui le rend punissable. L'intérêt d'un crime est son intelligibilité, qui est en même temps sa punissabilité. La rationalité du crime – entendue donc comme mécanique déchiffrable des intérêts – se trouve être requise par la nouvelle économie du pouvoir de punir, ce qui n'était aucunement le cas dans l'ancien système, où se déployaient les dépenses toujours excessives, toujours déséquilibrées, du supplice.

La mécanique du pouvoir punitif implique donc maintenant deux choses. La première, c'est une affirmation explicite de rationalité. Autrefois, tout crime était punissable à partir du moment où on n'avait pas démontré la démence du sujet. C'était uniquement à partir du moment où la question de la démence du sujet pouvait être posée, que, d'une façon secondaire, on s'interrogeait pour savoir si le crime était raisonnable ou pas. Maintenant, à partir du moment où on ne punira le crime qu'au niveau de l'intérêt qui l'a suscité, à partir du moment où la cible véritable de l'action punitive, où l'exercice du pouvoir de punir portera sur la mécanique d'intérêt propre au criminel ; autrement dit, à partir du moment où on punira non plus le crime, mais le criminel, vous comprenez bien que le postulat de rationalité est en quelque sorte renforcé. Il ne suffit pas de dire : Puisque la démence n'est pas démontrée, alors ça ira, on peut punir. On ne peut maintenant punir que si l'on postule explicitement, j'allais dire positivement, la rationalité de l'acte qui est effectivement puni. Affirmation donc explicite de la rationalité, réquisit positif de rationalité, plutôt que simple supposition comme dans l'économie précédente. Deuxièmement, non seulement il faut affirmer explicitement la rationalité du sujet qu'on va punir, mais on est également obligé, dans ce nouveau système, de considérer comme superposables deux choses : d'une part, la mécanique intelligible des intérêts qui sont sous-jacents à l'acte et, d'autre part, la rationalité du sujet qui l'a commis. Les raisons de commettre l'acte (et qui, par conséquent, rendent l'acte intelligible), et puis la raison du sujet qui rend le sujet punissable, ces deux systèmes de raisons doivent, en principe, être superposés. Vous voyez, par conséquent, le système d'hypothèses fortes que nécessite maintenant l'exercice du pouvoir de punir. Dans l'ancien régime, dans l'ancien système, celui qui coïncide justement avec l'Ancien Régime, au fond, on n'avait besoin, au niveau de la raison du sujet, que d'hypothèses minimales. Il suffisait qu'il n'y ait pas de démonstration de démence. Maintenant, il faut qu'il y ait un postulat explicite, il y a un réquisit explicite de rationalité. Et il faut, de plus, admettre une superposabilité des raisons qui rendent le crime intelligible et de la rationalité du sujet qui doit être puni.

Ce corps lourd d'hypothèses est absolument au cœur de la nouvelle économie punitive. Or – et c'est là que tout le mécanisme pénal va se trouver dans l'embarras et, du coup, fasciné par le problème de l'acte sans raison –, si l'exercice même du pouvoir de punir exige ces hypothèses lourdes, en revanche, au niveau du code, c'est-à-dire de la loi qui définit non pas l'exercice effectif du pouvoir de punir, mais l'applicabilité du droit de punir, qu'est-ce que vous trouvez? Simplement le fameux article 64, qui dit : Il n'y a pas de crime, si le sujet est en état de démence, si le prévenu est en état de démence, au moment de l'acte. C'est-à-dire que le code, en tant qu'il légifère l'applicabilité du droit de punir, ne se réfère jamais qu'au vieux système de la démence. Il n'exige qu'une chose : c'est qu'on n'ait pas démontré la démence du sujet. Et du coup, la loi est applicable. Mais ce code ne fait en réalité qu'articuler en loi les principes économiques d'un pouvoir de punir, qui lui, pour s'exercer, exige bien plus, puisqu'il exige la rationalité, l'état de raison du sujet qui a commis le crime et la rationalité intrinsèque du crime lui-même. Autrement dit, vous avez – et c'est ce qui caractérise toute la mécanique pénale depuis le XIXe siècle jusqu'à maintenant – une inadéquation entre la codification des châtiments, le système légal qui définit l'applicabilité de la loi criminelle, et puis ce que j'appellerais la technologie punitive, ou encore l'exercice du pouvoir de punir. Dans la mesure où il y a cette inadéquation, dans la mesure où l'exercice du pouvoir de punir exige une rationalité effective de l'acte à punir, que le Code et l'article 64 méconnaissent entièrement, vous comprenez bien que, de l'intérieur même de cette mécanique pénale, il y aura une perpétuelle tendance à dériver du Code et de l'article 64 – vers quoi? Vers une certaine forme de savoir, une certaine forme d'analyse, qui pourront permettre de définir, de caractériser la rationalité d'un acte, et de faire le partage entre un acte raisonnable et intelligible, et un acte déraisonnable et non intelligible. Mais vous voyez, en même temps, que s'il y a une dérive perpétuelle et nécessaire, due à cette mécanique dans l'exercice du pouvoir de punir, une dérive du code et de la loi vers la référence psychiatrique ; autrement dit, si à la référence de la loi sera toujours, et de plus en plus, préférée la référence à un savoir, et à un savoir psychiatrique, ceci ne peut être dû qu'à l'existence, à l'intérieur même de cette économie, de l'équivoque, que vous avez pu relever dans tout le discours que j'ai essayé de tenir, entre la raison du sujet qui commet le crime et l'intelligibilité de l'acte à punir. La raison du sujet criminel est la condition à laquelle la loi s'appliquera. On ne peut pas appliquer la loi si le sujet n'est pas raisonnable : c'est ce que dit l'article 64. Mais l'exercice du droit de punir dit : je ne peux punir que si je comprends pourquoi il a commis son acte, comment il a commis son acte ; c'est-à-dire : si je peux me brancher sur l'intelligibilité analysable de l'acte en question. De là, la position radicalement inconfortable de la psychiatrie dès que l'on aura affaire à un acte sans raison, commis par un sujet doté de raison ; ou encore chaque fois que l'on aura affaire à un acte dont on ne pourra pas trouver le principe d'intelligibilité analytique, et ceci dans un sujet dont on ne pourra pas démontrer l'état de démence. Nécessairement, on se trouvera dans une situation telle que l'exercice du pouvoir de punir ne pourra plus se justifier, puisque l'on ne trouvera pas l'intelligibilité intrinsèque de l'acte, qui est le point de branchement sur le crime de l'exercice du pouvoir de punir. Mais inversement, dans la mesure où on n'aura pas pu démontrer l'état de démence du sujet, la loi pourra être appliquée, la loi devra être appliquée, puisque la loi, aux termes de l'article 64, doit toujours être appliquée si l'état de démence n'est pas démontré. La loi, dans un cas comme celui-là, en particulier dans le cas d'Henriette Cornier, est applicable, alors que le pouvoir de punir ne trouve plus de justification pour s'exercer. De là, l'embarras central ; de là, l'espèce d'effondrement, de paralysie, de blocage de la mécanique pénale. Jouant sur la loi qui définit l'applicabilité du droit de punir et les modalités d'exercice du pouvoir de punir, le système pénal se trouve pris dans le blocage de ces deux mécanismes l'un par l'autre. Du coup, il ne peut plus juger ; du coup, il est obligé de s'arrêter ; du coup, il est obligé de poser des questions à la psychiatrie [6].

Vous comprenez aussi que cet embarras va se traduire par ce qu'on pourrait appeler un effet de perméabilité réticente, en ce sens que l'appareil pénal ne pourra pas ne pas faire appel à une analyse scientifique, médicale, psychiatrique des raisons du crime. Mais, d'un autre côté, tout en faisant appel à cette analyse, il ne pourra pas trouver moyen de réinscrire ces analyses – qui sont des analyses au niveau de l'intelligibilité de l'acte – à l'intérieur même du code et de la lettre du code, puisque le code ne connaît que la démence, c'est-à-dire la disqualification du sujet par la folie. Par conséquent, perméabilité à l'égard de la psychiatrie, plus que perméabilité, même appel [à la psychiatrie] et, d'un autre côté, incapacité à pouvoir réinscrire à l'intérieur du régime pénal le discours que la psychiatrie aura tenu, et aura tenu à l'appel même de l'appareil pénal. Réceptivité inachevée, demande de discours et surdité essentielle au discours une fois qu'il est tenu, jeu d'appels et de refus, c'est cela qui va caractériser, je crois, l'embarras spécifique de l'appareil pénal devant des affaires que l'on peut appeler les crimes sans raison, avec toute l'équivoque du mot. Voilà ce que je voulais vous dire quant à la raison, aux raisons pour lesquelles l'appareil pénal, à la fois, s'est précipité sur ces cas et s'est trouvé par eux embarrassé.

Je voudrais maintenant me tourner du côté de l'appareil médical, et savoir pour quelles autres raisons lui-même a été fasciné par ces fameux crimes sans raison, dont Henriette Cornier donne l'exemple. Je crois qu'il y a une chose qu'il faut bien garder à l'esprit, et sur laquelle j'ai peut-être eu tort l'an dernier de ne pas assez insister[7]. C'est que la psychiatrie, telle qu'elle s'est constituée à la fin du XVIIIe et au début du XIXe siècle surtout, ne s'est pas spécifiée comme une sorte de branche de la médecine générale. La psychiatrie fonctionne – au début du XIXe et tard encore au XIXe, peut-être presque jusqu'au milieu du XIXe siècle – non pas comme une spécialisation du savoir ou de la théorie médicale, mais beaucoup plutôt comme une branche spécialisée de l'hygiène publique. Avant d'être une spécialité de médecine, la psychiatrie s'est institutionnalisée comme domaine particulier de la protection sociale, contre tous les dangers qui peuvent venir à la société du fait de la maladie, ou de tout ce qu'on peut assimiler directement ou indirectement à la maladie. C'est comme précaution sociale, c'est comme hygiène du corps social tout entier, que la psychiatrie s'est institutionnalisée (ne jamais oublier que la première revue en quelque sorte spécialisée dans la psychiatrie en France, c'étaient les *Annales d'hygiène publique*[8]). C'est une branche de l'hygiène publique et, par conséquent, vous comprenez que la psychiatrie, pour pouvoir exister comme institution de savoir, c'est-à-dire comme savoir médical fondé et justifiable, a dû procéder à deux codages simultanés. Il a fallu en effet, d'une part, coder la folie comme maladie ; il a fallu pathologiser les désordres, les erreurs, les illusions de la folie ; il a fallu procéder à des analyses (symptomatologie, nosographie, pronostics, observations, dossiers cliniques, etc.) qui rapprochent le mieux possible cette hygiène publique, ou encore cette précaution sociale qu'elle était chargée d'assurer, du savoir médical et qui, par conséquent, permettent de faire fonctionner ce système de protection au nom du savoir médical. Mais, d'un autre côté, vous voyez qu'il a fallu nécessairement un second codage, simultané du premier. Il a fallu en même temps coder la folie comme danger, c'est-à-dire qu'il a fallu faire apparaître la folie comme porteuse d'un certain nombre de dangers, comme essentiellement porteuse de périls et, du coup, la psychiatrie, en tant qu'elle était le savoir de la maladie mentale, pouvait effectivement fonctionner comme l'hygiène publique. En gros, la psychiatrie, d'une part, a fait fonctionner toute une partie de l'hygiène publique comme médecine et, d'autre part, elle a fait fonctionner le savoir, la prévention et la guérison éventuelle de la maladie mentale comme précaution sociale, absolument nécessaire si l'on voulait éviter un certain nombre de dangers fondamentaux et liés à l'existence même de la folie.

Ce double codage va avoir une très longue histoire tout au long du XIXᵉ siècle. On peut dire que les temps forts de l'histoire de la psychiatrie au XIXᵉ, mais aussi encore au XXᵉ siècle, seront précisément lorsque les deux codages se trouveront effectivement ajustés, ou encore lorsqu'on aura un seul et même type de discours, un seul et même type d'analyse, un seul et même corps de concepts, qui permettront de constituer la folie comme maladie et de la percevoir comme danger. Ainsi, au début du XIXᵉ siècle, la notion de monomanie va permettre de classer à l'intérieur d'une grande nosographie de type parfaitement médical (en tout cas, tout à fait isomorphe à toutes les autres nosographies médicales), de coder donc à l'intérieur d'un discours morphologiquement médical toute une série de dangers. C'est ainsi que l'on trouvera la description clinique de quelque chose qui sera la monomanie homicide ou la monomanie suicidaire. C'est ainsi que le danger social sera, à l'intérieur de la psychiatrie, codé comme maladie. Du coup, la psychiatrie pourra bien fonctionner, en effet, comme science médicale préposée à l'hygiène publique. De même, dans la seconde moitié du XIXᵉ siècle, vous trouverez une notion aussi massive que la monomanie, qui joue en un sens le même rôle avec un contenu très différent : c'est la notion de « dégénérescence [9] ». Avec la dégénérescence, vous avez une certaine manière d'isoler, de parcourir, de découper une zone de danger social et de lui donner, en même temps, un statut de maladie, un statut pathologique. On peut se demander aussi si la notion de schizophrénie au XXᵉ siècle ne joue pas le même rôle [10]. La schizophrénie, dans la mesure où certains l'entendent comme maladie qui fait corps avec notre société tout entière, ce discours-là sur la schizophrénie est bien une manière de coder un danger social comme maladie. C'est bien toujours cette fonction de l'hygiène publique, assurée par la psychiatrie, que nous avons retrouvée ainsi tout au long de ces temps forts ou, si vous voulez encore, de ces concepts faibles de la psychiatrie.

En dehors de ces codages généraux, il me semble que la psychiatrie a besoin, et qu'elle n'a pas cessé de montrer le caractère dangereux, spécifiquement dangereux, du fou en tant que fou. Autrement dit, la psychiatrie, dès le moment où elle s'est mise à fonctionner comme savoir et pouvoir à l'intérieur du domaine général de l'hygiène publique, de la protection du corps social, a toujours cherché à retrouver le secret des crimes qui risquent d'habiter toute folie, ou encore le noyau de folie qui doit bien hanter tous les individus qui peuvent être dangereux pour la société. Bref, il a fallu que la psychiatrie, pour fonctionner comme je vous le disais, établisse l'appartenance essentielle et fondamentale de la folie au crime et du crime à la folie. Cette appartenance est absolument nécessaire, est une des conditions de constitution de la psychiatrie comme branche de l'hygiène publique. Et c'est ainsi que la psychiatrie a procédé effectivement à deux grandes opérations. L'une à l'intérieur de l'asile, cette opération dont je vous parlais l'an dernier, qui consiste à bâtir une analyse de la folie qui se déplace par rapport à l'analyse traditionnelle et dans laquelle la folie apparaît non plus comme ayant pour noyau essentiel le délire, mais ayant pour forme nucléaire l'irréductibilité, la résistance, la désobéissance, l'insurrection, littéralement l'abus de pouvoir. Souvenez-vous de ce que je vous disais l'an dernier sur le fait que, au fond, pour le psychiatre du XIXe siècle, le fou est toujours quelqu'un qui se prend pour un roi, c'est-à-dire qui veut faire valoir son pouvoir contre tout pouvoir établi et au-dessus de tout pouvoir, que ce soit celui de l'institution ou celui de la vérité[11]. Donc, à l'intérieur même de l'asile, la psychiatrie fonctionne bien comme étant la détection, ou plutôt l'opération par laquelle on noue à tout diagnostic de folie la perception d'un danger possible. Mais, en dehors même de l'asile, il me semble qu'on a un processus un peu du même genre, c'est-à-dire qu'à l'extérieur de l'asile la psychiatrie a toujours cherché – en tout cas, au XIXe siècle, d'une façon plus particulièrement intense et crispée, puisque, au fond, c'était de sa constitution même qu'il était question – à détecter le danger que porte avec soi la folie, même lorsque c'est une folie douce, même lorsqu'elle est inoffensive, même lorsqu'elle est à peine perceptible. Pour se justifier comme intervention scientifique et autoritaire dans la société, pour se

justifier comme pouvoir et science de l'hygiène publique et de la protection sociale, la médecine mentale doit montrer qu'elle est capable
de percevoir, même là où nul autre ne peut encore le voir, un certain
danger ; et elle doit montrer que, si elle peut le percevoir, c'est dans la
mesure où elle est une connaissance médicale.

Vous comprenez pourquoi la psychiatrie, dans ces conditions, s'est
intéressée très tôt, dès le départ, au moment où il s'agissait justement
du processus même de sa constitution historique, au problème de la criminalité et de la folie criminelle. Elle s'est intéressée à la folie criminelle non pas en bout de course, non pas parce que, après avoir
parcouru tous les domaines de la folie possibles, elle a rencontré cette
folie superfétatoire et excessive qui consiste à tuer. En fait, elle s'est
intéressée tout de suite à la folie qui tue, parce que son problème était
de se constituer et de faire valoir ses droits en tant que pouvoir et savoir
de protection à l'intérieur de la société. Donc, intérêt essentiel, constitutif, au sens fort du terme, pour la folie criminelle ; attention particulière aussi à toutes les formes de comportement qui sont telles que le
crime y est imprévisible. Personne ne pourrait le présager, personne ne
pourrait le deviner à l'avance. Quand le crime fait une irruption soudaine, sans préparation, sans vraisemblance, sans motif, sans raison,
alors là la psychiatrie intervient et dit : Alors que personne d'autre ne
pourrait détecter à l'avance ce crime qui fait irruption, moi en tant que
savoir, moi en tant que je suis la science de la maladie mentale, moi en
tant que je sais la folie, je vais précisément pouvoir détecter ce danger,
qui est opaque et imperceptible à tous les autres. Autrement dit, avec le
crime sans raison, avec ce danger qui soudain fait irruption à l'intérieur
de la société, et qu'aucune intelligibilité n'éclaire, vous comprenez bien
l'intérêt capital que la psychiatrie ne peut pas manquer de porter à ce
genre de crimes littéralement inintelligibles, c'est-à-dire imprévisibles,
c'est-à-dire qui ne donnent prise à aucun instrument de détection et
dont elle, la psychiatrie, pourra dire qu'elle est capable de les reconnaître, quand ils se produisent, et à la limite de les prévoir, ou de les
laisser prévoir, en reconnaissant à temps la curieuse maladie qui
consiste à les commettre. C'est, en quelque sorte, la prouesse d'intronisation de la psychiatrie. Vous connaissez tous les récits du type : Si
vous avez le pied assez petit pour entrer dans la pantoufle de vair, vous
serez reine ; si vous avez le doigt assez fin pour recevoir l'anneau d'or,
vous serez reine ; si vous avez la peau assez fine pour que le moindre
petit pois placé sous l'entassement des matelas de plumes vous contu-
sionne la peau, au point que vous êtes couverte de bleus le lendemain

matin, si vous êtes capable de faire tout cela, vous serez reine. La psychiatrie s'est donné elle-même cette espèce d'épreuve de reconnaissance de sa royauté, épreuve de reconnaissance de sa souveraineté, de son pouvoir et de son savoir : Moi, je suis capable de repérer comme maladie, de retrouver des signes à ce qui pourtant ne se signale jamais. Imaginez un crime imprévisible, mais qui pourrait être reconnu comme signe particulier d'une folie diagnosticable ou prévisible par un médecin, imaginez cela, donnez-moi cela – dit la psychiatrie –, moi je suis capable de la reconnaître ; un crime sans raison, un crime qui est donc le danger absolu, le danger touffu dans le corps de la société, moi je me fais fort de la reconnaître. Par conséquent, si je peux analyser un crime sans raison, je serai reine. Épreuve d'intronisation, prouesse de la souveraineté reconnue, c'est comme cela, je crois, qu'il faut comprendre l'intérêt littéralement frénétique que la psychiatrie, au début du XIXe siècle, a porté à ces crimes sans raison.

Vous voyez donc se nouer une très curieuse complémentarité, et très remarquable, entre les problèmes intérieurs du système pénal et les exigences ou les désirs de la psychiatrie. D'un côté, le crime sans raison, c'est l'embarras absolu pour le système pénal. On ne peut plus, devant un crime sans raison, exercer le pouvoir de punir. Mais, d'un autre côté, du côté de la psychiatrie, le crime sans raison est l'objet d'une immense convoitise, car le crime sans raison, si on arrive à le repérer et à l'analyser, c'est la preuve de la force de la psychiatrie, c'est l'épreuve de son savoir, c'est la justification de son pouvoir. Et vous comprenez alors comment s'enclenchent les deux mécanismes l'un sur l'autre. D'un côté, le pouvoir pénal ne va pas cesser de dire au savoir médical : Voilà, je me trouve devant un acte sans raison. Alors je vous en prie : ou bien vous me trouvez des raisons à cet acte, et du coup mon pouvoir de punir pourra s'exercer, ou bien alors, si vous n'en trouvez pas, c'est que l'acte sera fou. Donnez-moi une démonstration de démence et je n'appliquerai pas mon droit de punir. Autrement dit : Donnez-moi de quoi exercer mon pouvoir de punir, ou de quoi ne pas appliquer mon droit de punir. Voilà la question qui est posée par l'appareil pénal au savoir médical. Et le savoir-pouvoir médical va répondre : Voyez comme ma science est indispensable, puisque je suis capable de flairer le danger là même où nulle raison ne peut le faire apparaître. Montrez-moi tous les crimes auxquels vous avez affaire, et moi je suis capable de vous montrer que, derrière beaucoup de ces crimes, il y en a où je trouverai une absence de raison. C'est-à-dire encore, je suis capable de vous montrer que, au fond de toute folie, il y a la virtualité d'un crime et, par conséquent, justification de mon propre pouvoir. Voilà comment s'enclenchent, l'un sur l'autre, ce besoin et ce désir, ou encore cet embarras et cette convoitise. C'est pourquoi Henriette Cornier a été un enjeu si important dans toute cette histoire, qui se déroule donc dans le premier tiers, la première moitié, pour prendre des dates larges, du XIXᵉ siècle.

En effet, qu'est-ce qu'il se passe précisément dans le cas d'Henriette Cornier ? Eh bien, je crois qu'on voit parfaitement ces deux mécanismes à l'œuvre. Crime sans raison, sans motif, sans intérêt : tout cela, et ces expressions mêmes, vous les trouvez dans l'acte d'accusation rédigé par le parquet. L'embarras des juges à exercer leur pouvoir de punir sur un crime qui relève pourtant si manifestement de l'application de la loi, est si grand que, lorsque les défenseurs d'Henriette Cornier demandent une expertise psychiatrique, elle est aussitôt accordée. C'est Esquirol, Adelon et Léveillé qui font cette expertise. Et ils font une très curieuse expertise dans laquelle ils disent : Écoutez, nous avons vu Henriette Cornier plusieurs mois après son crime. Il faut bien reconnaître que, plusieurs mois après son crime, elle ne donne aucun signe manifeste de folie. Là-dessus, on pourrait se dire : C'est très bien, les juges vont se mettre à juger. Pas du tout. Ils relèvent, dans le rapport d'Esquirol, une phrase dans laquelle Esquirol disait : Nous ne l'avons examinée que pendant quelques jours ou pendant un temps relativement bref. Si vous nous donniez plus de temps, nous pourrions en fait vous donner une réponse plus claire. Et, chose paradoxale, le parquet accepte la proposition d'Esquirol ou en prend prétexte pour dire : Je vous en prie, continuez, et d'ici trois mois vous nous ferez un second rapport. Ce qui prouve bien cette espèce de demande, d'appel, de référence fatale à la psychiatrie, au moment où l'application de la loi doit devenir exercice du pouvoir. Seconde expertise d'Esquirol, Adelon et Léveillé, qui disent : Ça continue. Elle continue à ne présenter aucun signe de folie. Vous nous avez donné un peu plus de temps, nous n'avons rien découvert. Mais si nous avions pu l'expertiser au moment même de l'acte, là nous aurions peut-être découvert quelque chose [12]. Il était évidemment plus difficile de répondre à cette demande. Mais le défenseur d'Henriette Cornier, à ce moment-là, a fait intervenir pour son propre compte un autre psychiatre, qui était Marc, et qui, en se référant à un certain nombre de cas semblables, a reconstitué rétrospectivement ce qu'il estimait s'être passé. Et il a fait non pas une expertise, mais une consultation pour Henriette Cornier, qui figure parmi les pièces de la défense [13]. C'est ces deux ensembles que je voudrais maintenant un petit peu analyser.

On a donc un acte sans raison. Qu'est-ce que le pouvoir judiciaire va faire devant cet acte ? Qu'est-ce que l'acte d'accusation et le réquisitoire vont dire ? Et d'autre part, qu'est-ce que le médecin et la défense vont dire ? L'absence d'intérêt à l'acte, que le récit immédiat, les témoignages les plus simples manifestent évidemment, est recodée par l'accusation. De quelle façon ? L'accusation va dire : En fait, bien sûr, il n'y a pas d'intérêt ; ou plutôt elle ne le dira pas, elle ne posera pas la question d'intérêt, mais elle dira ceci : En fait, si nous prenons la vie d'Henriette Cornier dans tout son déroulement, qu'est-ce que nous voyons ? Nous voyons une certaine manière d'être, nous voyons une certaine habitude, un mode de vie, qui manifestent quoi ? Pas grand-chose de bon. Parce qu'enfin elle s'est séparée de son mari. Elle s'est livrée au libertinage. Elle a eu deux enfants naturels. Elle a abandonné ses enfants à l'assistance publique, etc. Tout ça n'est pas très joli. C'est-à-dire que, s'il est vrai qu'il n'y a pas de raison à son acte, du moins elle est tout entière à l'intérieur de son acte, ou encore son acte est déjà présent, à l'état diffus, dans toute son existence. Sa débauche, ses enfants naturels, l'abandon de sa famille, tout ça, c'est déjà les préliminaires, l'analogon de ce qui va se passer lorsqu'elle tuera bel et bien un enfant qui vivait à côté d'elle. Vous voyez comment, à ce problème de la raison de l'acte ou de l'intelligibilité de l'acte, l'accusation va substituer quelque chose d'autre : la ressemblance du sujet à son acte, c'est-à-dire encore l'imputabilité de l'acte au sujet. Puisque le sujet ressemble tellement à son acte, son acte lui appartient bien, et nous aurons bien le droit de punir le sujet, lorsque nous aurons à juger de l'acte. Vous voyez comment on est renvoyé subrepticement à ce fameux article 64, qui définit dans quelles conditions il ne peut pas y avoir d'imputabilité, donc comment, négativement, il n'y a pas imputabilité d'un acte à un sujet. C'est là le premier recodage que l'on trouve dans l'acte d'accusation. D'autre part, l'acte d'accusation fait bien remarquer qu'il n'y a, chez Henriette Cornier, aucun des signes traditionnels de la maladie. Il n'y a pas ce que les psychiatres appellent la mélancolie, on ne trouve aucune trace de délire. Au contraire, non seulement il n'y a pas de trace de délire, mais on trouve une lucidité parfaite. Et cette lucidité parfaite, l'acte d'accusation et le réquisitoire l'établissent à partir d'un certain nombre d'éléments. Premièrement, avant même l'acte, la lucidité d'Henriette Cornier est prouvée par la préméditation. Elle décide à un moment donné – elle le reconnaît elle-même dans ses interrogatoires – qu'elle va tuer dans quelque moment la petite fille de sa voisine. Et elle se rend chez la voisine exprès pour la tuer ; décision prise avant. Deuxièmement, elle a aménagé sa chambre pour pouvoir commettre le crime, puisqu'elle avait disposé un vase de nuit au pied du lit pour recueillir le sang qui allait couler du corps de sa victime. Enfin, elle s'est présentée chez les voisins sous un prétexte fallacieux, qu'elle avait arrangé à l'avance. Elle a insisté pour qu'on lui donne l'enfant en question. Elle a plus ou moins menti. Elle a manifesté une pseudo-affection et tendresse pour l'enfant. Donc, tout ceci était calculé au niveau de la ruse. Au moment même de l'acte, même chose. Quand elle emportait cette enfant qu'elle avait pourtant décidé de tuer, elle la couvrait de baisers, la caressait. Comme elle avait rencontré, en montant l'escalier de sa chambre, la concierge, elle a à ce moment-là caressé l'enfant : « Elle l'a couverte, dit l'acte d'accusation, de caresses hypocrites. » Enfin, aussitôt après l'acte, « elle a eu, dit l'acte d'accusation, parfaitement conscience de la gravité de ce qu'elle avait fait ». Et la preuve, c'est qu'elle a dit – c'est une des quelques phrases qu'elle a prononcées après le meurtre : « Ça mérite la peine de mort. » Elle avait donc une conscience exacte de la valeur morale de son acte. Et non seulement elle avait conscience de la valeur morale de son acte, mais encore elle a essayé lucidement d'y échapper, d'abord en cachant comme elle pouvait une partie au moins du corps de sa victime, puisqu'elle a jeté la tête par la fenêtre, et puis, quand la mère a voulu entrer dans la chambre, elle lui a dit : « Allez-vous-en, allez-vous-en vite, vous serviriez de témoin. » Elle a donc essayé d'éviter qu'il y ait un témoin à son acte. Tout ceci, selon les réquisitions du parquet, signale bien l'état de lucidité d'Henriette Cornier, de la criminelle [14].

C'est ainsi, vous voyez, que le système de l'accusation consiste à recouvrir, napper en quelque sorte cette troublante absence de raison, qui avait pourtant incliné le parquet à faire appel à des psychiatres. Au moment de l'acte d'accusation, au moment où on a décidé de demander la tête d'Henriette Cornier, l'accusation a recouvert cette absence de raison par la présence de quoi ? Par la présence de *la* raison, et de la raison entendue comme la lucidité même du sujet, donc comme l'imputabilité de l'acte au sujet. Cette présence de *la* raison, venant doubler, recouvrir et masquer l'absence *de* raison intelligible pour le crime, c'est cela, je crois, qui est l'opération propre à l'acte d'accusation. L'accusation a masqué la lacune qui empêchait l'exercice du pouvoir de punir et, par conséquent, elle a autorisé l'application de la loi. La question qui était posée, c'était : Le crime était-il bien sans intérêt ? L'accusation a répondu, non pas à cette question même, qui était pourtant la question que le parquet avait posée. L'accusation a répondu : Le crime a été commis en pleine lucidité. La question : Le crime était-il sans intérêt ? avait motivé la demande d'expertise, mais lorsque la procédure d'accusation s'est mise à fonctionner, et qu'il a fallu effectivement demander l'exercice du pouvoir de punir, alors la réponse des psychiatres ne pouvait plus être reçue. On s'est rabattu sur l'article 64 et l'acte d'accusation a dit : Les psychiatres peuvent toujours dire ce qu'ils veulent, tout respire la lucidité dans cet acte. Par conséquent, qui dit lucidité dit conscience, dit non-démence, dit imputabilité, dit applicabilité de la loi. Vous voyez comment, de fait, sont venus jouer, dans cette procédure, les mécanismes que j'avais essayé de vous restituer d'une façon générale tout à l'heure.

Maintenant, quand on regarde du côté de la défense, qu'est-ce qu'il se passe ? La défense va reprendre exactement les mêmes éléments, ou plutôt l'absence des mêmes éléments, l'absence de raison intelligible au crime. Elle va reprendre cela, et essayer de les faire fonctionner comme éléments pathologiques. La défense et le rapport d'expertise de Marc vont essayer de faire fonctionner la non-présence des intérêts comme une manifestation de la maladie : absence de raison devenant, du coup, présence de folie. Et ceci, la défense et le rapport d'expertise le font de la manière suivante. Premièrement, on réinscrit cette absence de raison dans une sorte de symptomatologie générale : montrer non pas qu'Henriette Cornier est une malade mentale, mais d'abord et avant tout qu'elle est tout simplement une malade. Toute maladie a un commencement. On va donc chercher ce qui pourrait signaler le commencement de quelque chose comme une maladie chez Henriette Cornier. En effet, on montre qu'elle est passée d'une humeur gaie à une humeur triste. Tous les signes de débauche, tous les éléments de débauche, de vie libertine, etc., qui avaient été utilisés par l'accusation pour faire ressembler l'accusée à son crime, vont être repris par la défense et l'expertise de Marc, pour introduire une différence entre la vie antérieure de l'accusée et sa vie au moment même où elle a commis le crime. Plus de libertinage, plus de débauche, plus de cette humeur gaie et joyeuse ; elle est devenue triste, elle est devenue presque mélancolique, elle est souvent dans des états de stupeur, elle ne répond pas aux questions. Une fêlure s'est produite, il n'y a pas de ressemblance entre l'acte et la personne. Bien mieux : il n'y a pas de ressemblance de la personne à la personne, de la vie à la vie, d'une phase à une autre de son existence. Rupture, c'est le début de la maladie. Deuxièmement, c'est toujours dans la même tentative d'inscrire ce qui s'est passé à l'intérieur de la symptomatologie – j'allais dire décente – de toute maladie : trouver une corrélation somatique. En effet, Henriette Cornier avait ses règles au moment même du crime, et comme tout le monde sait… [15] Seulement, pour que ce recodage de ce qui était l'immoralité pour l'accusation dans un champ nosologique, pathologique, puisse s'opérer, pour qu'il y ait saturation médicale de cette conduite criminelle, et pour chasser toute possibilité de relation louche et ambiguë entre le maladif et le condamnable, il faut – et c'est la seconde grande tâche de la défense et de la consultation de Marc – opérer une sorte de requalification morale du sujet. Il faut, autrement dit, présenter Henriette Cornier comme une conscience morale entièrement différente justement de l'acte qu'elle a commis, et que la maladie se déploie, ou plutôt traverse comme un météore cette conscience morale, manifeste et permanente d'Henriette Cornier. C'est là que, reprenant toujours les mêmes éléments et les mêmes signes, la défense et la consultation vont dire ceci. Lorsque Henriette Cornier a dit, après son acte, « ça mérite la mort », ça prouvait quoi ? Ça prouvait en fait que sa conscience morale, ce qu'elle était comme sujet moral en général, était resté absolument impeccable. Elle avait une conscience parfaitement claire de ce qu'était la loi et de ce qu'était la valeur même de son acte. Comme conscience morale, elle est restée ce qu'elle était, et son acte ne peut donc pas être imputé à elle-même, en tant que conscience morale, ou en tant encore que sujet juridique, que sujet auquel on peut imputer des actes coupables. De la même façon, reprenant les fameux mots « vous serviriez de témoin », la défense et Marc, surtout la défense d'ailleurs, reprenant les différentes dépositions de la mère de l'enfant, madame Belon, fait remarquer qu'en fait la femme Belon n'a pas entendu Henriette Cornier dire : « Allez-vous-en, vous *serviriez* de témoin. » Elle a entendu Henriette Cornier dire : « Allez-vous-en, vous *servirez* de témoin. » Et si effectivement Henriette Cornier a dit « vous servirez de témoin », ça ne veut plus dire du tout : « Allez-vous-en, car je ne veux pas qu'il y ait de témoin à cet acte » ; ça veut dire : « Allez-vous-en, courez trouver la police, et allez témoigner à la police qu'un crime épouvantable a été commis [16]. » Du coup, l'absence de ce « i » dans « servirez » est la preuve que la conscience morale d'Henriette Cornier était parfaitement intacte. Les uns voient dans le « vous serviriez de témoin » le signe de sa lucidité cynique, les autres voient dans le « vous servirez de témoin » le signe du maintien d'une conscience morale, qui est restée en quelque sorte intacte – par le crime lui-même.

On a donc, dans l'analyse de la défense et dans la consultation de Marc, un état de maladie, une conscience morale qui est intacte, un champ de moralité non perturbé, une sorte de lucidité éthique. Seulement, alors, à partir du moment où Marc et la défense font valoir cette lucidité comme élément fondamental de l'innocence et de la non-imputabilité de l'acte à Henriette Cornier, vous voyez bien qu'il faut retourner le mécanisme propre à l'acte sans intérêt ou retourner le sens de la notion d'acte sans intérêt. Car il a fallu que cet acte sans intérêt, c'est-à-dire sans raison d'être, soit tel qu'il soit arrivé à franchir les barrières représentées par la conscience morale intacte d'Henriette Cornier. Du coup, ce n'est plus à un acte sans raison que l'on a affaire, ou plutôt c'est bien à un acte qui est, à un certain niveau, sans raison ; mais à un autre niveau il faut y reconnaître, dans cet acte qui est arrivé à bousculer, à franchir, à parcourir ainsi, en les renversant, toutes les barrières de la morale, quelque chose qui est une énergie, une énergie intrinsèque à son absurdité, une dynamique dont il est le porteur et qui le porte. Il faut reconnaître une force qui est une force intrinsèque. En d'autres termes, l'analyse de la défense et l'analyse de Marc impliquent que l'acte en question, si effectivement il échappe à la mécanique des intérêts, n'échappe à cette mécanique des intérêts que dans la mesure où il relève d'une dynamique particulière, capable de bousculer toute cette mécanique. Quand on reprend la fameuse phrase d'Henriette Cornier : « Je sais que ça mérite la mort », on s'aperçoit, à ce moment-là, de tout l'enjeu du problème. Parce que, si Henriette Cornier a pu dire, au moment même où elle venait de commettre cet acte : « Je sais que ça mérite la mort », est-ce que ça ne prouve pas que l'intérêt qu'elle avait, que tout individu a à vivre, n'a pas été assez fort pour servir de principe de blocage à ce besoin de tuer, à cette pulsion de tuer, à la dynamique intrinsèque du geste qui a fait qu'elle a tué ? Vous voyez comment tout ce qui était l'économie du système pénal se trouve embarrassé, presque piégé, par un geste comme ça, puisque les principes fondamentaux du droit pénal, depuis Beccaria jusqu'au Code de 1810, étaient : De toute façon quelqu'un, entre la mort d'un individu et la sienne propre, préférera toujours renoncer à la mort de son ennemi pour pouvoir conserver sa vie. Mais, si on a affaire à quelqu'un qui a devant soi quelqu'un qui n'est même pas son ennemi, et qui accepte de le tuer, tout en sachant que sa propre vie se trouve par là même condamnée, est-ce qu'on n'a pas là affaire à une dynamique absolument spécifique, que la mécanique beccarienne, la mécanique idéologique, condillacienne, la mécanique des intérêts du XVIIIe siècle, n'est pas capable de comprendre ? On entre ainsi dans un champ absolument nouveau. Les principes fondamentaux qui avaient organisé l'exercice

du pouvoir de punir se trouvent interrogés, contestés, inquiétés, remis
en jeu, fêlés, minés, par l'existence de cette chose tout de même paradoxale de la dynamique d'un acte sans intérêt, qui arrive à bousculer les
intérêts les plus fondamentaux de tout individu.

C'est ainsi que vous voyez apparaître, dans la plaidoirie de l'avocat
Fournier, dans l'expertise de Marc, toute une espèce, même pas encore
de champ de notions, – de domaine encore flottant. Marc, le médecin,
va dire, dans sa consultation, « direction irrésistible », « affection irrésistible », « désir presque irrésistible », « penchant atroce de l'origine
duquel on ne peut pas répondre » ; ou encore il dit qu'elle est portée
irrésistiblement à des « actions sanguinaires ». Voilà comment Marc
caractérise ce qui s'est passé. Vous voyez comme nous sommes déjà
infiniment loin de la mécanique des intérêts telle qu'elle était sous-
jacente au système pénal. Fournier, l'avocat, va parler d'« un ascendant
qu'Henriette Cornier déplore elle-même » ; il parle de « l'énergie d'une
passion violente » ; il parle de « la présence d'un agent extraordinaire,
étranger aux lois régulières de l'organisation humaine » ; il parle d'« une
détermination fixe, invariable, qui marche au but sans s'arrêter » ; il
parle de « l'ascendant qui avait enchaîné toutes les facultés d'Henriette
Cornier et qui dirige impérieusement, d'une façon générale, tous les
monomanes [17] ». Vous voyez que ce autour de quoi tournent ces dési-
gnations, toute cette série de noms, de termes, d'adjectifs, etc., qui dési-
gnent cette dynamique de l'irrésistible, c'est quelque chose qui est
d'ailleurs nommé dans le texte : c'est l'instinct. Nommé dans le texte :
Fournier parle d'un « instinct barbare », Marc parle d'un « acte instinctif », ou encore d'une « propension instinctive ». C'est nommé dans la
consultation, c'est nommé dans la plaidoirie, mais je dirais que ce n'est
pas conçu. Ce n'est pas encore conçu ; ça ne peut pas l'être et ça ne pouvait pas l'être, car il n'y avait rien, dans les règles de formation du discours psychiatrique à l'époque, qui permette de nommer cet objet
absolument nouveau. Tant que la folie était essentiellement ordon-
née – et elle l'était encore au début du XIXe siècle – à l'erreur, à l'illusion, au délire, à la fausse croyance, à la non-obéissance à la vérité, vous
comprenez bien que l'instinct comme élément dynamique brut ne pouvait pas avoir de place à l'intérieur de ce discours. Il pouvait bien être
nommé, il n'y était pas construit ni conçu. C'est pourquoi sans cesse,
chez Fournier et chez Marc, au moment même où ils viennent de nommer cet instinct, au moment même où ils viennent de le désigner, ils
essayent de le récupérer, de le réinvestir, de le dissoudre, en quelque
sorte, par la présomption de quelque chose comme un délire, parce que

le délire est encore à cette époque, c'est-à-dire en 1826, la marque constitutive, le qualificatif majeur, en tout cas, de la folie. Marc arrive à dire ceci, à propos de cet instinct qu'il vient de nommer et dont il a repéré la dynamique intrinsèque et aveugle dans Henriette Cornier. Il l'appelle « acte de délire », ce qui ne veut rien dire, car ou il s'agit d'un acte qui serait produit par un délire, mais ce n'est pas le cas (il n'est pas capable de dire quel délire il y a chez Henriette Cornier), ou alors acte de délire veut dire un acte tellement absurde qu'il est comme l'équivalent d'un délire, mais ce n'est pas un délire. Et alors, qu'est-ce que c'est que cet acte ? Marc ne peut pas le nommer, ne peut pas le dire, ne peut pas le concevoir. Il parlera donc d'« acte de délire ». Quant à Fournier, l'avocat, il va donner une analogie qui est très intéressante, mais à laquelle, je crois, il ne faut pas prêter plus de sens historique qu'elle n'en a. Fournier va dire à propos de l'acte d'Henriette Cornier : Au fond, elle a agi comme dans un rêve, et elle ne s'est réveillée de son rêve qu'après avoir commis son acte. Cette métaphore existait peut-être déjà chez les psychiatres ; en tout cas, à coup sûr, elle sera reprise. Or, il ne faut pas voir dans cette référence au rêve, cette comparaison avec le rêve, l'espèce de prémonition des rapports du rêve et du désir qui seront définis à la fin du XIXᵉ siècle. En fait, quand Fournier dit « elle est comme dans un état de rêve », c'est au fond pour réintroduire subrepticement la vieille notion de folie-démence, c'est-à-dire une folie dans laquelle le sujet n'a pas conscience de la vérité, dans laquelle l'accès à la vérité lui est barré. Si elle est comme dans un rêve, alors sa conscience n'est pas la vraie conscience de la vérité. Du coup, on peut l'assigner à quelqu'un en état de démence.

Retranscrite sous ces formes, par Fournier dans le rêve, par Marc dans cette notion bizarre d'acte de délire, même retranscrite sous ces formes, je crois que l'on a tout de même là – et c'est pourquoi je m'y suis arrêté peut-être un peu longtemps – l'irruption d'un objet, ou plutôt de tout un domaine d'objets nouveaux, de toute une série d'éléments qui vont d'ailleurs être nommés, décrits, analysés et, petit à petit, intégrés ou plutôt développés à l'intérieur du discours psychiatrique du XIXᵉ siècle. Ce sont les impulsions, les pulsions, les tendances, les penchants, les automatismes ; bref, toutes ces notions, tous ces éléments qui, à la différence des passions de l'Âge classique, ne sont pas ordonnés à une représentation première, mais s'ordonnent, au contraire, à une dynamique spécifique, par rapport à laquelle les représentations, les passions, les affects seront dans une position seconde, dérivée ou subordonnée. Avec Henriette Cornier, on voit le mécanisme par lequel s'opère le renversement d'un acte, dont le scandale juridique, médical et moral tenait à ce qu'il n'avait pas de raison, en un acte qui pose à la médecine et au droit des questions spécifiques, dans la mesure où il relèverait d'une dynamique de l'instinct. De l'acte sans raison, on est passé à l'acte instinctif.

Or, ceci se passe (je vous signale ça simplement pour les correspondances historiques) à l'époque où Geoffroy Saint-Hilaire montrait que les formes monstrueuses de certains individus n'étaient jamais que le produit d'un jeu perturbé des lois naturelles [18]. À cette même époque, la psychiatrie légale, à propos d'un certain nombre d'affaires – dont l'affaire Cornier est certainement la plus pure et la plus intéressante –, était en train de découvrir que les actes monstrueux, c'est-à-dire sans raison, de certains criminels étaient en réalité produits non pas simplement à partir de cette lacune que signale l'absence de raison, mais par une certaine dynamique morbide des instincts. Nous avons là, je crois, le point de découverte des instincts. Quand je dis « découverte », je sais que ce n'est pas le bon mot, mais ce n'est pas à la découverte que je m'intéresse, mais aux conditions de possibilité de l'apparition, la construction, l'usage réglé d'un concept à l'intérieur d'une formation discursive. Importance de cet engrenage, à partir duquel la notion d'instinct va pouvoir apparaître et se former ; car l'instinct sera, bien sûr, le grand vecteur du problème de l'anomalie, ou encore l'opérateur par lequel la monstruosité criminelle et la simple folie pathologique vont trouver leur principe de coordination. C'est à partir de l'instinct que toute la psychiatrie du XIXe siècle va pouvoir ramener dans les parages de la maladie et de la médecine mentale tous les troubles, toutes les irrégularités, tous les grands troubles et toutes les petites irrégularités de conduite qui ne relèvent pas de la folie proprement dite. C'est à partir de la notion d'instinct que va pouvoir s'organiser, autour de ce qui était autrefois le problème de la folie, toute la problématique de l'anormal, de l'anormal au niveau des conduites les plus élémentaires et les plus quotidiennes. Ce passage au minuscule, la grande dérive qui a fait que le monstre, le grand monstre anthropophage du début du XIXe siècle, s'est retrouvé finalement monnayé sous la forme de tous les petits monstres pervers qui n'ont pas cessé de pulluler depuis la fin du XIXe siècle, ce passage du grand monstre au petit pervers n'a pu être fait que par cette notion d'instinct, et l'utilisation et le fonctionnement de l'instinct dans le savoir, mais aussi dans le fonctionnement du pouvoir psychiatrique.

C'est là le second, je crois, intérêt de cette notion d'instinct et son caractère capital. C'est que, avec l'instinct, on a une toute nouvelle problématique, une toute nouvelle manière de poser le problème de ce qui est pathologique dans l'ordre de la folie. C'est ainsi qu'on va voir apparaître, dans les années qui suivent l'affaire Henriette Cornier, toute une série de questions qui étaient irrecevables encore au XVIII⁰ siècle. Est-ce qu'il est pathologique d'avoir des instincts ? Est-ce que laisser jouer ses instincts, laisser se développer le mécanisme des instincts, c'est une maladie, ou ce n'est pas une maladie ? Ou encore, est-ce qu'il existe une certaine économie ou mécanique des instincts, qui serait pathologique, qui serait une maladie, qui serait anormale ? Est-ce qu'il y a des instincts qui sont, en eux-mêmes, porteurs de quelque chose comme une maladie, ou comme une infirmité, ou comme une monstruosité ? Est-ce qu'il n'y a pas des instincts qui seraient des instincts anormaux ? Peut-on avoir prise sur les instincts ? Peut-on corriger les instincts ? Peut-on redresser les instincts ? Est-ce qu'il existe une technologie pour guérir les instincts ? C'est ainsi, vous le voyez, que l'instinct va devenir, au fond, le grand thème de la psychiatrie, thème qui va occuper une place de plus en plus considérable, recouvrant l'ancien domaine du délire et de la démence, qui avait été le noyau central du savoir de la folie et de la pratique de la folie jusqu'au début du XIX⁰ siècle. Les pulsions, les impulsions, les obsessions, l'émergence de l'hystérie – folie absolument sans délire, folie absolument sans erreur –, l'utilisation du modèle de l'épilepsie comme pure et simple libération des automatismes, la question générale des automatismes moteurs ou mentaux, tout cela va occuper une place de plus en plus grande, de plus en plus centrale, à l'intérieur même de la psychiatrie. Avec la notion d'instinct, non seulement c'est tout ce champ de problèmes nouveaux qui va affleurer, mais la possibilité de réinscrire la psychiatrie non seulement dans un modèle médical qu'elle avait utilisé depuis longtemps, mais de la réinscrire aussi dans une problématique biologique. L'instinct de l'homme est-il l'instinct de l'animal ? L'instinct morbide de l'homme est-il la répétition de l'instinct animal ? L'instinct anormal de l'homme est-il la résurrection d'instincts archaïques de l'homme ?

Toute l'inscription de la psychiatrie dans la pathologie évolutionniste, toute l'injection de l'idéologie évolutionniste dans la psychiatrie va pouvoir se faire non pas du tout à partir de la vieille notion de délire, mais à partir de cette notion d'instinct. C'est à partir du moment où l'instinct est devenu le grand problème de la psychiatrie que tout cela sera possible. Et finalement la psychiatrie du XIX⁰ siècle va se trouver, dans les dernières années de ce siècle, encadrée par deux grandes technologies, vous le savez bien, qui vont la bloquer d'un côté et la relancer de l'autre. D'une part, la technologie eugénique avec le problème de l'hérédité, de la purification de la race et de la correction du système instinctif des hommes par une épuration de la race. Technologie de l'instinct : voilà ce qu'a été l'eugénisme depuis ses fondateurs jusqu'à Hitler. D'un autre côté, vous avez eu, en face de l'eugénique, l'autre grande technologie des instincts, l'autre grand moyen qui a été proposé simultanément, dans une synchronie qui est très remarquable, l'autre grande technologie de correction et de normalisation de l'économie des instincts, qui est la psychanalyse. L'eugénique et la psychanalyse, ce sont ces deux grandes technologies qui se sont dressées, à la fin du XIXᵉ siècle, pour donner à la psychiatrie prise sur le monde des instincts.

Excusez-moi, j'ai été aussi long que d'habitude. Si j'ai insisté sur cette affaire Henriette Cornier et sur cette émergence de l'instinct, c'est pour une raison de méthode. C'est que j'ai essayé de vous montrer comment s'est produit à ce moment-là – et à travers des histoires dont celle d'Henriette Cornier est simplement exemplaire – une certaine transformation. Cette transformation a permis, au fond, un immense processus qui n'est pas encore achevé de nos jours, ce processus qui fait que le pouvoir psychiatrique intra-asilaire, centré sur la maladie, a pu devenir juridiction générale intra- et extra-asilaire non pas de la folie, mais de l'anormal et de toute conduite anormale. Cette transformation a son point d'origine, sa condition de possibilité historique, dans cette émergence de l'instinct. Cette transformation a pour cheville, pour mécanisme d'engrenage, cette problématique, cette technologie des instincts. Or – c'est là ce que j'ai voulu vous montrer –, ceci est dû non pas du tout à une découverte interne au savoir psychiatrique, non pas non plus à un effet idéologique. Si ma démonstration est exacte (parce que ça voulait être une démonstration), vous voyez que tout cela, tous ces effets épistémologiques – et technologiques, d'ailleurs – à partir de quoi sont-ils apparus ? D'un certain jeu, d'une certaine distribution et d'un certain engrenage entre des mécanismes de pouvoir, les uns caractéristiques de l'institution judiciaire, les autres caractéristiques de l'institution, ou plutôt du pouvoir et du savoir médicaux. C'est dans ce jeu entre les deux pouvoirs, c'est dans leur différence et dans leur engrenage, dans les besoins qu'ils avaient l'un de l'autre, les appuis qu'ils prenaient l'un sur l'autre, c'est là que s'est fait le principe de la transformation. Qu'on soit passé d'une psychiatrie du délire à une psychiatrie de l'instinct, avec toutes les conséquences que ça allait avoir pour la généralisation de la psychiatrie comme pouvoir social, la raison en est, je crois, à cet enclenchement du pouvoir.

Mon cours de la semaine prochaine aura lieu malgré les vacances et j'essayerai de vous montrer la trajectoire de l'instinct au XIXe siècle, depuis Henriette Cornier jusqu'à la naissance de l'eugénique, par l'organisation de la notion de dégénérescence.

*

NOTES

1. Référence au *Petit Poucet* des *Contes de ma mère l'oye* de Charles Perrault.

2. Cf. *supra*, leçon du 29 janvier.

3. Sur le cas de L.-A. Papavoine voir les trois cartons conservés dans les *Factums* de la Bibliothèque nationale de France (8 Fm 2282-2288), qui contiennent les brochures suivantes : *Affaire Papavoine. N° 1*, Paris, 1825 ; *Plaidoyer pour Auguste Papavoine accusé d'assassinat. [N° 2]*, Paris, 1825 ; *Affaire Papavoine. Suite des débats. Plaidoyer de l'avocat général. N° 3*, Paris, 1825 ; *Papavoine (Louis-Auguste), accusé d'avoir, le 10 octobre 1824, assassiné deux jeunes enfants de l'âge de 5 à 6 ans, dans le bois de Vincennes*, Paris, [1825] ; *Procès et Interrogatoires de Louis-Auguste Papavoine, accusé et convaincu d'avoir, le 10 octobre 1824, assassiné deux enfants, âgés l'un de 5 ans et l'autre de 6, dans le bois de Vincennes*, Paris, 1825 ; *Procédure de Louis-Auguste Papavoine*, Paris, [s.d.] ; *Procès criminel de Louis-Auguste Papavoine. Jugement de la cour d'assises*, Paris, [s.d.]. Le dossier a été étudié pour la première fois par E.-J. Georget, *Examen médical…, op. cit.*, p. 39-65.

4. Le cas de H. Cornier a été présenté par Ch.-Ch.-H. Marc, *Consultation médico-légale pour Henriette Cornier, femme Berton, accusée d'homicide commis volontairement et avec préméditation. Précédée de l'acte d'accusation*, Paris, 1826, texte repris in *De la folie…, op. cit.*, II, p. 71-116 ; E.-J. Georget, *Discussion médico-légale sur la folie ou aliénation mentale, suivie de l'examen du procès criminel d'Henriette Cornier, et des plusieurs autres procès dans lesquels cette maladie a été alléguée comme moyen de défense*, Paris, 1826, p. 71-130 ; N. Grand, *Réfutation de la discussion médico-légale du Dr Michu sur la monomanie homicide à propos du meurtre commis par H. Cornier*, Paris, 1826. On trouve des extraits des rapports médico-légaux dans la série d'articles que la *Gazette des tribunaux* a consacrée au procès en 1826 (les 21 et 28 février ; les 18, 23 et 25 juin).

5. Ch.-Ch.-H. Marc, *De la folie…, op. cit.*, II, p. 84, 114.

6. Cf. l'analyse de l'article 64 du Code pénal proposée par Ch.-Ch.-H. Marc, *loc. cit.*, p. 425-433.

7. Cf. le résumé du cours *Le Pouvoir psychiatrique*, déjà cité.

8. Les *Annales d'hygiène publique et de médecine légale* ont paru de 1829 à 1922.

9. Sur la théorie de la « dégénérescence » voir, en particulier, B.-A. Morel, *Traité des dégénérescences physiques, intellectuelles et morales de l'espèce humaine et des causes qui produisent ces variétés maladives*, Paris, 1857 ; Id., *Traité des maladies mentales*, Paris, 1860 ; V. Magnan, *Leçons cliniques sur les maladies mentales*, Paris,

1891 ; V. Magnan & P.-M. Legrain, *Les Dégénérés. État mental et syndromes épiso-diques*, Paris, 1895.

10. La notion a été introduite par E. Bleuler, *Dementia praecox oder Gruppe der Schizophrenien*, Leipzig-Wien, 1911.

11. M. Foucault fait ici référence, en particulier, au cours, déjà cité, *Le Pouvoir psychiatrique*. Allusion à E. Georget, *De la folie,* Paris, 1820, p. 282, qui écrivait : « Dites [...] à un prétendu roi qu'il ne l'est pas, il vous répondra par des invectives. »

12. Le premier rapport de J.-E.-D. Esquirol, N.-Ph. Adelon et J.-B.-F. Léveillé a été publié presque intégralement par E.-J. Georget, *Discussion médico-légale sur la folie..., op. cit.,* p. 85-86. Le deuxième rapport, rédigé après trois mois d'observation, est imprimé textuellement *ibid.,* p. 86-89.

13. Ch.-Ch.-H. Marc, *De la folie..., op. cit.,* II, p. 88-115.

14. Cf. *ibid.,* p. 71-87.

15. *Ibid.,* p. 110-111, où il est fait référence à Ch.-Ch.-H. Marc, « Aliéné », in *Dictionnaire des sciences médicales*, I, Paris, 1812, p. 328.

16. Ch.-Ch.-H. Marc, *De la folie..., op. cit.,* II, p. 82.

17. La plaidoirie de Louis-Pierre-Narcisse Fournier est résumée par E.-J. Georget, *Discussion médico-légale sur la folie..., op. cit.,* p. 97-99. Voir in extenso, dans les *Factums* de la Bibliothèque nationale de France (8 Fm 719), le *Plaidoyer pour Henriette Cornier, femme Berton accusée d'assassinat, prononcé à l'audience de la cour d'assises de Paris, le 24 juin 1826, par N. Fournier, avocat stagiaire près la Cour Royale de Paris*, Paris, 1826.

18. I. Geoffroy Saint-Hilaire, *Histoire générale et particulière des anomalies de l'organisation chez l'homme et les animaux,* Paris, 1832-1837, 4 vol.; cf. II, 1832, p. 174-566. Le traité porte le sous-titre : *Ouvrage comprenant des recherches sur les caractères, la classification, l'influence physiologique et pathologique, les rapports généraux, les lois et les causes des monstruosités, des variétés et vices de conformation, ou Traité de tératologie.* Il faut aussi remarquer les travaux préparatoires de E. Geoffroy Saint-Hilaire, *Philosophie anatomique,* Paris, 1822 (chap. III : « Des mons-truosités humaines ») ; Id., *Considérations générales sur les monstres, comprenant une théorie des phénomènes de la monstruosité,* Paris, 1826 (extrait du volume XI du *Dictionnaire classique d'histoire naturelle*).

COURS DU 12 FÉVRIER 1975

L'instinct comme grille d'intelligibilité du crime sans intérêt et non punissable. – Extension du savoir et du pouvoir psychiatriques à partir de la problématisation de l'instinct. – La loi de 1838 et le rôle réclamé par la psychiatrie dans la sûreté publique. – Psychiatrie et régulation administrative, demande familiale de psychiatrie, constitution d'un discriminant psychiatrico-politique entre les individus. – L'axe du volontaire et de l'involontaire, de l'instinctif et de l'automatique. – L'éclatement du champ symptomatologique. – La psychiatrie devient science et technique des anormaux. – L'anormal : un grand domaine d'ingérence.

J'ai été pris d'une crainte qui est peut-être un peu obsessionnelle : j'ai eu l'impression, il y a quelques jours – en me rappelant ce que je vous avais dit la dernière fois à propos de la femme de Sélestat, vous savez, celle qui avait tué sa fille, lui avait coupé la jambe et l'avait mangée dans des choux –, de vous avoir dit qu'elle avait été condamnée. Vous vous souvenez ? Non ? J'avais dit qu'elle avait été acquittée ? Non plus ? Je ne vous ai rien dit ? Au moins, je vous en ai parlé ? Tout de même, si je vous avais dit qu'elle avait été condamnée, c'est une erreur : elle a été acquittée. Ça change beaucoup à son destin (si ça ne change rien à celui de sa petite fille), mais ça ne change pas, au fond, ce que je voulais vous dire à propos de cette affaire, dans laquelle ce qui m'avait paru important, c'était l'acharnement avec lequel on avait essayé de retrouver le système des intérêts qui permettrait de comprendre le crime et, éventuellement, de le rendre punissable.

J'avais cru vous dire (ce qui aurait été une erreur), qu'on l'avait condamnée en fonction du fait que c'était une période de famine, et qu'elle était misérable ; dans cette mesure-là, elle avait intérêt à manger sa fille, puisqu'elle n'avait rien d'autre à se mettre sous la dent. Cet argument a bien été employé et a failli emporter la décision, mais, en fait, elle a été acquittée. Et elle a été acquittée en fonction de ce fait, qui a été avancé par les avocats : qu'il y avait encore des provisions dans son armoire et que, par conséquent, elle n'avait pas tellement d'intérêt à manger sa fille ; qu'elle aurait pu manger du lard avant de manger sa fille, que le système d'intérêts ne jouait pas. En tout cas, à partir de cela, elle a été <acquittée>. Si j'ai commis une erreur, pardonnez-moi. Voilà la vérité établie, ou rétablie.

Revenons maintenant au point où j'étais à peu près arrivé la dernière fois, à propos de l'analyse de l'affaire Henriette Cornier. Avec Henriette Cornier, on a cette espèce de monstre discret, pâle, pur, muet, dont l'affaire me paraît cerner – pour la première fois d'une manière à peu près claire et explicite – cette notion, ou plutôt cet élément, qui est celui de l'instinct. La psychiatrie découvre l'instinct, mais la jurisprudence et la pratique pénale le découvrent également. Qu'est-ce que c'est, l'instinct ? C'est cet élément mixte qui peut fonctionner sur deux registres ou, si vous voulez encore, c'est cette espèce de rouage qui permet à deux mécanismes de pouvoir de s'engrener l'un sur l'autre : le mécanisme pénal et le mécanisme psychiatrique ; ou, plus précisément encore, ce mécanisme de pouvoir, qui est le système pénal et qui a ses réquisits de savoir, parvient à s'enclencher sur ce mécanisme de savoir qui est la psychiatrie, et qui a, de son côté, ses réquisits de pouvoir. Ces deux machineries sont arrivées à s'enclencher l'une sur l'autre, pour la première fois, d'une manière efficace et qui va être productive tant dans l'ordre de la pénalité que dans l'ordre de la psychiatrie, à travers cet élément de l'instinct, qui est à ce moment-là constitué. L'instinct, en effet, permet de réduire en termes intelligibles cette espèce de scandale juridique que serait un crime sans intérêt, sans motif et, par conséquent, non punissable ; et puis, d'un autre côté, de retourner scientifiquement l'absence de raison d'un acte en un mécanisme pathologique positif. Voilà donc, je crois, le rôle de cet instinct, pièce dans ce jeu du savoir-pouvoir.

Mais l'affaire d'Henriette Cornier est, bien entendu, un cas limite. La médecine mentale, pendant les trente-quarante premières années du XIXe siècle, ne touche à l'instinct que lorsqu'elle ne peut pas faire autrement. En d'autres termes, à défaut de délire, à défaut de démence, à défaut d'aliénation – qui définissent à peu près l'objet propre de la psychiatrie –, c'est à défaut de cela que, en cas extrême, elle a recours à l'instinct. Il suffit, d'ailleurs, de considérer à quel moment l'instinct intervient dans la grande architecture taxinomique de la psychiatrie du début du XIXe siècle, pour voir la place extraordinairement limitée qu'il occupe. L'instinct est fortement régionalisé dans cet édifice, où on a toute une série de folies – folie continue, folie intermittente, folie totale, folie partielle (c'est-à-dire, qui ne portent que sur une région du comportement). Dans ces folies partielles, il y a celles qui atteignent l'intelligence et pas le reste du comportement, ou les folies, au contraire, qui atteignent le reste du comportement et pas l'intelligence. Et c'est simplement à l'intérieur de cette dernière catégorie que l'on trouve une certaine folie, qui affecte non pas le comportement en général, mais un certain type de comportement. Par exemple : le comportement de meurtre. C'est à ce moment-là, dans cette région très précise, qu'on voit émerger la folie instinctive, qui est, en quelque sorte, la dernière pierre dans l'édifice pyramidal de la taxinomie. Donc, l'instinct a une place qui est, je crois, politiquement très importante (je veux dire que, dans les conflits, revendications, distributions et redistributions du pouvoir, au début du XIX⁰ siècle, le problème de l'instinct, de la folie instinctive, est très important) ; mais épistémologiquement, c'est une pièce très mêlée et très mineure.

Le problème que je voudrais essayer de résoudre aujourd'hui est celui-ci : comment cette pièce épistémologiquement régionale et mineure a-t-elle pu devenir une pièce absolument fondamentale, qui est arrivée à définir à peu près, à recouvrir à peu près la totalité du champ de l'activité psychiatrique ? Bien plus, non seulement à recouvrir ou à parcourir, en tout cas, la totalité de ce domaine, mais à constituer un élément tel, que l'extension du pouvoir et du savoir psychiatrique, sa multiplication, le recul perpétuel de ses frontières, l'extension quasi indéfinie de son domaine d'ingérence, a eu pour principe cet élément, qui est l'élément instinctif. C'est cela, cette généralisation du pouvoir et savoir psychiatrique à partir de la problématisation de l'instinct, que je voudrais étudier aujourd'hui.

Cette transformation, je voudrais la resituer dans ce qui peut, je crois, être considéré comme ses raisons, les éléments qui l'ont déterminée. On peut dire schématiquement ceci. C'est sous la pression de trois processus, qui concernent tous les trois l'insertion de la psychiatrie dans les mécanismes de pouvoir (des mécanismes de pouvoir qui lui sont extérieurs), c'est sous la pression de ces trois processus que la transformation s'est faite. Premier processus, que j'évoquerai rapidement, c'est le fait que, en France du moins (dans les pays étrangers le processus a été un peu le même, mais décalé chronologiquement, ou par des processus législatifs un peu différents), autour des années 1840 à peu près, la psychiatrie s'est inscrite à l'intérieur d'une régulation administrative nouvelle. Cette régulation administrative nouvelle, je vous en avais dit quelques mots l'an dernier, à propos de la constitution du pouvoir psychiatrique, en quelque sorte intra-asilaire[1]. Et cette année, je voudrais vous en parler du point de vue extra-asilaire. Cette régulation administrative nouvelle s'est essentiellement cristallisée dans la fameuse loi de 1838[2]. Vous savez que la loi de 1838, je vous en ai dit quelques mots l'an dernier, définit entre autres choses ce qu'on appelle le placement d'office, c'est-à-dire le placement d'un aliéné dans un hôpital psychiatrique sur la demande, ou plutôt sur l'ordre de l'administration, et précisément de l'administration préfectorale[3]. Ce placement d'office, la loi de 1838 comment le règle-t-elle ? D'une part, le placement d'office doit se faire dans un établissement spécialisé, c'est-à-dire destiné premièrement à recevoir, deuxièmement à guérir les malades. Le caractère médical de l'internement, puisqu'il s'agit de guérir, le caractère médical et spécialisé, puisqu'il s'agit d'un établissement destiné à recevoir des malades mentaux, est donc bien précisément donné dans la loi de 1838. La psychiatrie reçoit du fait de la loi de 1838 sa consécration à la fois comme discipline médicale, mais aussi comme discipline spécialisée à l'intérieur du champ de la pratique médicale. D'autre part, le placement d'office qui doit se faire dans ces établissements, par quelle procédure est-il obtenu ? Par une décision préfectorale, qui est accompagnée (mais sans être par là aucunement liée) de certificats médicaux qui précèdent la décision. Car un certificat médical peut être, si vous voulez, une introduction auprès de l'administration préfectorale pour demander effectivement un internement. Mais ce n'est pas nécessaire ; et, une fois que l'internement a été décidé par l'administration préfectorale, l'établissement spécialisé et ses médecins doivent faire un rapport médical sur l'état du sujet ainsi interné, sans que les conclusions de ce rapport médical lient en aucune manière l'administration préfectorale. On peut donc parfaitement admettre que quelqu'un sera enfermé par ordre de l'administration préfectorale. Les médecins concluront à la non-aliénation et le placement sera maintenu. Troisième caractère donné au placement d'office par la loi de 1838, c'est que ce placement doit bien être, dit le texte, un placement motivé par l'état d'aliénation d'un individu, mais ça doit être une aliénation telle, qu'elle est susceptible de compromettre l'ordre et la sûreté publics. Vous voyez que le rôle du médecin, ou plutôt l'enclenchement de la fonction médicale sur l'appareil administratif, se trouve défini à la fois d'une façon claire et tout de même ambiguë. En effet, la loi de 1838 sanctionne bien le rôle d'une psychiatrie qui serait une certaine technique scientifique et spécialisée de l'hygiène publique ; mais vous voyez qu'elle met la psychiatrie et le psychiatre dans l'obligation de se poser à eux-mêmes un problème, qui est tout à fait nouveau par rapport à l'économie scientifique, traditionnelle jusque-là, de la psychiatrie.

Autrefois, à l'époque, par exemple, où l'interdiction était la grande procédure judiciaire concernant la folie, le problème était toujours de savoir si le sujet en question ne recelait pas en lui un certain état, apparent ou inapparent, de démence, état de démence qui le rendrait incapable en tant que sujet juridique, qui le disqualifierait comme sujet de droit[4]. Est-ce qu'il n'y avait pas en lui un certain état de conscience ou d'inconscience, d'aliénation de conscience, qui l'empêche de continuer à exercer des droits fondamentaux ? Mais, à partir du moment où la loi de 1838 entre en vigueur, vous voyez que la question posée au psychiatre sera celle-ci : Nous avons devant nous un individu qui est capable de perturber l'ordre ou de menacer la sûreté publique. Qu'est-ce que le psychiatre a à dire en ce qui concerne cette éventualité de trouble ou de danger ? C'est la question du trouble, c'est la question du désordre, c'est la question du danger, qui se trouve, par la décision administrative, posée au psychiatre. Quand le psychiatre reçoit un malade placé d'office, il a à répondre, à la fois, en termes de psychiatrie et en termes de désordre et de danger ; il a à commenter, sans que d'ailleurs ses conclusions lient l'administration préfectorale, les rapports possibles entre la folie, la maladie, d'une part, et puis le trouble, le désordre, le danger, de l'autre. Non plus, donc, les stigmates de l'incapacité au niveau de la conscience, mais les foyers de danger au niveau du comportement. Vous voyez, par conséquent, comment tout un nouveau type d'objets va apparaître nécessairement en fonction de ce nouveau rôle administratif, ou de ce nouveau lien administratif, qui enserre l'activité psychiatrique. L'analyse, l'investigation, le quadrillage psychiatrique vont tendre à se déplacer de ce que pense le malade vers ce qu'il fait, de ce qu'il est capable de comprendre à ce qu'il est susceptible de commettre, de ce qu'il peut consciemment vouloir à ce qui pourrait se produire en lui d'involontaire dans son comportement. Du même coup, vous voyez que va se produire tout un renversement d'importance. Avec la monomanie, avec cette espèce de cas singulier, extrême, monstrueux, on avait le cas d'une folie qui, dans sa singularité, pouvait être terriblement dangereuse. Et si les psychiatres attachaient tant d'importance à la monomanie, c'est qu'ils l'exhibaient comme la preuve que, après tout, il pouvait bien se produire des cas où la folie devenait dangereuse. Or, les psychiatres avaient besoin de cela pour définir et asseoir leur pouvoir à l'intérieur des systèmes de régulation d'hygiène publique. Mais, maintenant, ce lien entre le danger et la folie, les psychiatres n'ont plus à le donner, à le démontrer, à l'exhiber, dans ces cas monstrueux. Le lien folie-danger, c'est l'administration elle-même qui le marque, puisque c'est l'administration qui n'envoie un sujet en placement d'office que dans la mesure où il est effectivement dangereux, où son aliénation-état de maladie est liée à un danger pour l'homme ou la sûreté publique. On n'a plus besoin de monomaniaques. La démonstration politique que l'on cherchait dans la constitution épistémologique de la monomanie, ce besoin politique est maintenant, par l'administration, satisfait, et au-delà. Les placés d'office sont automatiquement indiqués comme dangereux. Avec le placement d'office, au fond, l'administration a effectué d'elle-même, et de fait, cette synthèse entre danger et folie que la monomanie, autrefois, devait démontrer théoriquement. Elle effectue cette synthèse entre danger et folie non pas simplement à propos de quelques cas, de quelques sujets exceptionnels et monstrueux ; elle l'effectue sur tous les individus qui sont envoyés en placement. Du coup, la monomanie homicide cessera d'être cette espèce de grand problème politico-juridico-scientifique qu'elle était au début du siècle, dans la mesure même où le désir de meurtre, ou la possibilité, en tout cas, du danger, du désordre et de la mort, deviendra coextensive à toute la population asilaire. Tous ceux qui sont à l'asile sont virtuellement porteurs de ce péril de mort. C'est ainsi que, au grand monstre exceptionnel qui a tué, comme la femme de Sélestat, ou comme Henriette Cornier, ou comme Léger, ou comme Papavoine, va succéder maintenant comme figure typique, comme figure de référence, non pas donc le grand monomane qui a tué, mais le petit obsédé : l'obsédé doux, docile, anxieux, gentil, celui qui, bien sûr, voudrait tuer ; mais celui qui sait également qu'il va tuer, qu'il pourrait tuer, et qui demande bien poliment à sa famille, à l'administration, au psychiatre, de l'enfermer pour qu'il ait enfin le bonheur de ne pas tuer.

C'est ainsi qu'on peut opposer à Henriette Cornier, dont je vous parlais la dernière fois, un cas qui a été commenté par Baillarger en 1847 (le cas datant lui-même de 1840 [*rectius* : 1839], c'est-à-dire des années qui suivent immédiatement la mise en place de la loi de 1838). C'est un cas qui lui avait été rapporté par Gratiolet et qui est celui-ci [5]. Un cultivateur du Lot, qui s'appelait Glenadel, dès ses plus jeunes années (vers l'âge de quinze ans, il en avait à ce moment-là plus de quarante, au total depuis vingt-six ans), avait éprouvé l'envie de tuer sa mère. Puis, sa mère étant morte de sa belle mort, son désir de tuer s'était reporté sur sa belle-sœur. Pour fuir ces deux dangers, pour échapper à son propre désir de tuer, il s'était bien entendu engagé dans l'armée, qui lui évitait de tuer au moins sa mère. À plusieurs reprises, on lui avait donné des permissions. Il ne les avait pas prises, pour ne pas tuer sa mère. Il avait finalement été mis en congé définitif. Il avait essayé de ne pas revenir chez lui et, quand enfin il avait appris que sa belle-sœur était morte après sa mère, il était rentré. Mais, manque de chance, sa belle-sœur vivait toujours, c'était une fausse nouvelle, et le voilà donc installé à côté d'elle. Et chaque fois que le désir de la tuer devenait trop pressant ou trop violent, il se faisait, avec un grand déploiement de chaînes et de cadenas, attacher sur son lit. C'est à ce moment-là, enfin, au bout d'un certain temps, vers 1840, que lui-même d'accord avec sa famille, ou la famille d'accord avec lui, font venir un huissier, lequel est accompagné, je crois, d'un médecin, qui vient constater son état pour savoir ce qu'on peut faire et si, effectivement, on peut l'enfermer. On a le protocole de cette visite de l'huissier[6], qui lui fait raconter sa vie et qui lui demande, par exemple, comment il veut tuer sa belle-sœur. Il est donc attaché sur son lit avec cadenas, chaînes, etc. ; toute la famille est réunie autour du lit, la belle-sœur également, et puis l'huissier[7]. Alors, on demande au sujet : « Comment voulez-vous tuer votre belle-sœur ? » À ce moment-là, ses yeux se baignent de larmes, il regarde sa belle-sœur et répond : avec « l'instrument le plus doux ». On lui demande si le chagrin de son frère et de son neveu n'arriverait pas, tout de même, à le retenir. Il répond que, bien sûr, il serait désolé de faire de la peine à son frère et à ses neveux, mais, de toute façon, il n'aurait pas à voir ce chagrin. En effet, aussitôt après le meurtre, s'il le commettait, il serait mis en prison et exécuté, ce qu'il souhaite le plus au monde, car derrière son désir de tuer, il y a son désir de mourir. À ce moment-là, on lui demande si, devant ce double désir de tuer et de mourir, il ne voudrait pas des liens plus solides et des chaînes plus lourdes, et il répond avec reconnaissance : « Comme vous me feriez plaisir ![8] »

Ce cas, je crois, est intéressant. Non pas que ce soit la première fois qu'on voit dans la littérature psychiatrique ce que j'appellerai le mono-mane respectueux[9]. Esquirol en avait déjà cité un certain nombre[10]. Mais cette observation a une valeur particulière. D'une part, à cause des conséquences théoriques, psychiatriques, que Baillarger en tirera, sur lesquelles je reviendrai tout à l'heure ; mais aussi parce qu'il s'agit d'un cas qui est scientifiquement, moralement et juridiquement parfait. En effet, aucun crime réel n'est venu le troubler. Le malade a parfaitement conscience de son état ; il sait exactement ce qui s'est passé ; il mesure l'intensité de son désir, de sa pulsion, de son instinct ; il en connaît

l'irrésistibilité ; il réclame lui-même les chaînes et peut-être l'internement. Il joue donc parfaitement son rôle de malade conscient de sa maladie et acceptant l'emprise juridico-administrativo-psychiatrique sur lui.
Deuxièmement, on a une famille qui, elle aussi, est bonne, pure. Devant
le désir du malade, elle a reconnu l'irrésistibilité de cette pulsion ; elle
l'a enchaîné. Et puis, en bonne famille docile aux recommandations de
l'administration, sentant qu'il y a là un danger, elle fait venir un huissier pour constater, en bonne et due forme, l'état du malade. Quant à
l'huissier, je crois, encore une fois sans en être sûr, que lui aussi est un
bon huissier et qu'il se fait accompagner d'un médecin, pour instruire
un bon dossier de placement d'office ou placement volontaire (dans ce
cas-là, ça sera sans doute un placement volontaire), dans le plus proche
asile psychiatrique. On a donc une collaboration parfaite médecine-
justice-famille-malade. Un malade consentant, une famille inquiète, un
huissier vigilant, un médecin savant : tout ceci entourant, cernant,
enchaînant, captant, ce fameux désir de tuer et d'être tué, qui apparaît
là à l'état nu, comme volonté ambiguë de mort ou double volonté de
mort. Danger pour lui-même, le malade est danger pour les autres, et
c'est autour de ce petit fragment noir, absolu, pur, mais parfaitement
visible de danger, que tout ce monde est assemblé. On est, si vous voulez, dans l'élément de la sainteté psychiatrique. Au centre, l'instinct de
mort apparaît à nu, il vient de naître. À côté de lui, le malade qui en est
le porteur, le générateur ; de l'autre côté, la femme interdite qui en est
l'objet ; et puis, derrière eux, le bœuf judiciaire et l'âne psychiatrique.
C'est la nativité, la nativité du divin enfant, l'instinct de mort qui est
maintenant en train de devenir l'objet premier et fondamental de la religion psychiatrique. Quand je dis « instinct de mort », il est entendu que
je ne veux pas désigner ici quelque chose comme la prémonition d'une
notion freudienne [11]. Je veux dire simplement que ce qui apparaît ici, en
toute clarté, c'est l'objet désormais privilégié de la psychiatrie : à savoir
l'instinct, et cet instinct en tant qu'il est porteur de la forme la plus pure
et la plus absolue de danger, la mort – la mort du malade et la mort de
ceux qui l'entourent –, danger qui demande la double intervention et de
l'administration et de la psychiatrie. C'est là, dans cette espèce de figure
de l'instinct porteur de mort, que, je crois, se noue un épisode très
important dans l'histoire de la psychiatrie. J'essayerai de vous expliquer pourquoi, comment, à mon sens, c'est la seconde naissance de la
psychiatrie, ou la vraie naissance de la psychiatrie, après cet épisode de
proto-psychiatrie qui était, au fond, la théorie ou la médecine de l'aliénation mentale. Voilà donc ce que je voulais vous dire sur ce premier

processus, qui va conduire à la généralisation de cet élément de l'instinct, et à la généralisation du pouvoir et du savoir psychiatriques : l'inscription de la psychiatrie dans un régime administratif nouveau.

Deuxièmement, l'autre processus qui explique cette généralisation, c'est la réorganisation de la demande familiale. Là encore, il faut se référer à cette loi de 1838. Avec la loi de 1838, le rapport de la famille aux autorités psychiatriques et judiciaires change de nature et de règles. On n'a plus besoin de la famille pour obtenir un internement ; on n'a plus les deux moyens qu'elle avait autrefois ; on n'en dispose plus, en tout cas, de la même manière. Autrefois, [on avait] deux moyens : l'un bref, fulgurant, mais juridiquement douteux, était l'internement pur et simple au nom de la puissance paternelle ; d'autre part, la procédure lourde et complexe de l'interdiction, qui demandait la réunion d'un conseil de famille, et puis la lente procédure judiciaire, au terme de laquelle le sujet pouvait être interné par un tribunal destiné à cet effet. Désormais, avec la loi de 1838, il est possible, à l'entourage immédiat du malade, de demander ce qu'on appelle un placement volontaire (un placement volontaire, bien entendu, ce n'est pas le placement que le malade veut lui-même, c'est le placement que son entourage veut pour lui). Donc, possibilité pour l'entourage immédiat, c'est-à-dire essentiellement la famille proche, de demander l'internement, et nécessité, pour obtenir ce placement volontaire, d'obtenir avant l'internement, comme pièce justificative, un certificat médical (alors que le préfet, lui, n'en a pas besoin, la famille ne peut obtenir le placement volontaire qu'avec un certificat médical). Après l'internement, nécessité pour le médecin de l'établissement d'obtenir l'aval du préfet, et, d'autre part, de formuler une confirmation du certificat qui avait été apporté au moment même de l'entrée. La famille se trouve donc directement, et avec un minimum de recours à l'administration judiciaire et même à l'administration tout court, branchée sur le savoir et le pouvoir médicaux. Elle a à demander au médecin et les pièces nécessaires à motiver l'internement et la confirmation ultérieure de la validité de cet internement. Du coup, la demande familiale à l'égard de la psychiatrie va changer. Elle va changer dans sa forme. Désormais ce n'est plus la famille au sens large (groupe constitué en conseil de famille), mais l'entourage proche, qui va demander directement au médecin non pas de définir l'incapacité juridique du malade, mais de caractériser son danger pour elle, la famille. Deuxièmement, cette demande, qui change dans sa forme, va aussi être nouvelle dans son contenu. Car désormais ce sera justement le danger constitué par le fou à l'intérieur de sa famille, c'est-à-dire les relations intrafamiliales, qui vont être le point sur lequel le savoir, le diagnostic, le pronostic psychiatriques vont s'épingler. La psychiatrie n'aura plus à définir l'état de conscience, de volonté libre du malade, comme c'était le cas dans l'interdiction. La psychiatrie aura à psychiatriser toute une série de conduites, de troubles, de désordres, de menaces, de dangers, qui sont de l'ordre du comportement et non plus de l'ordre du délire, de la démence ou de l'aliénation mentale. Désormais les relations parents-enfants, les relations frère-sœur, les relations mari-femme vont devenir, dans leurs perturbations internes, le domaine d'investigation, le point de décision, le lieu d'intervention de la psychiatrie. Le psychiatre, du coup, se fait l'agent des dangers intrafamiliaux dans ce qu'ils peuvent avoir de plus quotidien. Le psychiatre devient le médecin de famille dans les deux sens du terme : il est le médecin qui est réclamé par la famille, qui est constitué comme médecin par la volonté de la famille, mais il est également le médecin qui a à soigner quelque chose qui se passe à l'intérieur de la famille. C'est un médecin qui a à prendre en charge médicalement ces troubles, ces difficultés, etc., qui peuvent se dérouler sur la scène même de la famille. La psychiatrie s'inscrit donc comme technique de correction, mais aussi de restitution, de ce qu'on pourrait appeler la justice immanente dans les familles.

Je crois que le texte qui caractérise le mieux cette mutation très importante dans le rapport psychiatrie-famille, c'est celui d'Ulysse Trélat, en 1861, qui s'appelle *La Folie lucide* [12]. Le livre commence à peu de chose près par les lignes que je vais vous lire. On voit bien que le point que le psychiatre prend en charge, ce n'est pas le malade comme tel, ce n'est pas non plus absolument la famille, mais ce sont tous les effets de perturbation que le malade peut induire dans la famille. C'est comme médecin des relations malade-famille que le psychiatre intervient. En étudiant les aliénés, dit en effet Ulysse Trélat, qu'est-ce qu'on découvre ? En étudiant les aliénés, on ne cherche pas en quoi consiste l'aliénation, ni même quels en sont les symptômes. On découvre quoi ? On découvre « les tortures infinies qui sont imposées par des êtres atteints d'un mal quelquefois incurable [*rectius* : indestructible], à des natures excellentes, vivaces, productives ». Les « natures excellentes, vivaces, productives », c'est le reste de la famille, avec donc en face d'elles les « êtres atteints d'un mal quelquefois incurable [*rectius* : indestructible] ». Le malade mental, en effet – dit Trélat –, est « violent, destructeur, injurieux, agresseur ». Le malade mental « tue tout ce qu'il y a de bon » [13]. Et, terminant la préface du livre, Trélat écrit : « Je l'ai écrit non pas en haine des aliénés, mais dans l'intérêt des familles [14]. »

Là encore, à partir du moment où se fait cette mutation des rapports psychiatrie-famille, tout un domaine d'objets nouveaux va apparaître, et si, en face du monomane homicide, on voit l'obsédé de Baillarger dont je vous parlais tout à l'heure, on peut placer également, comme nouveau personnage et nouveau domaine d'objets incarnés par ce personnage, quelqu'un qui serait, en gros, le pervers. L'obsédé et le pervers sont les deux personnages nouveaux. Voici une description qui date de 1864. Elle est de Legrand du Saulle, dans un livre qui s'appelle *La Folie devant les tribunaux*. Je ne dis pas que c'est le premier personnage de ce type dans la psychiatrie, pas du tout, mais il est très typique de ce nouveau personnage psychiatrisé vers le milieu du XVIIIe [*rectius* : XIXe] siècle. Il s'agit de quelqu'un qui s'appelle Claude C., qui est « né de parents honnêtes », mais qui montre très tôt une « indocilité extraordinaire » : « Il cassait et détruisait avec une sorte de plaisir tout ce qui tombait sous sa main ; il frappait les enfants de son âge, lorsqu'il se croyait le plus fort ; s'il pouvait avoir à sa disposition un petit chat, un oiseau, il semblait se complaire à les faire souffrir, à les torturer. En grandissant, il était devenu de plus en plus méchant ; il ne craignait ni son père ni sa mère, et ressentait surtout pour cette dernière une aversion des plus marquées, quoiqu'elle fût très bonne pour lui ; il l'injuriait et la frappait aussitôt qu'elle ne lui accordait pas ce qu'il désirait. Il n'aimait pas davantage un frère qui était plus âgé que lui, lequel était aussi bon que lui-même était méchant. Lorsqu'on le laissait seul, il ne songeait qu'à mal faire, à briser un meuble utile, à dérober ce qu'il croyait avoir quelque valeur ; plusieurs fois il avait cherché à mettre le feu. À l'âge de cinq ans, il était devenu la terreur des enfants du voisinage, auxquels il faisait tout le mal possible, aussitôt qu'il croyait que personne ne pouvait l'apercevoir [...]. Des plaintes ayant été dirigées contre lui [il avait cinq ans, n'est-ce pas ? M.F.], M. le préfet le fit conduire à l'hospice des aliénés, où nous avons pu, dit M. Bottex, l'observer pendant plus de cinq années. Là, comme il était surveillé très exactement et retenu par la crainte, il a rarement eu la facilité de faire le mal, mais rien n'a pu modifier son naturel hypocrite et pervers. Caresses, encouragements, menaces, punitions, tout a été employé sans succès : à peine a-t-il retenu quelques prières. Il n'a pu apprendre à lire, quoiqu'on lui ait donné des leçons pendant plusieurs années. Sorti de l'hospice depuis un an [il a donc onze ans à ce moment-là ; M.F.], nous savons qu'il est devenu plus méchant encore et plus dangereux, parce

qu'il est plus fort et qu'il ne craint plus personne. Ainsi, à chaque instant, il frappe sa mère et la menace de la tuer. Un frère plus jeune que
lui est continuellement sa victime. Dernièrement, un misérable cul-de-
jatte qui allait mendiant, traîné dans un petit char, arrive à la porte de la
demeure de ses parents qui étaient absents : Claude C. a renversé ce
pauvre malheureux, l'a frappé et s'est enfui après avoir brisé son char !
[…] On sera obligé de le placer dans une maison de correction ; plus
tard, ses méfaits lui feront probablement passer sa vie en prison, heureux s'ils ne finissent pas par le conduire […] à l'échafaud ! [15] »

Ce cas me paraît intéressant, à la fois en lui-même et, si vous voulez,
par la manière dont il est analysé et décrit. On peut évidemment le
comparer à d'autres observations du même type ou à peu près semblables. Je pense, bien sûr, aux observations et aux rapports qui ont pu
être faits sur Pierre Rivière [16]. Dans l'affaire de Pierre Rivière, vous
retrouvez beaucoup des éléments qui sont dans ce rapport-là : le
meurtre des oiseaux, la méchanceté avec les petits frères et sœurs,
l'absence d'amour pour la mère, etc. Mais, chez Pierre Rivière, tous ces
éléments fonctionnaient aussi bien comme des signes qui étaient parfaitement ambigus, puisqu'on les voyait fonctionner pour marquer la
méchanceté indéracinable d'un caractère (et, par conséquent, la culpabilité de Rivière ou l'imputabilité à Rivière de son crime), ou, bien au
contraire, sans que rien ne soit changé, on les voyait figurer dans certains des rapports médicaux comme prodrome de la folie et, par conséquent, comme preuve qu'on ne pouvait pas imputer à Rivière son
crime. De toute façon, ces éléments étaient ordonnés à autre chose : ou
ils étaient les éléments annonciateurs du crime, ou ils étaient les pro-
dromes de la folie. En tout cas, en eux-mêmes, ils ne signifiaient rien.
Or, vous voyez qu'ici on a affaire au dossier d'un garçon qui, à [partir
de] l'âge de cinq ans, a passé cinq autres années (donc, entre cinq et
dix ans) à l'intérieur d'un asile psychiatrique. Et ceci pourquoi ?
Précisément pour ces éléments eux-mêmes, ces éléments qui maintenant sont détachés ou d'une référence à une grande folie démentielle ou
d'une référence à un grand crime. En eux-mêmes, comme méchanceté,
comme perversité, comme troubles divers, comme désordre à l'intérieur de la famille, ils fonctionnent par là même comme symptôme
d'un état pathologique qui nécessite l'internement. Ils sont, en
eux-mêmes, une raison d'intervenir. Les voilà, tous ces éléments qui
autrefois étaient ou criminalisés, ou bien pathologisés, mais par l'intermédiaire d'une folie intérieure, les voilà maintenant médicalisés de
plein droit, d'une façon autochtone, dès leur origine. Dès qu'on est

méchant, on relève virtuellement de la médicalisation : c'est là le premier intérêt, je crois, de cette observation.

Le second, c'est que le psychiatre intervient dans une espèce de
position surordonnée par rapport à d'autres instances de contrôle : par
rapport à la famille, par rapport au voisinage, par rapport à la maison de
correction. La psychiatrie vient s'insinuer, en quelque sorte, entre ces
différents éléments disciplinaires. Sans doute, l'intervention du médecin et les mesures qu'il va prendre sont bien spécifiques. Mais, au fond,
ce qu'il prend en charge, ce qui devient la cible de son intervention,
tous ces éléments qui sont maintenant médicalisés de plein droit et dès
l'origine, qu'est-ce qui les définit, qu'est-ce qui les découpe ? C'est le
champ disciplinaire défini par la famille, par l'école, par le voisinage,
par la maison de correction. C'est tout cela qui est maintenant l'objet de
l'intervention médicale. La psychiatrie redouble donc ces instances, les
repasse, les transpose, les pathologise ; du moins, elle pathologise ce
qu'on pourrait appeler les restes des instances disciplinaires.

Troisième intérêt, je crois, de ce texte que je vous ai lu, c'est que les
relations intrafamiliales, et essentiellement les relations d'amour, ou
plutôt leurs lacunes, constituent la nervure essentielle de l'observation.
Si vous avez dans l'esprit quelques-unes des grandes observations des
aliénistes de l'époque précédente, les observations d'Esquirol et de ses
contemporains, il est très souvent question des relations entre un
malade et sa famille. Il est même très souvent question des relations
entre un malade criminel et sa famille. Mais ces relations sont toujours
invoquées pour prouver, quand elles sont bonnes, que le malade est
fou. La meilleure preuve qu'Henriette Cornier est folle, c'est qu'elle
avait avec sa famille de bonnes relations. Ce qui fait, pour un malade
d'Esquirol, que l'obsession de tuer sa femme est une maladie, c'est que,
précisément, le sujet qui a cette obsession est en même temps un bon
mari. Donc, la présence des sentiments intrafamiliaux renvoie à la folie
dans la mesure où ils sont positifs. Or, ici vous avez une pathologisation des relations du champ intrafamilial, une pathologisation qui se
fait à partir de quoi ? Précisément à partir de l'absence de ces bons sentiments. C'est ne pas aimer sa mère, c'est faire du mal à son petit frère,
c'est battre son grand frère, c'est tout cela qui constitue maintenant, en
soi-même, des éléments pathologiques. Les relations intrafamiliales, au
lieu donc de renvoyer à la folie par leur caractère positif, constituent
maintenant des éléments pathologiques à cause de leurs lacunes.

Je vous ai cité ce cas. Il y a cependant dans Esquirol une observation qui pourrait y renvoyer, mais je ne veux pas actuellement dater

exactement la formation de ce nouveau champ d'intervention psychiatrique. Je veux simplement le caractériser dans l'espèce de nuée
d'observations que l'on peut définir à cette époque. Autrement dit, ce
qui se découvre, c'est une pathologie des mauvais sentiments familiaux
qui est en train de se constituer. Je vais vous donner un autre exemple
de ce problème des mauvais sentiments. Dans le livre de Trélat dont je
vous parlais tout à l'heure, *La Folie lucide,* on a un très bel exemple de
l'apparition, aux yeux mêmes d'un psychiatre, du mauvais sentiment
familial qui, en quelque sorte, vient trouer la trame normalement, nor-
mativement bonne des sentiments familiaux, et émerger comme irruption pathologique. Le voici, c'est très exactement l'échange, contre les
signes d'amour, de l'ignoble. Nous avons un exemple, « où la vertu de
la jeune femme sacrifiée serait digne d'un but plus élevé [...]. Comme
cela se passe si souvent, la fiancée n'avait pu voir que la stature élé-
gante de celui dont elle allait prendre le nom titré, mais on lui avait
laissé ignorer l'infirmité de son esprit et la bassesse de ses habitudes.
Huit jours ne s'étaient pas [entièrement] écoulés [après le mariage ;
M.F.], que la nouvelle épouse, aussi belle, aussi fraîche, aussi spirituelle qu'elle était jeune, avait découvert que M. le comte [son jeune
mari ; M.F.] employait ses matinées et donnait tous ses soins à faire des
boulettes avec ses excréments et à les aligner par ordre de grosseur sur
le marbre de sa cheminée, devant sa pendule. La pauvre enfant vit éva-
nouir tous ses rêves [17] ». Évidemment ça fait rire, mais je crois que c'est
un de ces innombrables exemples où la lacune du sentiment intrafamilial, l'échange du mauvais procédé contre le bon procédé, émerge
comme porteur, en lui-même, de valeurs pathologiques, sans référence
du tout à un tableau nosographique des grandes folies répertoriées par
les nosographes de l'époque précédente.

Troisième processus de généralisation – le premier, c'était l'enclenchement psychiatrie-régulation administrative ; le deuxième, la nouvelle forme de la demande familiale de psychiatrie (la famille comme
consommation de psychiatrie) – et troisièmement, l'apparition d'une
demande politique à l'égard de la psychiatrie. Au fond, les autres
demandes (ou les autres processus que j'ai essayé de repérer, celui qui
se situe du côté de l'administration et celui qui se situe du côté de la
famille) constituaient beaucoup plutôt des déplacements, des transformations de relations qui existaient déjà. Je crois que la demande politique qui a été formulée à l'égard de la psychiatrie est nouvelle, et elle
se situe chronologiquement un peu plus tard. Les deux premières
[demandes], on peut les repérer autour des années 1840-1850. C'est, au

contraire, entre 1850 et 1870-75 que la demande politique de la psychiatrie va se produire. Qu'est-ce que c'est que cette demande ? Je crois que l'on peut dire ceci : on s'est mis à demander à la psychiatrie de fournir quelque chose qu'on pourrait appeler un discriminant, un discriminant psychiatrico-politique entre les individus ou un discriminant psychiatrique à effet politique entre les individus, entre les groupes, entre les idéologies, entre les processus historiques eux-mêmes.

À titre d'hypothèse, je voudrais dire ceci. Après la Révolution anglaise du XVIIe siècle, on a assisté non pas à l'édification entière, mais en tout cas à la reprise et à la reformulation de toute une théorie juridico-politique de la souveraineté, du contrat qui fonde la souveraineté, des rapports entre la volonté générale et ses instances représentatives. Que ce soit Hobbes, Locke, puis tous les théoriciens français, on peut dire qu'il y a eu là tout un type de discours juridico-politique, dont un des rôles (pas le seul, bien entendu) a été justement de constituer ce que j'appellerais un discriminant formel et théorique permettant de distinguer les bons et les mauvais régimes politiques. Ces théories juridico-politiques de la souveraineté n'ont pas été édifiées précisément à cette fin, mais elles ont été effectivement utilisées pour cela tout au long du XVIIIe siècle, à la fois comme principe de déchiffrement pour les régimes passés et lointains : Quels sont les bons régimes ? Quels sont les régimes valables ? Quels sont ceux que, dans l'histoire, on peut reconnaître, dans lesquels on peut se reconnaître ? En même temps, principe de critique, de qualification ou de disqualification des régimes actuels. C'est comme ça que la théorie du contrat, ou la théorie de la souveraineté, a pu, tout au long du XVIIIe siècle français, servir de fil directeur à une critique réelle du régime politique pour les contemporains. Voilà, après la Révolution anglaise du XVIIe siècle [18].

Après la Révolution française de la fin du XVIIIe siècle, il me semble que le discriminant politique du passé et de l'actualité a été moins l'analyse juridico-politique des régimes et des États que l'histoire elle-même. C'est-à-dire, qu'à la question : Quelle part de la Révolution doit-on sauver ? ou encore : Qu'est-ce qui, dans l'Ancien Régime, pourrait être requalifié ? ou encore : Comment reconnaître, dans ce qui se passe, ce qu'on doit valider et ce qu'on doit au contraire écarter ? – pour résoudre toutes ces questions, ce qui a été proposé, au moins théoriquement, à titre d'élément discriminant, c'était l'histoire. Quand Edgar Quinet fait l'histoire du tiers-état, et quand Michelet fait l'histoire du peuple, ils essayent de retrouver, à travers l'histoire du tiers-état ou du peuple, une espèce de fil directeur permettant de déchiffrer et le passé et le présent, fil directeur qui permettra de disqualifier, écarter, rendre politiquement enviables ou historiquement non valables un certain nombre d'événements, de personnages, de processus et, au contraire, de requalifier les autres[19]. L'histoire donc comme discriminant politique du passé et du présent[20].

Après la troisième grande vague de révolutions qui a secoué l'Europe entre 1848 et 1870-71 – c'est-à-dire cette vague de révolutions républicaines, démocratiques, nationalistes, ou parfois socialistes –, je crois que le discriminant que l'on a essayé d'utiliser et de mettre en œuvre a été la psychiatrie et, d'une façon générale, la psychologie ; discriminant qui est évidemment – par rapport aux deux autres : le juridico-politique et l'historique – de beaucoup le plus faible théoriquement, mais qui a au moins l'avantage d'être doublé d'un instrument effectif de sanction et d'exclusion, puisque la médecine comme pouvoir, l'hôpital psychiatrique comme institution, sont là pour sanctionner effectivement cette opération de discrimination. Que la psychiatrie ait été appelée à jouer ce rôle-là, c'est évident en France à partir de 1870, mais en Italie déjà un peu avant[21]. Le problème de Lombroso était tout simplement celui-ci : soient ces mouvements, qui avaient commencé dans l'Italie de la première moitié du XIXᵉ siècle et qui ont été continués par Garibaldi, et que maintenant Lombroso voit se développer, ou dévier, vers le socialisme ou l'anarchisme. Dans ces mouvements, comment peut-on faire la part de ceux que l'on peut valider et de ceux qu'il faut, au contraire, critiquer, exclure et sanctionner ? Est-ce que les premiers mouvements d'indépendance de l'Italie, est-ce que les premiers mouvements vers la réunification de l'Italie, est-ce que les premiers mouvements anticléricaux de l'Italie légitiment les mouvements socialistes et déjà anarchistes que l'on voit poindre à l'époque de Lombroso, ou est-ce que, au contraire, ces mouvements plus récents compromettent les plus anciens ? Comment se débrouiller dans tout cet enchevêtrement d'agitations et de processus politiques ? Lombroso, qui était républicain, anticlérical, positiviste, nationaliste, cherchait évidemment à établir la discontinuité entre les mouvements qu'il reconnaissait et en lesquels il se reconnaissait, et qui, selon lui, avaient été validés effectivement au cours de l'histoire, et ceux dont il était le contemporain et dont il était l'ennemi, et qu'il s'agissait de disqualifier. Si l'on peut prouver que les mouvements actuels sont le fait d'hommes qui appartiennent à une classe biologiquement, anatomiquement, psychologiquement, psychiatriquement déviante, alors on aura le principe de discrimination. Et la science biologique, anatomique, psychologique, psychiatrique, permettra de reconnaître aussitôt, dans un mouvement politique, celui que l'on peut effectivement valider et celui qu'il faut disqualifier. C'est ce que Lombroso disait dans ses applications de l'anthropologie. Il disait : L'anthropologie semble nous donner les moyens de différencier la vraie révolution, toujours féconde et utile, de l'émeute, de la rébellion, qui demeure toujours stérile. Les grands révolutionnaires – continuait-il –, à savoir, Paoli, Mazzini, Garibaldi, Gambetta, Charlotte Corday et Karl Marx, ceux-là étaient presque tous des saints et des génies, et d'ailleurs ils avaient une physionomie merveilleusement harmonieuse[22]. En revanche, en prenant les photographies de quarante et un anarchistes de Paris, il s'aperçoit que 31 % de ces quarante et un avaient des stigmates physiques graves. Sur cent anarchistes arrêtés à Turin, 34 % n'avaient pas la figure merveilleusement harmonieuse de Charlotte Corday et de Karl Marx (ce qui est bien le signe que le mouvement politique qu'ils représentent est un mouvement historiquement et politiquement à disqualifier, puisqu'il est déjà physiologiquement et psychiatriquement disqualifié)[23]. C'est de la même façon qu'en France, après 1871 et jusqu'à la fin du siècle, la psychiatrie va être utilisée sur ce modèle du principe de la discrimination politique.

Là encore, je voudrais vous citer une observation qui me paraît faire le pendant et la suite de l'obsédé de Baillarger et du petit pervers de Legrand du Saulle dont je vous parlais. Cette fois, c'est une observation de Laborde sur un ancien communard, qui avait été exécuté en 1871. Voici le portrait psychiatrique qu'il en fait : « R. était un *fruit sec* dans toute l'acception du mot, non pas qu'il manquât d'intelligence, loin de là, mais ses tendances le portèrent toujours à faire une application avortée, nulle ou malsaine, de ses aptitudes. Ainsi, après avoir essayé sans succès l'entrée à Polytechnique puis à l'École Centrale, il se tourna en dernier lieu vers les études médicales, mais il finira sans suite en amateur, en désœuvré qui a besoin de se couvrir des apparences d'un but sérieux. S'il montra en réalité quelque application à cette étude, ce fut exclusivement pour y puiser certains enseignements de son goût, favorables aux doctrines athées et matérialistes dont il faisait effrontément et cyniquement parade et qu'il accouplait en politique au système socialiste et révolutionnaire le plus excessif. Tramer des complots, former des sociétés secrètes ou s'y affilier, hanter des réunions publiques et des clubs et y étaler dans un langage approprié par sa violence et son cynisme ses théories subversives et négatives de tout ce qu'il y a de respectable dans la famille et dans la société, fréquenter assidûment avec des acolytes de son choix certains établissements mal famés, où l'on politiquait *inter pocula* [il y aura des gens qui savent le latin, je ne sais pas ce que veut dire *inter pocula* ; M.F.] et dans l'orgie, sortes d'académies borgnes d'athéisme, de socialisme de mauvais aloi, de révolutionnisme excessif, en un mot de la débauche la plus profonde des sens et de l'intelligence, collaborer enfin pour la vulgarisation de ses doctrines éhontées à quelques feuilles malsaines d'un jour, désignées à peine parues à la vindicte et aux stigmates de la justice : telles étaient les préoccupations et, on peut dire, l'existence entière de R. On comprend que, en de telles conditions, il dût être souvent aux prises avec la police. Il faisait plus, il s'exposait à ses recherches […]. Un jour, dans une réunion privée composée des personnes les plus honorables et respectables, notamment de jeunes demoiselles avec leurs mères […], il cria au milieu de l'ahurissement général : "Vive la révolution, à bas les prêtres !" Ce trait chez un homme tel que celui-ci n'est pas sans importance […]. Ces tendances impulsives trouvèrent dans les événements récents [c'est-à-dire la Commune ; M.F.] une occasion des plus favorables à leur réalisation et à leur libre développement. Il arriva enfin ce jour tant désiré où il lui fut donné de mettre à exécution l'objet favori de ses sinistres aspirations : tenir en ses mains le pouvoir absolu, discrétionnaire, d'arrestation, de réquisition, de vie sur les personnes. Il en usa largement, l'appétit était violent, la satisfaction avait dû être proportionnée […]. Livré par le hasard, on dit qu'en face de la mort, il eut le courage d'affirmer ses opinions. Ne serait-ce pas parce qu'il ne pouvait pas faire autrement ? R., je l'ai [déjà] dit, était âgé à peine de vingt-six ans, mais ses traits fatigués, pâles et déjà profondément ridés portaient l'empreinte d'une vieillesse anticipée, le regard manquait de franchise, ce qui tenait en partie peut-être à une forte myopie. En réalité l'expression générale et habituelle de la physionomie avait une certaine dureté, quelque chose de farouche et une extrême arrogance, les narines épatées et largement ouvertes respiraient la sensualité, de même que les lèvres un peu lippues et recouvertes en partie par une barbe longue et touffue, noire avec des reflets fauves. Le rire était sarcastique, la parole brève et impérative, sa manie de terroriser le portait à enfler le timbre de sa voix de façon à la rendre plus terriblement sonore [24]. »

Je crois qu'avec un texte comme celui-là, on rejoint déjà (le texte a plus de cent ans) le niveau discursif qui est celui des expertises psychiatriques que je vous lisais en commençant, au cours de la première séance. C'est ce type-là de description, c'est ce type-là d'analyse, c'est ce type-là de disqualification que la psychiatrie, vous le voyez, a repris en charge. En tout cas, il me semble que, entre 1840 et 1870-1875, on voit se constituer trois nouveaux référentiels pour la psychiatrie : un référentiel administratif, qui fait apparaître la folie non pas sur un fond de vérité commune, mais sur fond d'un ordre contraignant ; un référentiel familial, qui fait découper la folie sur un fond de sentiments, d'affects et de relations obligatoires ; un référentiel politique, qui fait isoler la folie sur fond de stabilité et d'immobilité sociale. De là, un certain nombre de conséquences, et précisément ces généralisations dont je vous parlais en commençant tout à l'heure.

D'abord, toute une nouvelle économie des rapports folie-instinct. Avec Henriette Cornier, avec la monomanie homicide d'Esquirol et des aliénistes, on était donc à une espèce de région-frontière, constituée par le paradoxe d'une sorte de « délire de l'instinct », comme ils disaient, d'« instinct irrésistible ». Or, c'est cette région-frontière qui – corrélativement à ces trois processus que je vous ai marqués – va gagner peu à peu, cancériser peu à peu tout le domaine de la pathologie mentale. C'est d'abord la notion de « folie morale » qu'on trouve chez Prichard, la « folie lucide » chez Trélat [25]. Mais ce ne sont encore que des gains territoriaux, qui ne résolvent aucunement les problèmes posés par la folie <sanguinaire>. À partir de 1845-1850, on va voir se produire, dans la théorie psychiatrique, un changement, ou un double changement, qui enregistre, à sa manière, les nouveaux fonctionnements du pouvoir psychiatrique que j'ai essayé de situer.

Premièrement, on va abandonner cette notion curieuse, mais dont les aliénistes avaient fait si grand usage, de « folie partielle », cette espèce de folie qui n'atteindrait qu'une sorte de secteur dans la personnalité, qui n'habiterait qu'un coin de la conscience, qui ne toucherait qu'un petit élément du comportement, qui ne communiquerait en rien avec le reste de l'édifice psychologique ou de la personnalité de l'individu. Désormais, dans la théorie psychiatrique, on va avoir un gros effort pour réunifier la folie et pour montrer que, même lorsque la folie ne se manifeste que dans un symptôme très rare, très particulier, très discontinu, même très bizarre, aussi localisé que soit le symptôme, la maladie mentale ne se produit jamais que chez un individu qui est, en tant qu'individu, profondément et globalement fou. Il faut que le sujet lui-même soit fou pour que le symptôme, même le plus singulier et le plus rare, puisse apparaître. Pas de folie partielle, mais des symptômes régionaux d'une folie qui, elle, est toujours fondamentale, inapparente souvent, mais qui affecte toujours le sujet entier.

Avec cette réunification, cette espèce d'enracinement unitaire de la folie, on voit apparaître un second changement : la réunification ne se

fait plus au niveau de cette conscience, ou encore de cette appréhension
de la vérité, qui était le nœud principal de la folie chez les aliénistes.
Désormais la réunification de la folie à travers ses symptômes, même
les plus particuliers et régionaux, va se faire au niveau d'un certain jeu
entre le volontaire et l'involontaire. Le fou est celui chez qui la délimi-
tation, le jeu, la hiérarchie du volontaire et de l'involontaire se trouve
perturbée. Du coup, l'axe d'interrogation de la psychiatrie ne va plus
être défini par les formes logiques de la pensée, mais par les modes
spécifiques de spontanéité du comportement, ou, du moins, c'est cet
axe, celui de la spontanéité du comportement, l'axe du volontaire et de
l'involontaire dans le comportement, qui va devenir premier. Et ce renversement complet de l'organisation épistémologique de la psychiatrie,
on en a la formulation, je crois, la plus claire chez Baillarger, dans un
article de 1845 et un autre de 1847, dans lesquels il dit que ce qui caractérise un fou, c'est quelque chose qui est comme un état de rêve. Mais,
pour lui, le rêve n'est pas un état dans lequel on se trompe de vérité,
c'est un état dans lequel on n'est pas maître de sa volonté ; c'est un état
dans lequel on est tout traversé par des processus involontaires. C'est
en tant que foyer des processus involontaires que le rêve est comme le
modèle de toute maladie mentale. Deuxième idée fondamentale chez
Baillarger : c'est à partir de cette perturbation dans l'ordre et l'organisation du volontaire et de l'involontaire que tous les autres phénomènes
de la folie vont se déployer. En particulier, les hallucinations, les délires
aigus, les fausses croyances, tout ce qui autrefois était, pour la psychiatrie du XVIIIe, mais encore pour les aliénistes du début du XIXe siècle,
l'élément essentiel, fondamental de la folie, cela va maintenant basculer dans un ordre second, à un niveau second. Les hallucinations, les
délires aigus, la manie, l'idée fixe, le désir maniaque, tout cela est le
résultat de l'exercice involontaire des facultés, prédominant sur l'exercice volontaire par suite d'un accident morbide du cerveau. C'est là ce
qu'on appelle le « principe de Baillarger [26] ». Et il suffit de rappeler ce
qui avait été le grand souci et le grand malaise des aliénistes de la
période précédente : comment peut-il se faire qu'on puisse parler de
folie, qu'il faille bien parler de folie, même quand on ne trouve pas un
soupçon de délire au fond de tout cela ? Vous voyez que désormais tout
est renversé. Ce qu'on va demander, ce n'est pas à trouver, sous l'instinctif, le petit élément de délire qui permettra de l'inscrire dans la folie.
Ce qu'on va demander, c'est quelle est, derrière tout délire, la petite
perturbation du volontaire et de l'involontaire qui peut permettre de
comprendre la formation du délire. Le principe de Baillarger – avec le

primat de la question du volontaire, du spontané, de l'automatique, avec l'affirmation que les symptômes de la maladie mentale, même s'ils sont localisés, affectent le sujet tout entier – est fondateur de le seconde psychiatrie. C'est le moment – ces années 1845-1847 – où les psychiatres prennent la relève des aliénistes. Esquirol est le dernier des aliénistes, parce que c'est le dernier qui pose la question de la folie, c'est-à-dire du rapport à la vérité. Baillarger est le premier des psychiatres en France (en Allemagne, c'est Griesinger, à peu près à la même époque [27]), parce que c'est lui qui pose le premier la question du volontaire et de l'involontaire, de l'instinctif et de l'automatique, au cœur des processus de la maladie mentale.

Du coup, avec cette nouvelle organisation nucléaire de la psychiatrie, avec ce nouveau noyau de la psychiatrie, on peut assister à une sorte de grand desserrage épistémologique de la psychiatrie, qui va se faire dans deux directions. D'un côté, ouverture d'un champ symptomatologique nouveau : la psychiatrie va pouvoir symptomatologiser, ou faire valoir comme symptôme de maladie, tout un ensemble de phénomènes qui n'avaient pas jusqu'alors de statut dans l'ordre de la maladie mentale. Ce qui faisait autrefois, dans la médecine des aliénistes, qu'une conduite pouvait figurer comme symptôme de maladie mentale, ce n'était ni sa rareté ni son absurdité, mais le petit fragment de délire qu'elle recelait. Désormais, le fonctionnement symptomatologique d'une conduite, ce qui va permettre à un élément de conduite, à une forme de conduite, de figurer comme symptôme d'une maladie possible, ça va être, d'une part, l'écart que cette conduite représente par rapport à des règles d'ordre, de conformité, définies soit sur un fond de régularité administrative, soit sur un fond d'obligations familiales, soit sur un fond de normativité politique et sociale. Ce sont donc ces écarts qui vont définir une conduite comme pouvant être éventuellement symptôme de maladie. D'autre part, ce sera aussi la manière dont ces écarts vont se situer sur l'axe du volontaire et de l'involontaire. L'écart à la norme de conduite et le degré d'enfoncement dans l'automatique sont les deux variables qui, à partir en gros des années 1850, vont permettre d'inscrire une conduite soit sur le registre de la santé mentale, soit sur le registre, au contraire, de la maladie mentale. Quand l'écart et l'automatisme sont minimum, c'est-à-dire lorsqu'on a une conduite conforme et volontaire, on a, en gros, une conduite saine. Lorsque, au contraire, l'écart et l'automatisme croissent (et pas forcément, d'ailleurs, selon la même vitesse et avec le même degré), on a un état de maladie qu'il faut précisément situer, et en fonction de cet écart, et en fonction de cet automatisme croissant. Si tel est bien ce qui va qualifier une conduite de pathologique, si c'est bien cela, on comprend alors que la psychiatrie puisse récupérer maintenant, dans son champ d'analyse, toute une masse énorme de données, de faits, de comportements, qu'elle pourra décrire et dont elle interrogera la valeur symptomato-logique, à partir de ces écarts à la norme et en fonction de cet axe volontaire-involontaire. En bref, l'ensemble des conduites peut désor-mais être interrogé sans qu'on ait à se référer, pour les pathologiser, à une aliénation de la pensée. Toute conduite doit pouvoir être située sur cet axe, dont tout le parcours est contrôlé par la psychiatrie, qui est l'axe du volontaire et de l'involontaire. Toute conduite doit pouvoir être située également par rapport à, et en fonction d'une norme qui est, elle aussi, contrôlée, ou du moins perçue comme telle, par la psychia-trie. La psychiatrie n'a plus besoin de la folie, elle n'a plus besoin de la démence, elle n'a plus besoin du délire, elle n'a plus besoin de l'alié-nation, pour fonctionner. La psychiatrie peut psychiatriser toute conduite sans se référer à l'aliénation. La psychiatrie se désaliénalise. C'est en ce sens que l'on peut dire qu'Esquirol était encore un alié-niste; que Baillarger et ses successeurs ne sont plus des aliénistes, ce sont des psychiatres dans la mesure même où ils ne sont plus aliénistes. Et vous voyez que par là même, par cette désaliénisation de la pratique psychiatrique, par le fait qu'il n'y a plus cette référence obligatoire au noyau délirant, au noyau démentiel, au noyau de folie, du moment où il n'y a plus cette référence au rapport à la vérité, finalement la psychia-trie voit s'ouvrir devant elle, comme domaine de son ingérence pos-sible, comme domaine de ses valorisations symptomatologiques, le domaine tout entier de toutes les conduites possibles. Il n'y a rien fina-lement dans les conduites de l'homme qui ne puisse, d'une manière ou d'une autre, être interrogé psychiatriquement grâce à cette levée du pri-vilège de la folie – cette illusion du privilège de la folie, démence, délire, etc. –, grâce à cette désaliénisation.

Mais, en même temps qu'on a cette ouverture quasi indéfinie, qui per-met à la psychiatrie de devenir la juridiction médicale de n'importe quelle conduite, la référence à cet axe volontaire-involontaire va per-mettre un nouveau type de jumelage avec la médecine organique. Chez les aliénistes, ce qui signalait que la psychiatrie était bien une science médicale, c'est qu'elle obéissait aux mêmes critères formels : nosogra-phie, symptomatologie, classification, taxinomie. Tout ce grand édifice des classifications psychiatriques dont Esquirol s'est enchanté, il en avait besoin pour que son discours, ses analyses et ses objets eux-mêmes soient bien le discours de la psychiatrie et des objets d'une psychiatrie médicale. La médicalisation du discours, de la pratique des aliénistes, passait par cette espèce de structuration formelle isomorphe au discours médical sinon de l'époque, du moins de l'époque précédente (mais ça, c'est une autre question). Avec la nouvelle problématique psychiatrique – c'est-à-dire une investigation psychiatrique qui va porter sur les écarts à la norme le long de l'axe volontaire et involontaire – les maladies mentales, les troubles mentaux, les troubles dont s'occupe la psychiatrie, vont pouvoir être mis en rapport, directement en quelque sorte, au niveau même du contenu, et plus simplement au niveau de la forme discursive de la psychiatrie, avec tous les troubles organiques ou fonctionnels qui perturbent le déroulement des conduites volontaires, et essentiellement avec les troubles neurologiques. Désormais, la psychiatrie et la médecine vont pouvoir communiquer non plus donc par l'organisation formelle du savoir et du discours psychiatrique. Elles vont pouvoir communiquer, au niveau du contenu, par l'intermédiaire de cette discipline interstitielle ou de cette discipline charnière, qui est la neurologie. Par l'intermédiaire de tout ce domaine, qui concerne la dislocation du contrôle volontaire du comportement, médecine et psychiatrie vont communiquer. Il va se constituer une neuropsychiatrie qui sera sanctionnée par les institutions un peu plus tard. Mais, au centre de ce champ nouveau, qui va continûment de la médecine et du trouble fonctionnel ou organique jusqu'à la perturbation des conduites, on va donc avoir une trame continue, au centre de laquelle, bien sûr, on va trouver l'épilepsie (ou l'hystéro-épilepsie, puisque la distinction n'est pas faite à l'époque) comme trouble neurologique, trouble fonctionnel se manifestant par la libération involontaire des automatismes et susceptible de gradations innombrables. L'épilepsie, dans cette nouvelle organisation du champ psychiatrique, va servir d'échangeur. Comme les aliénistes cherchaient partout le délire sous n'importe quel symptôme, les psychiatres vont chercher longtemps la petite épilepsie, l'équivalent épileptique, en tout cas le petit automatisme qui doit servir de support à tous les symptômes psychiatriques. C'est ainsi qu'on arrivera, à la fin du XIXe-début du XXe siècle, à cette théorie, qui est exactement à l'inverse de la perspective d'Esquirol[28], où l'on verra définir les hallucinations comme épilepsies sensorielles[29].

Vous avez donc, d'un côté, une sorte d'éclatement du champ symptomatologique que la psychiatrie se donne pour tâche de parcourir vers tous les désordres possibles de la conduite : invasion, par conséquent, de la psychiatrie par toute une masse de conduites qui, jusque-là, n'avaient reçu qu'un statut moral, disciplinaire ou judiciaire. Tout ce qui est désordre, indiscipline, agitation, indocilité, caractère rétif, manque d'affection, etc., tout ça peut être désormais psychiatrisé. En même temps que vous avez cet éclatement du champ symptomatologique, vous avez un ancrage profond de la psychiatrie dans la médecine du corps, possibilité d'une somatisation non pas simplement formelle au niveau du discours, mais une somatisation essentielle de la maladie mentale. On va donc avoir une vraie science médicale, mais qui portera sur toutes les conduites : vraie science médicale, puisque vous avez cet ancrage par la neurologie, dans la médecine, de toutes les conduites, à cause de l'éclatement symptomatologique. En organisant ce champ phénoménologiquement ouvert, mais scientifiquement modelé, la psychiatrie va mettre en contact deux choses. D'une part, elle va introduire effectivement, sur toute la surface du champ qu'elle parcourt, cette chose qui lui était jusque-là en partie étrangère, la norme, entendue comme règle de conduite, comme loi informelle, comme principe de conformité ; la norme à laquelle s'opposent l'irrégularité, le désordre, la bizarrerie, l'excentricité, la dénivellation, l'écart. C'est cela qu'elle introduit par l'éclatement du champ symptomatologique. Mais son ancrage dans la médecine organique ou fonctionnelle, par l'intermédiaire de la neurologie, lui permet de tirer aussi à elle la norme entendue en un autre sens : la norme comme régularité fonctionnelle, comme principe de fonctionnement adapté et ajusté ; le « normal » auquel s'opposera le pathologique, le morbide, le désorganisé, le dysfonctionnement. Vous avez donc jointure — à l'intérieur de ce champ organisé par la nouvelle psychiatrie, ou par la psychiatrie nouvelle qui prend la relève de la médecine des aliénistes –, vous avez ajustement et recouvrement partiel, théoriquement encore difficile à penser (mais c'est un autre problème), de deux usages de la norme, de deux réalités de la norme : la norme comme règle de conduite et la norme comme régularité fonctionnelle ; la norme qui s'oppose à l'irrégularité et au désordre, et la norme qui s'oppose au pathologique et au morbide. Si bien que vous comprenez comment a pu se faire ce renversement dont je vous parlais. Au lieu de rencontrer à son extrême limite, dans le petit coin très rare, très exceptionnel, très monstrueux de la monomanie, au lieu de rencontrer là seulement l'affrontement entre le désordre de la nature et l'ordre de la loi, la psychiatrie désormais va être, dans ses soubassements, entièrement tramée par ce jeu entre les deux normes. Ce ne sera plus simplement dans cette figure exceptionnelle du monstre que le trouble de la nature va perturber et mettre en question le jeu de la loi.

Ce sera partout, tout le temps et jusque dans les conduites les plus fines, les plus communes, les plus quotidiennes, dans l'objet le plus familier de la psychiatrie, que celle-ci aura affaire à quelque chose qui aura, d'une part, statut d'irrégularité par rapport à une norme et qui devra avoir, en même temps, statut de dysfonctionnement pathologique par rapport au normal. Un champ mixte se constitue où s'enchevêtrent, dans une trame qui est absolument serrée, les perturbations de l'ordre et les troubles du fonctionnement. La psychiatrie devient à ce moment-là – non plus dans ses limites extrêmes et dans ses cas exceptionnels, mais tout le temps, dans sa quotidienneté, dans le menu de son travail – médico-judiciaire. Entre la description des normes et règles sociales et l'analyse médicale des anomalies, la psychiatrie sera essentiellement la science et la technique des anormaux, des individus anormaux et des conduites anormales. Ce qui entraîne évidemment pour première consé-quence que la rencontre crime-folie ne sera plus, pour la psychiatrie, un cas limite, mais le cas régulier. Petits crimes, bien sûr, et petites mala-dies mentales, minuscules délinquances et anomalies quasi impercep-tibles du comportement : mais c'est cela finalement qui sera le champ organisateur et fondamental de la psychiatrie. La psychiatrie fonc-tionne, depuis 1850, depuis en tout cas ces trois grands processus que j'ai essayé de vous décrire, dans un espace qui est de part en part, même si c'est au sens large, médico-judiciaire, pathologico-normatif. Du fond de son activité, ce que la psychiatrie met en question, c'est l'immoralité morbide, ou encore c'est une maladie de désordre. Ainsi on comprend comment le grand monstre, ce cas extrême et dernier, s'est effective-ment dissous en un fourmillement d'anomalies premières, je veux dire en un fourmillement d'anomalies qui constitue le domaine premier de la psychiatrie. Et c'est ainsi que le tour est joué. Le grand ogre de la fin de l'histoire est devenu le Petit Poucet, la foule des Petits Poucets anor-maux par lesquels l'histoire désormais va commencer. C'est là, dans cette période qui couvre les années 1840-1860-1875, que s'organise une psychiatrie qu'on peut définir comme technologie de l'anomalie.

Alors, problème maintenant. Comment cette technologie de l'ano-malie a-t-elle rencontré toute une série d'autres processus de normali-sation qui, eux, ne concernaient pas le crime, la criminalité, la grande monstruosité, mais tout autre chose : la sexualité quotidienne ? J'essayerai de renouer le fil en reprenant l'histoire de la sexualité, du contrôle de la sexualité, depuis le XVIIIᵉ siècle jusqu'au point où nous en sommes maintenant, c'est-à-dire, en gros, 1875.

152   *Les anormaux*

*

NOTES

1. Cf., en particulier, le cours de M. Foucault, déjà cité, *Le Pouvoir psychiatrique* (5 décembre 1973).
2. Un « examen médico-légal de la loi du 30 juin 1838 sur les aliénés », avec un paragraphe sur les « placements d'office » et les « placements volontaires » (rédigé sur la base de la circulaire ministérielle du 14 août 1840), se trouve in H. Legrand du Saulle, *Traité de médecine légale et de jurisprudence médicale*, Paris, 1874, p. 556-727. Cf. H. Legrand du Saulle, G. Berryer & G. Ponchet, *Traité de médecine légale, de jurisprudence médicale et de toxicologie*, Paris, 1862², p. 596-786.
3. Cf. Ch. Vallette, *Attributions du préfet d'après la loi du 30 juin 1838 sur les aliénés. Dépenses de ce service*, Paris, 1896.
4. Voir A. Laingui, *La Responsabilité pénale dans l'ancien droit (XVIᵉ-XVIIIᵉ siècle)*, Paris, 1970, p. 173-204 (vol. II, chap. I : « La démence et les états voisins de la démence »), qui fait aussi référence à la documentation présentée par M. Foucault, *Folie et Déraison. Histoire de la folie à l'âge classique*, Paris, 1961, p. 166-172, pour démontrer l'indifférence des juristes à l'égard des notices d'internement contenant des classifications des maladies mentales.
5. Le cas de Jean Glenadel est rapporté par Pierre-Louis Gratiolet à Jules-Gabriel-François Baillarger, qui le reprend dans ses *Recherches sur l'anatomie, la physiologie et la pathologie du système nerveux*, Paris, 1847, p. 394-399.
6. Cf. le rapport détaillé de la conversation entre le cultivateur et l'officier de santé, *ibid.*, p. 394-396.
7. « J'ai trouvé Glenadel assis sur son lit, ayant une corde autour du cou, fixée par l'autre bout au chevet de son lit ; il avait les bras liés ensemble au poignet avec une autre corde » (*ibid.*, p. 394).
8. « Mais comme je le voyais dans une grande exaltation, je lui ai demandé si la corde qui lui liait les bras était assez forte, et s'il ne se sentait pas la force de se délier. Il a fait un essai, et m'a dit : – Je crois que si. – Mais si je vous procurais quelque chose qui pût vous tenir les bras plus fortement liés, l'accepteriez-vous ? – Avec reconnaissance, monsieur. – Dans ce cas, je prierai le brigadier de la gendarmerie de me prêter ce dont il se sert pour lier les mains aux prisonniers, et je vous l'enverrai. – Vous me ferez plaisir » (*ibid.*, p. 398).
9. En réalité, l'huissier avait écrit : « Je demeure bien convaincu que Jean Glenadel est atteint de monomanie délirante, caractérisée chez lui par un penchant irrésistible au meurtre » (*ibid.*, p. 398-399).
10. J.-E.-D. Esquirol, *Des maladies mentales considérées sous les rapports médical, hygiénique et médico-légal*, I, Paris, 1838, p. 376-393.
11. Voir la notion de « Todestriebe » in S. Freud, *Jenseits des Lustprinzips*, Leipzig-Wien-Zürich, 1920 (trad. fr. : « Au-delà du principe de plaisir », in *Essais de psychanalyse*, Paris, 1981, p. 41-115). Pour comprendre la différence soulignée par M. Foucault, cf. l'article « Instinct » rédigé par J.-J. Virey, dans *Dictionnaire des*

sciences médicales, XXV, Paris, 1818, p. 367-413, ainsi que les articles « Instinct » rédigés par J. Laplanche et J.-B. Pontalis, dans *Vocabulaire de la psychanalyse,* Paris, 1990[10], p. 208 (1re éd. Paris, 1967), et par Ch. Rycroft, dans *A Critical Dictionary of Psychoanalysis,* London, 1968 (trad. fr. : *Dictionnaire de psychanalyse,* Paris, 1972, p. 130-133).

12. U. Trélat, *La Folie lucide étudiée et considérée au point de vue de la famille et de la société,* Paris, 1861.

13. *Ibid.,* p. VIII-IX.

14. *Ibid.,* p. IX : « Telle est l'origine de ce livre, qui est écrit, non point en haine des aliénés, mais moins dans leur intérêt que dans celui de leurs alliés, et positivement en vue d'éclairer un terrain dangereux, de diminuer, s'il est possible, le nombre des unions malheureuses. »

15. H. Legrand du Saulle, *La Folie devant les tribunaux,* Paris, 1864, p. 431-433, qui reprend ce cas à l'étude de A. Bottex, *De la médecine légale des aliénés, dans ses rapports avec la législation criminelle,* Lyon, 1838, p. 5-8.

16. Cf. *supra,* leçon du 8 janvier.

17. U. Trélat, *La Folie lucide…, op. cit.,* p. 36.

18. Cf. M. Foucault, *« Il faut défendre la société »,* op. cit., p. 79-86 (leçon du 4 février 1976).

19. J. Michelet, *Le Peuple,* Paris, 1846 ; E. Quinet, *La Révolution,* I-II, Paris, 1865 ; Id., *Critique de la révolution,* Paris, 1867.

20. Cf. M. Foucault, *« Il faut défendre la société »,* op. cit., p. 193-212 (leçon du 10 mars 1976).

21. M. Foucault pourrait ici se référer aux travaux de A. Verga et au manuel de C. Livi, *Frenologia forense,* Milano, 1868, qui précèdent de quelques années les premières recherches sur la psychologie morbide de la Commune (par exemple : H. Legrand du Saulle, *Le Délire de persécution,* Paris, 1871, p. 482-516). Plus tardive, l'étude de C. Lombroso & R. Laschi, *Il delitto politico e le rivoluzioni in rapporto al diritto, all'antropologia criminale ed alla scienza di governo,* Torino, 1890.

22. M. Foucault résume ici quelques thèses de C. Lombroso & R. Laschi, *Le Crime politique et les Révolutions, par rapport au droit, à l'anthropologie criminelle et à la science du gouvernement,* II, Paris, 1892, p. 168-188 (chap. XV : « Facteurs individuels. Criminels politiques par passion »), 189-202 (chap. XVI : « Influence des génies dans les révolutions »), 203-207 (chap. XVII : « Rébellions et révolutions. Différences et analogies »).

23. *Ibid.,* II, p. 44 : « Sur 41 anarchistes de Paris, examinés par nous à la Préfecture de Police de Paris, il se trouva : types de fou, 1 – types criminels, 13 (31 %) – demi-criminels, 8 – normaux, 19. Sur 100 individus arrêtés à Turin pour les grèves du 1er mai 1890, je trouvai une proportion analogue : 34 % de types physionomiques criminels ; 30 % de récidivistes pour crimes ordinaires. Au contraire, sur 100 criminels non politiques de Turin, le type [criminel] se trouvait dans la proportion de 43 % ; la récidive, de 50 %. »

24. J.-B.-V. Laborde, *Les Hommes et les Actes de l'insurrection de Paris devant la psychologie morbide,* Paris, 1872, p. 30-36.

25. Voir le livre déjà cité de U. Trélat, et les deux essais de J.C. Prichard, *A Treatise on Insanity and Other Disorders Affecting the Mind,* London, 1835 ; *On the Different Forms of Insanity in relation to Jurisprudence,* London, 1842.

26. M. Foucault se réfère essentiellement à « L'application de la physiologie des hallucinations à la physiologie du délire considéré d'une manière générale » (1845). On peut lire cet article, ainsi que la « Physiologie des hallucinations » et « La théorie de l'automatisme », in J.-G.-F. Baillarger, *Recherches sur les maladies mentales*, I, Paris, 1890, p. 269-500.

27. Cf. W. Griesinger, *Die Pathologie und Therapie der psychischen Krankheiten für Aerzte und Studierende*, Stuttgart, 1845 (trad. fr. de l'édition allemande de 1861 : *Traité des maladies mentales. Pathologie et thérapeutique*, Paris, 1865).

28. La définition d'Esquirol, proposée pour la première fois in *Des hallucinations chez les aliénés* (1817), se retrouve dans *Des maladies mentales...*, *op. cit.*, I, p. 188. Voir aussi le chapitre « Des hallucinations » et le mémoire « Des illusions chez les aliénés » (1832), *ibid.*, p. 80-100, 202-224.

29. J. Falret, *De l'état mental des épileptiques*, Paris, 1861 ; E. Garimond, *Contribution à l'histoire de l'épilepsie dans ses rapports avec l'aliénation mentale*, Paris, 1877 ; E. Defossez, *Essai sur les troubles des sens et de l'intelligence causés par l'épilepsie*, Paris, 1878 ; A. Tamburini, *Sulla genesi delle allucinazioni*, Reggio Emilia, 1880 ; Id., « La théorie des hallucinations », *Revue scientifique*, I, 1881, p. 138-142 ; J. Seglas, *Leçons cliniques sur les maladies mentales et nerveuses*, Paris, 1895.

COURS DU 19 FÉVRIER 1975

Le champ de l'anomalie est traversé par le problème de la sexualité. – Les anciens rituels chrétiens de l'aveu. – De la confession tarifée au sacrement de la pénitence. – Développement de la pastorale. – La « Pratique du sacrement de pénitence » de Louis Habert et les « Instructions aux confesseurs » de Charles Borromée. – De la confession à la direction de conscience. – Le double filtre discursif de la vie dans la confession. – L'aveu après le concile de Trente. – Le sixième commandement : les modèles d'interrogatoire de Pierre Milhard et de Louis Habert. – Apparition du corps de plaisir et de désir au cœur des pratiques pénitentielles et spirituelles.

Je vais reprendre, un petit peu, le fil des choses que nous avons dites jusqu'à présent. J'avais essayé la dernière fois de vous montrer comment s'était ouvert devant la psychiatrie une sorte de grand domaine d'ingérence, qui est celui de ce qu'on peut appeler l'anormal. À partir de ce problème localisé, juridico-médical du monstre, une sorte d'éclatement se fait autour, à partir de la notion d'instinct, et puis, vers les années 1845-1850, s'ouvre à la psychiatrie ce domaine de contrôle, d'analyse, d'intervention qu'on peut appeler l'anormal.

Or, et c'est ici que je veux maintenant commencer l'autre partie de mon propos, ce champ de l'anomalie va se trouver très tôt, presque d'entrée de jeu, traversé par le problème de la sexualité. Et ceci de deux manières. D'une part, parce que ce champ général de l'anomalie va être codé, va être quadrillé, on va lui appliquer aussitôt, comme grille générale d'analyse, le problème ou, en tout cas, le repérage des phénomènes de l'hérédité et de la dégénérescence [1]. Dans cette mesure-là, toute l'analyse médicale et psychiatrique des fonctions de reproduction va se trouver impliquée dans les méthodes d'analyse de l'anomalie. Deuxièmement, à l'intérieur du domaine constitué par cette anomalie, vont être, bien entendu, repérés les troubles caractéristiques de l'anomalie sexuelle – anomalie sexuelle qui va d'abord se présenter comme une série de cas particuliers d'anomalie, et puis finalement, très vite, vers les années 1880-1890, va apparaître comme la racine, le fondement, le principe étiologique général de la plupart des autres formes d'anomalie. Tout ceci commence donc très tôt, à l'époque même que j'essayais de repérer la dernière fois, c'est-à-dire vers ces années 1845-1850, qui sont caractérisées par la psychiatrie de Griesinger en Allemagne et celle de Baillarger en France. En 1843, on trouve dans les *Annales médico-psychologiques* (ce n'est pas sans doute le premier cas, mais il me paraît un des plus clairs et des plus significatifs) un rapport psychiatrique dans une affaire pénale. C'est un rapport fait par Brierre de Boismont, Ferrus et Foville, sur un instituteur pédéraste qui s'appelait Ferré, et à propos duquel ils font une analyse concernant précisément son anomalie sexuelle[2]. En 1849, vous avez dans *L'Union médicale* un article de Michéa, qui s'appelle « Déviations maladives de l'appétit génésique[3] ». En 1857, ce fameux Baillarger, dont je vous parlais, écrit un article sur « imbécillité et perversion du sens génésique[4] ». Moreau de Tours, en 1860-1861, je crois, écrit « Aberrations du sens génésique[5] ». Et puis, on a la grande série des Allemands, avec Krafft-Ebing[6], et, en 1870, le premier article spéculatif, si vous voulez théorique, sur l'homosexualité, écrit par Westphal[7]. Vous voyez donc que la date de naissance, en tout cas la date d'éclosion, d'ouverture des champs de l'anomalie, et puis sa traversée, sinon son quadrillage, par le problème de la sexualité, sont à peu près contemporains[8].

Alors, je voudrais essayer d'analyser ce que c'est que ce branchement soudain du problème de la sexualité dans la psychiatrie. Parce que, s'il est vrai que le champ de l'anomalie est immédiatement connoté au moins d'un certain nombre d'éléments concernant la sexualité, en revanche la part de la sexualité dans la médecine de l'aliénation mentale était sinon nulle, du moins extraordinairement réduite. Qu'est-ce qu'il s'est donc passé? De quoi s'agit-il vers ces années 1845-1850? Comment a-t-il pu se faire que brusquement, au moment même où l'anomalie devient le domaine d'ingérence légitime de la psychiatrie, la sexualité se met à faire problème dans la psychiatrie? Je voudrais essayer de vous montrer qu'il ne s'agit pas, en fait, de ce qu'on pourrait appeler la levée d'une censure, la levée d'un interdit de parole. Il ne s'agit pas d'une percée, d'abord timidement technique et médicale, de la sexualité à l'intérieur d'un tabou de discours, d'un tabou de parole, d'un tabou d'énonciation, qui aurait pesé sur cette sexualité, depuis le fond des âges peut-être, en tout cas certainement depuis le XVIIe ou le XVIIIe siècle. Je crois que ce qui se passe vers 1850, et que j'essayerai d'analyser un peu plus tard, ce n'est en réalité qu'un avatar, l'avatar d'une procédure non pas du tout de censure, de refoulement ou d'hypocrisie, mais l'avatar d'une procédure très positive, qui est celle de l'aveu contraint et obligatoire. D'une façon générale, je dirai ceci : la sexualité, en Occident, ce n'est pas ce qu'on tait, ce n'est pas ce qu'on est obligé de taire, c'est ce qu'on est obligé d'avouer. S'il y a eu effectivement des périodes pendant lesquelles le silence sur la sexualité a été la règle, ce silence – qui est toujours parfaitement relatif, qui n'est jamais total et absolu – n'est jamais qu'une des fonctions de la procédure positive de l'aveu. C'est toujours en corrélation avec telle ou telle technique de l'aveu obligatoire que l'on a imposé certaines régions de silence, certaines conditions et certaines prescriptions de silence. Ce qui est, je crois, premier, ce qui est fondamental, c'est cette procédure de pouvoir qui est l'aveu contraint. C'est autour de cette procédure qu'il faut repérer, dont il faut voir l'économie, que la règle de silence peut jouer. Autrement dit, ce n'est pas la censure qui est le processus primaire et fondamental. Qu'on entende par censure un refoulement ou simplement une hypocrisie, de toute façon ce n'est là qu'un processus négatif ordonné à une mécanique positive que j'essayerai d'analyser. Et je dirai même ceci : s'il est vrai que, à certaines périodes, le silence ou certaines régions de silence, ou certaines modalités de fonctionnement du silence, ont bien en effet été requises par la manière même dont l'aveu était requis, en revanche, on peut parfaitement trouver des époques dans lesquelles se trouvent juxtaposées et l'obligation de l'aveu statutaire, réglementaire, institutionnel de la sexualité, et une très grande liberté au niveau des autres formes d'énonciation de la sexualité [9].

On peut imaginer – je n'en sais rien, mais on peut imaginer, puisque je crois que cela ferait plaisir à beaucoup de gens – que la règle de silence sur la sexualité n'a guère commencé à peser qu'au XVIIe siècle (à l'époque, disons, de la formation des sociétés capitalistes), mais qu'auparavant tout le monde pouvait dire n'importe quoi sur la sexualité [10]. Peut-être ! Peut-être en était-il ainsi au Moyen Âge, peut-être la liberté d'énonciation de la sexualité était beaucoup plus grande au Moyen Âge qu'au XVIIIe ou au XIXe siècle. Il n'en restait pas moins que, à l'intérieur même de cette espèce de champ de liberté, vous aviez une procédure parfaitement codée, parfaitement exigeante, hautement institutionnalisée, de l'aveu de la sexualité, et qui était la confession. Mais je vous dirai que l'exemple du Moyen Âge, je ne le crois pas assez élaboré par les historiens pour qu'on puisse y faire foi. Regardez ce qui se passe maintenant. D'un côté, vous avez à l'heure actuelle toute une série de procédures institutionnalisées d'aveu de la sexualité : la psychiatrie, la psychanalyse, la sexologie. Or, toutes ces formes d'aveu, scientifiquement et économiquement codées, de la sexualité sont corrélatives de ce qu'on peut appeler une relative libération ou liberté au niveau des énoncés possibles sur la sexualité. L'aveu n'est pas là une espèce de manière de traverser, en dépit des règles, des habitudes ou des morales, la règle de silence. L'aveu et la liberté d'énonciation se font face, sont complémentaires l'un de l'autre. Si on va si souvent chez le psychiatre, chez le psychanalyste, chez le sexologue, pour poser la question de sa sexualité, avouer ce que c'est que sa sexualité, c'est dans la mesure où il y a partout, dans la publicité, dans les livres, dans les romans, dans le cinéma, dans la pornographie ambiante, tous les mécanismes d'appel qui renvoient l'individu de cet énoncé quotidien de la sexualité à l'aveu institutionnel et coûteux de sa sexualité, chez le psychiatre, chez le psychanalyste et chez le sexologue. Vous avez donc là, actuellement, une figure dans laquelle la ritualisation de l'aveu a pour vis-à-vis et pour corrélatif l'existence d'un discours proliférant sur la sexualité.

Ce que je voudrais essayer de faire en esquissant comme ça, très vaguement, cette espèce de petite histoire sur le discours de la sexualité, ce n'est donc pas du tout de poser le problème en termes de censure de la sexualité. Quand y a-t-il eu censure de la sexualité ? Depuis quand est-ce qu'on est obligé de taire la sexualité ? À partir de quel moment et dans quelles conditions est-ce qu'on a pu commencer à parler de la sexualité ? Je voudrais essayer d'inverser un petit peu le problème et faire l'histoire de l'aveu de la sexualité. C'est-à-dire, dans quelles conditions et selon quel rituel a-t-on organisé, au milieu des autres discours sur la sexualité, une certaine forme de discours obligatoire et contraint, qui est l'aveu de la sexualité ? Et c'est bien entendu un survol du rituel de la pénitence qui va me servir de fil conducteur.

Alors, en m'excusant du caractère schématique de ce que je vais dire, de cette espèce de survol que je vais essayer [de faire], je voudrais qu'on garde à l'esprit un certain nombre de choses, je crois, importantes [11]. Premièrement, l'aveu n'appartenait pas, dès l'origine, au rituel de la pénitence. C'est d'une manière tardive que, dans le rituel chrétien de la pénitence, l'aveu a été rendu nécessaire et obligatoire. Deuxièmement, ce qu'il faut retenir, c'est que l'efficace de cet aveu, le rôle de l'aveu dans la procédure de pénitence, a été considérablement changé depuis le Moyen Âge jusqu'au XVIIe siècle. Ce sont des choses, je crois, auxquelles j'avais fait allusion, il y a deux ou trois ans, et sur lesquelles je vais donc revenir très rapidement [12].

Premièrement, le rituel de la pénitence ne comportait pas à l'origine d'aveu obligatoire. Qu'est-ce que c'était que la pénitence dans le christianisme primitif ? La pénitence, c'était un statut que l'on prenait de façon délibérée et volontaire, à un moment donné de son existence, pour un certain nombre de raisons qui pouvaient être liées à un péché énorme, considérable et scandaleux, mais qui pouvait parfaitement être motivé par une tout autre raison. En tout cas, c'était un statut que l'on prenait, et que l'on prenait une fois pour toutes, d'une façon qui était la plupart du temps définitive : on ne pouvait être pénitent qu'une fois dans sa vie. C'était l'évêque, et l'évêque seulement, qui avait le droit de conférer, à celui qui le demandait, le statut de pénitent. Et ceci dans une cérémonie publique, au cours de laquelle le pénitent était à la fois réprimandé et exhorté. Après cette cérémonie, le pénitent entrait dans cet ordre de la pénitence qui impliquait le port du cilice, le port d'habits spéciaux, l'interdiction de soins de propreté, le renvoi solennel de l'Église, la non-participation aux sacrements, en tout cas à la communion, l'imposition de jeûnes rigoureux, l'interruption de toutes les relations sexuelles et l'obligation d'ensevelir les morts. Lorsque le pénitent sortait de l'état de pénitence (quelquefois il n'en sortait pas et c'était jusqu'à la fin de sa vie qu'il restait pénitent), c'était à la suite d'un acte solennel de réconciliation, qui effaçait son statut de pénitent, non sans laisser un certain nombre de traces, comme l'obligation de chasteté, qui en général durait jusqu'à la fin de sa vie.

Vous voyez que, dans ce rituel, l'aveu public des fautes n'était absolument pas requis, l'aveu privé ne l'était même pas, bien qu'au moment où le pénitent allait trouver l'évêque, pour lui demander de lui conférer le statut de pénitent, il en donnait en général les raisons et les justifications. Mais l'idée d'une confession générale de tous les péchés de sa vie, l'idée que cet aveu lui-même pourrait être d'une efficace quelconque dans la rémission du péché, cela était absolument exclu par le système. Si rémission des péchés il pouvait y avoir, c'était uniquement en fonction de la sévérité des peines que l'individu s'appliquait, ou acceptait de s'appliquer, en prenant le statut de pénitent. À cet ancien système, à ses suites, ou plutôt avec cet ancien système, s'est enchevêtré, à partir d'un certain moment (c'est-à-dire à partir du VIe siècle à peu près), ce qu'on appelait la pénitence « tarifée », qui, elle, est d'un tout autre modèle. Celui dont je vous parlais tout à l'heure, c'est très manifestement le modèle de l'ordination qui le commande. En revanche, la pénitence tarifée, elle, a un modèle essentiellement laïque, judiciaire et pénal. C'est sur le mode de la pénalité germanique que la pénitence tarifée a été instaurée. La pénitence tarifée consistait en ceci. Lorsqu'un fidèle avait commis un péché, il pouvait, ou plutôt il devait (et à ce moment-là, vous voyez, on commence à passer de la libre possibilité, de la libre décision, à l'obligation) aller trouver un prêtre, lui dire quelle faute il avait commise, et à cette faute, qui devait être toujours une faute grave, le prêtre répondait en proposant ou en imposant une pénitence : ce qu'on appelait une « satisfaction ». À chaque péché devait correspondre une satisfaction. C'était l'accomplissement et l'accomplissement seul de cette satisfaction qui pouvait entraîner, sans aucune cérémonie supplémentaire, la rémission du péché. On est donc encore dans un type de système où c'était seule la satisfaction – c'est-à-dire, comme nous dirions, la pénitence au sens strict, accomplie – c'était l'accomplissement même de cette satisfaction, qui permettait au chrétien de voir son péché remis. Quant aux pénitences, elles étaient tarifées en ce sens qu'il existait, pour chaque type de péché, un catalogue de pénitences obligatoires, exactement comme dans le système de la pénalité laïque, pour chacun des crimes et des délits, il y avait une réparation institutionnelle accordée à la victime pour que le crime soit effacé. Avec ce système de la pénitence tarifée, qui est d'origine irlandaise, donc non latine, l'énoncé de la faute commence à avoir un rôle nécessaire. En effet, à partir du moment où il faut, après chaque faute, chaque faute grave en tout cas, donner une certaine satisfaction, et à partir du moment où le tarif de cette satisfaction vous est indiqué, prescrit, imposé par un prêtre, l'énoncé de la faute, après chacune des fautes, devient indispensable. De plus, pour que le prêtre puisse appliquer la bonne pénitence, la bonne satisfaction, pour qu'il puisse également faire le partage entre les fautes qui sont graves et celles qui ne le sont pas, non seulement il faut dire la faute, il faut énoncer la faute, mais il faut de plus la raconter, donner les circonstances, expliquer comment on l'a faite. C'est ainsi que, petit à petit, à travers cette pénitence dont l'origine est manifestement judiciaire et laïque, commence à se former cette espèce de petit noyau encore très limité et sans aucune efficace autre qu'utilitaire : le noyau de l'aveu.

Un des théologiens de l'époque, Alcuin, disait : « Qu'est-ce que le pouvoir sacerdotal pourra délier en fait de faute, s'il ne connaît pas les liens qui enchaînent le pécheur ? Les médecins ne pourront plus rien faire le jour où les malades refuseront de leur montrer leurs blessures. Le pécheur doit donc aller trouver le prêtre, comme le malade doit aller trouver le médecin, en lui expliquant de quoi il souffre et quelle est sa maladie [13]. » Mais, en dehors de cette espèce d'implication nécessaire, l'aveu, en lui-même, n'a pas de valeur, il n'a pas d'efficace. Il permet simplement au prêtre de déterminer la peine. Ce n'est pas l'aveu qui, d'une manière ou d'une autre, va provoquer la rémission des péchés. Tout au plus, trouve-t-on ceci dans les textes de l'époque (c'est-à-dire, entre le VIIIe et le Xe siècle de l'ère chrétienne) : c'est que l'aveu, et l'aveu fait au prêtre, est tout de même quelque chose de difficile, quelque chose de pénible, qui entraîne un sentiment de honte. Dans cette mesure-là, l'aveu lui-même est déjà une sorte de peine, c'est comme un début d'expiation. Alcuin dit de cette confession, rendue nécessaire pour que le prêtre joue son rôle de quasi-médecin, que c'est un sacrifice, parce qu'elle provoque l'humiliation et elle fait rougir. Elle provoque l'*erubescentia*. Le pénitent rougit au moment où il parle et, à cause de cela, « il donne – dit Alcuin – à Dieu une juste raison de lui pardonner [14] ». Or, à partir de ce début d'importance, d'efficace, qui est attribuée au fait même d'avouer ses péchés, un certain nombre de glissements vont se produire. Parce que s'il est vrai que le fait d'avouer est déjà un début d'expiation, est-ce qu'on ne pourra pas, à la limite, arriver à ceci : qu'un aveu suffisamment coûteux, suffisamment humiliant, serait à lui-même la pénitence ? Est-ce que l'on ne pourrait pas, par conséquent, substituer aux grandes satisfactions que sont, par exemple, le jeûne, le port du cilice, le pèlerinage, etc., une peine qui serait tout simplement l'énoncé de la faute elle-même ? L'*erubescentia*, l'humiliation constituerait le cœur même, la partie essentielle de la peine. C'est ainsi qu'on voit se répandre, vers le IXe, X^e, XIe siècle, la confession aux laïques [15]. Après tout, quand on a commis un péché, si du moins il n'y a pas de prêtre à portée de main, on peut tout simplement énoncer son péché à quelqu'un (ou à plusieurs personnes) à côté de qui on se trouve, qu'on a en quelque sorte sous la main, et on se fait honte à soi-même en lui racontant ses péchés. Du coup, la confession aura eu lieu, l'expiation aura joué et la rémission des péchés se trouvera accordée par Dieu.

Vous voyez que, petit à petit, le rituel de la pénitence, ou plutôt ce tarifage quasi juridique de la pénitence, tend à se décaler vers des formes symboliques. En même temps, le mécanisme de la rémission des péchés, l'espèce de petit élément opérateur qui assure que les péchés vont être remis, se resserre de plus en plus autour de l'aveu lui-même. Et à mesure que le mécanisme de rémission des péchés se resserre autour de l'aveu, le pouvoir du prêtre, et à plus forte raison le pouvoir de l'évêque, se trouve desserré d'autant. Or, ce qui va se passer dans la seconde partie du Moyen Âge (du XIIe siècle jusqu'au début de la Renaissance), c'est que l'Église va récupérer en quelque sorte, à l'intérieur du pouvoir ecclésiastique, ce mécanisme de l'aveu qui l'avait jusqu'à un certain point dessaisie de son pouvoir dans l'opération pénitentielle. Cette réinsertion de l'aveu à l'intérieur d'un pouvoir ecclésiastique affermi, c'est cela qui va caractériser la grande doctrine de la pénitence que l'on voit se former à l'époque des scolastiques. Et ceci par plusieurs procédés. Premièrement, on voit apparaître au XIIe [*rectius* : XIIIe] siècle l'obligation de se confesser régulièrement, d'une façon au moins annuelle pour les laïques, mensuelle ou même hebdomadaire pour les clercs [16]. Donc, on ne se confesse plus quand on a fait une faute. On peut, on doit même se confesser dès qu'on a fait une faute grave ; mais, de toute façon, il va falloir se confesser d'une façon régulière, au moins d'année en année. Deuxièmement, obligation de la continuité. C'est-à-dire que tous les péchés devront être dits, depuis au moins la confession précédente. Là encore, le coup pour coup disparaît et la totalisation, la totalisation au moins partielle, depuis la confession précédente, est requise. Enfin, et surtout, obligation d'exhaustivité. Il ne suffira pas de dire le péché au moment où on l'a commis, et parce qu'on le trouve particulièrement grave. Il va falloir énoncer tous ses péchés, non seulement les graves, mais aussi ceux qui sont moins graves. Car ce sera le rôle du prêtre de distinguer ce qui est véniel de ce qui est mortel ; c'est au prêtre de manipuler cette très subtile distinction que font les théologiens entre péché véniel et péché mortel qui, vous savez, peuvent se transformer les uns dans les autres, selon les circonstances, selon le temps de l'action, selon les personnes, etc. Donc, on a obligation de régularité, de continuité, d'exhaustivité. Par là même, on a une extension formidable de l'obligation de la pénitence, donc de la confession, donc de l'aveu lui-même.

Or, à cette extension considérable va correspondre un pouvoir du prêtre qui est majoré dans les mêmes proportions. En effet, ce qui va garantir la régularité de la confession, c'est que non seulement les fidèles seront tenus de se confesser annuellement, mais ils devront se confesser à un prêtre en particulier, le même, celui qui est leur prêtre propre, comme on dit, celui dont ils relèvent, le curé de paroisse, en général. Deuxièmement, ce qui va garantir la continuité de la confession, ce qui va garantir qu'on n'oubliera rien depuis la dernière confession, c'est qu'il faudra, au rythme habituel des confessions, ajouter le rythme en quelque sorte à cycle plus large de la confession générale. Il est recommandé, il est prescrit aux fidèles de faire plusieurs fois dans leur vie une confession générale, qui reprendra tous leurs péchés depuis le début de leur existence. Enfin, ce qui va garantir l'exhaustivité, c'est que le prêtre ne va plus se contenter de l'aveu spontané du fidèle, qui vient le trouver après avoir commis une faute et parce qu'il a commis une faute. Ce qui va garantir l'exhaustivité, c'est que le prêtre va lui-même contrôler ce que dit le fidèle : il va le pousser, il va le questionner, il va préciser son aveu, par toute une technique d'examen de conscience. On voit se former à cette époque-là (XIIᵉ-XIIIᵉ siècle) un système d'interrogation codé selon les commandements de Dieu, selon les sept péchés capitaux, selon éventuellement, un peu plus tard, les commandements de l'Église, la liste des vertus, etc. De sorte que l'aveu total va se trouver, dans la pénitence du XIIᵉ siècle, totalement quadrillé par le pouvoir du prêtre. Mais ce n'est pas tout. Il y a plus encore pour réinscrire fortement l'aveu dans cette mécanique du pouvoir ecclésiastique. C'est que désormais, toujours à partir du XIIᵉ-XIIIᵉ siècle, le prêtre ne va plus être lié par le tarif des satisfactions. Il va désormais fixer lui-même les peines qu'il veut, en fonction des péchés, en fonction des circonstances, en fonction des personnes. Il n'y a plus aucun tarif obligatoire. Le décret de Gratien dit : « Les peines sont arbitraires [17]. » Deuxièmement, et surtout, le prêtre est le seul désormais à détenir le « pouvoir des clés ». Il n'est plus question, sous prétexte que ça fait rougir, de raconter ses péchés ; il n'est plus question de se confesser à qui que ce soit d'autre qu'à un prêtre. Il n'y a pénitence que s'il y a confession, mais il ne peut y avoir confession que si la confession est faite à un prêtre. Ce pouvoir des clés, que seul le prêtre détient, lui donne à ce moment-là la possibilité de remettre lui-même les péchés, ou plutôt de pratiquer ce rituel de l'absolution, qui est tel qu'à travers lui, c'est-à-dire à travers les gestes et les paroles du prêtre, c'est Dieu lui-même qui remet les péchés. La pénitence devient à ce moment-là, au sens strict, un sacrement. C'est simplement au XIIᵉ-XIIIᵉ siècle que se forme cette théologie sacramentaire de la pénitence. Jusque-là, la pénitence était un acte par lequel le pécheur demandait à Dieu de lui remettre ses péchés. À partir du XIIᵉ-XIIIᵉ siècle, c'est le prêtre lui-même qui, en donnant librement son absolution, va provoquer cette opération de nature divine, mais à médiation humaine, que sera l'absolution. Désormais, on peut dire que le pouvoir du prêtre est fortement ancré, et définitivement ancré, à l'intérieur de la procédure de l'aveu.

Toute l'économie sacramentaire de la pénitence, telle qu'on va la connaître non seulement vers la fin du Moyen Âge, mais jusqu'à nos jours, est à peu près fixée. Elle se caractérise par deux ou trois grands traits. Premièrement, place centrale de l'aveu dans le mécanisme de rémission des péchés. Il faut absolument avouer. Il faut tout avouer. Il faut ne rien omettre. Deuxièmement, extension considérable de ce domaine de l'aveu, dans la mesure où il ne s'agit plus simplement d'avouer les péchés graves, mais de tout avouer. Et enfin, croissance corrélative du pouvoir du prêtre, qui désormais donne l'absolution, et de son savoir, puisque maintenant, à l'intérieur du sacrement de pénitence, il a à contrôler ce qui se dit, il a à interroger, il a à imposer le cadre de son savoir, de son expérience et de ses connaissances, aussi bien morales que théologiques. Se forme ainsi autour de l'aveu, comme pièce centrale de la pénitence, tout un mécanisme où le pouvoir et le savoir du prêtre et de l'Église se trouvent impliqués. C'est là l'économie centrale et générale de la pénitence telle qu'elle est fixée au milieu du Moyen Âge et telle qu'elle fonctionne encore maintenant.

Or, ce que je voudrais vous montrer maintenant, pour s'approcher enfin de notre sujet, c'est ce qui s'est passé à partir du XVIᵉ siècle, c'est-à-dire de cette période qui se caractérise non pas par le début d'une déchristianisation, mais, comme l'ont montré un certain nombre d'historiens, par une phase de christianisation en profondeur[18]. De la Réforme à la chasse aux sorcières, en passant par le concile de Trente, on a là toute une époque qui est celle où commencent à se former, d'une part, les États modernes et où, en même temps, se resserrent les cadres chrétiens sur l'existence individuelle. En ce qui concerne la pénitence et la confession, du moins dans les pays catholiques (je laisse de côté les problèmes protestants, on les retrouvera par un autre biais tout à l'heure), je crois qu'on peut caractériser ce qui s'est passé de la manière suivante. D'une part, maintien et reconduction explicite, par le concile de Trente, de l'armature sacramentaire de la pénitence, dont je viens de vous parler, et puis déploiement de tout un immense dispositif de discours et d'examen, d'analyse et de contrôle, à l'intérieur et autour même de la pénitence proprement dite. Ce déploiement prend deux aspects. D'une part, extension du domaine de la confession, tendance à une généralisation de l'aveu. Tout ou presque tout de la vie, de l'action, des pensées d'un individu, doit pouvoir passer au filtre de l'aveu, sinon, bien sûr, à titre de péché, du moins à titre d'élément pertinent pour un examen, pour une analyse, que la confession désormais appelle. Corrélativement à cette formidable extension du domaine de la confession et de l'aveu, on a l'accentuation encore plus marquée du pouvoir du confesseur ; ou plutôt son pouvoir en tant que maître de l'absolution, ce pouvoir qu'il a acquis à partir du moment où la pénitence est devenue un sacrement, va se trouver flanqué de tout un ensemble de pouvoirs adjacents, qui à la fois l'appuient et lui donnent une extension. Autour du privilège de l'absolution, se met à proliférer ce que l'on pourrait appeler le droit d'examen. Pour soutenir le pouvoir sacramentaire des clés se forme le pouvoir empirique de l'œil, du regard, de l'oreille, de l'audition du prêtre. D'où ce formidable développement de la pastorale, c'est-à-dire de cette technique qui est proposée au prêtre pour le gouvernement des âmes. Au moment où les États étaient en train de se poser le problème technique du pouvoir à exercer sur les corps et des moyens par lesquels on pourrait effectivement mettre en œuvre le pouvoir sur les corps, l'Église, de son côté, élaborait une technique de gouvernement des âmes qui est la pastorale, la pastorale définie par le concile de Trente [19] et reprise, développée ensuite par Charles Borromée [20].

À l'intérieur de cette pastorale comme technique de gouvernement des âmes, la pénitence, bien sûr, a une importance majeure, j'allais dire presque exclusive [21]. En tout cas, on voit se développer, à partir de ce moment-là, toute une littérature qu'on pourrait dire en partie double : littérature destinée aux confesseurs et littérature destinée aux pénitents. Mais la littérature destinée aux pénitents, ces petits manuels de confession qu'on leur met entre les mains, n'est que l'envers, au fond, de l'autre, la littérature pour confesseurs, les grands traités, soit de cas de conscience soit de confession, que les prêtres doivent posséder, doivent connaître, doivent consulter éventuellement, si besoin est. Et il me semble que la pièce essentielle, c'est précisément cette littérature pour les confesseurs, qui constitue l'élément dominant. C'est là que l'on trouve l'analyse de la procédure d'examen, qui est désormais à la discrétion et à l'initiative du prêtre, et qui va, petit à petit, occuper tout l'espace de la pénitence et même déborder largement au-delà de la pénitence.

Cette technique de la pénitence que le prêtre doit maintenant connaître et posséder, qu'il doit imposer aux pénitents, en quoi consiste-t-elle ? D'abord, il faut toute une qualification du confesseur lui-même. Le confesseur doit posséder un certain nombre de vertus qui lui sont propres. Premièrement, la puissance : il doit avoir le caractère sacerdotal d'une part, et d'autre part l'évêque doit lui avoir donné l'autorisation de confesser. Deuxièmement, le prêtre doit posséder une autre vertu, qui est le zèle. (Je suis un traité de pratique pénitentielle, qui a été écrit à la fin du XVIIᵉ siècle par Habert, qui représente sans doute une tendance rigoriste, mais qui est, en même temps, l'une des élaborations certainement les plus fines de cette technique de la pénitence [22].) Le prêtre doit posséder, outre la puissance, le zèle, c'est-à-dire un certain « amour » ou « désir ». Mais cet amour ou désir qui caractérise le prêtre, en tant qu'il confesse, n'est pas un « amour de concupiscence », c'est un « amour de bienveillance » : un amour qui « attache le confesseur aux intérêts des autres ». C'est un amour qui combat ceux, parmi les chrétiens ou les non-chrétiens, qui « résistent » à Dieu. C'est enfin un amour qui « échauffe », au contraire, ceux qui sont disposés à servir Dieu. C'est donc cet amour, c'est donc ce désir, c'est donc ce zèle, qui doit être effectivement présent, à l'œuvre, dans la confession, enfin, dans le sacrement de pénitence [23]. Troisièmement, le prêtre doit être saint, c'est-à-dire qu'il ne doit pas être en état de « péché mortel », bien qu'à la limite ce n'est pas une interdiction canonique [24]. Du moment qu'on est ordonné, même si on est en état de péché mortel, l'absolution qu'on donnera continuera à être valable [25]. Mais ce qu'on entend par la sainteté du prêtre, c'est qu'il doit être « affermi dans la pratique de la vertu », à cause précisément de toutes les « tentations » auxquelles va l'exposer le ministère de la pénitence. Le confessionnal – dit Habert – est comme la « chambre d'un malade », c'est-à-dire qu'il y règne un certain « mauvais air », ce « mauvais air » qui risque de contaminer le prêtre lui-même, à partir des péchés du pénitent [26]. Il faut donc, comme sorte de cuirasse et de protection, comme garantie de non-communication du péché au moment même de l'énonciation de ce péché, la sainteté du confesseur. Communication verbale, mais non-communication réelle ; communication au niveau de l'énoncé, qui ne doit pas être une communication au niveau de la culpabilité. Ce que le pénitent montrera de son désir ne doit pas se retourner en désir du confesseur, d'où le principe de la sainteté [27]. Il faut enfin que le prêtre qui confesse ait une sainte horreur des péchés véniels. Et ceci non seulement pour les péchés des autres, mais pour lui-même. Car si le prêtre ne possède pas, n'est pas animé par l'horreur des péchés véniels pour lui-même, alors sa charité va être éteinte comme le feu est éteint par la cendre. Les péchés véniels, en effet, aveuglent l'esprit, ils attachent à la chair [28]. Du coup cet amour de zèle et de bienveillance qui porte le confesseur vers le pénitent, mais qui est corrigé par la sainteté, qui annule le mal du péché au moment même où il est communiqué, ce double processus ne pourra pas jouer si le confesseur est trop lié à ses propres péchés, et même à ses péchés véniels [29].

Le confesseur doit être zélé, le confesseur doit être saint, le confesseur doit être savant. Il doit être savant à trois titres (je suis toujours le traité de Habert) : il doit être savant « comme juge », car « il doit savoir ce qui est permis et défendu » ; il doit connaître la loi, que ce soient les « lois divines » ou les « lois humaines », que ce soient les lois « ecclé-

siastiques » ou les lois « civiles » ; il doit être savant « comme médecin », car il doit reconnaître dans les péchés non seulement l'acte
d'infraction qui a été commis, mais l'espèce de maladie qui est sous le
péché et qui est la raison d'être du péché. Il doit connaître les « maladies spirituelles », il doit connaître leurs « causes », il doit connaître
leurs « remèdes ». Ces maladies, il doit les reconnaître selon leur
« nature », il doit les reconnaître selon leur « nombre ». Il doit distinguer ce qui est véritable maladie spirituelle de [ce qui est] simple
« imperfection ». Il doit enfin pouvoir reconnaître les maladies qui
induisent au « péché véniel » et celles qui induisent au « péché mortel ». Savant donc comme juge [30], savant comme médecin [31], il doit
l'être aussi « comme guide [32] ». Car il doit « régler la conscience de ses
pénitents ». Il doit les « rappeler de leurs erreurs et de leurs égarements ». Il doit « leur faire éviter les écueils » qui se présentent à eux [33].
Enfin, il est non seulement zélé, saint et savant, il doit être aussi pru-
dent. La prudence, c'est l'art, que doit posséder le confesseur, d'ajuster
cette science, ce zèle, cette sainteté aux circonstances particulières.
« Observer toutes les circonstances, les comparer les unes aux autres,
découvrir ce qui est caché sous ce qui paraît, prévoir ce qui peut arriver », voilà selon Habert en quoi doit consister la prudence nécessaire
du confesseur [34].

À partir de cette qualification, qui, vous le voyez, est fort différente
de celle qui était requise au Moyen Âge, découlent un certain nombre
de choses. Au Moyen Âge, ce qui était essentiel et suffisant au prêtre,
après tout, c'était d'une part d'avoir été ordonné, deuxièmement
d'entendre le péché, troisièmement de décider, à partir de là, quelle
était la pénitence à appliquer, qu'il applique le vieux tarif obligatoire ou
qu'il choisisse arbitrairement la peine. Désormais, à ces simples réquisits s'ajoute toute une série de conditions supplémentaires qui vont qualifier le prêtre comme personne intervenant en tant que telle, non pas
tellement dans le sacrement que dans l'opération générale d'examen,
d'analyse, de correction et de guidage du pénitent. C'est qu'en effet les
tâches que le prêtre aura à faire, à partir de là, sont très nombreuses. Il
ne s'agira pas simplement pour lui de donner une absolution ; il devra
d'abord favoriser et susciter les bonnes dispositions du pénitent.
C'est-à-dire qu'au moment où le pénitent arrive pour faire sa confession, il devra lui montrer une certaine qualité d'accueil, montrer qu'il
lui est disponible, qu'il est ouvert à la confession qu'il va entendre.
Selon saint Charles Borromée, il faut que le prêtre reçoive « ceux qui
se présentent » avec « promptitude et facilité » : il ne doit jamais « les

renvoyer en abhorrant ce travail ». Deuxième règle, règle de l'attention bienveillante, ou plutôt de la non-manifestation de l'absence d'attente bienveillante : ne jamais « témoigner » aux pénitents, « même par signe ou parole », qu'on ne les écoute pas « volontiers ». Règle, enfin, de ce qu'on pourrait appeler la double consolation dans la peine. Il faut que les pécheurs qui se présentent auprès du confesseur se consolent en constatant que le confesseur reçoit lui-même « une sensible consolation et un singulier plaisir dans les peines qu'ils prennent pour le bien et pour le soulagement de leurs âmes ». Il y a toute une économie de la peine et du plaisir : peine du pénitent qui n'aime pas venir avouer ses fautes, consolation qu'il éprouve en voyant que le confesseur, auprès duquel il vient, éprouve bien entendu de la peine à écouter ses propres péchés, mais se console de la peine qu'il se donne ainsi, en assurant par la confession le soulagement de l'âme du pénitent[35]. C'est ce double investissement de la peine, du plaisir, du soulagement – double investissement venant de la part du confesseur et de la part du pénitent – qui va assurer la bonne confession.

Tout ceci peut vous paraître théorique et subtil. En fait, tout ceci s'est cristallisé à l'intérieur d'une institution, ou plutôt d'un petit objet, d'un petit meuble, que vous connaissez bien, et qui est le confessionnal : le confessionnal comme lieu ouvert, anonyme, public, présent à l'intérieur de l'Église, où un fidèle peut venir se présenter et trouvera toujours à sa disposition un prêtre qui l'entendra, à côté duquel il se trouve immédiatement placé, mais dont il est pourtant séparé par le petit rideau ou la petite grille[36]. Tout ceci est en quelque sorte la cristallisation matérielle de toutes ces règles qui caractérisent à la fois la qualification et le pouvoir du confesseur. Le premier confessionnal, paraît-il, on en a mention en l'année 1516, c'est-à-dire un an après la bataille de Marignan[37]. Avant le XVIe siècle, pas de confessionnal[38].

Après cet accueil ainsi caractérisé, le prêtre aura à rechercher les signes de la contrition. Il faudra savoir si le pénitent qui se présente est bien dans cet état de contrition qui permettra effectivement la rémission des péchés[39]. Il faudra alors lui faire subir un certain examen, qui est en partie verbal, en partie muet[40]. Il faudra lui poser des questions sur la préparation de sa confession, sur le moment où il s'est confessé pour la dernière fois[41]. Il faudra lui demander aussi, s'il a changé de confesseur, pourquoi il a changé de confesseur. Est-ce qu'il ne vient pas chercher un confesseur plus indulgent, auquel cas sa contrition ne serait pas réelle et profonde ?[42] Il faut aussi, sans rien dire, observer son comportement, son habillement, ses gestes, ses attitudes, le son de sa

voix, chasser bien entendu les femmes qui viendraient « frisées, far-
dées [et plâtrées] [43] ».

Après cette estimation de la contrition du pénitent, il faudra procéder
à l'examen de conscience lui-même. Si c'est une confession générale, il
faudra (je cite là un certain nombre de règlements qui ont été publiés
dans les diocèses après le concile de Trente et en fonction des règles
pastorales données par Charles Borromée à Milan [44]) exhorter le pénitent à « se représenter en soi-même toute sa vie », et représenter toute sa
vie selon une certaine grille. D'abord, repasser les âges importants de
l'existence ; deuxièmement, suivre les différents états que l'on a
connus : célibataire, marié, office qu'on a occupé ; reprendre ensuite
les différents examens de fortune et d'infortune que l'on a eus ; énumérer et examiner les différents pays, lieux et maisons que l'on a fré-
quentés [45]. Il faudra interroger le pénitent sur ses confessions
antérieures [46]. Puis, l'interroger par ordre, en suivant, d'abord, la liste
des « commandements de Dieu » ; puis, la liste des « sept péchés capitaux » ; puis, les « cinq sens de l'homme » ; puis, les « commandements
de l'Église » ; puis, la liste des « œuvres de miséricorde » [47] ; puis, les
trois vertus cardinales ; puis, les trois vertus ordinales [48]. Enfin, c'est
après cet examen que l'on pourra imposer la « satisfaction » [49]. Et là,
dans la satisfaction, il faudra que le confesseur tienne compte de deux
aspects de la pénitence proprement dite, de la peine : l'aspect pénal, la
punition au sens strict, et puis l'aspect que l'on appelle, depuis le
concile de Trente, l'aspect « médicinal » de la satisfaction, l'aspect
médicinal ou correctif, c'est-à-dire ce qui doit permettre à l'avenir, au
pénitent, d'être préservé de la rechute [50]. Cette recherche de la satisfaction à double face, pénale et médicinale, devra elle aussi obéir à un certain nombre de règles. Il faudra que le pénitent accepte la peine, et non
seulement qu'il l'accepte, mais qu'il en reconnaisse l'utilité, voire
même la nécessité. C'est dans cet esprit, par exemple, que Habert
recommande au confesseur de demander au pénitent de fixer lui-même
sa pénitence, puis de le convaincre que sa pénitence n'est pas suffisante, s'il en choisit une trop faible. Il faudra aussi imposer un certain
nombre de médicaments, en quelque sorte selon les règles médicales :
guérir les contraires par les contraires, l'avarice par les aumônes, la
concupiscence par les mortifications [51]. Il faudra enfin trouver des
peines qui tiennent compte et de la gravité des fautes et des dispositions propres au pénitent [52].

On n'en finirait pas d'énumérer l'énorme arsenal des règles qui
entourent cette pratique nouvelle de la pénitence, ou plutôt cette exten-

sion nouvelle et formidable des mécanismes de discours, des mécanismes d'examen et d'analyse qui s'investissent à l'intérieur même du
sacrement de la pénitence. Non pas tellement un éclatement de la pénitence qu'un formidable gonflement du sacrement de pénitence, qui
introduit la vie tout entière des individus dans la procédure moins de
l'absolution que de l'examen général. Or, à cela, il faudrait ajouter que,
à partir de la pastorale borroméenne, à partir donc de la seconde moitié
du XVIᵉ siècle, va se développer la pratique non pas exactement de la
confession, mais de la direction de conscience. Dans les milieux les
plus christianisés, les plus urbanisés aussi, dans les séminaires et également, jusqu'à un certain point, dans les collèges, on va trouver juxtaposées la règle de la pénitence et de la confession, et puis la règle ou, en
tout cas, la vive recommandation de la direction de conscience. Qu'est-
ce que c'est que le directeur de conscience ? Je vous en cite la définition
et les obligations d'après le règlement du séminaire de Châlons (c'est
un règlement qui date du XVIIᵉ siècle), où il est dit : « Dans le désir que
chacun doit avoir de son progrès dans la perfection, les séminaristes
auront soin de voir de temps en temps leur directeur hors de la confession. » Et qu'est-ce qu'ils diront à ce directeur ? Qu'est-ce qu'ils feront
de ce directeur ? « Ils traiteront avec lui de ce qui concerne leur avan-
cement dans la vertu, de la manière dont ils se comportent avec le pro-
chain et dans les actions extérieures. Ils traiteront aussi avec eux de ce
qui regarde leur personne et leur intérieur [53]. » (La définition qu'Olier
donnait du directeur de conscience, c'était : « celui auquel on communique son intérieur [54] »). Il faut donc traiter avec le directeur de ce qui
regarde la personne et l'intérieur : les petites peines d'esprit, les tentations et les mauvaises habitudes, la répugnance au bien, même les
fautes les plus communes, avec les sources d'où elles procèdent et les
moyens dont il faut se servir pour s'en corriger. Et Beuvelet, dans ses
Méditations, disait : « Si pour l'apprentissage du moindre métier, il faut
passer par les mains des maîtres, si pour la santé du corps on consulte
les médecins […], combien plus devons-nous consulter les personnes
expertes pour l'affaire de notre salut. » Les séminaristes doivent donc,
dans ces conditions, considérer leur directeur comme un « ange tuté-
laire ». Ils doivent lui parler « à cœur ouvert, en toute sincérité et fidélité », sans « feinte », ni « dissimulation [55] ». Vous voyez que, outre
cette espèce d'investissement général du récit et de l'examen de la vie
tout entière dans la confession, il y a un second investissement de cette
même vie tout entière, jusque dans ses moindres détails, dans la direction de conscience. Double bouclage, double filtre discursif, à l'inté-

rieur duquel tous les comportements, toutes les conduites, tous les rapports avec autrui, toutes les pensées aussi, tous les plaisirs, toutes les passions (mais j'y reviendrai tout à l'heure) doivent être filtrées.

En somme, depuis la pénitence tarifée au Moyen Âge jusqu'au XVIIe-XVIIIe siècle, vous voyez cette sorte d'immense évolution qui tend à doubler une opération, qui n'était pas même sacramentaire au début, de toute une technique concertée d'analyses, de choix réfléchis, de gestion continue des âmes, des conduites et finalement des corps ; une évolution qui réinscrit les formes juridiques de la loi, de l'infraction et de la peine, qui avaient au départ modelé la pénitence – réinscription de ces formes juridiques dans tout un champ de procédés qui sont, vous le voyez, de l'ordre de la correction, du guidage et de la médecine. Enfin, c'est une évolution qui tend à substituer, ou en tout cas à soutenir, l'aveu ponctuel de la faute par tout un immense parcours discursif qui est le parcours continu de la vie devant un témoin, le confesseur ou le directeur, qui doit en être à la fois le juge et le médecin, qui définit en tout cas les punitions et les prescriptions. Cette évolution est, bien entendu, telle que je vous l'ai très hâtivement tracée, propre à l'Église catholique. À travers des institutions extraordinairement différentes, et avec un éclatement fondamental et de la théorie et des formes religieuses, on verrait une évolution un peu du même type dans les pays protestants. En tout cas, à la même époque où se constitue cette grande pratique de la confession-examen de conscience et de la direction de conscience comme filtre discursif perpétuel de l'existence, on voit apparaître, par exemple dans les milieux puritains anglais, le procédé de l'autobiographie permanente, où chacun se raconte, à lui-même et aux autres, à l'entourage, aux gens de la même communauté, sa propre vie, pour que l'on puisse y détecter les signes de l'élection divine. C'est, je crois, l'instauration, à l'intérieur des mécanismes religieux, de cet immense récit total de l'existence qui est, en quelque sorte, l'arrière-fond de toutes les techniques et d'examen et de médicalisation, auxquelles on va assister par la suite.

Ce fond étant maintenant établi, je voudrais dire quelques mots sur le sixième commandement, c'est-à-dire sur le péché de luxure et la position que la luxure et la concupiscence occupent dans cette mise en place des procédures générales de l'examen. Avant le concile de Trente, c'est-à-dire dans la période de la pénitence « scolastique », entre le XIIe et le XVIe siècle, l'aveu de la sexualité, comment se définissait-il ? Il était essentiellement commandé par les formes juridiques : ce qu'on demandait au pénitent quand on l'interrogeait, ou ce qu'il avait à dire s'il parlait spontanément, c'étaient les fautes contre un certain nombre de règles sexuelles. Ces fautes étaient essentiellement la fornication : l'acte entre personnes qui ne sont liées ni de vœu, ni de mariage ; deuxièmement, l'adultère : l'acte entre des personnes mariées, ou l'acte entre une personne non mariée et une personne mariée ; le stupre : l'acte qui se commet avec une vierge qui a consenti, mais qu'il n'est pas nécessaire d'épouser ou de doter ; le rapt : l'enlèvement par la violence avec offense charnelle. Il y avait la mollesse : les caresses qui n'induisent pas à un acte sexuel légitime ; il y avait la sodomie : la consommation sexuelle dans un vase non naturel ; il y avait l'inceste : connaître une sienne parente de consanguinité ou affinité, jusqu'au quatrième degré ; et enfin il y avait la bestialité : l'acte commis avec un animal. Or, ce filtrage des obligations ou des infractions sexuelles porte presque entièrement, presque exclusivement, sur ce qu'on pourrait appeler l'aspect relationnel de la sexualité. Les principaux péchés contre le sixième commandement portent sur les liens juridiques entre les personnes : c'est l'adultère, c'est l'inceste, c'est le rapt. Ils portent sur le statut des personnes, selon qu'on est clerc ou religieux. Ils portent sur la forme également de l'acte sexuel entre elles : c'est la sodomie. Ils portent, bien sûr, sur ces fameuses caresses qui n'aboutissent pas à l'acte sexuel légitime (en gros, la masturbation), mais qui figurent à l'intérieur de ces péchés comme l'un d'entre eux, comme étant une certaine manière de ne pas accomplir l'acte sexuel dans sa forme légitime, c'est-à-dire dans la forme requise au niveau des relations avec le partenaire.

À partir du XVIe siècle, cette espèce de cadre – qui ne va pas disparaître des textes, qu'on va retrouver longtemps encore – va être petit à petit débordée et noyée par une triple transformation. Premièrement, au niveau même de la technique de la confession, l'interrogation sur le sixième commandement va poser un certain nombre de problèmes particuliers, tant pour le confesseur, qui ne doit pas être souillé, que pour le pénitent, qui ne doit jamais avouer moins que ce qu'il a fait, mais qui ne doit jamais, au cours de la confession, apprendre plus qu'il ne sait. L'aveu des fautes de luxure va donc être fait de telle sorte qu'il maintienne la pureté sacramentelle du prêtre et l'ignorance naturelle du pénitent. Ce qui implique alors un certain nombre de règles. Je passe vite : le confesseur doit en savoir juste autant que ce « qu'il est nécessaire » ; il doit oublier tout ce qu'on lui a dit au moment même où la confession se termine ; il doit d'abord interroger sur les « pensées », pour n'avoir pas à interroger sur les actes, dans le cas où ceux-ci n'auraient même pas été commis (et pour éviter par conséquent d'enseigner quelque chose que l'autre, le pénitent, ne sait pas) ; il ne doit jamais nommer lui-même les espèces de péchés (par exemple, il ne doit pas nommer la sodomie, la mollesse, l'adultère, l'inceste, etc.). Mais il interrogera en demandant au pénitent quelle sorte de pensées il a eues, quelle sorte d'actes il a commis, « avec qui », et par ces demandes il « tirera » ainsi, dit Habert, « de la bouche de son pénitent toutes les espèces de luxures sans se mettre en danger de lui en enseigner aucune [56] ».

À partir de cette technique, le point d'accrochage de l'examen va se trouver, je crois, considérablement modifié. Il me semble que ce qui se modifie fondamentalement dans cette pratique de la confession du péché de luxure, à partir du XVIe siècle, c'est que finalement ce ne peut pas être l'aspect relationnel de la sexualité qui va devenir l'élément important, premier, fondamental, de l'aveu pénitentiel. Ce n'est plus l'aspect relationnel, c'est le corps lui-même du pénitent, ce sont ses gestes, ses sens, ses plaisirs, ses pensées, ses désirs, l'intensité et la nature de ce qu'il éprouve lui-même, c'est cela qui va être maintenant au foyer même de cet interrogatoire sur le sixième commandement. L'examen ancien était l'inventaire, au fond, des relations permises et défendues. L'examen nouveau va être un parcours méticuleux du corps, une sorte d'anatomie de la volupté. C'est le corps avec ses différentes parties, le corps avec ses différentes sensations, et non plus, ou en tout cas beaucoup moins, les lois de l'union légitime, qui vont constituer le principe d'articulation des péchés de luxure. C'est le corps et ses plaisirs qui deviennent, en quelque sorte, le code du charnel, beaucoup plus que la forme requise pour l'union légitime.

Je voudrais vous prendre deux exemples. D'une part, un modèle d'interrogatoire sur le sixième commandement qu'on trouve au début encore du XVIIe siècle, mais dans un livre – celui de Milhard – qui est en quelque sorte la pratique moyenne commune, non élaborée, encore assez archaïque de la pénitence [57]. Milhard, dans sa *Grande Guide des curés*, dit que l'interrogatoire doit suivre les questions suivantes : simple fornication, défloration d'une vierge, inceste, rapt, adultère, pollution volontaire, sodomie et bestialité ; puis, regards et attouchements impudiques ; puis, le problème de la danse, des livres, des chansons ; puis, l'usage des aphrodisiaques ; puis, on doit demander si on s'est chatouillé et vautré en écoutant des chansons ; et enfin, si on a porté des habits et si on s'est fardé avec ostentation [58]. Vous voyez que l'organisation comme ça, grossière d'ailleurs, de cet interrogatoire montre que ce qui est en première ligne, ce qui fait l'essentiel de l'interrogation, c'est les grosses fautes, mais les grosses fautes au niveau même de la relation avec autrui : fornication, défloration d'une vierge, inceste, rapt, etc. Au contraire, dans un traité un peu plus tardif, de la fin du XVIIᵉ siècle, toujours celui d'Habert, l'ordre selon lequel les questions sont posées, ou plutôt le point à partir duquel les questions sont posées, va être tout différent. Habert part en effet de ceci : les péchés de concupiscence sont si nombreux, ils sont pratiquement si infinis, que se pose le problème de savoir selon quelle rubrique, comment, d'après quel ordre, on va les organiser et poser des questions. Et Habert répond : « Comme le péché d'impureté se commet en une infinité de manières, par tous les sens du corps et par toutes les puissances de l'âme, le confesseur [...] parcourra tous les sens les uns après les autres. Ensuite, il examinera les désirs. Et enfin, il examinera les pensées [59]. » Vous voyez que c'est le corps qui est comme le principe d'analyse de l'infini du péché de concupiscence. La confession se déroulera non plus donc selon cet ordre d'importance, dans l'infraction aux lois de la relation, mais elle devra suivre une sorte de cartographie peccamineuse du corps [60].

Premièrement, le toucher : « N'avez-vous point fait d'attouchements déshonnêtes ? Lesquels ? Sur quoi ? » Et si le pénitent « dit que ça a été sur soi », on lui demandera : « Pour quel motif ? » « Ah ! C'était seulement par curiosité (ce qui est très rare), ou par sensualité, ou pour exciter des mouvements déshonnêtes ? Combien de fois ? Ces mouvements sont-ils allés *usque ad seminis effusionem* ? [61] » Vous voyez que la luxure commence non plus du tout avec cette fameuse fornication, rapport non légitime. La luxure commence par le contact avec soi-même. Dans l'ordre du péché, cc qui sera plus tard la statue de Condillac (la statue de Condillac sexuelle, si vous voulez), apparaît ici en se faisant non pas odeur de rose, mais en prenant contact avec son propre corps [62]. La forme première du péché contre la chair, ce n'est pas d'avoir eu rapport avec celui ou celle auquel on n'a pas droit. La forme première du péché contre la chair, c'est d'avoir eu contact avec soi-même : c'est de s'être touché, c'est la masturbation. Deuxièmement, après le toucher, la vue. Il faut analyser les regards : « Avez-vous regardé des objets déshonnêtes ? Quels objets ? À quel dessein ? Ces regards étaient-ils accompagnés de plaisirs sensuels ? Ces plaisirs vous ont-ils porté jusqu'aux désirs ? Lesquels ? [63] » Et c'est dans le regard, dans le chapitre de la vue et du regard, qu'on analyse la lecture. La lecture, vous le voyez, peut devenir péché non pas directement par la pensée, mais d'abord par le rapport au corps. C'est en tant que plaisir de la vue, c'est en tant que concupiscence du regard, que la lecture peut devenir péché [64]. Troisièmement, la langue. Les plaisirs de la langue, ce sont ceux des discours déshonnêtes et des paroles sales. Les paroles sales font plaisir au corps ; les mauvais discours provoquent de la concupiscence ou sont provoqués par la concupiscence au niveau du corps. A-t-on prononcé ces « paroles sales », ces « discours déshonnêtes » sans y penser ? « Et sans [avoir] aucun sentiment déshonnête » ? « Étaient-ils, au contraire, accompagnés de mauvaises pensées ? Ces pensées étaient-elles accompagnées de mauvais désirs ? [65] » Et c'est dans ce chapitre de la langue qu'on condamne la lascivité des chansons [66]. Quatrième moment, c'est les oreilles. Problème du plaisir à entendre les paroles déshonnêtes, le discours graveleux [67]. D'une façon générale, on devra interroger et analyser tout l'extérieur du corps. A-t-on eu des « gestes lascifs » ? Ces gestes lascifs, les a-t-on eu seul ou avec d'autres ? Avec qui ? [68] S'est-on « habillé » d'une manière peu décente ? A-t-on pris du plaisir à cet habillement ? [69] A-t-on fait des « jeux » déshonnêtes ? [70] Est-ce que, au cours de la « danse », on a eu « des mouvements sensuels en prenant la main d'une personne [71], ou en voyant des postures ou des démarches efféminées » ? A-t-on éprouvé du plaisir « en entendant la voix, le chant, les airs [72] » ?

En gros, on peut dire qu'on assiste là à un recentrement général du péché de la chair autour du corps. Ce n'est plus la relation illégitime, c'est le corps lui-même qui doit faire le partage. C'est à partir de lui que la question se pose. Disons d'un mot : on assiste là à l'épinglage de la chair sur le corps. La chair, le péché de la chair, c'était avant tout l'infraction à la règle de l'union. Maintenant le péché de la chair habite à l'intérieur du corps lui-même. C'est en interrogeant le corps, c'est en interrogeant les différentes parties du corps, c'est en interrogeant les différentes instances sensibles du corps, que l'on va pouvoir traquer le péché de la chair. C'est le corps et tous les effets de plaisir qui y ont leur siège, c'est cela qui doit être maintenant le point de focalisation de l'examen de conscience quant au sixième commandement. Les différentes infractions aux lois relationnelles concernant les partenaires, la forme de l'acte, enfin toutes ces choses allant de la fornication à la bestialité, tout ceci ne sera plus désormais que le développement, en quelque sorte exagéré, de ce premier et fondamental degré du péché que constitue le rapport à soi et la sensualité du corps lui-même. Et alors on comprend, à partir de là, comment se fait un autre déplacement très important. C'est que, désormais, le problème essentiel ne sera plus la distinction qui préoccupait déjà les scolastiques : acte réel et pensée. Ça va être le problème : désir et plaisir.

Dans la tradition scolastique – puisque la confession n'était pas comme le for extérieur, l'examen des actes, c'était un for intérieur qui devait juger l'individu lui-même – on savait bien qu'il fallait juger non seulement les actes, mais les intentions, les pensées. Mais ce problème du rapport acte-pensée n'était, au fond, que le problème de l'intention et de la réalisation. À partir du moment, au contraire, où ce qui va être mis en question dans l'examen du sixième commandement, ce sera le corps lui-même et ses plaisirs, alors la distinction entre ce qui est simplement péché voulu, péché consenti et péché exécuté, est tout à fait insuffisante pour couvrir le champ que l'on s'est désormais donné. Tout un immense domaine accompagne cette mise au premier rang du corps, et se constitue ce qu'on pourrait appeler une sorte de physiologie morale de la chair, dont je voudrais vous donner un certain nombre de petits aperçus.

Dans un manuel de confession du diocèse de Strasbourg, en 1722, on demande que l'examen de conscience (et c'était une recommandation qu'on trouvait chez Habert, qu'on trouvait chez Charles Borromée) ne commence pas aux actes, mais aux pensées. Et là, suit un ordre qui est le suivant : « On doit aller des pensées simples aux pensées moroses, c'est-à-dire aux pensées sur lesquelles on s'attarde ; puis des pensées moroses aux désirs ; puis des désirs légers au consentement ; puis du consentement aux actes plus ou moins peccamineux, pour finalement arriver aux actes les plus criminels [73]. » Habert, dans son traité dont je vous ai parlé plusieurs fois, explique de la manière suivante le mécanisme de la concupiscence et, par conséquent, quel fil directeur on doit utiliser pour analyser la gravité d'un péché. Pour lui, la concupiscence commence avec une certaine émotion dans le corps, émotion purement mécanique qui est produite par Satan. Cette émotion dans le corps provoque ce qu'il appelle un « allèchement sensuel ». Cet allèchement induit un sentiment de douceur, qui est localisé dans la chair elle-même, sentiment de douceur et délectation sensible, ou encore chatouillement et inflammation. Ce chatouillement et inflammation réveille la ratiocination sur les plaisirs qu'on se met à examiner, à comparer les uns avec les autres, à balancer, etc. Cette ratiocination sur les plaisirs peut provoquer un plaisir nouveau, qui est le plaisir de la pensée elle-même. C'est la délectation de pensée. Cette délectation de pensée alors va présenter à la volonté les différentes délectations sensuelles, qui sont suscitées par l'émotion première du corps, comme des choses non pas peccamineuses, mais au contraire recevables et dignes d'être embrassées. Et comme la volonté est de soi-même une faculté aveugle, comme la volonté en elle-même ne peut pas savoir ce qui est bien et mal, elle se laisse persuader. Du coup, le consentement est donné, le consentement qui est la forme première du péché, qui n'est pas encore l'intention, qui n'est même pas encore le désir, mais qui, dans la plupart des cas, constitue le socle véniel sur lequel le péché va ensuite se développer. Et puis suit une immense déduction du péché lui-même sur laquelle je passe.

Vous voyez que toutes ces subtilités vont constituer maintenant l'espace à l'intérieur duquel l'examen de la conscience va se dérouler. Ce n'est plus la loi et l'infraction à la loi, ce n'est plus le vieux modèle juridique proposé par la pénitence tarifée d'autrefois qui va servir de fil directeur, mais toute cette dialectique de la délectation, de la morosité, du plaisir, du désir, qui sera simplifiée par la suite, à la fin du XVIIIe siècle, chez Alphonse de Liguori, qui donne la formulation générale et relativement simple que toute la pastorale du XIXe siècle suivra[74]. Chez Alphonse de Liguori, il n'y a plus que quatre moments : l'impulsion, qui est la première pensée d'exécuter le mal, puis le consentement (dont je vous ai donné, selon Habert, la genèse tout à l'heure), qui est suivi de la délectation, laquelle délectation est suivie soit du plaisir, soit de la complaisance[75]. La délectation, c'est en effet le plaisir du présent ; le désir, c'est la délectation quand elle regarde vers l'avenir ; la complaisance, c'est la délectation quand elle regarde vers le passé. En tout cas, le paysage sur lequel va se déployer maintenant l'opération même de l'examen de conscience et, par conséquent, l'opération de l'aveu et de la confession inhérente à la pénitence, ce paysage est entièrement nouveau. Certes, la loi est présente ; certes, l'interdiction liée à la loi est là ; certes, il s'agit bien de repérer les infractions ; mais toute l'opération d'examen porte maintenant sur cette espèce de corps de plaisir et de désir qui constitue désormais le véritable partenaire de l'opération et du sacrement de pénitence. Le renversement est total ou, si vous voulez, le renversement est radical : on est passé de la loi au corps lui-même.

Bien sûr, ce dispositif complexe n'est pas représentatif de ce qu'a été la pratique réelle, à la fois massive et étendue, de la confession depuis le XVIe ou le XVIIe siècle. On sait bien que, dans la pratique, la confession était cette espèce d'acte rituel, annuellement fait à peu près par l'extrême majorité des populations catholiques au XVIIe et dans la première moitié du XVIIIe siècle, et qui commence déjà à s'effriter dans la seconde moitié du XVIIIe siècle. Ces confessions annuelles, massives, assurées soit par les ordres mendiants ou prêcheurs, soit par les curés locaux, dans leur rusticité et leur rapidité, n'avaient évidemment rien à voir avec cet échafaudage complexe dont je vous ai parlé à l'instant.

Seulement, cet échafaudage, je crois qu'il serait faux d'y voir simplement un édifice théorique. Les recettes de la confession complexe et complète, dont je vous parlais, étaient en fait mises en œuvre à un certain niveau, et essentiellement au second degré. Ces recettes ont été effectivement mises en œuvre, quand il s'est agi de former non pas donc le fidèle moyen et populaire, mais les confesseurs eux-mêmes. Autrement dit, il y a eu toute une didactique de la pénitence et les règles, dont je vous ai donné le détail tout à l'heure, concernent justement la didactique pénitentielle. C'est dans les séminaires (ces institutions qui ont été imposées, à la fois inventées, définies et instituées, par le concile de Trente, et qui ont été comme les écoles normales du clergé) que cette pratique de la pénitence, telle que je vous l'ai exposée, s'est développée. Or, on peut dire ceci. C'est que les séminaires ont été le point de départ, et souvent le modèle, des grands établissements scolaires destinés à l'enseignement que nous appelons secondaire. Les grands collèges de jésuites et d'oratoriens étaient soit le prolongement, soit l'imitation de ces séminaires. De sorte que la technologie subtile de la confession n'a pas été, bien sûr, une pratique de masse, mais elle n'a pas été non plus une pure rêverie, une pure utopie. Elle a effectivement formé des élites. Et il suffit de voir de quelle façon massive tous les traités, par exemple des passions, qui ont été publiés au XVIIe siècle et au XVIIIe siècle, ont fait des emprunts à tout ce paysage de la pastorale chrétienne, pour comprendre que, finalement, l'extrême majorité des élites du XVIIe et du XVIIIe siècle avait une connaissance en profondeur de ces concepts, notions, méthodes d'analyse, grilles d'examen propres à la confession.

On a, en général, l'habitude de centrer l'histoire de la pénitence pendant la Contre-réforme, c'est-à-dire depuis le XVIe jusqu'au XVIIIe siècle, sur le problème de la casuistique [76]. Or, je ne crois pas que ce soit ça le point véritablement nouveau. La casuistique a sans doute été importante comme enjeu de lutte entre les différents ordres, les différents groupes sociaux et religieux. Mais, en elle-même, la casuistique n'était pas une nouveauté. La casuistique s'inscrit dans une très vieille tradition, qui est celle du vieux juridisme de la pénitence : la pénitence comme sanction des infractions, la pénitence comme analyse des circonstances particulières dans lesquelles une infraction a été commise. Au fond, la casuistique s'enracine déjà dans la pénitence tarifée. Ce qu'il y a de nouveau, au contraire, à partir de la pastorale tridentine et du XVIe siècle, c'est cette technologie de l'âme et du corps, de l'âme dans le corps, du corps porteur de plaisir et de désir. C'est cette technologie, avec tous ses procédés pour analyser, reconnaître, guider et transformer, c'est cela qui constitue, je crois, l'essentiel de la nouveauté de cette pastorale. Il y a eu, à partir de ce moment-là, formation ou élaboration de toute une série d'objets nouveaux, qui sont à la fois de l'ordre de l'âme et du corps, formes de plaisir, modalités de plaisir. C'est ainsi qu'on passe du vieux thème que le corps était à l'origine de tous les péchés, à cette idée qu'il y a de la concupiscence dans toutes les fautes. Et cette affirmation n'est pas simplement une affirmation abstraite, elle n'est pas simplement un postulat théorique : c'est l'exigence nécessaire à cette technique d'intervention et à ce mode d'exercice nouveau du pouvoir. Il y a eu, à partir du XVIe siècle, autour de ces procédures de l'aveu pénitentiel, une identification du corps et de la chair, si vous voulez une incarnation du corps et une incorporation de la chair, qui font apparaître, au point de jonction de l'âme et du corps, le jeu premier du désir et du plaisir dans l'espace du corps et à la racine même de la conscience. Ce qui veut dire concrètement que la masturbation va être la forme première de la sexualité avouable, je veux dire de la sexualité à avouer. Le discours d'aveu, le discours de honte, de contrôle, de correction de la sexualité, commence essentiellement à la masturbation. Plus concrètement encore, cet immense appareil technique de la pénitence n'a guère pris effet, c'est vrai, que dans les séminaires et dans les collèges, c'est-à-dire dans ces lieux où la seule forme de sexualité qui était à contrôler, c'était bien entendu la masturbation.

On a un processus circulaire qui est très typique de ces technologies de savoir et de pouvoir. Les quadrillages plus fins de la nouvelle christianisation, celle qui commence au XVIe siècle, ont amené des institutions de pouvoir et des spécialisations de savoir, qui ont pris forme dans les séminaires, dans les collèges ; bref, dans des institutions où se découpe, d'une manière privilégiée, non plus la relation sexuelle entre les individus, non pas les relations sexuelles légitimes et illégitimes, mais le corps solitaire et désirant. L'adolescent masturbateur, c'est lui qui maintenant va être la figure non encore scandaleuse, mais déjà inquiétante, qui hante et qui va hanter de plus en plus, par le biais de ces séminaires et de ces collèges se répandant et se multipliant, la direction de conscience et l'aveu du péché. Tous les nouveaux procédés et règles de l'aveu développés depuis le concile de Trente – cette espèce de gigantesque intériorisation, dans le discours pénitentiel, de la vie tout entière des individus – sont en fait secrètement focalisés autour du corps et de la masturbation.

Je terminerai en disant ceci. À la même époque, c'est-à-dire au XVIe-XVIIe siècle, on voit croître à l'armée, dans les collèges, dans les ateliers, dans les écoles, tout un dressage du corps, qui est le dressage du corps utile. On met au point de nouveaux procédés de surveillance, de contrôle, de distribution dans l'espace, de notation, etc. On a tout un investissement du corps par des mécaniques de pouvoir qui cherchent à le rendre à la fois docile et utile. On a une nouvelle anatomie politique du corps. Eh bien, si on regarde non plus donc l'armée, les ateliers, les écoles primaires, etc., mais ces techniques de la pénitence, ce qui se pratiquait dans les séminaires et dans les collèges qui en dérivaient, on voit apparaître un investissement du corps qui n'est pas l'investissement du corps utile, non pas un investissement qui se ferait sur le registre des aptitudes, mais qui se fait au niveau du désir et de la décence. On a, en face de l'anatomie politique du corps, une physiologie morale de la chair[77].

Ce que je voudrais vous montrer la prochaine fois, c'est deux choses : comment cette physiologie morale de la chair, ou du corps incarné, ou de la chair incorporée, est venue rejoindre les problèmes de la discipline du corps utile, à la fin du XVIIIᵉ siècle ; comment s'est constituée ce qu'on pourrait appeler une médecine pédagogique de la masturbation et comment cette médecine pédagogique de la masturbation a reconduit ce problème du désir jusqu'au problème de l'instinct, ce problème de l'instinct qui est précisément la pièce centrale dans l'organisation de l'anomalie. C'est donc cette masturbation découpée ainsi dans l'aveu pénitentiel au XVIIᵉ siècle, cette masturbation devenant problème pédagogique et médical, qui va ramener la sexualité dans le champ de l'anomalie.

*

NOTES

1. Sur la théorie de l'hérédité, cf. P. Lucas, *Traité philosophique et physiologique de l'hérédité naturelle dans les états de santé et de maladie du système nerveux, avec l'application méthodique de lois de la procréation au traitement général des affections dont elle est le principe*, I-II, Paris, 1847-1850 ; sur la théorie de la « dégénérescence », cf. *supra*, leçon du 5 février.
2. Le cas de Roch-François Ferré, avec les expertises de A. Brierre de Boismont, G.-M.-A. Ferrus et A.-L. Foville, est exposé dans *Annales médico-psychologiques*, 1843, I, p. 289-299.

3. C.-F. Michéa, « Des déviations maladives de l'appétit vénérien », *L'Union médicale*, III/85, 17 juillet 1849, p. 338c-339c.

4. J.-G.-F. Baillarger, « Cas remarquable de maladie mentale. Observation recueillie au dépôt provisoire des aliénés de l'Hôtel-Dieu de Troyes, par le docteur Bédor », *Annales médico-psychologiques*, 1858, IV, p. 132-137.

5. On peut lire la version définitive de « Aberrations du sens génésique » in P. Moreau de Tours, *Des aberrations du sens génésique*, Paris, 1883[3] (1re éd. 1880).

6. R. Krafft-Ebing, *Psychopathia sexualis. Eine klinische-forensische Studie*, Stuttgart, 1886. C'est dans la seconde édition (*Psychopathia sexualis, mit besonderer Berücksichtigung der conträren Sexualempfindung*, Stuttgart, 1887) que se trouve développée l'étude de la « sensibilité sexuelle contraire ». La première traduction française est conforme à la huitième édition allemande : *Étude médico-légale. Psychopathia sexualis, avec recherches spéciales sur l'inversion sexuelle*, Paris, 1895. L'édition française actuellement en circulation reproduit le remaniement de A. Moll (1923) : *Psychopathia sexualis. Étude médico-légale à l'usage des médecins et des juristes*, Paris, 1950.

7. J.C. Westphal, « Die conträre Sexualempfindung, Symptome eines nevropathischen (psychopathischen) Zustand », *Archiv für Psychiatrie und Nervenkrankheiten*, II, 1870, p. 73-108. Cf. V. Magnan, *Des anomalies, des aberrations et des perversions sexuelles*, Paris, 1885, p. 14 : « Le penchant peut [...] se rattacher à une profonde anomalie et avoir pour objectif le même sexe. C'est ce que Westphal appelle *sens sexuel contraire* et ce qu'avec Charcot nous avons désigné du nom d'*inversion du sens génital* » [souligné dans le texte]. Sur le débat en France, voir J.-M. Charcot & V. Magnan, « Inversion du sens génital », *Archives de neurologie*, III, 1882, p. 53-60 ; IV, 1882, p. 296-322 ; V. Magnan, « Des anomalies, des aberrations et des perversions sexuelles », *Annales médico-psychologiques*, 1885, I, p. 447-472.

8. On peut suivre le débat en France à partir du recueil de P. Garnier, *Les Fétichistes : pervertis et invertis sexuels. Observations médico-légales*, Paris, 1896. Il s'agit d'une sorte de réponse à la publication de A. Moll, *La Perversion de l'instinct génital*, Paris, 1893 (éd. orig. : *Die conträre Sexualempfindung*, Berlin, 1891).

9. M. Foucault développe cette thèse dans *La Volonté de savoir, op. cit.*, p. 25-49 (chap. II : « L'incitation aux discours », § 1 : « L'hypothèse répressive »).

10. Cf. *ibid.*, p. 9.

11. M. Foucault s'appuie essentiellement, dans ce cours, sur l'ouvrage, en trois volumes, de H.Ch. Lea, *A History of Auricular Confession and Indulgences in the Latin Church*, Philadelphia, 1896.

12. Voir le cours au Collège de France, déjà cité, *Théories et Institutions pénales*.

13. F. Albinus seu Alcuinus, *Opera omnia*, I (*Patrologiae cursus completus*, series secunda, tomus 100), Lutetiae Parisiorum, 1851, col. 337.

14. *Ibid.*, col. 338-339 : « Erubescis homini in salutem tuam ostendere, quod non erubescis cum homine in perditionem tuam perpetrare ? [...] Quae sunt nostrae victimae pro peccatis, a nobis commissis, nisi confessio peccatorum nostrorum ? Quam pure deo per sacerdotem offerre debemus ; quatenus orationibus illius, nostrae confessionis oblatio deo acceptabilis fiat, et remissionem ab eo accipiamus, cui est sacrificium spiritus contribulatus, et cor contritum et humiliatum non spernit. »

15. *Ibid.*, col. 337 : « Dicitur vero neminem vero ex laicis suam velle confessionem sacerdotibus dare, quos a deo Christo cum sanctis apostolis ligandi solvendique potestatem accepisse credimus. Quid solvit sacerdotalis potestas, si vincula non considerat

ligati ? Cessabunt opera medici, si vulnera non ostendunt aegroti. Si vulnera corporis carnalis medici manus expectant, quanto magis vulnera animae spiritualis medici solatia deposcunt ? »

16. Sur la législation canonique de 1215, cf. R. Foreville, *Latran I, II, III et Latran IV*, Paris, 1965, p. 287-306 (VIᵉ volume de la série *Histoire des conciles œcuméniques*, publiée sous la direction de G. Dumeige), où on trouvera aussi, en extrait, la traduction française du décret conciliaire du 30 novembre 1215, *De la confession, du secret de la confession, de l'obligation de la communion pascale*, p. 357-358 (voir en particulier : « Tout fidèle de l'un ou l'autre sexe parvenu à l'âge de discrétion, doit lui-même confesser loyalement tous ses péchés au moins une fois l'an à son curé, accomplir avec soin, dans la mesure de ses moyens la pénitence à lui imposée, recevoir avec respect, pour le moins à Pâques, le sacrement de l'eucharistie, sauf si, du conseil de son curé, pour raison valable, il juge devoir s'en abstenir temporairement. Sinon, qu'il soit interdit *ab ingressu ecclesiae* de son vivant, et privé de la sépulture chrétienne après sa mort. Ce décret salutaire sera fréquemment publié dans les églises ; de sorte que nul ne puisse couvrir son aveuglement du voile de l'ignorance »). Cf. l'original latin in *Conciliorum oecumenicorum decreta*, Friburgi in Brisgau, 1962, p. 206-243.

17. Gratianus, *Decretum, emendatum et variis electionibus simul et notationibus illustratum, Gregorii XIII pontificis maximi iussu editum*, Paris, 1855, p. 1519-1656 (*Patrologia latina*, tomus 187). Le décret a été promulgué en 1130.

18. Voir en particulier J. Delumeau, *Le Catholicisme entre Luther et Voltaire*, Paris, 1971, p. 256-292 (« Christianisation »), 293-330 (« Déchristianisation ? »).

19. La pastorale de la confession est établie au cours de la session XIV (25 novembre 1551), dont les actes sont publiés in *Canones et decreta concilii tridentini*, edidit Æ.L. Richter, Lipsiae, 1853, p. 75-81 (*repetitio* de l'édition publiée à Rome en 1834).

20. C. Borromeus, *Pastorum instructiones ad concionandum, confessionisque et eucharistiae sacramenta ministrandum utilissimae*, Antverpiae, 1586.

21. Une grande attention dans la préparation du clergé au sacrement de la pénitence est requise par la session XXIII *(De reformatione)* du concile de Trente : « Sacramentorum tradendorum, maxime quae ad confessiones audiendas videbuntur opportuna, et rituum ac caeremoniarum formas ediscent » (*Canones et decreta…, op. cit.*, p. 209).

22. L. Habert, *Pratique du sacrement de pénitence ou méthode pour l'administrer utilement*, Paris, 1748, en particulier, pour la description des vertus du confesseur : p. 2-9, 40-87 (mais tout le traité premier est consacré à ses qualités : p. 1-184). Sur le rigorisme de Habert et ses conséquences sur l'histoire religieuse française entre la fin du XVIIᵉ et le début du XVIIIᵉ siècle, voir la notice biographique de A. Humbert, in *Dictionnaire de théologie catholique*, VI, Paris, 1920, col. 2013-2016.

23. L. Habert, *Pratique du sacrement de pénitence…, op. cit.*, p. 40-41.

24. *Ibid.*, p. 12.

25. La restriction n'est pas de Habert, qui écrit *(loc. cit.)* : « Encore que l'effet des sacrements ne dépende point de la sainteté du ministre, mais des mérites de Jésus-Christ, néanmoins c'est une grande indignité et un horrible sacrilège, que celui qui a rejeté la grâce, entreprenne de la donner aux autres. »

26. *Ibid.*, p. 13 : « Il doit être bien affermi dans la pratique de la vertu, à cause des grandes tentations, auxquelles ce ministère l'expose. Car le mauvais air de la chambre

d'un malade ne fait pas plus d'impression sur le corps que le récit de certains péchés [n']en fait sur l'esprit. Si donc il n'y a que ceux qui sont d'une bonne constitution qui puissent traiter les malades, panser leurs plaies, et demeurer auprès d'eux, sans que leur santé en soit incommodée, il faut nécessairement reconnaître que ceux-là seuls peuvent, sans danger de leur salut, gouverner les consciences gangrenées, qui ont eu soin de se fortifier dans la vertu par une longue pratique des bonnes œuvres. »

27. *Ibid.*, p. 14 : « Mais, de tous les péchés, il n'y en a pas de plus contagieux, ni qui se communique plus aisément, que celui qui est contraire à la chasteté. »

28. *Loc. cit.* : « La sainteté nécessaire à un confesseur doit lui donner une sainte horreur de tous les péchés véniels […]. Et quoiqu'elles [les fautes vénielles] n'éteignent pas la charité habituelle, elles font cependant comme la cendre qui couvre le feu et qui l'empêche d'éclairer et d'échauffer la chambre où il est conservé. »

29. *Ibid.*, p. 16-40. La deuxième partie du chapitre ii développe les trois points suivants, synthétisés par M. Foucault : (1) « l'aveuglement d'un homme qui n'a pas soin d'éviter les péchés véniels » ; (2) « son insensibilité à l'égard de ceux qui y sont habitués » ; (3) « l'inutilité des soins qu'il pourrait prendre pour les en délivrer ».

30. *Ibid.*, p. 88 : « Comme juge il doit savoir ce qu'il est permis ou défendu à ceux qui se présentent à son tribunal. Mais comment le pourra-t-il connaître, sinon par la loi ? Mais quelles personnes et dans quelles matières doit-il juger ? Toutes sortes de personnes et sur toutes sortes de matières, puisque tous les fidèles, de quelque condition qu'ils soient, sont obligés de se confesser. Il faut donc qu'il sache quel est le devoir d'un chacun, les lois divines et humaines, ecclésiastiques et civiles, ce qu'elles permettent et ce qu'elles défendent en chaque profession. Car un juge ne prononcerait qu'au hasard et s'exposerait à des grandes injustices si, sans savoir la loi, il condamnait les uns et justifiait les autres. La loi est la balance nécessaire où il faut que le confesseur examine les actions et les omissions de ses pénitents : la règle et la mesure sans laquelle il ne peut juger s'ils ont rempli ou négligé leurs devoirs. Que de lumières lui sont donc nécessaires en qualité de juge. »

31. *Ibid.*, p. 88-89 : « Comme médecin il doit connaître les maladies spirituelles, leurs causes et leurs remèdes. Ces maladies sont les péchés, dont il doit savoir : la nature […], le nombre […], la différence… » Connaître la nature du péché veut dire distinguer « les circonstances qui changent l'espèce ; celles qui, sans changer l'espèce, diminuent ou augmentent notablement la nature du péché ». Connaître le nombre veut dire savoir « quand plusieurs actions ou paroles ou pensées réitérées ne sont moralement qu'un péché, ou quand elles le multiplient, et qu'on est obligé d'en exprimer le nombre dans la confession ». Connaître la différence permet de séparer un péché de l'imperfection : « Car le péché seul est la matière du sacrement de la pénitence et on ne peut pas donner l'absolution à ceux qui ne s'accusent que de simples imperfections comme il arrive quelquefois aux personnes dévotes. »

32. *Ibid.*, p. 89 : « Le confesseur est le juge, le médecin, et le guide des pénitents. »

33. *Loc. cit.* : « Le confesseur est obligé, comme guide, de régler la conscience de ses pénitents, de les rappeler de leurs erreurs et de leurs égarements ; et de leur faire éviter les écueils qui se rencontrent dans chaque profession, qui est comme le chemin par lequel il doit les conduire à la béatitude éternelle. »

34. *Ibid.*, p. 101 : « La prudence n'exclut pas la science, mais elle la suppose nécessairement ; elle ne supplée point au défaut de l'étude, mais elle demande de plus une grande pureté de cœur et droiture d'intention ; beaucoup de force et d'étendue d'esprit

pour observer toutes les circonstances, les comparer les unes avec les autres ; découvrir, par ce qui paraît, ce qui est caché ; et prévoir ce qui peut arriver par ce qui est déjà présent. »

35. Ch. Boromée, *Instructions aux confesseurs de sa ville et de son diocèse. Ensemble : la manière d'administrer le sacrement de pénitence, avec les canons pénitentiaux, suivant l'ordre du Décalogue. Et l'ordonnance du même saint sur l'obligation des paroissieurs d'assister à leurs paroisses,* Paris, 1665[4], p. 8-9 (1re éd. Paris, 1648). Les instructions ont été « imprimé[e]s par le commandement de l'assemblée du clergé de France à Vitré ».

36. *Ibid.,* p. 12 : « Il faut que les confessionaux soient placés en un lieu de l'église si découvert, qu'ils puissent être vus de toutes parts, et il serait aussi très bon qu'avec cela ils fussent en un lieu où ils pussent avoir quelque défense qui empêchât que, durant que quelqu'un se confesse, les autres ne s'en approchent de trop près. »

37. Nous n'avons pas pu retrouver cette information donnée par M. Foucault.

38. H.Ch. Lea, *A History of Auricular Confession…, op. cit.,* I, p. 395 : « The first allusion I have met to this contrivance is in the council of Valencia in 1565, where it is ordered to be erected in churches for the hearing of confession, especially of women. » Cette même année, Ch. Borromée prescrit « to use of a rudimentary form of confessional – a set with a partition *(tabella)* to separate the priest from the penitent ».

39. Ch. Boromée, *Instructions aux confesseurs…, op. cit.,* p. 21-22.

40. *Ibid.,* p. 24 : « Au commencement […] le confesseur doit faire quelques interrogations pour se savoir mieux conduire dans la suite de la confession. »

41. *Ibid.,* p. 21-22, 24-25.

42. *Ibid.,* p. 24-25 (« Demandes qu'on doit faire au commencement de la confession »).

43. *Ibid.,* p. 19. Mais « on doit observer la même chose à l'endroit des hommes » (p. 20).

44. C. Borromeus, *Acta ecclesiae mediolanensis,* Mediolani, 1583 (l'in-folio en latin pour la France a été publié à Paris, en 1643). Cf. Ch. Boromée, *Instructions aux confesseurs…, op. cit.* ; *Règlements pour l'instruction du clergé, tirés des constitutions et décrets synodaux de saint Charles Borromée,* Paris, 1663.

45. Ch. Boromée, *Instructions aux confesseurs…, op. cit.,* p. 25-26.

46. *Ibid.,* p. 30.

47. *Ibid.,* p. 32-33 : « Il faut qu'il procède dans ces interrogations avec ordre, commençant par les commandements de Dieu, auxquels, quoique tous les chefs dont on doit interroger se puissent réduire, néanmoins ayant à traiter avec des personnes qui fréquentent rarement ce sacrement, il sera bon de parcourir les sept péchés capitaux, les cinq sens de l'homme, les commandements de l'église et les œuvres de miséricorde. »

48. La liste des vertus manque dans l'édition que nous avons utilisée.

49. Ch. Boromée, *Instructions aux confesseurs…, op. cit.,* p. 56-57.

50. *Ibid.,* p. 52-62, 65-71 ; L. Habert, *Pratique du sacrement de pénitence…, op. cit.,* p. 403 (troisième règle). Cf. *Canones et decreta…, op. cit.,* p. 80-81 (session XIV, chap. VIII : « De satisfationis necessitate et fructu »).

51. L. Habert, *op. cit.,* p. 401 (deuxième règle).

52. *Ibid.,* p. 411 (quatrième règle).

53. M. Foucault résume ici ce que dit F. Vialart, *Règlements faits pour la direction spirituelle du séminaire […] établi dans la ville de Châlons afin d'éprouver et de préparer ceux de son diocèse qui se présentent pour être admis aux saints ordres,* Châlons,

1664[2], p. 133 : « Ils doivent tous avoir une grande ouverture de cœur en traitant avec leur confesseur et prendre en lui une pleine confiance s'ils veulent profiter de sa conduite. C'est pourquoi ils ne se contenteront pas de se découvrir à lui franchement dans la confession, mais ils le verront volontiers et le consulteront dans toutes leurs difficultés, peines et tentations » ; p. 140-141 : « Afin qu'ils tirent plus de profit, ils prendront une parfaite confiance au directeur, et lui rendront compte de leurs exercices, avec simplicité et docilité d'esprit. Le moyen de faire l'un et l'autre est de considérer le directeur comme un ange visible, que Dieu leur envoie pour les mener au ciel, s'ils écoutent sa voix et suivent ses conseils ; et de se persuader que sans cette confiance et cette ouverture de cœur, la retraite est plutôt un amusement de l'esprit pour tromper soi-même, qu'un exercice de piété et de dévotion pour travailler solidement à son salut, et pour se donner à Dieu, et s'avancer dans la vertu et la perfection de son état. S'ils sentent de la répugnance à se communiquer à lui, ils seront d'autant plus courageux et plus fidèles à combattre cette tentation, qu'il y aura plus de mérite pour eux à la vaincre, et qu'elle serait capable d'empêcher tout le fruit de leur retraite, s'ils en voient à l'écouter. »

54. M. Foucault se réfère en général à J.-J. Olier, *L'Esprit d'un directeur des âmes*, in *Œuvres complètes,* Paris, 1856, col. 1183-1240.

55. M. Beuvelet, *Méditations sur les principales vérités chrétiennes et ecclésiastiques pour tous les dimanches, fêtes et autres jours de l'année,* I, Paris, 1664, p. 209. Le passage cité par M. Foucault se trouve dans la LXXIe méditation, qui porte le titre : « Quatrième moyen pour faire progrès en la vertu. De la nécessité d'un directeur ».

56. L. Habert, *Pratique du sacrement de pénitence..., op. cit.*, p. 288-290.

57. P. Milhard, *La Grande Guide des curés, vicaires et confesseurs,* Lyon, 1617. La première édition, connue sous le titre de *Le Vrai Guide des curés,* est de 1604. Rendue obligatoire par l'archevêque de Bordeaux dans sa juridiction, elle fut retirée de la circulation en 1619, à la suite de la condamnation de la Sorbonne.

58. P. Milhard, *La Grande Guide..., op. cit.*, p. 366-373.

59. L. Habert, *Pratique du sacrement de pénitence..., op. cit.*, p. 293-294.

60. *Ibid.,* p. 294-300.

61. *Ibid.,* p. 294.

62. E.B. de Condillac, *Traité des sensations,* Paris, 1754, I, 1,2 : « Si nous lui présentons une rose, elle sera par rapport à nous une statue qui sent une rose ; mais par rapport à elle, elle ne sera que l'odeur même de cette fleur. Elle sera donc odeur de rose, d'œillet, de jasmin, de violette, suivant les objets qui agiront sur son organe. »

63. L. Habert, *Pratique du sacrement de pénitence..., op. cit.*, p. 295.

64. *Ibid.,* p. 296.

65. *Loc. cit.*

66. *Ibid.,* p. 297.

67. *Loc. cit.* : « Outre les entretiens, où on dit et où on entend des paroles déshonnêtes, on peut encore pécher en entendant des discours auxquels on ne contribue point. C'est pour expliquer ces sortes de péchés que se font les demandes suivantes : car pour ce qui regarde les premiers, ils ont été suffisamment éclaircis dans l'article précédent. »

68. *Ibid.,* p. 297-298 : « N'avez vous point fait des gestes lascifs ? À quel dessein ? Combien de fois ? Y avait-il des personnes présentes ? Quelles ? Et combien de personnes ? Combien de fois ? »

69. *Ibid.,* p. 298 : « Ne vous êtes-vous point habillé pour plaire ? À qui ? À quel dessein ? Combien de fois ? Y avait-il quelque chose de lascif dans vos habits, ayant, par exemple, le sein découvert ? »

70. *Loc. cit.* (M. Foucault a éliminé, à la fin de la phrase, « avec des personnes de différent sexe »).

71. *Ibid.*, p. 297 (M. Foucault a éliminé « de différent sexe »).

72. *Ibid.*, p. 297-298.

73. Nous n'avons pas pu consulter le chapitre II, § 3, des *Monita generalia de officiis confessarii olim ad usum diocesis argentinensis,* Argentinae, 1722. Le passage cité par M. Foucault (« sensim a cogitationibus simplicibus ad morosas, a morosis ad desideria, a desideriis levibus ad consensum, a consensu ad actus minus peccaminosos, et si illos fatentur ad magis criminosos ascendendo ») est tiré de H.Ch. Lea, *A History of Auricular Confession...*, *op. cit.*, I, p. 377.

74. A. de Liguori, *Praxis confessarii ou Conduite du confesseur,* Lyon, 1854 ; A.-M. de Liguory, *Le Conservateur des jeunes gens ou Remède contre les tentations déshonnêtes,* Clermont-Ferrand, 1835.

75. A. de Ligorius, *Homo apostolicus instructus in sua vocatione ad audiendas confessiones sive praxis et instructio confessariorum,* I, Bassani, 1782⁵, p. 41-43 (traité 3, chap. II, § 2 : « De peccatis in particulari, de desiderio, compiacentia et delectatione morosa »). Cf. A. de Liguori, *Praxis confessarii...*, *op. cit.*, p. 72-73 (art. 39) ; A.-M. de Liguory, *Le Conservateur des jeunes gens...*, *op. cit.*, p. 5-14.

76. M. Foucault se réfère sans doute ici aux développements du chapitre II (« Probabilism and casuistry ») de H.Ch. Lea, *A History of Auricular Confession...*, *op. cit.*, II, p. 284-411.

77. Voir le cours, déjà cité, *La Société punitive* (14 et 21 mars 1973), et M. Foucault, *Surveiller et Punir, op. cit.*, p. 137-171.

COURS DU 26 FÉVRIER 1975

Une nouvelle procédure d'examen : disqualification du corps comme chair et culpabilisation du corps par la chair. – La direction de conscience, le développement du mysticisme catholique et le phénomène de la possession. – Distinction entre possession et sorcellerie. – La possession de Loudun. – La convulsion comme forme plastique et visible du combat dans le corps de la possédée. – Le problème des possédé(e)s et de leurs convulsions n'est pas inscrit dans l'histoire de la maladie. – Les anti-convulsifs : modulation stylistique de la confession et de la direction de conscience ; appel à la médecine ; recours aux systèmes disciplinaires et éducatifs du XVIIᵉ siècle. – La convulsion comme modèle neurologique de la maladie mentale.

La dernière fois, j'avais essayé de vous montrer comment – au cœur des pratiques pénitentielles et au cœur de cette technique de la direction de conscience qu'on voit, sinon tout à fait se former, du moins se développer à partir du XVIᵉ siècle – apparaît le corps de désir et de plaisir. En un mot, on peut dire ceci : à la direction spirituelle va répondre le trouble charnel, le trouble charnel comme domaine discursif, comme champ d'intervention, comme objet de connaissance pour cette direction. Du corps, de cette matérialité corporelle à laquelle la théologie et la pratique pénitentielle du Moyen Âge référaient simplement l'origine du péché, commence à se détacher ce domaine à la fois complexe et flottant de la chair, un domaine à la fois d'exercice du pouvoir et d'objectivation. Il s'agit d'un corps qui est traversé par toute une série de mécanismes appelés « allèchements », « titillations », etc. ; un corps qui est le siège des intensités multiples de plaisir et délectation ; un corps qui est animé, soutenu, contenu éventuellement, par une volonté qui consent ou ne consent pas, qui se complaît ou refuse de se complaire. Bref : le corps sensible et complexe de la concupiscence. C'est ça, je crois, qui est le corrélatif de cette nouvelle technique de pouvoir. Et justement, ce que je voulais vous montrer, c'était que cette qualification du corps comme chair, qui est en même temps une disqualification du corps comme chair ; cette culpabilisation du corps par la chair, qui est en même temps une possibilité de discours et d'investigation analytique du corps ; cette assignation, à la fois, de la faute dans le corps et de la possibilité d'objectiver ce corps comme chair – tout ceci est corrélatif de ce qu'on peut appeler une nouvelle procédure d'examen.

Cet examen, j'ai essayé de vous montrer qu'il obéissait à deux règles. D'une part, il doit être autant que possible coextensif à la totalité de l'existence : que ce soit celui auquel on procède dans le confessionnal, que [ce soit] celui auquel on procède avec son directeur de conscience – il s'agit de toute façon de faire passer au filtre de l'examen, de l'analyse et du discours la totalité de l'existence. Tout ce qu'on a dit, tout ce qu'on a fait, doit passer à travers ce quadrillage discursif. D'autre part, cet examen est pris dans un rapport d'autorité, un rapport de pouvoir, qui est à la fois très strict et très exclusif. Il faut tout dire au directeur, c'est vrai, ou tout dire au confesseur, mais il faut ne le dire qu'à lui. L'examen qui caractérise donc ces nouvelles techniques de la direction spirituelle obéit aux règles d'exhaustivité d'une part, et d'exclusivité de l'autre. De sorte qu'on en arrive à ceci. Depuis son apparition comme objet d'un discours analytique infini et d'une surveillance constante, la chair est liée, à la fois, à la mise en place d'une procédure d'examen complet et à la mise en place d'une règle de silence connexe. Il faut tout dire, mais il ne faut dire qu'ici et à lui. Il ne faut le dire que dans le confessionnal, à l'intérieur de l'acte de pénitence, ou à l'intérieur de la procédure de direction de conscience. Ne parler donc qu'ici et à lui, ce n'est pas, bien sûr, une règle fondamentale et originaire de silence à laquelle viendrait se superposer, dans certains cas, à titre de correctif, la nécessité d'un aveu. On a en fait cette pièce complexe (dont je vous avais parlé la dernière fois), où le silence, la règle du silence, la règle du non-dire, est corrélative d'un autre mécanisme, qui est le mécanisme de l'énonciation : Il faut que tu énonces tout, mais tu ne dois l'énoncer que dans certaines conditions, à l'intérieur d'un certain rituel et auprès d'une certaine personne bien déterminée. Autrement dit, on n'entre pas dans un âge où la chair doit être enfin réduite au silence, mais dans un âge où la chair apparaît comme corrélative d'un système, d'un mécanisme de pouvoir qui comporte une discursivité exhaustive et un silence environnant aménagé autour de cet aveu obligatoire et permanent. Le pouvoir qui s'exerce dans la direction spirituelle ne pose donc pas le silence, le non-dire, comme règle fondamentale ; il le pose simplement comme adjuvant nécessaire ou condition de fonctionnement de la règle, tout à fait positive, de l'énonciation. La chair est ce qu'on nomme, la chair est ce dont on parle, la chair est ce qu'on dit. La sexualité est essentiellement, au XVIIe siècle (et elle le sera encore au XVIIIe et au XIXe siècle), non pas ce qu'on fait, mais ce qu'on avoue : c'est pour pouvoir l'avouer dans de bonnes conditions que l'on doit, de plus, la taire dans toutes les autres.

C'est cette espèce d'appareil de l'aveu-silence dont j'avais essayé, la dernière fois, de vous restituer à peu près l'histoire. Il est bien entendu que cet appareil, cette technique de la direction spirituelle qui fait donc apparaître la chair comme son objet ou comme l'objet d'un discours exclusif, n'a pas concerné la totalité de la population chrétienne. Cet appareil de contrôle difficile et subtil, ce corps de désir et de plaisir qui naît en corrélation avec lui, tout ceci ne concerne évidemment qu'une mince couche dans la population, celle qui a pu être atteinte par ces formes complexes et subtiles de christianisation : les couches les plus hautes de la population, les séminaires, les couvents. Il est évident que, dans cet immense brassage de la pénitence annuelle que la plupart des populations urbaines ou rurales pratiquaient au XVIIe et au XVIIIe siècle (la confession pour la communion pascale), on ne retrouve presque rien de ces mécanismes relativement subtils. Cependant, je crois qu'ils ont une importance pour au moins deux raisons. Sur la première je passerai vite ; sur la seconde, en revanche, je m'attarderai.

La première : c'est à partir sans doute de cette technique que s'est développé (à partir de la seconde moitié du XVIe, et en France surtout à partir du XVIIe siècle) le mysticisme catholique, dans lequel le thème de la chair a une si grande importance. Prenez, en France, tout ce qui s'est passé, tout ce qui a été dit entre le père Surin et Madame Guyon[1]. Il est certain que ces thèmes, ces objets nouveaux, cette nouvelle forme de discours, étaient liés aux techniques nouvelles de la direction spirituelle. Mais je crois que, d'une façon plus large – sinon plus large, au moins plus profonde , ce corps de désir, ce corps de la concupiscence, on le voit apparaître dans certaines couches de population, qui seraient plus étendues ou, en tout cas, qui mettraient en œuvre un certain nombre de processus plus profonds que le discours du mysticisme un peu sophistiqué de Madame Guyon. Je veux parler de ce qu'on pourrait désigner comme le front de la christianisation en profondeur.

Au sommet, l'appareil de direction de conscience fait donc apparaître ces formes de mysticisme dont je vous ai parlé à l'instant. Et puis, en bas, il a fait apparaître un autre phénomène, qui est lié au premier, qui lui répond, qui trouve en lui toute une série de mécanismes d'appui,

mais qui va avoir finalement une tout autre destinée : ce phénomène
est la possession. Je crois que la possession, comme phénomène très
typique de cette mise en place d'un nouvel appareil de contrôle et de
pouvoir dans l'Église, doit être mise en vis-à-vis de la sorcellerie, dont
elle se distingue assez radicalement. Bien sûr, la sorcellerie du xve et du
xvie siècle et la possession du xvie et du xviie siècle apparaissent dans
une sorte de continuité historique. On peut dire que la sorcellerie, ou les
grandes épidémies de sorcellerie qu'on voit se développer depuis le xv^e
jusqu'au tout début du xviie siècle, et puis les grandes vagues de possession qui se développent depuis la fin du xvie jusqu'au début du
xviiie siècle, sont les unes et les autres à replacer parmi les effets généraux de cette grande christianisation dont je vous parlais. Mais ce sont
deux séries d'effets tout à fait différents et qui reposent sur des mécanismes bien distincts.

La sorcellerie (en tout cas, c'est ce que disent les historiens qui
actuellement s'occupent de ce problème) traduirait la lutte que la nouvelle vague de christianisation inaugurée à la fin du xve-début du
xvie siècle a organisée autour et contre un certain nombre de formes
cultuelles que les premières et très lentes vagues de christianisation du
Moyen Âge avaient laissées, sinon tout à fait intactes, du moins encore
vivaces, et ceci depuis l'Antiquité. La sorcellerie serait vraisemblablement une sorte de phénomène périphérique. Là où la christianisation
n'avait pas encore mordu, là où les formes de culte avaient persisté
depuis des siècles, des millénaires peut-être, la christianisation du
xve-xvie siècle rencontre un obstacle, essaye d'investir ces obstacles,
propose à ces obstacles une forme à la fois de manifestation et de résistance. C'est la sorcellerie qui va être alors codée, reprise, jugée, répri-
mée, brûlée, détruite, par les mécanismes de l'Inquisition. La
sorcellerie est donc bien en effet prise à l'intérieur de ce processus de
christianisation, mais c'est un phénomène qui se situe aux frontières
extérieures de la christianisation. Phénomène périphérique, par conséquent plus campagnard qu'urbain ; phénomène que l'on trouve aussi
dans les régions maritimes, dans les régions montagnardes, là où précisément les grands foyers traditionnels de la christianisation, c'est-à-
dire, depuis le Moyen Âge, les villes, n'avaient pas pénétré.

Quant à la possession, si elle s'inscrit aussi dans cette christianisation qui redémarre à partir de la fin du xve siècle, elle serait plutôt un
effet intérieur qu'extérieur. Elle serait plutôt le contrecoup d'un investissement non pas de nouvelles régions, de nouveaux domaines géo-
graphiques ou sociaux, mais d'un investissement religieux et détaillé du

corps et, par le double mécanisme dont je vous parlais tout à l'heure, d'un discours exhaustif et d'une autorité exclusive. D'ailleurs, ceci se marque immédiatement par le fait que, après tout, la sorcière est essentiellement celle qu'on dénonce, qui est dénoncée de l'extérieur, par les autorités, par les notables. La sorcière est la femme du bord du village ou de la limite de la forêt. La sorcière est la mauvaise chrétienne. En revanche, qu'est-ce que c'est que la possédée (celle du XVIe, et surtout celle du XVIIe et du début du XVIIIe siècle)? Ce n'est pas du tout celle qui est dénoncée par quelqu'un d'autre, c'est celle qui avoue, c'est celle qui se confesse, qui se confesse spontanément. Ce n'est d'ailleurs pas la femme de la campagne, c'est la femme de la ville. Depuis Loudun jusqu'au cimetière Saint-Médard, à Paris, c'est la ville petite ou grande qui est le théâtre de la possession[2]. Bien mieux, ce n'est même pas n'importe quelle femme dans la ville, c'est la religieuse. Bien mieux, à l'intérieur du couvent, ce sera plutôt la supérieure ou la prieure que la sœur converse. C'est au cœur même de l'institution chrétienne, c'est au cœur même de ces mécanismes de la direction spirituelle et de la nouvelle pénitence dont je vous parlais, c'est là qu'apparaît ce personnage non plus marginal, mais au contraire absolument central dans la nouvelle technologie du catholicisme. La sorcellerie apparaît aux limites extérieures du christianisme. La possession apparaît au foyer intérieur, là où le christianisme essaye d'enfoncer ses mécanismes de pouvoir et de contrôle, là où il essaye d'enfoncer ses obligations discursives, dans le corps même des individus. C'est là, au moment où il essaye de faire fonctionner des mécanismes de contrôle et de discours individualisants et obligatoires, qu'apparaît la possession.

Ceci se traduit par le fait que la scène de la possession, avec ses éléments principaux, est parfaitement différente et distincte de la scène de la sorcellerie. Le personnage central, dans les phénomènes de la possession, va être le confesseur, le directeur, le guide. Dans les grandes affaires de possession du XVIIe siècle, c'est là que vous le trouvez: c'est Gaufridi à Aix[3], c'est Grandier à Loudun[4]. Ce sera, dans l'affaire de Saint-Médard, au début du XVIIIe siècle, un personnage réel, même s'il a déjà disparu au moment où se développe la possession: c'est le diacre Pâris[5]. C'est donc le personnage sacré, c'est le personnage en tant qu'il détient les pouvoirs du prêtre (donc les pouvoirs de la direction, ces pouvoirs d'autorité et de contrainte discursive), c'est lui qui va être au centre de la scène de possession et des mécanismes de possession. Alors que, dans la sorcellerie, on avait simplement une sorte de forme duelle, avec le diable d'une part et la sorcière de l'autre, dans la possession, on va avoir un système de rapport triangulaire, et même un peu plus complexe que triangulaire. Il y aura une matrice à trois termes : le diable, bien sûr ; la religieuse possédée, à l'autre extrémité ; mais, entre les deux, triangulant le rapport, on va avoir le confesseur. Or, le confesseur, ou le directeur, est une figure qui est déjà fort complexe, et qui immédiatement se dédouble. Car il y aura le confesseur, qui au début aura été le bon confesseur, le bon directeur, et qui, à un moment donné, devient le mauvais, passe de l'autre côté ; ou bien, il y aura deux groupes de confesseurs ou de directeurs qui s'affronteront. C'est très clair, par exemple, dans l'affaire de Loudun, où vous avez un représentant du clergé séculier (le curé Grandier) et, en face de lui, d'autres directeurs ou confesseurs qui vont intervenir, représentant le clergé régulier – première dualité. Et puis, à l'intérieur de ce clergé régulier, nouveau conflit, nouveau dédoublement entre ceux qui seront les exorcistes patentés et ceux qui vont jouer le rôle à la fois de directeurs et de guérisseurs. Conflit, rivalité, joute, concurrence, entre les capucins d'une part, les jésuites de l'autre, etc. En tout cas, ce personnage central du directeur, ou du confesseur, va se démultiplier, se dédoubler, selon les conflits qui sont propres à l'institution ecclésiastique elle-même [6]. Quant à la possédée, troisième terme du triangle, elle va aussi se dédoubler, en ce sens qu'elle ne sera pas, comme la sorcière, le suppôt du diable, sa servante docile. Ce sera plus compliqué que cela. La possédée sera celle, bien sûr, qui est sous le pouvoir du diable. Mais ce pouvoir, aussitôt qu'il s'ancre, qu'il s'enfonce, qu'il pénètre dans le corps de la possédée, va rencontrer une résistance. La possédée est celle qui résiste au diable, au moment même où elle est le réceptacle du diable. De sorte qu'en elle va aussitôt apparaître une dualité : ce qui relèvera du diable, et qui ne sera plus elle, devenue simplement machinerie diabolique ; et puis une autre instance, qui sera elle-même, réceptacle résistant qui va, contre le diable, faire valoir ses propres forces ou chercher l'appui du directeur, du confesseur, de l'Église. En elle vont se croiser alors les effets maléfiques du démon, et puis les effets bénéfiques des protections divines ou sacerdotales auxquelles elle va faire appel. On peut dire que la possédée fragmente et va fragmenter à l'infini le corps de la sorcière, qui était jusque-là (en prenant le schéma de la sorcellerie sous sa forme simple) une singularité somatique dont le problème de la division ne se posait pas. Le corps de la sorcière était simplement au service du diable, ou il était entouré d'un certain nombre de puissances. Le corps de la possédée, lui, est un corps multiple, c'est un corps qui, en quelque sorte, se volatilise, se pulvérise en une multiplicité de puissances qui s'affrontent les unes les autres, de forces, de sensations qui l'assaillent et la traversent. Plus que le grand duel du bien et du mal, c'est cette multiplicité indéfinie qui va caractériser, d'une façon générale, le phénomène de la possession.

On pourrait encore dire ceci. Le corps de la sorcière, dans les grandes procédures de sorcellerie qu'a mises au point l'Inquisition, est un corps unique qui est simplement au service ou, au besoin, pénétré par les armées innombrables de Satan, Asmodée, Belzébuth, Méphisto, etc. Sprenger avait d'ailleurs compté ces milliers et ces milliers de diables qui couraient le monde (je ne me souviens plus s'il en comptait 300 000, peu importe) [7]. Maintenant, on va avoir, avec le corps de la possédée, autre chose : c'est le corps de la possédée elle-même qui est le siège d'une multiplicité indéfinie de mouvements, de secousses, de sensations, de tremblements, de douleurs et de plaisirs. À partir de là, vous comprenez comment et pourquoi disparaît, avec la possession, un des éléments qui avaient été fondamentaux dans la sorcellerie : c'est le pacte. La sorcellerie avait régulièrement la forme de l'échange : « Tu me donnes ton âme – disait Satan à la sorcière –, je te donnerai une part de mon pouvoir » ; ou encore, disait Satan : « Je te possède charnellement, et je te posséderai charnellement chaque fois que je voudrai. En récompense et en échange, tu pourras faire appel à ma présence surnaturelle chaque fois que tu en auras besoin » ; « Je te donne du plaisir – disait Satan –, mais tu pourras faire autant de mal que tu voudras. Je te transporte au Sabbat, mais tu pourras m'appeler quand tu voudras, et je serai là où tu voudras ». Principe de l'échange, qui est marqué précisément par le pacte, un pacte que sanctionne un acte sexuel transgressif. C'est la visite de l'incube, c'est le baiser du cul du bouc au Sabbat [8].

Dans la possession, au contraire, pas de pacte qui soit scellé dans un acte, mais une invasion, une insidieuse et invincible pénétration du diable dans le corps. Le lien de la possédée au diable n'est pas de l'ordre du contrat ; ce lien est de l'ordre de l'habitat, de la résidence, de l'imprégnation. Transformation de celui qui était autrefois le grand diable noir, se présentant au pied du lit de la sorcière et lui montrant orgueilleusement son sexe brandi : à cette figure va se substituer tout autre chose. Cette scène, par exemple, qui a inauguré, ou à peu près, les possessions de Loudun : « La prieure étant couchée, sa chandelle allumée, [...] elle sentit sans rien voir [donc disparition de l'image, disparition de cette grande forme noire ; M.F.] une main qui se refermait sur la sienne, et lui plaça dans la main trois épines d'aubespin. [...] Ladite prieure, et autres religieuses, depuis la réception desdites épines, avaient ressenti d'étranges changements en leur corps [...], en telle sorte que parfois elles perdaient tout jugement et étaient agitées de grandes convulsions qui semblaient procéder de causes extraordinaires[9]. » La forme du diable a disparu, son image, présente et bien découpée, s'est effacée. Il y a sensations, transmission d'un objet, changements divers et étranges dans le corps. Pas de possession sexuelle : simplement cette insidieuse pénétration dans le corps de sensations étranges. Ou encore ceci, qui est également dans le protocole de l'affaire de Loudun, tel que vous le trouvez dans le livre de Michel de Certeau, qui s'appelle *La Possession de Loudun* : « Le jour même que la sœur Agnès, novice ursuline, fit profession, elle fut possédée du diable. » Et voici comment s'est opérée la possession : « Le charme fut un bouquet de roses muscades qui se trouva sur un degré du dortoir. La mère prieure l'ayant ramassé, le fleura, ce que firent quelques autres après elle, qui furent incontinent toutes possédées. Elles commencèrent à crier et à appeler Grandier, dont elles étaient tellement éprises que ni les autres religieuses, ni toutes autres personnes n'étaient capables de les retenir [je reviendrai sur tout ça ensuite ; M.F]. Elles voulaient l'aller trouver, et pour ce faire, montaient et couraient sur les toits du couvent, sur les arbres, en chemise, et se tenaient tout au bout des branches. Là, après des cris épouvantables, elles enduraient la grêle, la gelée et la pluie, demeurant des quatre et cinq jours sans manger[10]. »

Donc, tout autre système de possession, tout autre initiation diabolique. Ce n'est pas l'acte sexuel, ce n'est pas la grande vision sulfureuse, c'est la lente pénétration dans le corps. Et disparition aussi du système d'échange. Au lieu du système d'échange, on a des jeux infinis de substitution : au corps de la religieuse va se substituer le corps du diable. Au moment où la religieuse, cherchant un appui à l'extérieur, ouvre la bouche pour recevoir l'hostie, brusquement le diable se substitue à elle, ou un des diables, c'est Belzébuth. Et Belzébuth recrache l'hostie de la bouche de la religieuse, qui pourtant avait ouvert la bouche pour la recevoir. De même que le discours du diable vient se substituer aux paroles mêmes de la prière et de l'oraison. Au moment où la religieuse veut réciter le *Pater,* le diable répond à sa place, par sa propre langue : « Je le maudis[11]. » Mais ces substitutions ne sont pas des substitutions sans bataille, sans conflit, sans interférences, sans résistances. Au moment où elle va recevoir l'hostie, cette hostie qu'elle va recracher, la religieuse porte la main à sa gorge, pour essayer de chasser de sa gorge le diable, qui est sur le point de recracher l'hostie qu'elle est en train d'absorber. Ou encore, quand l'exorciste veut faire avouer son nom au démon, c'est-à-dire l'identifier, le démon répond : « J'ai oublié mon nom. [...] Je l'ai perdu dans la lessive [12]. » C'est tout ce jeu de substitutions, de disparitions, de combats, qui va caractériser la scène, la plastique même de la possession, très différent par conséquent de tous les jeux d'illusion propres à la sorcellerie. Et vous voyez que, au cœur de tout cela, le jeu du consentement, du consentement du sujet possédé, est beaucoup plus complexe que le jeu du consentement dans la sorcellerie.

Dans la sorcellerie, la volonté de la sorcière qui est impliquée est une volonté, au fond, de type juridique. La sorcière souscrit à l'échange proposé : Tu me proposes du plaisir et de la puissance, je te donne mon corps, je te donne mon âme. La sorcière souscrit à l'échange, elle signe le pacte : elle est, au fond, un sujet juridique. C'est à ce titre qu'elle pourra être punie. Dans la possession (vous pouvez le pressentir par tous ces éléments, ces détails, que je vous citais tout à l'heure), la volonté est chargée de toutes les équivoques du désir. La volonté veut et ne veut pas. C'est ainsi que, dans le récit de la mère Jeanne des Anges, toujours à propos de l'affaire de Loudun, on voit très nettement le très subtil jeu de la volonté sur elle-même, la volonté qui s'affirme et qui se dérobe aussitôt [13]. Les exorcistes avaient dit à la mère Jeanne des Anges que le démon induisait en elle des sensations telles qu'elle ne pouvait pas reconnaître que c'était là le jeu du démon [14]. Mais la mère Jeanne des Anges sait parfaitement que les exorcistes, quand ils lui disent cela, ne disent tout de même pas la vérité, et qu'ils n'ont pas sondé le fond de son cœur. Elle reconnaît que ce n'est pas si simple que cela, et que si le démon a pu insérer en elle ces sortes de sensations derrière lesquelles il se cache, c'est qu'en fait elle a permis cette insertion. Cette insertion s'est opérée par un jeu de petits plaisirs, d'imperceptibles sensations, de minuscules consentements, d'une sorte de petite complaisance permanente, où la volonté et le plaisir s'entortillent l'un sur l'autre, font vrille, en quelque sorte, l'un autour de l'autre et produisent une tromperie. Tromperie pour la mère Jeanne des Anges, qui ne voit que le plaisir et ne voit pas le mal ; tromperie pour les exorcistes aussi, puisqu'ils croient que c'est le diable. Comme elle le dit elle-même dans sa confession : « Le diable me trompait souvent par un petit agrément que j'avais aux agitations et autres choses extraordinaires qu'il faisait dans mon corps [15]. » Ou encore : « Il m'arriva à ma grande confusion que, dans les premiers jours que le père Lactance me fut donné pour directeur et pour exorciste, je désapprouvais sa manière d'agir en beaucoup de petites choses quoiqu'elle fût très bonne, mais c'est que j'étais méchante [16]. » C'est ainsi que le père Lactance propose aux religieuses de leur donner la communion simplement à travers la grille. Et là, la mère Jeanne des Anges se sent fâchée, elle commence à murmurer dans son cœur : « Je pensai en moi-même qu'il ferait [bien] mieux de suivre la manière des autres prêtres. Comme je m'arrêtai avec négligence à cette pensée, il me vint dans l'esprit que, pour humilier ce père, le démon eût fait quelque irrévérence au très saint Sacrement. Je fus si misérable que je ne résistai pas assez fortement à cette pensée. Comme je me présentai à la [grille de ; M.F.] communion, le diable s'empara de ma tête, et, après que j'eus reçu la sainte hostie et que je l'eus à demi humectée, le diable la jeta au visage du prêtre. Je sais bien que je ne fis pas cette action avec liberté, mais je suis très assurée à ma grande confusion que je donnai lieu au diable de la faire, et qu'il n'eût point eu ce pouvoir si je ne me fusse point liée avec lui [17]. » On retrouve là le thème du lien qui était à la base même de l'opération de sorcelle-rie, le lien avec le diable. Mais vous voyez que, dans ce jeu du plaisir, du consentement, du non-refus, de la petite complaisance, on est fort loin de la grosse masse juridique du consentement donné une fois pour toutes et authentifié par la sorcière, lorsqu'elle signe le pacte qu'elle a passé avec le diable.

Deux sortes de consentement, mais aussi deux sortes de corps. Le corps ensorcelé, vous le savez, se caractérisait essentiellement par deux traits. D'une part, le corps des sorcières était un corps tout entouré, ou en quelque sorte bénéficiaire de toute une série de prestiges, que les uns considèrent comme réels, les autres comme illusoires, mais peu importe. Le corps de la sorcière est capable de se transporter ou d'être transporté ; il est capable d'apparaître et de disparaître ; il devient invisible, il est invincible aussi, dans certains cas. Bref, il est affecté d'une sorte de trans-matérialité. Il est également caractérisé par le fait qu'il est toujours por-teur de marques, qui sont des taches, des zones d'insensibilité, et qui constituent toutes comme des signatures du démon. C'est la méthode par laquelle le démon peut reconnaître les siens ; c'est également, inverse-ment, le moyen par lequel les inquisiteurs, les gens d'Église, les juges, peuvent reconnaître que c'est une sorcière. En gros, le corps de la sor-cière, d'une part, bénéficie de prestiges qui lui permettent de participer à la puissance diabolique, qui lui permettent par conséquent d'échapper à ceux qui la poursuivent, mais, d'autre part, le corps de la sorcière est marqué, et cette marque lie la sorcière aussi bien au démon qu'au juge ou au prêtre qui pourchassent le démon. Elle est liée par ses marques au moment même où elle est exaltée par ses prestiges.

Le corps de la possédée est tout différent. Il n'est pas enveloppé de prestiges ; il est le lieu d'un théâtre. C'est en lui, dans ce corps, à l'intérieur de ce corps, que se manifestent les différentes puissances, leurs affrontements. Ce n'est pas un corps transporté : c'est un corps traversé dans son épaisseur. C'est le corps des investissements et des contre-investissements. C'est un corps, au fond, forteresse : forteresse investie et assiégée. Corps-citadelle, corps-bataille : bataille entre le démon et la possédée qui résiste ; bataille entre ce qui, dans la possédée, résiste et cette part d'elle-même, au contraire, qui consent et se trahit ; bataille entre les démons, les exorcistes, les directeurs, et la possédée, qui tantôt les aide tantôt les trahit, étant tantôt du côté du démon par le jeu des plaisirs, tantôt du côté des directeurs et des exorcistes par le biais de ses résistances. C'est tout ceci qui constitue le théâtre somatique de la possession. Exemple : « Ce qui était sensiblement admirable, c'est que [le diable ; M.F.] étant commandé en latin de laisser [à Jeanne des Anges ; M.F.] joindre les mains, on remarquait une obéissance forcée, et les mains se joignaient toujours en tremblant. Et le saint Sacrement reçu en la bouche, il voulait, en soufflant et rugissant comme un lion, le repousser. Commandé de ne faire aucune irrévérence, on voyait [le démon ; M.F.] cesser, le saint Sacrement descendre dans l'estomac. On voyait des soulèvements pour vomir, et lui étant défendu de le faire, il cédait [18]. » Au corps de la sorcière, qui pouvait être transporté et rendu invisible, vous voyez que se substitue maintenant (ou qu'apparaît en relève de ce corps) un nouveau corps détaillé, un nouveau corps en perpétuelle agitation et tremblement, un corps à travers lequel on peut suivre les différents épisodes de la bataille, un corps qui digère et qui recrache, un corps qui absorbe et un corps qui refuse, sous cette espèce de théâtre physiologico-théologique que constitue le corps de la possédée : c'est cela qui l'oppose, je crois, très clairement au corps de la sorcière. De plus, ce combat a sans doute sa signature, mais sa signature n'est aucunement la marque que l'on trouve chez les sorcières. La marque ou la signature de la possession n'est pas cette tache, par exemple, que l'on trouvait sur le corps des sorcières. C'est tout autre chose, c'est un élément qui va avoir, dans l'histoire médicale et religieuse de l'Occident, une importance capitale : c'est la convulsion.

Qu'est-ce que c'est, la convulsion ? La convulsion est la forme plastique et visible du combat dans le corps de la possédée. La toute-puissance du démon, sa performance physique, on la retrouve dans cet aspect des phénomènes de convulsion que constitue la rigidité, l'arc de cercle, l'insensibilité aux coups. Toujours dans ce phénomène de la convulsion, on retrouve aussi – comme effet purement mécanique du combat, en quelque sorte comme la secousse de ces forces qui s'affrontent l'une à l'autre – les agitations, les tremblements, etc. On trouve également toute la série des gestes involontaires, mais signifiants : se débattre, cracher, prendre des attitudes de dénégation, dire des paroles obscènes, irréligieuses, blasphématoires, mais toujours automatiques. Tout ceci constitue les épisodes successifs de la bataille, les attaques et les contre-attaques, la victoire de l'un ou de l'autre. Et enfin, les suffocations, les étouffements, les évanouissements, marquent le moment, le point où le corps va être détruit dans ce combat, par les excès mêmes des forces en présence. Apparaît là, pour la première fois d'une façon aussi nette, la survalorisation de l'élément convulsif. La convulsion est cette immense notion-araignée qui tend ses fils aussi bien du côté de la religion et du mysticisme, que du côté de la médecine et de la psychiatrie. C'est cette convulsion qui va être l'enjeu d'une bataille importante, pendant deux siècles et demi, entre la médecine et le catholicisme.

Mais, avant de reparler un peu de cette bataille, je voudrais vous montrer que, au fond, la chair que la pratique spirituelle du XVIᵉ-XVIIᵉ siècle a fait apparaître, cette chair, poussée à un certain point, devient la chair convulsive. Elle apparaît, dans le champ de cette pratique nouvelle qui était la direction de conscience, comme le terme, la butée, de ce nouvel investissement du corps que constituait le gouvernement des âmes depuis le concile de Trente. La chair convulsive est le corps traversé par le droit d'examen, le corps soumis à l'obligation de l'aveu exhaustif et le corps hérissé contre ce droit d'examen, hérissé contre cette obligation de l'aveu exhaustif. C'est le corps qui oppose à la règle du discours complet soit le mutisme, soit le cri. C'est le corps qui oppose à la règle de la direction obéissante les grandes secousses de la révolte involontaire, ou encore les petites trahisons des complaisances secrètes. La chair convulsive est à la fois l'effet ultime et le point de retournement de ces mécanismes d'investissement corporel qu'avait organisés la nouvelle vague de christianisation au XVIᵉ siècle. La chair convulsive est l'effet de résistance de cette christianisation au niveau des corps individuels.

En gros, on peut dire ceci : tout comme la sorcellerie a sans doute été à la fois l'effet, le point de retournement et le foyer de résistance à cette vague de christianisation et à ces instruments qu'ont été l'Inquisition et les tribunaux de l'Inquisition, de la même façon la possession a été l'effet et le point de retournement de cette autre technique de christianisation qu'ont été le confessionnal et la direction de conscience. Ce que la sorcellerie a été au tribunal de l'Inquisition, la possession l'a été au confessionnal. Ce n'est donc pas dans l'histoire des maladies qu'il faut, je crois, inscrire le problème des possédé(e)s et de leurs convulsions. Ce n'est pas en faisant une histoire des maladies physiques ou mentales de l'Occident, qu'on arrivera à comprendre pourquoi les possédé(e)s, pourquoi les convulsionnaires [sont apparus]. Je ne pense pas que ça soit non plus en faisant l'histoire des superstitions ou des mentalités : ce n'est pas parce que l'on croyait au diable, que des convulsionnaires ou des possédés sont apparus. Je crois que c'est en faisant l'histoire des rapports entre le corps et les mécanismes de pouvoir qui l'investissent que l'on peut arriver à comprendre comment et pourquoi, à cette époque-là, sont apparus, en relève des phénomènes un peu antérieurs de la sorcellerie, ces phénomènes nouveaux de la possession. La possession fait partie, dans son apparition, dans son développement et dans les mécanismes qui la supportent, de l'histoire politique du corps.

Vous me direz que, en faisant (comme j'ai essayé de le faire à l'instant) une différence si marquée entre la sorcellerie et la possession, je risque tout de même de manquer un certain nombre de phénomènes assez évidents, ne serait-ce que l'interpénétration des deux – sorcellerie et possession – à la fin du XVIᵉ et au début du XVIIᵉ siècle. En tout cas, la sorcellerie, dès qu'on la voit se développer à la fin du XVᵉ siècle, comportait toujours dans ses marges un certain nombre d'éléments qui relevaient de la possession. Inversement, dans les principales affaires de possession que l'on voit apparaître surtout au début du XVIIᵉ siècle, l'action, la présence du sorcier est tout de même très explicite et très marquée. L'affaire de Loudun, qui se situe à partir de l'année 1632, est un exemple de cette interpénétration. Beaucoup d'éléments de sorcellerie : vous avez le tribunal de l'Inquisition, vous avez les tortures, vous avez finalement la sanction du bûcher pour celui qui a été désigné comme le sorcier de l'affaire, c'est-à-dire Urbain Grandier. Donc, tout un paysage de sorcellerie. Et puis, également, à côté, mêlé à lui, tout un paysage qui est celui de la possession. Non plus le tribunal de l'Inquisition, avec les tortures et le bûcher, mais la chapelle, le parloir, le confessionnal, la grille du couvent, etc. Le double appareil, celui de la possession et celui de la sorcellerie, est très évident dans cette affaire de 1632.

Mais je crois qu'on peut dire ceci : jusqu'au XVIᵉ siècle, la possession n'était sans doute rien de plus qu'un aspect de la sorcellerie ; puis, à partir du XVIIᵉ siècle (vraisemblablement à partir des années 1630-1640), il y a, en France au moins, une tendance au rapport inverse, c'est-à-dire que la sorcellerie va tendre à n'être plus qu'une dimension, et pas toujours présente, de la possession. Si l'affaire de Loudun a été si scandaleuse, si elle a fait date et marque encore la mémoire de toute cette histoire, c'est qu'elle a représenté l'effort le plus systématique et, en même temps, le plus désespéré, le plus voué à l'échec, pour retrans-crire le phénomène de la possession, absolument typique de ces nou-veaux mécanismes de pouvoir de l'Église, dans la vieille liturgie de la chasse aux sorcières. Il me semble que l'affaire de Loudun est typique-ment une affaire de possession, au moins en son départ. En effet, tous les personnages qui figurent dans l'affaire de 1632 sont des person-nages intérieurs à l'Église : religieuses, curés, religieux, carmes, jésuites, etc. Ce n'est que d'une façon seconde que des personnages extérieurs vont venir, juges ou représentants du pouvoir central. Mais, à son origine, c'est une affaire intérieure à l'Église. Pas de ces person-nages marginaux, pas de ces mal christianisés, comme on en trouve dans les affaires de sorcellerie. Le paysage lui-même de l'affaire est entièrement défini à l'intérieur non seulement de l'Église, mais d'un couvent précis et déterminé. Le paysage est celui des dortoirs, des ora-toires, des couvents. Quant aux éléments qui sont mis en jeu, ce sont, je vous le rappelais tout à l'heure, les sensations, une odeur quasi condillacienne de rose, qui envahit les narines des religieuses [19]. Ce sont les convulsions, les contractures. Bref, c'est le trouble charnel.

Mais je crois que ce qui s'est passé, c'est que l'Église – lorsqu'elle a été confrontée, dans cette affaire (on pourrait sans doute retrouver le même mécanisme dans les affaires d'Aix et les autres), à tous ces phé-nomènes qui étaient tellement dans le droit fil de sa nouvelle technique de pouvoir, et qui étaient en même temps le moment, le point, où ces techniques de pouvoir rencontraient leurs limites et leur point de retour-nement – a entrepris de les contrôler. Elle a entrepris de liquider ces conflits, qui étaient nés de la technique même qu'elle employait pour exercer le pouvoir. Et alors, comme elle n'avait pas de moyens pour contrôler ces effets du nouveau mécanisme de pouvoir mis en place, elle a réinscrit dans les vieux procédés de contrôle, caractéristiques de la chasse aux sorcières, le phénomène qu'elle avait à constater, et elle n'a pu le dominer qu'à la condition de le retranscrire en termes de sor-cellerie. C'est pourquoi, devant ces phénomènes de possession qui se répandaient dans le couvent des ursulines de Loudun, il a fallu à tout prix trouver le sorcier. Or, il s'est trouvé que le seul qui pouvait jouer le rôle de sorcier, c'était précisément quelqu'un qui appartenait à l'Église, puisque tous les personnages impliqués au départ étaient des personnages ecclésiastiques. De sorte que l'Église a été obligée de s'amputer de l'un de ses membres et de désigner comme sorcier quelqu'un qui était un curé. Urbain Grandier, curé de Loudun, a été obligé de jouer le rôle de sorcier ; on lui a assigné de force ce rôle dans une affaire qui était typiquement une affaire de possession. Du coup, on a réactivé ou poursuivi des procédures qui commençaient déjà à disparaître, et qui étaient celles des procès de sorcellerie et des procès d'Inquisition. On les a réaffectées et réutilisées dans ce cas, mais pour arriver à contrôler et à maîtriser des phénomènes qui relevaient en fait de tout autre chose. L'Église a essayé, dans l'affaire de Loudun, de référer tous les troubles charnels de la possession à la forme traditionnelle, juridiquement connue, du pacte diabolique de sorcellerie. Et c'est ainsi que Grandier a été, à la fois, sacré sorcier et sacrifié comme tel.

Or, bien entendu, une opération comme celle-ci était fort coûteuse. D'une part, à cause de cette automutilation à laquelle l'Église avait été contrainte, et serait certainement de nouveau contrainte, dans toutes les affaires de ce type, si on mettait en œuvre les vieilles procédures de la chasse aux sorcières. C'était une opération coûteuse également à cause de la réactivation des formes d'intervention qui étaient tout à fait archaïques, par rapport aux nouvelles formes du pouvoir ecclésiastique. À l'âge de la direction spirituelle, comment pouvait-on faire fonctionner, de façon cohérente, un tribunal comme celui de l'Inquisition ? Et puis, enfin, c'était une opération fort coûteuse, parce qu'il a été nécessaire de faire appel à un type de juridiction que le pouvoir civil de la monarchie administrative supportait de plus en plus mal. De sorte qu'on voit, à Loudun, l'Église buter sur les effets paroxystiques de ses nouveaux mécanismes de gouvernement, sur les effets paroxystiques de sa nouvelle technologie individualisante de pouvoir ; et on la voit échouer dans son recours régressif et archaïsant aux procédés inquisitoriaux de contrôle. Je crois que, dans cette affaire de Loudun, on voit pour la première fois se formuler très clairement ce qui sera un des grands problèmes de l'Église catholique à partir du milieu du XVIIe siècle. Ce problème, on peut le caractériser ainsi : comment peut-on maintenir et développer les technologies de gouvernement des âmes et des corps qui ont été mises en place par le concile de Trente ? Comment poursuivre ce grand quadrillage discursif et ce grand examinatoire de la chair, en évitant les conséquences qui en sont les contrecoups, ces effets-résistance dont les convulsions des possédé(e)s sont les formes paroxystiques et théâtrales les plus visibles ? Autrement dit, comment peut-on gouverner les âmes selon la formule tridentine, sans se heurter à un moment donné à la convulsion des corps ? Gouverner la chair sans se faire prendre au piège des convulsions : c'est cela, je crois, qui a été le grand problème et le grand débat de l'Église avec elle-même à propos de la sexualité, du corps et de la chair, depuis le XVIIᵉ siècle. Pénétrer la chair, la faire passer au filtre du discours exhaustif et de l'examen permanent ; la soumettre, par conséquent, en détail, à un pouvoir exclusif ; donc, maintenir toujours l'exacte direction de la chair, la posséder au niveau de la direction, mais en évitant à tout prix cette soustraction, cette dérobade, cette fuite, ce contre-pouvoir, qui est la possession. Posséder la direction de la chair, sans que le corps objecte à cette direction ce phénomène de résistance que constitue la possession.

C'est pour résoudre ce problème, je crois, que l'Église a mis en place un certain nombre de mécanismes que j'appellerai les grands anti-convulsifs. Je vais placer les anti-convulsifs sous trois rubriques. Premièrement, un modérateur interne. À l'intérieur des pratiques de confession, à l'intérieur des pratiques de direction de conscience, on va imposer maintenant une règle additive, qui est la règle de discrétion. C'est-à-dire qu'il va bien falloir continuer à tout dire, dans la direction de conscience, il va bien falloir continuer à tout avouer, dans la pratique pénitentielle, mais on ne pourra pas le dire n'importe comment. Une règle de style, ou des impératifs de rhétorique, vont s'imposer à l'intérieur même de la règle générale de l'aveu exhaustif. Voici, précisément, ce que je veux dire. Dans un manuel de confession de la première moitié du XVIIᵉ siècle, qui a été rédigé par Tamburini et qui s'appelle *Methodus expeditae confessionis* (donc, si je ne me trompe pas, une méthode pour confession rapide, expresse), on trouve le détail de ce que pouvait être, de ce que devait être une bonne confession quant au sixième commandement (au péché, par conséquent, de luxure), avant l'introduction de ce modérateur stylistique [20]. Voici quelques exemples de ce qui devait être dit ou des questions qui devaient être posées par le confesseur, au cours d'une pénitence de ce genre. À propos du péché de *mollities,* c'est-à-dire de cette pollution volontaire sans conjonction des corps [21], il fallait que le pénitent dise – dans le cas où il aurait commis ce péché – à quoi précisément il avait pensé pendant qu'il pratiquait cette pollution. Car, selon qu'il avait pensé à ceci ou à cela, l'espèce du péché devait changer. Penser à un inceste était évidemment un péché plus grave que de penser à une fornication pure et simple, même si cela aboutit toujours à une pollution volontaire sans conjonction des corps [22]. Il fallait demander, ou en tout cas savoir de la bouche du pénitent, s'il s'était servi d'un instrument [23], ou encore s'il s'était servi de la main d'un autre [24], ou encore s'il s'était servi d'une partie du corps de quelqu'un. Il fallait qu'il dise quelle était cette partie du corps de quelqu'un dont il s'était servi [25]. Il fallait qu'il dise s'il s'était servi de cette partie du corps uniquement pour une raison utilitaire, ou s'il y avait été porté par un *affectus particularis,* par un désir particulier [26]. Quand on abordait le péché de sodomie, il fallait également poser un certain nombre de questions, et qu'un certain nombre de choses soient dites [27]. S'il s'agissait de deux hommes qui parvenaient à la jouissance, il fallait leur demander si c'était bien en mêlant leurs corps et en les agitant, ce qui constitue la sodomie parfaite [28]. Dans le cas de deux femmes, au contraire, si la pollution était due au simple besoin de décharger la libido (*explenda libido,* dit le texte), alors c'est un péché qui n'est pas très grave, ce n'est que de la *mollities* [29]. Mais, si cette pollution est due à une affection pour le même sexe (qui est le sexe indu, puisqu'il s'agit d'une femme), alors on a affaire à une sodomie imparfaite [30]. Quant à la sodomie entre homme et femme, si elle est due à un désir pour le sexe féminin en général, ce n'est qu'une *copulatio fornicaria* [31]. Mais si, au contraire, la sodomie d'un homme à l'égard d'une femme est due à un goût particulier pour ses parties postérieures, alors c'est la sodomie imparfaite, car la partie désirée est non naturelle ; la catégorie est bien celle de la sodomie, mais comme le sexe n'est pas le sexe indu – puisqu'il s'agit d'une femme avec un homme –, alors le sexe étant dû, la sodomie ne sera pas parfaite, mais simplement imparfaite [32].

Tel est le type d'information qui devait être statutairement recueillie dans une confession (qui était pourtant une *expedita confessio,* une confession rapide). C'est pour contrecarrer les effets inducteurs de cette règle du discours exhaustif qu'un certain nombre de principes d'atténuation ont été formulés. Atténuations dont les unes portent sur la mise en scène matérielle même de la confession : la nécessité de l'ombre ; l'apparition de la grille dans le petit meuble du confessionnal ; la règle selon laquelle le confesseur ne doit pas regarder le pénitent dans les yeux, si le pénitent est une femme ou un jeune homme (c'est une règle formulée par Angiolo de Chivasso) [33]. Autres règles qui portent sur le discours, l'une, par exemple, qui consiste en un conseil donné au confesseur : « Ne faire avouer les péchés dans leurs détails qu'au cours de la première confession, et puis, dans les confessions suivantes, se référer (mais sans les décrire et sans les détailler) aux péchés qui ont été nommés dans la première confession. Avez-vous bien fait ce que vous aviez fait au cours de votre première confession, ou avez-vous fait ce

que vous n'aviez pas fait au cours de la première confession ? [34] »
Comme ça, on évite d'avoir à utiliser effectivement, directement, le
discours d'aveu proprement dit. Mais plus sérieux, ou plus important :
toute une rhétorique, qui avait été mise au point par les jésuites, et qui
est la méthode de l'insinuation.

L'insinuation fait partie de ce fameux laxisme qu'on a reproché aux
jésuites, dont il ne faut pas oublier qu'il a toujours deux aspects :
laxisme sans doute au niveau de la pénitence, c'est-à-dire satisfaction
légère pour les péchés, du moins à partir du moment où l'on peut leur
trouver un certain nombre de circonstances qui permettent de les atténuer ; mais laxisme également au niveau de l'énonciation. Le laxisme
des jésuites permet au pénitent de ne pas tout dire, ou en tout cas de ne
pas préciser, le principe laxiste étant : il vaut mieux pour le confesseur
absoudre un péché dont il croit qu'il est véniel, alors qu'il est mortel,
plutôt que d'induire par sa confession même de nouvelles tentations
dans l'esprit, le corps, la chair de son pénitent. C'est ainsi que le concile
de Rome, en 1725 [35], a donné des conseils explicites de prudence aux
confesseurs pour leurs pénitents, et surtout quand ils sont de jeunes gens
et plus encore des enfants. De telle sorte qu'on en arrive à cette situation paradoxale dans laquelle deux règles viennent jouer à l'intérieur de
cette structure d'aveu, que j'essaye d'analyser depuis deux séances :
l'une qui est celle de la discursivité exhaustive et exclusive, et l'autre qui
est maintenant la nouvelle règle de l'énonciation retenue. Il faut tout
dire et il faut en dire le moins possible ; ou encore, en dire le moins possible est le principe tactique dans une stratégie générale qui veut que
l'on dise tout. C'est ainsi qu'Alphonse de Liguori, à la fin du XVIIIe-
début du XIXe siècle, va donner toute une série de règles, qui vont caractériser la confession moderne et les formes de l'aveu dans la pénitence
moderne et contemporaine [36]. Alphonse de Liguori, qui maintient toujours le principe de l'aveu exhaustif, dans son instruction sur le sixième
précepte, traduite en français sous le titre *Le Conservateur des jeunes
gens,* dit : « Il faut découvrir à confesse non seulement [tous] les actes
consommés, mais encore [tous] les attouchements sensuels, tous les
regards impurs, tous les propos obscènes, surtout si on y a pris [*rectius :
on a mis*] du plaisir. [...] On mettra aussi en ligne de compte toutes les
pensées déshonnêtes [37]. » Mais, dans un autre texte, qui est *La Conduite
du confesseur,* il dit que, lorsque l'on aborde le sixième commandement, il faut – surtout lorsque l'on confesse des enfants – observer la
plus grande réserve. D'abord, commencer « par des questions détour-
nées et un peu vagues » ; leur demander simplement « s'ils ont dit de

mauvaises paroles, s'ils ont joué avec d'autres petits garçons ou d'autres petites filles, si c'était en cachette ». Ensuite, on leur demandera « s'ils ont fait des choses laides et vilaines. Il arrive souvent que les enfants répondent négativement. Il est alors utile de leur faire des interrogations qui les amènent à répondre, par exemple : "Combien de fois avez-vous fait cela ? Est-ce dix fois, quinze fois ?" » On doit leur demander « avec qui ils couchent, si, étant au lit, ils se sont amusés avec leurs mains. Aux petites filles on demandera si elles ont eu de l'amitié pour quelqu'un, s'il y a eu de mauvaises pensées, des paroles, des amusements mauvais. Et selon leur réponse, on ira plus loin ». Mais on se gardera toujours « de leur demander », aussi bien aux petites filles « qu'aux petits garçons *an adfuerit seminis effusio* [je n'ai pas besoin de traduire ; M.F.]. Il vaut bien mieux avec eux manquer à l'intégrité matérielle de la confession que d'être la cause qu'ils apprendraient le mal qu'ils ne connaissent pas ou de leur inspirer le désir de le savoir ». On leur demandera simplement « s'ils ont porté des cadeaux, fait des commissions pour des hommes et des femmes. Aux petites filles, on leur demandera si elles ont reçu des présents de personnes suspectes », et en particulier d'ecclésiastiques ou de religieux ! [38] Vous voyez qu'on a là un tout autre mécanisme de l'aveu qui est mis en place, sur une règle qui reste la même : la néces-sité d'introduire toute une série de procédés stylistiques et rhétoriques qui permettent de dire les choses sans les nommer jamais. C'est là que le codage pudibond de la sexualité va s'introduire dans une pratique de l'aveu dont le texte de Tamburini, que je vous citais tout à l'heure, ne portait encore, au milieu du XVIIe siècle, aucune trace. Voilà le premier anti-convulsif utilisé par l'Église : c'est la modulation stylistique de la confession et de la direction de conscience.

Deuxième méthode, deuxième procédé, qui est employé par l'Église, c'est le transfert externe, et non plus le modérateur interne : c'est l'expulsion du convulsif lui-même. Je crois que ce qui a été cherché par l'Église (et relativement tôt, dès la seconde moitié du XVIIe siècle), c'est d'établir une ligne de partage entre cette chair incertaine, pecca-mineuse, que la direction de conscience doit contrôler et parcourir de son discours infini et méticuleux, et puis cette fameuse convulsion à laquelle on se heurte, qui est à la fois l'effet dernier et la résistance la plus visible ; cette convulsion dont l'Église va essayer de se débarras-ser, de se dessaisir, pour qu'elle ne ressaisisse pas dans son piège tout le mécanisme de la direction. Il faut faire passer le convulsif, c'est-à-dire les paroxysmes mêmes de la possession, sur un nouveau registre de dis-cours, qui ne sera plus celui de la pénitence et de la direction de conscience, et, en même temps, dans un autre mécanisme de contrôle. C'est là que commence à s'opérer la grande et célèbre passation de pouvoir à la médecine.

Schématiquement, on peut dire ceci. On avait bien fait appel à la médecine et aux médecins au moment des grands épisodes des procès de sorcellerie, mais précisément contre le pouvoir ecclésiastique, contre les abus de l'Inquisition [39]. C'était en général le pouvoir civil, ou encore l'organisation de la magistrature, qui avait essayé d'insérer la question médicale à propos de la sorcellerie, mais comme modération externe du pouvoir de l'Église [40]. Maintenant, c'est le pouvoir ecclésiastique lui-même qui va faire appel à la médecine pour pouvoir s'affranchir de ce problème, de cette question, de ce piège, que la possession oppose à la direction de conscience telle qu'elle a été mise en place au XVIe siècle [41]. Appel timide, bien sûr, contradictoire, réticent, puisqu'en introduisant le médecin dans les affaires de possession, on va introduire la médecine dans la théologie, les médecins dans les couvents, plus généralement la juridiction du savoir médical dans cet ordre de la chair que la nouvelle pastorale ecclésiastique avait constitué en domaine. Cette chair, par laquelle l'Église assurait son contrôle sur les corps, risque en effet d'être maintenant, par cet autre mode d'analyse et de gestion du corps, confisquée par un autre pouvoir, qui sera le pouvoir laïque de la médecine. D'où la méfiance, bien sûr, à l'égard de la médecine ; d'où la réticence que l'Église elle-même opposera à son propre besoin d'avoir recours à la médecine. Car ce recours ne peut pas être annulé. Il est devenu nécessaire que la convulsion ne cesse d'être, aux termes de la direction de conscience, ce par quoi les dirigés vont s'insurger corporellement et charnellement contre leurs directeurs, au point de les piéger et, en quelque sorte, de les contre-posséder. Il faut rompre ce mécanisme dans lequel la direction se retourne et s'enferre. Dans cette mesure-là, on a besoin d'une coupure radicale qui rende la convulsion comme un phénomène autonome, étranger, entièrement différent en sa nature de ce qui peut se passer à l'intérieur du mécanisme de la direction de conscience. Et cette nécessité, bien sûr, deviendra d'autant plus urgente que les convulsions vont s'articuler plus directement sur une résistance religieuse ou politique. Lorsqu'on ne trouvera pas les convulsions simplement dans les couvents des ursulines, mais, par exemple, chez les convulsionnaires de Saint-Médard (c'est-à-dire dans une couche de population relativement basse de la société), ou encore chez les protestants des Cévennes, du coup la codification médicale deviendra un impératif absolu. De sorte que, entre Loudun (1632), les convulsionnaires de Saint-Médard ou ceux des Cévennes (début du XVIIIe siècle), entre ces deux séries de phénomènes commence, se noue toute une histoire : c'est celle de la convulsion comme instrument et enjeu d'une joute de la religion avec elle-même, et de la religion avec la médecine [42]. À partir de là, on va avoir deux séries de phénomènes.

D'une part, la convulsion va devenir, dès le XVIIIe siècle, un objet médical privilégié. À partir du XVIIIe siècle, on voit en effet la convulsion (ou tous les phénomènes apparentés à la convulsion) constituer cette espèce de grand domaine qui va être si fécond, si important, pour les médecins : les maladies de nerfs, les vapeurs, les crises. Ce que la pastorale chrétienne a organisé comme la chair est en train de devenir, au XVIIIe siècle, un objet médical. C'est par là, en annexant cette chair qui lui est, au fond, proposée par l'Église elle-même à partir de ce phénomène de la convulsion, que la médecine va prendre pied, et pour la première fois, dans l'ordre de la sexualité. Autrement dit, ce n'est pas par une extension des considérations traditionnelles de la médecine grecque et médiévale sur l'utérus ou sur les humeurs, que la médecine a découvert ce domaine des maladies à connotation, à origine ou à support sexuel. C'est dans la mesure où elle a hérité de ce domaine de la chair, découpé et organisé par le pouvoir ecclésiastique, c'est dans la mesure où elle en est devenue, à la demande même de l'Église, l'héritière ou l'héritière partielle, que la médecine a pu commencer à devenir un contrôle hygiénique et à prétention scientifique de la sexualité. L'importance de ce qu'on appelait à l'époque, dans la pathologie du XVIIIe siècle, le « système nerveux » vient de ce qu'il a précisément servi de premier grand codage anatomique et médical à ce domaine de la chair que l'art chrétien de la pénitence avait jusque-là parcouru simplement à l'aide de notions comme les « mouvements », les « allèchements », les « titillations », etc. Le système nerveux, l'analyse du système nerveux, la mécanique même fantastique que l'on prêtera au système nerveux dans le cours du XVIIIe siècle, tout ceci est une manière de recoder en termes médicaux ce domaine d'objets que la pratique de la pénitence, depuis le XVIe siècle, avait isolé et constitué. La concupiscence était l'âme pécheresse de la chair. Eh bien, le genre nerveux est, depuis le XVIIIe siècle, le corps rationnel et scientifique de cette même chair. Le système nerveux prend de plein droit la place de la concupiscence. C'est la version matérielle et anatomique de la vieille concupiscence.

Par conséquent, on comprend pourquoi l'étude de la convulsion, comme forme paroxystique de l'action du système nerveux, va être la première grande forme de la neuropathologie. Je crois qu'on ne peut pas sous-estimer l'importance historique de cette convulsion dans l'histoire des maladies mentales, parce que, rappelez-vous ce que je vous disais au cours de dernières rencontres, vers 1850 la psychiatrie s'est finalement désaliénisée. Elle a cessé d'être l'analyse de l'erreur, du délire, de l'illusion, pour devenir l'analyse de toutes les perturbations de l'instinct. La psychiatrie se donne l'instinct, ses troubles, toute la confusion du volontaire et de l'involontaire, comme son domaine propre. Eh bien, cette convulsion (c'est-à-dire cette agitation paroxystique du système nerveux qui a été, pour la médecine du XVIIIe siècle, la manière de recoder la vieille convulsion et tout l'effet de concupiscence de l'héritage chrétien) va apparaître maintenant comme étant la libération involontaire des automatismes. Du coup, elle constituera tout naturellement le modèle neurologique de la maladie mentale. La psychiatrie, telle que je vous l'ai décrite, est passée d'une analyse de la maladie mentale comme délire à l'analyse de l'anomalie comme trouble de l'instinct. Pendant ce temps-là, ou déjà bien avant, dès le XVIIIe siècle, une autre filière était en train de se préparer, une filière qui a une tout autre origine, puisqu'il s'agissait de cette fameuse chair chrétienne. Cette chair de concupiscence, recodée par l'intermédiaire de la convulsion dans le système nerveux, va donner – au moment où il faudra penser et analyser le trouble de l'instinct – un modèle. Le modèle sera la convulsion, la convulsion en tant que libération automatique et violente des mécanismes fondamentaux et instinctifs de l'organisme humain : la convulsion va être le prototype même de la folie. Vous comprenez comment a pu s'édifier, au milieu de la psychiatrie du XIXe siècle, ce monument pour nous hétérogène et hétéroclite qu'est la fameuse hystéro-épilepsie. Au centre même du XIXe siècle, l'hystéro-épilepsie (qui a régné depuis les années 1850 jusqu'à sa démolition par Charcot, en 1875-1880, à peu près) a été la manière d'analyser, sous la forme de la convulsion nerveuse, la perturbation de l'instinct telle qu'elle avait été dégagée de l'analyse des maladies mentales, et particulièrement des monstruosités [43]. C'est ainsi que vous voyez confluer toute cette longue histoire de l'aveu chrétien et du crime monstrueux (dont je vous avais parlé l'autre fois), qui maintenant vient converger dans cette analyse et cette notion, si caractéristique de la psychiatrie à cette époque, qui est l'hystéro-épilepsie.

On a là l'enfoncement, de plus en plus grand, de plus en plus marqué, de la convulsion dans le discours et la pratique médicale. Chassée du champ de la direction spirituelle, la convulsion, dont la médecine hérite, va lui servir de modèle d'analyse pour les phénomènes de la folie. Mais, pendant que la convulsion s'enfonçait de plus en plus dans la médecine, l'Église catholique, de son côté, a tendu de plus en plus à se débarrasser de cette convulsion qui l'embarrassait, à alléger du péril de la convulsion cette chair qu'elle contrôlait, et ceci d'autant plus que la convulsion servait en même temps à la médecine dans sa lutte contre l'Église. Car chaque fois que les médecins faisaient une analyse de la convulsion, c'était en même temps pour essayer de montrer combien les phénomènes de sorcellerie, ou encore ceux de possession, n'étaient en fait que des phénomènes pathologiques. Dans cette mesure-là, plus la médecine confisquait pour elle la convulsion, plus la médecine essayait d'objecter la convulsion à toute une série de croyances ou de rituels ecclésiastiques, [et plus] l'Église essayait de se débarrasser de plus en plus vite et d'une manière de plus en plus radicale de ces fameuses convulsions. De sorte que, dans la nouvelle grande vague de christianisation qui va déferler au XIXe siècle, on voit la convulsion devenir un objet de plus en plus disqualifié dans la piété chrétienne, catholique, et d'ailleurs protestante aussi. On voit la convulsion de plus en plus disqualifiée, et à la convulsion va succéder autre chose, qui est l'apparition. L'Église disqualifie la convulsion ou laisse disqualifier la convulsion par la médecine. Elle ne veut plus entendre parler de tout ce qui pourrait rappeler cette invasion insidieuse du corps du directeur dans la chair de la nonne. En revanche, elle va faire valoir l'apparition, c'est-à-dire l'apparition non plus du diable, ni même cette insidieuse sensation que les religieuses éprouvaient au XVIIe siècle. L'apparition est l'apparition de la Vierge : c'est une apparition à distance, à la fois proche et lointaine, à portée de main en un sens et pourtant inaccessible. Mais, de toute façon, les apparitions du XIXe siècle (celle de la Salette et celle de Lourdes sont caractéristiques) excluent absolument le corps à corps. La règle du non-contact, du non-corps à corps, du non-mélange du corps spirituel de la Vierge et du corps matériel du miraculé, est une des règles fondamentales dans le système d'apparition qui se met en place au XIXe siècle. Apparition donc à distance, sans corps à corps, de la Vierge elle-même ; apparition dont le sujet n'est plus du tout ces nonnes en clôture et en chaleur, qui constituaient un tel piège pour la direction de conscience. Le sujet va être désormais l'enfant, l'enfant innocent, l'enfant qui a à peine abordé la pratique périlleuse de la direction de conscience. C'est dans ce regard angélique de l'enfant, c'est devant son regard, devant son visage, que va apparaître la face de celle qui pleure à la Salette, ou le chuchotement de celle qui guérit à Lourdes. Lourdes répond à Loudun, ou en tout cas constitue un autre épisode très marquant dans cette longue histoire qui est celle de la chair.

On pourrait dire en gros ceci. C'est que, vers les années 1870-1890, se constitue une sorte de vis-à-vis Lourdes-la Salette d'une part, et puis la Salpêtrière de l'autre, avec derrière tout cela le point focal et historique de Loudun, tout ceci faisant triangle. Il y a d'un côté Lourdes, qui dit : « Les diableries de Loudun étaient peut-être, en effet, des hystéries à la manière de la Salpêtrière. Laissons à la Salpêtrière les diableries de Loudun. Mais ceci ne nous touche en rien, puisque nous ne nous occupons plus que des apparitions et des petits enfants. » Ce à quoi la Salpêtrière répond : « Ce que Loudun et Lourdes ont fait, nous pouvons aussi bien le faire. Nous faisons des convulsions, nous pouvons faire aussi des apparitions. » Ce à quoi Lourdes rétorque : « Guérissez tant que vous voudrez. Il y a un certain nombre de guérisons que vous ne pourrez pas faire et que nous ferons. » C'est ainsi que, vous voyez, se constitue, toujours dans la grande dynastie de cette histoire des convulsions, cet enchevêtrement et cette bataille entre le pouvoir ecclésiastique et le pouvoir médical. De Loudun à Lourdes, à la Salette ou à Lisieux [44], il y a eu tout un déplacement, toute une redistribution des investissements médicaux et religieux du corps, toute une espèce de translation de la chair, tout un déplacement réciproque des convulsions et des apparitions. Et je crois que tous ces phénomènes, qui sont fort importants pour l'émergence de la sexualité dans le champ de la médecine, on ne peut pas les comprendre en termes de science ou d'idéologie, en termes d'histoire des mentalités, en termes d'histoire sociologique des maladies, mais simplement dans une étude historique des technologies de pouvoir.

Enfin, il resterait un troisième anti-convulsif. Le premier, c'était le passage de la règle du discours exhaustif à une stylistique du discours réservé ; le second, c'était la transmission de la convulsion elle-même au pouvoir médical. Le troisième anti-convulsif, dont je vous parlerai la prochaine fois, c'est celui-ci : l'appui que le pouvoir ecclésiastique a cherché du côté des systèmes disciplinaires et éducatifs. Pour contrôler, pour enrayer, pour effacer définitivement tous ces phénomènes de possession qui piégeaient la nouvelle mécanique du pouvoir ecclésiastique, on a essayé de faire fonctionner la direction de conscience et la confession, toutes ces formes nouvelles d'expérience religieuse, à l'intérieur des mécanismes disciplinaires qui étaient mis en place à la même époque, que ce soit dans les casernes, dans les écoles, dans les hôpitaux, etc. De cette mise en place ou, si vous voulez, de cette insertion des techniques spirituelles propres au catholicisme du concile de Trente dans les nouveaux appareils disciplinaires qui se dessinent et s'édifient au XVIIᵉ siècle, je ne prendrai qu'un exemple sur lequel je redémarrerai la prochaine fois. C'est l'exemple de M. Olier : lorsqu'il a fondé le séminaire de Saint-Sulpice, il a décidé de construire un bâtiment adéquat à la tâche qu'il se donnait. Le séminaire de Saint-Sulpice prévu par Olier devait précisément mettre en œuvre, et dans tous leurs détails, ces techniques de contrôle spirituel, d'examen de soi, de confession, caractéristiques de la piété tridentine. Il fallait un bâtiment adéquat. M. Olier ne sait pas comment construire ce séminaire. Il se rend donc à Notre-Dame et demande à la Vierge de lui dire comment il doit construire son séminaire. La Vierge, en effet, lui apparaît, et elle a à la main un plan, qui est le plan du séminaire de Saint-Sulpice. Mais ce qui frappe M. Olier, c'est aussitôt ceci : pas de dortoirs, mais des chambres séparées. C'est cela, pas du tout l'emplacement de la chapelle, la dimension de l'oratoire, etc., qui est le trait principal de ce plan de construction présenté par la Vierge. Car la Vierge ne s'y trompait pas. Elle savait parfaitement que les pièges qui étaient tendus au terme, au bout, à la limite de ces techniques de la direction spirituelle, étaient fomentés précisément dans la nuit et dans le lit. C'est-à-dire que c'est le lit, la nuit, les corps envisagés dans leurs détails et dans le déroulement même de leurs activités sexuelles éventuelles, c'est cela qui est le principe de tous ces pièges dans lesquels sont tombés, quelques années auparavant, des directeurs de conscience insuffisamment avertis de ce qu'était véritablement la chair. Cette chair, à la fois riche, complexe, traversée de sensations, secouée de convulsions, auxquelles les directeurs de conscience avaient affaire, il fallait en établir exactement le processus de constitution, l'origine, voir exactement quels étaient ses mécanismes de fonctionnement. Les appareils disciplinaires (collèges, séminaires, etc.), en quadrillant précisément les corps, en les replaçant dans un espace méticuleusement analytique, vont permettre de substituer, à cette espèce de théologie complexe et un peu irréelle de la chair, l'observation précise de la sexualité dans son déroulement ponctuel et réel. C'est donc le corps, c'est donc la nuit, c'est donc la toilette, c'est donc le vêtement de nuit, c'est donc le lit : c'est donc entre les draps précisément qu'il va falloir retrouver les mécanismes d'origine de tous ces troubles de la chair que la pastorale tridentine avait fait apparaître, qu'elle avait voulu contrôler et par lesquels elle s'était fait finalement piéger [45].

C'est ainsi qu'au cœur, au noyau, au foyer même de tous ces troubles charnels liés aux nouvelles directions spirituelles, ce qu'on va trouver, c'est le corps, c'est le corps surveillé de l'adolescent, c'est le corps du masturbateur. C'est de cela que je vous parlerai la prochaine fois.

*

NOTES

1. Pour savoir « tout ce qui a été dit dans le laps de temps qui s'écoule entre » J.-J. Surin (1600-1665) et Madame Guyon (1648-1717), cf. H. Bremond, *Histoire littéraire du sentiment religieux en France depuis la fin des guerres de Religion*, Paris, 1915-1933, vol. I-XI.

2. La documentation concernant les épisodes de possession signalés par M. Foucault est très vaste. Sur le premier cas, nous nous limitons à signaler *La Possession de Loudun*, présenté par M. de Certeau, Paris, 1980 (1ʳᵉ éd. 1970), et faisant référence à l'ouvrage de M. Foucault, *Folie et Déraison. Histoire de la folie à l'âge classique*, *op. cit.*, comme « fondamental pour comprendre le problème épistémologique qui est au centre de l'affaire loudunaise » (p. 330). Sur le deuxième cas, voir P.-F. Mathieu, *Histoire des miraculés et des convulsionnaires de Saint-Médard*, Paris, 1864.

3. Sur L. Gaufridi, cf. J. Fontaine, *Des marques des sorciers et de la réelle possession que le diable prend sur le corps des hommes. Sur le sujet du procès de l'abominable et détestable sorcier Louys Gaufridy, prêtre bénéficié en l'église paroissiale des Accoules de Marseille, qui naguère a été exécuté à Aix par l'arrêt de la cour de parlement de Provence*, Paris, 1611 (réimpr. Arras, [s.d. : 1865]).

4. Sur U. Grandier, cf. *Arrêt de la condamnation de mort contre Urbain Grandier, prêtre, curé de l'église Saint-Pierre-du-Marché de Loudun, et l'un des chanoines de l'église Sainte-Croix dudit lieu, atteint et convaincu du crime de magie et autres cas mentionnés au procès*, Paris, 1634 ; M. de Certeau, *La Possession de Loudun, op. cit.*, p. 81-96.

5. Le diacre janséniste François de Pâris est le premier protagoniste du phénomène convulsionnaire de Saint-Médard. On lui attribue *La Science du vrai qui contient les principaux mystères de la foi*, [s.l. : Paris], 1733. Source principale : L.-B. Carré de Montgeron, *La Vérité des miracles opérés par l'intercession de M[édard] de Paris et autres appelants*, I-III, Cologne, 1745-1747.

6. Voir sur cette question J. Viard, « Le procès d'Urbain Grandier. Note critique sur la procédure et sur la culpabilité », in *Quelques procès criminels des XVIIᵉ et XVIIIᵉ siècles*, sous la direction de J. Imbert, Paris, 1964, p. 45-75.

7. H. Institoris & I. Sprengerus, *Malleus maleficarum*, Argentorati, 1488 (trad. fr. : *Le Marteau des sorcières*, Paris, 1973).

8. M. Foucault, « Les déviations religieuses et le savoir médical » (1968), in *Dits et Écrits*, I, p. 624-635.

9. Plus exactement : « La prieure étant couchée, la chandelle allumée, [...] elle sentit une main, sans rien voir, qui, lui fermant la sienne, y laissa trois épines d'au-bespin. [...] Ladite prieure, et autres religieuses, depuis la réception desdites épines, avaient ressenti d'étranges changements en leur corps [...], en telle sorte que parfois elles perdaient tout jugement et étaient agitées de grandes convulsions qui semblaient procéder de causes extraordinaires » (M. de Certeau, *La Possession de Loudun*, *op. cit.*, p. 28).

10. *Ibid.*, p. 50.

11. *Ibid.*, p. 157. En réalité : « Et comme, revenue à elle, la créature était comman-dée de chanter le verset *Memento salutis* et voulait prononcer *Maria mater gratiae*, on a entendu soudain sortir de sa bouche une voix horrible disant : "Je renie Dieu. Je la [la Vierge] maudis". »

12. *Ibid.*, p. 68.

13. Jeanne des Anges, *Autobiographie*, préface de J.-M. Charcot, Paris, 1886 (ce texte, paru aux éditions du *Progrès médical*, dans la collection « Bibliothèque diabo-lique », dirigée par D.-M. Bourneville, a été réédité à Grenoble, en 1990, avec un essai de M. de Certeau déjà paru en annexe à la *Correspondance de J.-J. Surin*, Paris, 1966, p. 1721-1748.

14. Cf. le récit de J.-J. Surin, *Triomphe de l'amour divin sur les puissances de l'enfer en la possession de la mère prieure des Ursulines de Loudun et Science expéri-mentale des choses de l'autre vie*, Avignon, 1828 (réimpr. Grenoble, 1990).

15. M. de Certeau, *La Possession de Loudun*, *op. cit.*, p. 47. Cf. Jeanne des Anges, *Autobiographie*, *op. cit.*, p. 83.

16. M. de Certeau, *op. cit.*, p. 48. Cf. Jeanne des Anges, *op. cit.*, p. 85.

17. M. de Certeau, *op. cit.*, p. 49. Cf. Jeanne des Anges, *loc. cit.*

18. M. de Certeau, *op. cit.*, p. 70.

19. Cf. *supra*, leçon du 19 février.

20. Th. Tamburinus, *Methodus expeditae confessionis tum pro confessariis tum pro poenitentibus*, Romae, 1645. Nous avons utilisé : *Methodi expeditae confessionis libri quattuor*, in *Opera omnia*, II : *Expedita moralis explicatio*, Venetiae, 1694, p. 373-414.

21. *Ibid.*, p. 392 : « Mollities est pollutio voluntaria sine coniunctione corporum seu [...] est peccatum contra naturam per quod voluntaria pollutio procuratur, extra concu-bitum, causa explendae delectationis venereae » (art. 62).

22. *Loc. cit.* : « Si quis tamen, dum se polluit, consentiat vel cogitet morose in ali-quam aliam speciem – verbi gratia : in adulterium, incestum – contrahit eandem mali-tiam, quam cogitat, adeoque confitendam » (art. 62).

23. *Ibid.* : « Inanimatum instrumentum quo quis se polluat non facit mutationem speciei » (art. 63).

24. *Ibid.* : « Dixi inanimato [instrumento], nam si animato, ut si manibus alterius fiat, iam nunc subdo » (art. 63).

25. *Ibid.* : « Si quis se pollueret inter brachia, coxendices, os feminae vel viri, cum id regulariter procedat ex affectu personae seu concubitus cum illa, est sine dubio spe-cialiter explicandum, quia non est mera pollutio, sed copula inchoata » (art. 64).

26. *Ibid.* : « Non tamen credo necessarium esse explicandas peculiares partes cor-poris, nisi sit affectus aliquis particularis – verbis gratia : ad partes praepostera, ob sodomiam [...]. Illa maior delectatio quae in una ex partibus quaeritur non trascendit speciem malitiae quae est in alia » (art. 64).

27. *Ibid.* : « Sodomia – et quidem perfecta – est concubitus ad sexum non debitum, ut vir cum viro, femina cum femina » (art. 67) ; « Concubitus viri cum femina in vase prepostero est sodomia imperfecta » (art. 67) ; « Concubitus est copula carnalis carnalis consummata : naturalis si sit in vase debito ; innaturalis si sit in loco seu vase non debito » (art. 67) ; « Sed hic est quaestio : quando mutua procuratio pollutionis inter mares vel inter feminas debeat dici mollities, quando sodomia » (art. 68) ; « Respondeo : quando ex affectu ad personam adest concubitus, si sit inter indebitum sexum, hoc est inter virum et virum, feminam et feminam, tunc est sodomia » (art. 68) ; « Quando vero est mutua pollutio absque concubitu, sed solum ad explendam libidinem est mollities » (art. 68).

28. *Ibid.* : « Hic si duo mares commisceant corpora et moveantur ad procurandam pollutionem, vel quandocunque se tangant impudice, ex affectu indebiti sexus, ita ut effusio seminis vel sit intra vas praeposterum, vel etiam extra, puto esse sodomiam » (art. 69).

29. *Ibid.* : « Sed si ipsae feminae commisceant corpora ex affectu solum se polluendi – id est explendae libidinis – est mollities » (art. 69).

30. *Ibid.* : « Si [ipsae feminae commisceant corpora] ex affectu ad indebitum sexum est sodomia » (art. 69).

31. *Ibid.* : « Sed quid dicendum si quis se polluat inter caeteras partes feminae (coxendices, brachia) ? Respondeo : Si primo sit concubitus ex affectu ad personam ipsam, sexumque femineum, est copula fornicaria, sive adulterina, sive incestuosa, iuxta conditionem personae, atque adeo est aperiendus. Si secundo sit concubitus ex affectu ad praeposteras partes est sodomia imperfecta [...] ac similiter aperiendus. Si tertio denique sit sine concubitu, sed mere ad explendam libidinem, est mollities » (art. 74).

32. Elle est parfaite dans le premier cas (« effusio intra vas praeposterum »), et imparfaite dans le deuxième (« effusio extra vas praeposterum ») : « Quia, quamvis tunc non sit copula, tamen per illum concubitum est affectus venereus ad indebitum sexum, qui proprie constituit sodomiam. Nam coeterum, sive semen effundatur intra, sive extra, semper aeque in loco non suo dispergitur. Locus enim praeposterus videtur materialiter se habere in sodomia. Sed formaliter eius essentia sumitur ex motivo, scilicet ex concubitu cum affectu ad indebitum sexum. Confirmo [la thèse précédente] quia femina cum femina non alio modo commiscetur nisi per dictum concubitum cum effusione seminis et non intra vas praeposterum. Inter illas enim non potest esse copula proprie » (*ibid.*, art. 69) ; « Sodomiam imperfectam, quam alii vocant innaturalem concumbendi modum, est peccatum contra naturam, per quod vir cum femina concumbit extra vas naturale. Est species distincta a sodomia perfecta. Adeoque speciatim in confessione exprimenda. Perfecta enim procedit ex affectu ad indebitum sexum. Haec vero procedit non ex affectu ad indebitum sexum, sed licet ad indebitum tamen ad partem innaturalem » (*ibid.*, art. 74).

33. Il s'agit d'une règle commune à plusieurs canonistes du Moyen Âge. D'après les *Interrogationes in confessione* de A. de Clavasio, *Summa angelica de casibus conscientiae,* cum additionibus I. Ungarelli, Venetiis, 1582, p. 678 : « Quod stet [le pénitent] facie versa lateri confessoris (si est mulier vel iuvenis) et non permittas quod aspiciat in faciem tuam, quia multi propter hoc corruerunt. » Cf. H.Ch. Lea, *A History of Auricular Confession...*, *op. cit.*, I, p. 379.

34. Th. Tamburinus, *Methodi expeditae confessionis...*, *op. cit.*, p. 392, qui élabore son discours sur la discrétion à partir de la notion de *prudentia* de V. Filliucius, *Moralium quaestionum de christianis officiis et casibus conscientiae ad formam cursus qui praelegi solet in collegio romano societatis Iesu tomus primus*, Ludguni, 1626, p. 221-222.

35. Par *Concilium romanum* ou *Concilium lateranense* de 1725, il faut entendre le synode provincial des évêques d'Italie convoqué par Benoît XIII. Cf. L. von Pastor, *Geschichte der Päpste*, XV, Freiburg im Brisgau, 1930, p. 507-508.

36. Cf. J. Guerber, *Le Ralliement du clergé français à la morale liguorienne*, Rome, 1973.

37. A.-M. de Liguory, *Le Conservateur des jeunes gens...*, *op. cit.*, p. 5.

38. A. de Liguori, *Praxis confessarii...*, *op cit.*, p. 140-141 (art. 89).

39. Le schéma utilisé ici par M. Foucault a été formulé, dans la dédicace à son seigneur, Guillaume, duc de Jülich-Kleve, par l'archiatre I. Wierus, *De praestigiis daemonum et incantationibus ac veneficiis libri quinque*, Basileae, 1563. Le problème a été abordé par M. Foucault, « Médecins, juges et sorciers au XVIIᵉ siècle » (1969), in *Dits et Écrits*, I, p. 753-767.

40. R. Mandrou, *Magistrats et Sorcières en France au XVIIᵉ siècle. Une analyse de psychologie historique*, Paris, 1968.

41. Cf. P. Zacchia, *Quaestiones medico-legales*, II, Avenione, 1660, p. 45-48 (en particulier l'article « De daemoniacis », chap. : « De dementia et rationis laesione et morbis omnibus qui rationem laedunt »).

42. Source principale : [M. Misson], *Le Théâtre sacré des Cévennes ou Récit des diverses merveilles opérées dans cette partie de la province de Languedoc*, Londres, 1707 (réimprimé sous le titre : *Les Prophètes protestants*, Paris, 1847).

43. Cf. J.-M. Charcot, *Leçons sur les maladies du système nerveux faites à la Salpêtrière*, Paris, 1874. Dans la section « clinique nerveuse » des *Archives de neurologie*, III, 1882, p. 160-175, 281-309, Ch. Féré a publié les premières *Notes pour servir à l'histoire de l'hystéro-épilepsie*, alors que la description donnée par Charcot était en train de s'imposer. Ces points ont été abordés par Foucault dans le cours, déjà cité, *Le Pouvoir psychiatrique* (6 février 1974).

44. Voir les sections « Apparitions et pèlerinages » des articles « La Salette » et « Lourdes », in *La Grande Encyclopédie*, Paris, [s.d.], XXII, p. 678-679 ; XXIX, p. 345-346. Pour Lisieux, la référence est au Carmel où vécut Thérèse Martin (*alias* Thérèse de l'Enfant Jésus).

45. M. Foucault s'appuie sur la *Vie*, les *Mémoires* et *L'Esprit d'un directeur des âmes*, publiés in J.-J. Olier, *Œuvres complètes*, Paris, 1865, col. 9-59, 1082-1183, 1183-1239. Voir aussi ses nombreuses *Lettres*, Paris, 1885.

COURS DU 5 MARS 1975

Le problème de la masturbation entre discours chrétien de la chair et psycho-pathologie sexuelle. – Les trois formes de somatisation de la masturbation. – L'enfance assignée en responsabilité pathologique. – La masturbation prépubertaire et la séduction par l'adulte : la faute vient de l'extérieur. – Une nouvelle organisation de l'espace et du contrôle familiaux : élimination des intermédiaires et application directe du corps des parents sur le corps des enfants. – L'involution culturelle de la famille. – La médicalisation de la nouvelle famille et l'aveu de l'enfant au médecin héritier des techniques chrétiennes de la confession. – La persécution médicale de l'enfance par les moyens de contention de la masturbation. – La constitution de la famille cellulaire qui prend en charge le corps et la vie de l'enfant. – Éducation naturelle et éducation d'État.

J'avais essayé la dernière fois de vous montrer comment le corps de désir et de plaisir était apparu, semble-t-il, en corrélation avec la nouvelle vague de christianisation, celle qui s'est développée au XVIᵉ-XVIIᵉ siècle. C'est ce corps, en tout cas, qui me semble se déployer avec volubilité, avec complaisance, dans toutes les techniques de gouvernement des âmes, de direction spirituelle, de confession détaillée ; bref, de ce qu'on pourrait appeler la pénitence analytique. C'est également ce corps de plaisir et de désir, dont j'ai essayé de vous montrer la dernière fois comment il investissait, en retour, ces mécanismes de pouvoir, comment – par tout un jeu de résistances, de complicités, de contrepouvoirs – il reprenait, pour les entourer et les faire fonctionner comme à l'envers, tous ces mécanismes qui avaient essayé de le quadriller. Et ceci sous la forme exaspérée de la convulsion. Enfin, j'avais essayé de vous montrer comment, à l'intérieur même de la technologie chrétienne du gouvernement des individus, on avait essayé de contrôler les effets de cette chair convulsive, de ce corps de mouvement, d'agitation et de plaisir, et ceci par différents moyens, dans des établissements d'enseignement comme les séminaires, les pensions, les écoles, les collèges, etc.

Maintenant je voudrais essayer de caractériser l'évolution de ce contrôle de la sexualité à l'intérieur des établissements de formation scolaire chrétienne, et surtout catholique, au XVIIᵉ et au XVIIIᵉ [*rectius* : au XVIIIᵉ et au XIXᵉ] siècle. D'une part, tendance de plus en plus nette à atténuer l'espèce d'indiscrétion bavarde, d'insistance discursive sur le corps de plaisir, qui marquait les techniques du XVIIᵉ siècle concernant la direction des âmes. On essaye d'éteindre, en quelque sorte, tous ces incendies verbaux qui s'allumaient de l'analyse même du désir et du plaisir, de l'analyse même du corps. On gomme, on voile, on métaphorise, on invente toute une stylistique de la discrétion dans la confession et dans la direction de conscience : c'est Alphonse de Liguori[1]. Mais, en même temps qu'on gomme, on voile, on métaphorise, en même temps qu'on essaye d'introduire une règle sinon du silence, du moins de la *discretio maxima,* en même temps les architectures, les dispositions des lieux et des choses, la manière dont on aménage les dortoirs, dont on institutionnalise les surveillances, la manière même dont on construit et dont on dispose à l'intérieur d'une salle de classe les bancs et les tables, tout l'espace de visibilité qu'on organise avec tant de soin (la forme, l'aménagement des latrines, la hauteur des portes, la chasse aux coins obscurs), tout ceci, dans les établissements scolaires, remplace – et pour le faire taire – le discours indiscret de la chair que la direction de conscience impliquait. Autrement dit, les dispositifs matériels doivent rendre inutile tout ce bavardage incandescent que la technique chrétienne post-tridentine avait mis en place au XVIᵉ et au XVIIᵉ siècle. La direction des âmes pourra se faire d'autant plus allusive, par conséquent d'autant plus silencieuse, que le quadrillage des corps sera serré. C'est ainsi que, dans les collèges, dans les séminaires, dans les écoles – pour dire tout cela d'un mot –, on en parle le moins possible, mais tout, dans l'aménagement des lieux et des choses, désigne les dangers de ce corps de plaisir. En dire le moins possible, mais tout en parle.

Voilà que brusquement – au milieu de cette grande mise au silence, au milieu de ce grand transfert aux choses et à l'espace de la tâche de contrôler les âmes, les corps et les désirs – surgit un bruit de fanfare, commence un soudain et bruyant bavardage, qui ne va pas cesser pendant plus d'un siècle (c'est-à-dire jusqu'à la fin du XIXᵉ siècle) et qui, sous une forme modifiée, va sans doute continuer jusqu'à nous. En 1720-1725 (je ne me souviens plus), paraît en Angleterre un livre qui s'appelle *Onania,* et qui est attribué à Bekker[2] ; au milieu du XVIIIᵉ siècle, apparaît le fameux livre de Tissot[3] ; en 1770-1780, en

Allemagne, Basedow[4], Salzmann[5], etc., reprennent aussi ce grand discours de la masturbation. Bekker en Angleterre, Tissot à Genève,
Basedow en Allemagne : vous voyez qu'on est là en plein pays protes-
tant. Il n'est pas du tout étonnant que ce discours de la masturbation
intervienne dans les pays dans lesquels la direction de conscience sous
la forme tridentine et catholique, d'une part, et les grands établissements d'enseignement, de l'autre, n'existaient pas. Le blocage du problème par l'existence de ces établissements d'enseignement, par les
techniques de la direction de conscience, explique que, dans les pays
catholiques, ce soit un peu plus tard que le problème ait été posé, et
avec cet éclat. Mais il ne s'agit que d'un décalage de quelques années.
Très rapidement, après la publication, en France, du livre de Tissot, le
problème, le discours, l'immense jacasserie sur la masturbation, commence et ne cessera pas pendant tout un siècle[6].

Surgit donc brusquement, au milieu du XVIIIe siècle, une floraison de
textes, de livres, mais aussi de prospectus, de tracts, sur lesquels il faut
faire deux remarques. D'abord, c'est que, dans ce discours à propos de
la masturbation, on a quelque chose qui est tout à fait différent de ce
qu'on pourrait appeler le discours chrétien de la chair (et dont j'ai
essayé, les dernières fois, de vous montrer un peu la généalogie) ; très
différent aussi de ce qui sera, un siècle plus tard (à partir de 1840-50),
la *psychopathia sexualis,* la psychopathologie sexuelle, dont le premier
texte est celui de Heinrich Kaan, en 1840 [*rectius* : 1844][7]. Entre le discours chrétien de la chair et la psychopathologie sexuelle surgit donc,
très spécifiquement, un certain discours de la masturbation. Ce n'est
pas du tout le discours de la chair, dont je vous parlais la dernière fois,
pour une raison très simple, qui éclate aussitôt : c'est que les mots, les
termes mêmes de désir, de plaisir, n'y interviennent jamais. J'ai parcouru avec pas mal de curiosité, mais aussi pas mal d'ennui cette littérature depuis un certain nombre de mois. Je n'ai trouvé, en tout et pour
tout, qu'une seule fois cette mention : « Pourquoi est-ce que les adolescents se masturbent ? » Et un médecin, vers les années 1830-40, a brusquement cette idée : « Mais ça doit être parce que ça leur fait plaisir ![8] »
C'est la seule fois. Discours, donc, dont sont absents totalement le désir
et le plaisir, à la différence de la littérature chrétienne précédente.

D'autre part, ce qui est intéressant également, c'est qu'il ne s'agit
pas du tout encore de ce que sera la psychologie sexuelle ou la psychopathologie sexuelle de Kaan, de Krafft-Ebing[9], d'Havelock Ellis[10],
dans la mesure où la sexualité y est à peu près absente. On s'y réfère,
bien sûr. On fait allusion à la théorie générale de la sexualité, telle

qu'elle était conçue, à cette époque-là, dans un climat de philosophie de la nature. Mais ce qu'il est très intéressant de noter, c'est que, dans ces textes sur la masturbation, la sexualité adulte n'intervient pratiquement jamais. Bien plus : la sexualité de l'enfant non plus. C'est la masturbation, et la masturbation elle-même, pratiquement sans lien aucun ni avec les comportements normaux de la sexualité, ni même avec les comportements anormaux. Je n'ai trouvé que deux fois une très discrète allusion au fait que la masturbation infantile trop développée avait pu amener, chez des sujets, certaines formes de désir à tendance homosexuelle [11]. Mais, encore, la sanction de cette masturbation exagérée était beaucoup plus, dans ces deux cas, l'impuissance que l'homosexualité. C'est donc la masturbation elle-même, et en quelque sorte détachée, sinon tout à fait dépouillée de son contexte sexuel, c'est la masturbation dans sa spécificité qui est visée dans cette littérature. D'ailleurs, on trouve des textes dans lesquels il est dit que, entre la masturbation et la sexualité normale, relationnelle, il y a véritablement une différence de nature, et que ce ne sont pas du tout les mêmes mécanismes qui font que l'on se masturbe et que l'on peut désirer quelqu'un [12]. Donc, c'est ça le premier point : nous sommes dans une sorte de région, je n'ose pas dire intermédiaire, mais parfaitement différente du discours de la chair et de la psychopathologie sexuelle.

Deuxième point sur lequel je voudrais insister, c'est le fait que ce discours sur la masturbation prend la forme beaucoup moins d'une analyse scientifique (bien que la référence au discours scientifique y soit forte, j'y reviendrai), que la forme d'une véritable campagne : il s'agit d'exhortations, il s'agit de conseils, il s'agit d'injonctions. Cette littérature est composée de manuels, dont les uns sont destinés aux parents. Par exemple, il y a des mémentos du père de famille, qu'on trouve jusque vers 1860, sur la manière d'empêcher les enfants de se masturber [13]. Vous avez des traités qui sont, au contraire, destinés aux enfants, aux adolescents eux-mêmes. Le plus célèbre, c'est le fameux *Livre sans titre*, qui n'a pas de titre mais qui comprend des illustrations, c'est-à-dire, d'une part, des pages où l'on analyse toutes les conséquences désastreuses de la masturbation et, sur la page d'en face, la physionomie de plus en plus décomposée, ravagée, squelettique et diaphane du jeune masturbateur qui s'épuise [14]. Cette campagne comporte également des institutions destinées à guérir ou soigner les masturbateurs, des tracts pour des médicaments, des appels de médecins qui promettent aux familles de guérir leurs enfants de ce vice. Une institution, par exemple, comme celle de Salzmann, en Allemagne, affirmait qu'elle

était la seule institution dans toute l'Europe où les enfants ne se masturbaient jamais [15]. Vous trouvez des recettes, des prospectus pour des
médicaments, pour des appareils, pour des bandages, sur lesquels nous
reviendrons. Et je terminerai ce très rapide survol du caractère vraiment de campagne, de croisade, de cette littérature anti-masturbatoire,
sur ce petit fait. On a organisé, semble-t-il, sous l'Empire (en tout cas,
dans les dernières années du XVIIIe-début du XIXe siècle, en France), un
musée de cire où l'on invitait les parents à venir accompagnés de leurs
enfants, si du moins ceux-ci avaient donné des signes de masturbation.
Ce musée de cire représentait précisément, sous la forme de la statue,
tous les accidents de santé qui pouvaient arriver à quelqu'un qui se
masturbait. Ce musée de cire, à la fois musée Grévin et musée
Dupuytren de la masturbation, a, semble-t-il, disparu de Paris vers les
années 1820, mais on en a trace à Marseille en 1825 (et bien des médecins de Paris se plaignent de n'avoir plus à leur disposition ce petit
théâtre) [16]. Je ne sais pas s'il existe toujours à Marseille !

Alors, problème. Comment se fait-il que brusquement ait surgi cette
croisade en plein milieu du XVIIIe siècle, avec cette ampleur et cette
indiscrétion ? Ce phénomène est connu, je ne l'invente pas (en tout cas
pas entièrement !). Il a suscité un certain nombre de commentaires, et
un livre relativement récent de Van Ussel, qui s'appelle *Histoire de la
répression sexuelle,* fait une part considérable et, je crois, juste à ce
phénomène de l'apparition de la masturbation comme problème au
cœur du XVIIIe siècle. Le schéma explicatif de Van Ussel est celui-ci. Il
est hâtivement tiré, en gros, de Marcuse, et il consiste essentiellement à
dire ceci [17]. Au moment où se développe la société capitaliste, le corps,
qui était jusque-là – dit Van Ussel – « organe de plaisir », devient et
doit devenir un « instrument de performance », performance nécessaire
aux exigences mêmes de la production. D'où une scission, une césure,
dans le corps, qui est réprimé comme organe de plaisir et, au contraire,
codé, dressé, comme instrument de production, comme instrument de
performance. Une analyse comme celle-là n'est pas fausse, elle ne peut
pas être fausse tant elle est générale ; mais je ne crois pas qu'elle permette d'avancer beaucoup dans l'explication des phénomènes fins de
cette campagne et de cette croisade. D'une façon générale, je suis un
peu gêné, dans une analyse comme celle-là, par l'emploi de séries de
concepts qui sont à la fois psychologiques et négatifs : la mise au centre
même de l'analyse d'une notion comme celle de « répression », par
exemple, ou de « refoulement » ; l'utilisation également de notions
comme « organe de plaisir », « instrument de performance ». Tout ceci

me paraît à la fois psychologique et négatif : d'une part, un certain nombre de notions qui peuvent peut-être valoir dans l'analyse psychologique ou psychanalytique, mais qui, à mon sens, ne peuvent pas rendre compte de la mécanique d'un processus historique ; d'autre part, des concepts négatifs, en ce sens qu'ils ne font pas apparaître ce par quoi une campagne comme la croisade anti-masturbatoire a produit un certain nombre d'effets positifs et constituants, à l'intérieur même de l'histoire de la société.

Et puis, il y a deux choses que je trouve gênantes dans cette histoire. C'est que, s'il est vrai que la campagne anti-masturbatoire du XVIIIe siècle s'inscrit dans le processus de refoulement du corps de plaisir et d'exaltation du corps performant ou du corps productif, il y a tout de même deux choses dont on ne rend pas bien compte. La première est celle-ci : pourquoi est-ce qu'il s'est agi de la masturbation précisément, et pas finalement de l'activité sexuelle en général ? Si vraiment c'était le corps de plaisir que l'on avait voulu réprimer ou refouler, pourquoi est-ce qu'on aurait exalté et souligné ainsi la seule masturbation, et pas mis en cause la sexualité dans sa forme la plus générale ? Or, c'est simplement à partir des années 1850 que la sexualité, dans sa forme générale, va être interrogée médicalement et disciplinairement. D'autre part, c'est une chose aussi curieuse que cette croisade anti-masturbatoire porte d'une façon privilégiée sur les enfants, ou en tout cas sur les adolescents, et non pas sur les gens qui travaillent. Bien mieux, il s'agit essentiellement d'une croisade qui concerne les enfants et les adolescents des milieux bourgeois. Ce n'est jamais qu'à l'intérieur de ces milieux, dans les établissements scolaires qui leur sont destinés, ou encore ce n'est jamais qu'à titre de consignes données à des familles bourgeoises, que la lutte anti-masturbatoire vient à l'ordre du jour. Normalement, en gros, si effectivement il s'agissait purement et simplement de la répression du corps de plaisir et de l'exaltation du corps productif, il faudrait que l'on assiste à une répression de la sexualité en général, et plus précisément de la sexualité de l'adulte au travail ou, si vous voulez, de la sexualité ouvrière adulte. Or, on a autre chose ; on a affaire à la mise en question non pas de la sexualité, mais de la masturbation, et de la masturbation chez l'enfant et l'adolescent bourgeois. Je crois que c'est de ce phénomène qu'il faut essayer de rendre compte, et par une analyse un peu plus détaillée que celle de Van Ussel.

Pour essayer de voir cela (je ne vous garantis aucunement que je vous apporterai une solution, je peux même vous dire que ce que je vous apporterai comme esquisse de solution est vraisemblablement très imparfait, mais il faut essayer d'avancer un petit peu), il faudrait reprendre non pas exactement les thèmes mêmes de cette campagne, mais plutôt la tactique, ou les différents thèmes de la campagne, de la croisade, comme autant d'indicateurs de tactique. La première chose qui saute aux yeux, bien entendu, c'est ce qu'on pourrait appeler (mais en première instance et sous réserve d'un examen plus précis) la culpabilisation des enfants. En fait, dès qu'on regarde, on s'aperçoit bien qu'il ne s'agit pas tellement, dans cette croisade anti-masturbatoire, de culpabiliser les enfants. Au contraire, il est étonnant de voir qu'il y a un minimum de moralisation dans ce discours anti-masturbatoire. Il est très peu question, par exemple, des différentes formes de vice sexuel ou autre, auquel la masturbation pourrait donner lieu. Vous n'avez pas une grande genèse de l'immoralité à partir de la masturbation. Ce dont on menace les enfants, lorsqu'on leur interdit de se masturber, ce n'est pas d'une vie adulte perdue de débauche et de vice, c'est d'une vie adulte toute percluse de maladies. C'est-à-dire qu'il ne s'agit pas tellement d'une moralisation, que d'une somatisation, d'une pathologisation. Et cette somatisation se fait sous trois formes différentes.

Premièrement, vous trouvez ce qu'on pourrait appeler la fiction de la maladie totale. Très régulièrement, dans ces textes de la croisade, vous voyez la description fabuleuse d'une sorte de maladie polymorphe, absolue, sans rémission, qui cumulerait en elle tous les symptômes de toutes les maladies possibles ou, en tout cas, une quantité considérable de symptômes. Tous les signes de la maladie viennent se superposer dans le corps décharné et ravagé du jeune masturbateur. Exemple (et je le prends non pas du tout dans les textes les plus douteux, les plus marginaux de la croisade, mais à l'intérieur même d'un texte scientifique) : c'est l'article de Serrurier dans le *Dictionnaire des sciences médicales,* dictionnaire qui a été la bible du corps médical sérieux du début du XIXᵉ siècle. Le voici : « Ce jeune homme était dans le marasme le plus complet, sa vue était entièrement éteinte. Il satisfaisait partout où il se trouvait aux besoins de la nature. Son corps exhalait une odeur particulièrement nauséabonde. Il avait la peau terreuse, la langue vacillante, les yeux caves, toutes les dents déchaussées, les gencives couvertes d'ulcérations qui annonçaient une dégénérescence scorbutique. La mort ne pouvait plus être pour lui que le terme heureux de ses longues souffrances [18]. » Vous avez donc reconnu le portrait du jeune masturbateur, avec des caractéristiques fondamentales : épuisement ; perte de substance ; corps inerte, diaphane et émoussé ; écoulement perpétuel ; ruissellement immonde de l'intérieur vers l'extérieur ; aura infecte qui

entoure le corps du malade ; impossibilité, par conséquent, pour les
autres de s'en approcher ; polymorphisme des symptômes. Le corps
tout entier est couvert et envahi ; pas un pouce carré qui soit libre. Et
enfin la mort qui est présente, puisque le squelette se lit déjà dans les
dents déchaussées et les cavernes des yeux. On est en pleine, j'allais
dire science-fiction, mais, pour séparer les genres, disons en pleine
fabulation scientifique, fabriquée et transmise à la périphérie même du
discours médical. Je dis à la périphérie, mais pourtant je vous ai cité le
Dictionnaire des sciences médicales, pour ne pas citer précisément l'un
de ces nombreux petits écrits publiés sous le nom de médecins, ou parfois même par des médecins mais sans statut scientifique.

[Deuxième forme de la somatisation :] ce qui est plus intéressant,
c'est que cette campagne, qui prend donc cette forme de fabulation
scientifique de la maladie totale, vous la trouvez également (ou vous en
trouvez au moins les effets et les répondants, et un certain nombre
d'éléments) à l'intérieur de la littérature médicale la mieux réglée, la
plus conforme aux normes de scientificité du discours médical de
l'époque. Si vous prenez alors non plus les livres consacrés à la masturbation, mais les différents livres qui ont pu être écrits sur différentes
maladies, par les médecins les plus statutaires de l'époque, vous trouvez la masturbation non plus cette fois à l'origine de cette espèce de
maladie fabuleuse et totale, mais comme cause possible de toutes les
maladies possibles. Elle figure constamment au tableau étiologique des
différentes maladies. Elle est cause de méningite – dit Serres dans son
Anatomie comparée du cerveau [19]. Elle est cause d'encéphalite et de
phlegmasie des méninges – dit Payen dans son *Essai sur l'encéphalite* [20]. Elle est cause de myélite et de différentes atteintes de la moelle
épinière – c'est ce que dit Dupuytren dans un article de *La Lancette
française,* en 1833 [21]. Elle est cause de maladie osseuse et de dégénérescence des tissus osseux – dit Boyer dans les *Leçons sur les maladies
des os,* en 1803 [22]. Elle est cause de maladie des yeux, et en particulier
de l'amaurose – c'est ce que dit Sanson dans l'article « Amaurose » du
*Dictionnaire des sciences médicales [rectius : Dictionnaire de méde-
cine et de chirurgie pratiques]* [23] ; c'est ce que dit Scarpa dans son
Traité de maladies des yeux [24]. Blaud, dans un article de la *Revue médicale* de 1833, explique qu'elle intervient fréquemment, sinon constamment, dans l'étiologie de toutes les maladies du cœur [25]. Enfin, vous la
trouvez, bien sûr, au point d'origine de la phtisie et de la tuberculose – c'est ce qu'affirme déjà Portal dans ses *Observations sur la
nature et le traitement du rachitisme* en 1797 [26]. Et cette thèse du lien

entre la phtisie et la masturbation courra tout au long du XIXe siècle. Le
caractère à la fois hautement valorisé et parfaitement ambigu de la
jeune phtisique, jusqu'à la fin du XIXe siècle, doit s'expliquer en partie
par le fait que la phtisique emporte toujours avec elle son hideux secret.
Et, bien entendu, dernier point, vous la trouvez régulièrement citée par
les aliénistes à l'origine de la folie [27]. Dans cette littérature, tantôt elle
apparaît comme la cause de cette espèce de maladie fabuleuse et totale,
tantôt au contraire elle est répartie soigneusement dans l'étiologie des
différentes maladies [28].

Enfin, troisième forme sous laquelle vous trouvez le principe de la
somatisation : les médecins de l'époque ont fait appel et ont suscité, pour
des raisons que j'essayerai d'expliquer tout à l'heure, une sorte de véritable délire hypocondriaque chez les jeunes gens, chez leurs malades ;
délire hypocondriaque par lequel les médecins essayaient d'obtenir que
les malades rattachent eux-mêmes tous les symptômes qu'ils pouvaient
éprouver à cette faute première et majeure que serait la masturbation. On
trouve, dans les traités de médecine, dans toute cette littérature de tracts,
de prospectus, etc., une sorte de genre littéraire qui est la « lettre du
malade ». La lettre du malade, était-elle écrite, était-elle inventée par les
médecins ? Certaines, celles qui sont publiées par Tissot, par exemple,
sont certainement composées par lui ; d'autres sont certainement
authentiques. C'est tout un genre littéraire, qui est la petite autobiographie du masturbateur, autobiographie tout entière centrée sur son corps,
sur l'histoire de son corps, sur l'histoire de ses maladies, de ses sensations, de tous ses différents troubles pris par le menu depuis son enfance,
ou en tout cas depuis son adolescence, jusqu'au moment où il en fait
l'aveu [29]. Je vous citerai simplement un exemple de cela, dans un livre
de Rozier qui s'appelle *Les Habitudes secrètes chez les femmes*. Voici
le texte (d'ailleurs, un texte écrit par un homme, mais peu importe) :
« Cette habitude m'a jeté dans la plus affreuse situation. Je n'ai pas le
moindre espoir de conserver quelques années de vie. Je m'alarme tous
les jours. Je vois avancer la mort à grands pas […]. Depuis ce temps [où
j'ai commencé ma mauvaise habitude ; M.F], j'ai été atteint d'une faiblesse qui s'est toujours augmentée. Les matins, lorsque je me levais,
[…] j'éprouvais des éblouissements. Mes membres faisaient entendre
dans toutes leurs jointures un bruit semblable à celui d'un squelette
qu'on agiterait. Quelques mois après, […] j'ai toujours, les matins en sor-
tant de mon lit, craché et mouché du sang, tantôt vif, tantôt décomposé.
Je me suis senti des attaques de nerfs qui ne me permettaient pas de
remuer les bras. J'ai eu des étourdissements, et de temps en temps des

maux de cœur. La quantité de sang que je rends [...] va toujours en aug-
mentant [et de plus je suis un peu enrhumé ! M.F.] [30]. »

Donc, d'une part, la fabulation scientifique de la maladie totale ; deuxièmement, le codage étiologique de la masturbation dans les caté-gories nosographiques les mieux établies ; enfin, organisation, sous la houlette et la conduite des médecins eux-mêmes, d'une sorte de thé-matique hypocondriaque, de somatisation des effets de la masturbation, dans le discours, dans l'existence, dans les sensations, dans le corps même du malade [31]. Je ne dirai pas du tout qu'il y a eu transfert de la masturbation, ou inscription de la masturbation sur le registre moral de la faute. Je dirai, tout au contraire, qu'on assiste, à travers cette cam-pagne, à une somatisation de la masturbation, qui est fortement ren-voyée au corps, ou dont les effets, en tout cas, sont fortement renvoyés au corps, sur l'ordre des médecins, et jusque dans le discours et l'expé-rience des sujets. À travers toute cette entreprise qui, vous le voyez, est très fortement ancrée à l'intérieur du discours et de la pratique médi-cale, à travers toute cette fabulation scientifique, se dessine ce qu'on pourrait appeler la puissance causale inépuisable de la sexualité enfan-tine, ou du moins de la masturbation. Et il me semble que ce à quoi on assiste est en gros ceci. La masturbation, par le fait même et sur l'injonction même des médecins, est en train de s'installer comme une sorte d'étiologie diffuse, générale, polymorphe, qui permet de rapporter à la masturbation, c'est-à-dire à un certain interdit sexuel, tout le champ du pathologique, et ceci jusqu'à la mort. On pourrait en trouver bien des confirmations dans le fait que, dans cette littérature, on trouve constamment l'idée, par exemple, que la masturbation est telle qu'elle n'a pas de symptomatologie propre, mais que n'importe quelle maladie peut dériver d'elle. On trouve aussi cette idée que son temps d'effet est absolument aléatoire : une maladie de vieillesse peut parfaitement être due à une masturbation enfantine. À la limite, quelqu'un qui meurt de vieillesse meurt de sa masturbation enfantine et d'une sorte d'épuise-ment précoce de son organisme. La masturbation est en train de devenir la cause, la causalité universelle de toutes les maladies [32]. En portant la main à son sexe, au fond l'enfant met en jeu, une fois pour toutes, et sans du tout pouvoir en calculer les conséquences, même s'il est déjà relativement âgé et conscient, sa vie tout entière. Autrement dit, à l'époque même où l'anatomie pathologique était en train de repérer dans le corps une causalité lésionnelle qui allait fonder la grande méde-cine clinique et positive du XIXe siècle, à cette époque-là (c'est-à-dire à la fin du XVIIIe-début du XIXe siècle) se développait toute une campagne anti-masturbatoire qui faisait apparaître du côté de la sexualité, plus précisément du côté de l'auto-érotisme et de la masturbation, une autre causalité médicale, une autre causalité pathogénétique qui – par rapport à la causalité organique qu'étaient en train de repérer les grands cliniciens, les grands anatomopathologistes du xixe siècle [33] – joue un rôle à la fois supplétif et conditionnel. La sexualité va permettre d'expliquer tout ce qui autrement n'est pas explicable. C'est également une causalité additionnelle, puisqu'elle superpose aux causes visibles, assignables dans le corps, une sorte d'étiologie historique, avec responsabilité du malade lui-même vis-à-vis de sa propre maladie : Si tu es malade, c'est bien parce que tu l'as voulu ; si ton corps est atteint, c'est bien parce que tu l'as touché.

Bien sûr, cette sorte de responsabilité pathologique du sujet lui-même à l'égard de sa propre maladie n'est pas une découverte. Mais je crois qu'elle subit à ce moment-là une double transformation. En effet, dans la médecine traditionnelle, dans celle qui règne encore jusqu'à la fin du xviiie siècle, on sait bien que les médecins cherchaient toujours à assigner une certaine responsabilité au malade dans ses propres symptômes et ses propres maladies, et ceci par le biais du régime. C'était l'excès dans le régime, c'étaient les abus, c'étaient les imprudences, c'est tout cela qui rendait le sujet responsable de la maladie qu'il éprouvait. Maintenant, cette causalité générale se concentre en quelque sorte autour de la sexualité, ou plutôt de la masturbation elle-même. La question : « Qu'as-tu fait de ta main ? » commence à remplacer la vieille question : « Qu'as-tu fait de ton corps ? » D'un autre côté – en même temps que cette responsabilité du malade à l'égard de sa maladie passe du régime en général à la masturbation en particulier – la responsabilité sexuelle, qui jusque-là, dans la médecine du xviiie siècle, était essentiellement reconnue et assignée pour les maladies vénériennes, et pour les maladies vénériennes seulement, se trouve maintenant étendue à toutes les maladies. On assiste à une interpénétration entre la découverte de l'auto-érotisme et l'assignation en responsabilité pathologique : une autopathologisation. Bref, l'enfance est assignée en responsabilité pathologique, et ceci le xixe siècle ne l'oubliera pas.

Voilà, par cette sorte d'étiologie générale, de puissance causale accordée à la masturbation, l'enfant responsable de toute sa vie, de ses maladies et de sa mort. Il en est responsable, mais est-ce qu'il en est coupable ? C'est le second point sur lequel je voudrais insister. Il me semble, en fait, que justement les gens de la croisade ont beaucoup insisté sur le fait que l'enfant ne pouvait pas être considéré comme

véritablement coupable de sa masturbation. Et pourquoi ? Tout simplement parce qu'il n'y a pas, selon eux, de causalité endogène de la masturbation. Bien sûr, la puberté, les échauffements des humeurs à cette
époque-là, le développement des organes sexuels, l'accumulation des
liquides, la tension des parois, l'irritabilité générale du système nerveux, tout ceci peut bien expliquer que l'enfant se masturbe, mais la
nature même de l'enfant dans son développement doit être disculpée de
la masturbation. Rousseau d'ailleurs l'avait dit : il ne s'agit pas de
nature, il s'agit d'exemple [34]. C'est pourquoi, lorsqu'ils posent la question de la masturbation, les médecins de l'époque insistent bien sur le
fait qu'elle n'est pas liée au développement naturel, à la poussée naturelle de la puberté, et la meilleure preuve, c'est qu'elle intervient avant.
Et vous trouvez très régulièrement, depuis la fin du XVIIIe siècle, toute
une série d'observations sur la masturbation chez les enfants prépu-
bères, et même chez les tout petits enfants. Moreau de la Sarthe fait
une observation sur deux petites filles qui se masturbaient à l'âge de
sept ans [35]. Rozier, en 1812, observe une petite imbécile de sept ans, à
l'hospice des enfants de la rue de Sèvres, qui se masturbait [36]. Sabatier
a recueilli des avis de jeunes filles qui avouaient s'être masturbées
avant leur sixième année [37]. Cerise, dans son texte de 1836 sur le
Médecin des salles d'asile, dit : « Nous avons vu dans une salle d'asile
[et ailleurs] des enfants de deux ans, de trois ans, entraînés à des actes
tout à fait automatiques et qui sembleraient annoncer une sensibilité
spéciale [38]. » Et enfin, dans son *Mémento du père de famille,* en 1860,
de Bourge écrit : « Il faut surveiller les enfants dès le berceau [39]. »
    L'importance que l'on attache à cette masturbation prépubertaire
tient précisément à la volonté, en quelque sorte, de disculper l'enfant ou,
en tout cas, la nature de l'enfant de ce phénomène de masturbation qui
pourtant le rend, en un sens, responsable de tout ce qui va lui arriver. Qui
donc en est coupable ? Ce qui en est coupable, ce sont les accidents
externes, c'est-à-dire le hasard. Le docteur Simon, en 1827, dans son
Traité d'hygiène appliquée à la jeunesse, dit ceci : « Souvent, dès l'âge
le plus tendre, vers quatre ou cinq ans, quelquefois plus tôt, les enfants
livrés à une vie sédentaire sont poussés par le hasard [d'abord], ou attirés par quelque démangeaison, à porter la main sur les parties sexuelles,
et l'excitation qui résulte d'un léger frottement y appelle le sang, cause
une émotion nerveuse et un changement momentané dans la forme de
l'organe, ce qui excite la curiosité [40]. » Vous voyez, hasard, geste aléatoire, purement mécanique, dans lequel le plaisir n'intervient pas. Le seul
moment où le psychisme est là, c'est à titre de curiosité. Mais, si le hasard

est invoqué, ce n'est pas le plus souvent. La cause la plus fréquemment invoquée de masturbation dans la croisade, c'est la séduction, la séduction par l'adulte : la faute vient de l'extérieur. « Pourra-t-on se persuader – disait Malo, dans un texte qui s'appelle *Le Tissot moderne* – que sans la communication d'un masturbateur, on puisse devenir soi-même criminel ? Non, ce sont les conseils, les demi-mots, les confidences, les exemples, qui éveillent l'idée de ce genre de libertinage. Il faudrait avoir un cœur bien corrompu pour concevoir en naissant l'idée d'un excès contre nature dont nous pouvons nous-mêmes à peine définir toute la monstruosité[41]. » C'est-à-dire, la nature n'y est pour rien. Mais les exemples ? Ça peut être l'exemple volontairement donné par un enfant plus grand, mais c'est plus souvent encore les incitations involontaires et imprudentes de la part des parents, des éducateurs, pendant les soins de la toilette, ces « mains imprudentes et chatouilleuses », comme dit un texte[42]. Il s'agit des excitations, au contraire, volontaires et cette fois plus perverses qu'imprudentes de la part des nourrices, par exemple, qui veulent endormir des enfants. Il s'agit de la séduction pure et simple de la part des domestiques, des précepteurs, des professeurs. Toute la campagne contre la masturbation s'oriente très tôt, dès le départ, on peut le dire, contre la séduction sexuelle des enfants par les adultes ; plus encore que par les adultes, par l'entourage immédiat, c'est-à-dire par tous les personnages qui constituent à l'époque les figures statutaires de la maisonnée. Le domestique, la gouvernante, le précepteur, l'oncle, la tante, les cousins, etc., c'est tout cela qui va s'interposer entre la vertu des parents et l'innocence naturelle des enfants, et qui va introduire cette dimension de la perversité. Deslandes disait, en 1835 encore : « Qu'on se méfie surtout des domestiques femmes ; [comme] c'est à leurs soins que l'on confie les jeunes enfants, elles cherchent souvent en eux un dédommagement du célibat forcé qu'elles gardent[43]. » Désir des adultes pour les enfants, c'est cela l'origine de la masturbation. Et Andrieux cite un exemple qui a été répété dans toute la littérature de l'époque et, par conséquent, vous me permettrez de vous le lire. Il fait, là encore, d'une sorte de récit paroxystique, sinon fabuleux, le point de cette méfiance fondamentale ; ou plutôt il marque bien quel est l'objectif de la campagne : c'est un objectif antidomesticité, au sens très large du mot domestique. Elle vise ces personnages de l'intermédiaire familial. Une petite fille était en train de dépérir auprès de sa nourrice. Les parents s'en inquiètent. Un jour, ils entrent dans la pièce où était la nourrice, et quelle n'est pas la colère des parents, « quand ils trouvèrent cette malheureuse [il s'agit de la nourrice ; M.F.] exténuée, sans mouvement, avec son nourrisson qui cherchait [encore] dans une succion affreuse, et inévitablement stérile, un aliment que les seins auraient pu seuls donner ! ! ! [44] ». Donc, on est en pleine hantise domestique. Le diable est là, à côté de l'enfant, sous la forme de l'adulte, essentiellement sous la forme de l'adulte intermédiaire.

Culpabilisation, par conséquent, de cet espace médian et malsain de la maison beaucoup plus que de l'enfant, mais qui renvoie, en dernière instance, à la culpabilité des parents, puisque c'est parce que les parents ne veulent pas prendre en charge directement leurs enfants que ces accidents peuvent se produire. C'est leur absence de soin, c'est leur inattention, c'est leur paresse, c'est leur désir de tranquillité, qui est finalement en question dans la masturbation des enfants. Après tout, ils n'avaient qu'à être là et à ouvrir l'œil. Dans cette mesure-là, tout naturellement, ce à quoi on aboutit – et ce sera le troisième point important dans cette campagne –, c'est la mise en question des parents et du rapport des parents aux enfants dans l'espace familial. Les parents, dans cette campagne menée à propos de la masturbation des enfants, sont l'objet d'une exhortation ou, à vrai dire, même d'une mise en question : « Des pareils faits – disait Malo –, qui se multiplient à l'infini, tendent nécessairement à rendre les pères et mères [plus] circonspects [45]. » Cette culpabilité des parents, la croisade la fait prononcer par les enfants eux-mêmes, par tous ces petits masturbateurs épuisés qui sont au bord de la tombe et qui, au moment de mourir, se retournent une dernière fois vers leurs parents, et leur disent, comme l'un d'eux, paraît-il, dans une lettre reproduite par Doussin-Dubreuil : « Qu'ils sont barbares [...] les parents, les maîtres, les amis qui ne m'ont pas averti du danger où conduit ce vice. » Et Rozier écrit : « Les parents [...] qui laissent tomber, par une insouciance condamnable, leurs enfants dans un vice qui doit les perdre, ne s'exposent-ils pas à entendre un jour ce cri de désespoir d'un enfant qui périssait ainsi dans une dernière faute : "Malheur à celui qui m'a perdu !" [46] »

Ce qui est requis – c'est là, je crois, le troisième point important de cette campagne –, ce qui est exigé, c'est au fond une nouvelle organisation, une nouvelle physique de l'espace familial : élimination de tous les intermédiaires, suppression, si possible, des domestiques, en tout cas surveillance très précise des domestiques, la solution idéale étant précisément l'enfant seul, dans un espace familial sexuellement aseptique. « Si l'on pouvait ne donner d'autre société à une petite fille que sa poupée – dit Deslandes – ou d'autre <...> à un petit garçon que ses chevaux, ses soldats et ses tambours, on ferait très bien. Cet état d'isolement ne pourrait que leur être infiniment avantageux [47]. » Point idéal, si vous voulez, l'enfant seul avec sa poupée et avec son tambour. Point idéal, point irréalisable. En fait, l'espace de la famille doit être un espace de surveillance continue. À leur toilette, à leur coucher, à leur lever, pendant le sommeil, les enfants doivent être surveillés. Tout autour des enfants, sur leurs vêtements, sur leurs corps, les parents doivent être en chasse. Le corps de l'enfant doit être l'objet de leur attention permanente. C'est le premier souci de l'adulte. Ce corps doit être lu par les parents comme un blason ou comme le champ des signes possibles de la masturbation. Si l'enfant a le teint décoloré, si son visage se fane, si ses paupières ont une couleur bleuâtre ou violacée, s'il y a en eux une certaine langueur du regard, s'ils portent un air de fatigue ou de nonchalance au moment où ils ont quitté leur lit – la raison, on la connaît : c'est la masturbation. S'il est difficile de les faire sortir du lit à l'heure : c'est la masturbation. Nécessité d'être présents aux moments importants et dangereux, quand ils se couchent et quand ils se lèvent. Il s'agit également, pour les parents, d'organiser toute une série de pièges grâce auxquels on pourra saisir l'enfant, au moment même où il est en train de commettre ce qui n'est pas tellement une faute que le principe de toutes ses maladies. Voici ce que Deslandes donne comme conseil à des parents : « Ayez l'œil sur celui qui cherche l'ombre et la solitude, qui reste longtemps seul sans pouvoir donner de bons motifs de cet isolement. Que votre vigilance s'attache principalement aux instants qui suivent le coucher et précèdent le lever ; c'est alors surtout que le masturbateur peut être pris sur le fait. Jamais ses mains ne sont en dehors du lit, et généralement il se plaît à cacher sa tête sous la couverture. À peine est-il couché, qu'il paraît plongé dans un sommeil profond : cette circonstance, dont se méfie toujours l'homme exercé, est une de celles qui contribuent le plus à causer ou à nourrir la sécurité des parents. [...] Qu'alors on découvre brusquement le jeune homme, on trouve ses mains, s'il n'a pas eu le temps de les déplacer, sur les organes dont il abuse, ou dans leur voisinage. On peut trouver aussi la verge en érection, ou même les traces d'une pollution récente : celle-ci pourrait encore être reconnue à l'odeur spéciale qui s'exhale du lit, ou dont les doigts sont imprégnés. Qu'on se méfie en général des jeunes gens, qui, au lit ou pendant le sommeil, ont souvent les mains dans l'attitude que je viens de dire [...]. Il y a donc lieu de considérer les traces spermatiques comme des preuves certaines d'onanisme, quand les sujets ne sont pas encore pubères, et comme des signes on ne peut plus probables de cette habitude, lorsque les jeunes gens sont plus âgés [48]. »

Excusez-moi de vous citer tous ces détails (et sous le portrait de Bergson ![49]), mais je crois que ce à quoi on assiste là, c'est la mise en place de toute une dramaturgie familiale que nous connaissons tous bien, qui est la grande dramaturgie familiale du XIXe et du XXe siècle : ce petit théâtre de la comédie et de la tragédie de famille, avec ses lits, avec ses draps, avec la nuit, avec les lampes, avec les approches à pas de loup, avec les odeurs, avec les taches sur les draps soigneusement inspectés ; toute cette dramaturgie qui rapproche indéfiniment la curiosité de l'adulte du corps de l'enfant. Symptomatologie menue du plaisir. Dans cette approche de plus en plus serrée de l'adulte vers le corps de l'enfant, au moment où le corps de l'enfant est en état de plaisir, à la limite on va rencontrer cette consigne, symétrique de la consigne de solitude dont je vous parlais tout à l'heure, qui est la présence physique immédiate de l'adulte à côté, tout au long de l'enfant, presque sur l'enfant. Si besoin est – disent les médecins comme Deslandes –, il faut dormir à côté du jeune masturbateur pour l'empêcher de se masturber, dormir dans la même chambre et, éventuellement, dormir dans le même lit[50].

Il y a toute une série de techniques pour mieux lier en quelque sorte le corps du parent au corps de l'enfant en état de plaisir, ou le corps de l'enfant auquel il faut empêcher d'accéder à l'état de plaisir. C'est ainsi que l'on faisait dormir des enfants les mains attachées avec des corde-lettes et une cordelette rattachée aux mains de l'adulte. De sorte que, si l'enfant agite ses mains, l'adulte sera réveillé. C'est l'histoire, par exemple, de cet adolescent qui s'était fait ficeler de son propre gré sur une chaise, dans la chambre de son frère aîné. Il y avait des petites clo-chettes à la chaise, de sorte qu'il dormait ainsi ; mais, dès qu'il s'agitait pendant son sommeil et en voulant se masturber, les clochettes s'agi-taient et son frère se réveillait[51]. C'est l'histoire également, racontée par Rozier, de cette jeune pensionnaire dont la supérieure s'aperçoit qu'elle avait une « habitude secrète ». La supérieure aussitôt en « fré-mit ». « Dès cet instant », elle décide de partager « la nuit sa couche avec la jeune malade ; le jour, elle ne lui permet pas un seul instant d'échapper à ses regards ». C'est ainsi que, « quelques mois après », la supérieure (du couvent ou de la pension) a pu rendre la jeune pension-naire à ses parents, qui ont eu la fierté de pouvoir alors présenter au monde une jeune femme pleine « d'esprit, de santé, de raison ; enfin une femme très aimable[52] » !

Sous ces puérilités, je crois qu'il y a un thème qui est tout de même très important. C'est la consigne de l'application directe, immédiate et constante du corps des parents sur le corps des enfants. Disparition des intermédiaires – mais cela veut dire, en termes positifs : désormais le corps des enfants devra être veillé, dans une sorte de corps à corps, par celui des parents. Proximité infinie, contact, quasi-mélange ; rabatte-ment impératif du corps des uns sur le corps des autres ; obligation pressante du regard, de la présence, de la mitoyenneté, du contact. C'est ce que dit Rozier à propos de l'exemple que je vous citais tout à l'heure : « La mère d'une semblable malade sera pour ainsi dire comme le vêtement, l'ombre de sa fille. Lorsque quelque danger menace les petits de la sarigue [c'est une sorte de kangourou, je crois ; M.F.] elle ne se borne pas à craindre pour eux, elle les place dans son sein même[53]. » Enveloppement du corps de l'enfant par le corps des parents : on est là, je crois, au point où se dégage (et pardonnez-moi le long détour, les marches et contre-marches) l'objectif central de la manœuvre ou de la croisade. C'est qu'il s'agit de constituer un nouveau corps familial.

La famille aristocratique et bourgeoise (puisque la campagne se limite précisément à ces formes-là de famille), jusqu'au milieu du XVIIIe siècle, était tout de même essentiellement une sorte d'ensemble relationnel, faisceau de relations d'ascendance, de descendance, de col-latéralité, de cousinage, d'aînesse, d'alliance, qui correspondaient à des schémas de transmission de parenté, de division et de répartition des biens et des statuts sociaux. C'était essentiellement sur les relations que portaient effectivement les interdits sexuels. Ce qui est en train de se constituer, c'est une sorte de noyau restreint, dur, substantiel, massif, corporel, affectif de la famille : la famille-cellule à la place de la famille relationnelle, la famille-cellule avec son espace corporel, avec son espace affectif, son espace sexuel, qui est entièrement saturé des rap-ports directs parents-enfants. Autrement dit, je ne serais pas tenté de dire que la sexualité pourchassée et interdite de l'enfant est en quelque sorte la conséquence de la formation de la famille restreinte, disons conjugale ou parentale, du XIXe siècle. Je dirai que, au contraire, elle en est un des éléments constituants. C'est en faisant valoir la sexualité de l'enfant, plus exactement l'activité masturbatoire de l'enfant, c'est en faisant valoir le corps de l'enfant en danger sexuel que l'on a donné aux parents la consigne impérative de réduire le grand espace poly-morphe et dangereux de la maisonnée, et de ne plus faire avec leurs enfants, avec leur progéniture, qu'une sorte de corps unique, relié par le souci de la sexualité enfantine, par le souci de l'auto-érotisme enfantin et de la masturbation : Parents, veillez sur vos filles excitées et sur les érections de vos fils, et c'est comme ça que vous deviendrez vraiment et pleinement parents ! N'oubliez pas l'image de la sarigue donnée tout à l'heure par Rozier. Il s'agit de constituer une famille-kangourou : le corps de l'enfant comme élément nucléaire du corps de la famille. Autour du lit tiède et douteux de l'adolescent, la petite famille se solidifie. Ce qu'on pourrait appeler la grande ou, comme vous voulez, la petite involution culturelle de la famille, autour du rapport parent-enfant, a eu pour instrument, élément, vecteur de constitution, la mise en exergue du corps sexualisé de l'enfant, du corps auto-érotisé de l'enfant. La sexualité non relationnelle, l'auto-érotisme de l'enfant comme point d'accrochage, comme point d'ancrage, pour les devoirs, la culpabilité, le pouvoir, le souci, la présence physique des parents, c'est cela qui a été un des facteurs de cette constitution d'une famille solide et solidaire, d'une famille corporelle et affective, d'une petite famille qui se développe au milieu, bien sûr, mais aux dépens aussi de la famille-réseau, et qui constitue la famille-cellule, avec son corps, sa substance physico-affective, sa substance physico-sexuelle. Il se peut très bien (enfin, je le suppose) que, historiquement, la grande famille relationnelle, cette grande famille faite de relations permises et interdites, se soit constituée sur fond de prohibition de l'inceste. Mais je dirai, moi, que la petite famille affective, solide, substantielle, qui caractérise notre société, dont on voit la naissance, en tout cas, à la fin du XVIIIe siècle, s'est constituée à partir de l'inceste frôleur des regards et des gestes tout autour du corps de l'enfant. C'est cet inceste-là, cet inceste épistémophilique, cet inceste du contact, du regard, de la surveillance, c'est celui-là qui a été à la base de la famille moderne.

Bien sûr, le contact direct parent-enfant, si impérativement prescrit dans cette cellule familiale, donne absolument tout pouvoir aux parents sur l'enfant. Tout pouvoir, oui et non. Parce qu'en fait, au moment même où les parents se trouvent, par la croisade en question, assignés, enjoints de prendre en charge la surveillance méticuleuse, détaillée, quasi ignoble du corps de leurs enfants, à ce moment même et dans la mesure même où on leur prescrit cela, on les renvoie au fond à un tout autre type de relations et de contrôle. Voilà ce que je veux dire. Au moment même où l'on dit aux parents : « Mais faites très attention, vous ne savez pas ce qui se passe sur le corps de vos enfants, dans le lit de vos enfants », au moment même où l'on met la masturbation à l'ordre du jour moral, comme consigne quasi première de l'éthique nouvelle de la nouvelle famille, à ce moment même, vous vous souvenez, on inscrit la masturbation sur le registre non pas de l'immoralité, mais de la maladie. On en fait une sorte de pratique qui est universelle, une sorte d'« x » dangereux, inhumain et monstrueux, d'où toute maladie peut dériver. De sorte que, nécessairement, on branche ce contrôle parental et interne, que l'on impose aux pères et aux mères, sur un contrôle médical externe. On demande au contrôle parental interne de modeler ses formes, ses critères, ses interventions, ses décisions, sur des raisons et sur un savoir médical : C'est parce que vos enfants deviendront malades, c'est parce qu'il va arriver, au niveau de leurs corps, telle et telle perturbation physiologique, fonctionnelle, éventuellement même lésionnelle, que les médecins connaissent bien, c'est à cause de cela – dit-on aux parents – qu'il faut les surveiller. Donc, le rapport parents-enfants, qui est en train de se solidifier ainsi dans une sorte d'unité sexuelle-corporelle, doit être homogène au rapport médecin-malade ; il doit prolonger le rapport médecin-malade. Il faut que ce père ou cette mère si proches du corps des enfants, ce père et cette mère qui recouvrent littéralement de leur propre corps le corps de l'enfant, soient en même temps un père et une mère diagnosticiens, soient un père et une mère thérapeutes, soient un père et une mère agents de santé. Mais cela veut dire aussi que leur contrôle est subordonné, qu'il doit s'ouvrir à une intervention médicale, hygiénique, qu'il doit, dès la première alerte, avoir recours à l'instance externe et scientifique du médecin. En d'autres termes, au moment même où l'on renferme la famille cellulaire dans un espace affectif dense, on l'investit, au nom de la maladie, d'une rationalité qui branche cette même famille sur une technologie, un pouvoir et un savoir médicaux externes. La nouvelle famille, la famille substantielle, la famille affective et sexuelle, est en même temps une famille médicalisée.

De ce processus de fermeture de la famille et d'investissement de cet espace familial nouveau par la rationalité médicale, deux exemples simplement. L'un, c'est le problème de l'aveu. Les parents doivent donc surveiller, épier, arriver à pas de loup, lever les couvertures, dormir à côté [de l'enfant] ; mais, le mal découvert, il faut aussitôt qu'ils fassent intervenir le médecin pour guérir. Or, cette guérison ne sera véritable et effective que si le malade y consent et y participe. Il faut que le malade reconnaisse son mal ; il faut qu'il en comprenne les conséquences ; il faut qu'il accepte le traitement. Bref, il faut qu'il avoue. Or, il est bien dit, dans tous les textes de cette croisade, que cet aveu l'enfant ne peut pas et ne doit pas le faire aux parents. Il ne peut le faire qu'au médecin : « De toutes les preuves – dit Deslandes – celle qu'il importe le plus d'acquérir, c'est un aveu. » Car l'aveu ôte « toute espèce de doute ». Il rend « plus franche » et « plus efficace l'action du médecin ». Il empêche le sujet de refuser le traitement. Il place le médecin et « toutes les personnes qui ont autorité […] dans une position qui leur permet d'aller droit au but, et conséquemment d'y arriver[54] ». De même, chez un auteur anglais qui s'appelle La'Mert, il y a une très intéressante discussion sur le fait de savoir si l'aveu doit être fait au médecin de famille ou à un médecin spécialiste. Et il conclut : non, l'aveu ne doit pas être fait au médecin de famille, parce qu'il est trop proche encore de la famille[55]. Il ne doit hériter que des secrets collectifs, les secrets individuels doivent être faits à un spécialiste. Et on a, dans toute cette littérature, une longue série d'exemples de guérisons qui ont été obtenues grâce à des aveux faits au médecin. De sorte qu'on va avoir une sexualité, une masturbation de l'enfant qui est objet de surveillance, de reconnaissance, de contrôle parental continu. Or, cette sexualité va devenir, en même temps, objet d'aveu et de discours, mais à l'extérieur, du côté du médecin. Médicalisation interne de la famille et du rapport parents-enfants, mais discursivité externe dans le rapport au médecin ; silence de la sexualité dans les frontières mêmes de la famille, où pourtant elle apparaît en toute clarté par le système de surveillance, mais là où elle apparaît, elle ne doit pas être dite. En revanche, elle doit être dite, au-delà des frontières de cet espace, au médecin. Mise en place, par conséquent, de la sexualité enfantine au cœur même du lien familial, dans la mécanique du pouvoir familial, mais déplacement de l'énonciation de cette sexualité vers l'institution et l'autorité médicales. La sexualité, c'est ce genre de choses qui ne peuvent être dites qu'au médecin. Intensité physique de la sexualité dans la famille, extension discursive hors de la famille et dans le champ médical. C'est la médecine qui pourra dire la sexualité et faire parler la sexualité, au moment même où c'est la famille qui la fait apparaître, puisque c'est la famille qui la surveille[56].

Autre élément qui montre cet enclenchement du pouvoir familial sur le pouvoir médical, c'est le problème des instruments. Pour empêcher la masturbation, la famille doit se faire l'agent transmetteur du savoir médical. Du corps de l'enfant à la technique du médecin, la famille doit au fond servir simplement de relais et comme de courroie de transmission. De là ces médications que les médecins prescrivent pour l'enfant et que la famille doit appliquer. On en a toute une série dans ces prospectus, ces textes médicaux dont je vous parlais. Vous avez les fameuses chemises de nuit, que vous avez peut-être encore vues, avec des coulisses en bas ; vous avez les corsets ; vous avez les bandages. Vous avez la fameuse ceinture de Jalade-Laffont, qui a été utilisée pendant des dizaines d'années et qui comprend une sorte de corselet de métal à appliquer sur le bas-ventre, avec pour les garçons une sorte de petit tube de métal, percé à l'extrémité d'un certain nombre de petits trous pour qu'ils puissent uriner, velouté à l'intérieur, et qui est fermé pendant toute une semaine par des cadenas. Et une fois par semaine, en présence des parents, on ouvre les cadenas et on nettoie le petit. C'est la ceinture qui a été la plus employée en France, au début du XIXe siècle [57]. Vous avez les moyens mécaniques, comme la baguette de Wender, qui a été inventée en 1811 et qui consiste en ceci. On prend simplement une petite baguette, on la fend jusqu'à un certain point, on l'évide, on la place sur la verge du garçon, on ficelle le tout. Et, comme dit Wender, ceci suffit à éloigner toute sensation voluptueuse [58]. Un chirurgien comme Lallemand proposait de placer une sonde en permanence dans l'urètre des garçons. Il semble que l'acupuncture, en tout cas le placement d'aiguilles dans les régions génitales, ait été utilisé contre la masturbation par Lallemand, au tout début du XIXe siècle [59]. Vous avez les moyens chimiques, bien sûr, les opiacés utilisés par Davila, par exemple, les bains ou lavements avec des solutions diverses [60]. Larrey, le chirurgien de Napoléon, avait inventé aussi un médicament qui avait l'air assez drastique. Ça consiste en ceci. On injecte dans l'urètre d'un garçon une solution de ce qu'il appelle (je ne sais pas exactement ce que c'est) du sous-carbonate de soude (est-ce que c'est du bicarbonate ? je n'en sais rien). Mais on a pris la précaution auparavant de lier solidement la verge à la racine, de telle manière que cette solution au bicarbonate de soude reste en permanence dans l'urètre et n'atteigne pas la vessie ; ce qui, paraît-il, provoquait des lésions mettant plusieurs jours ou plusieurs semaines à guérir et, pendant ce temps-là, on ne se masturbait pas [61]. Cautérisation de l'urètre, cautérisation et ablation du clitoris pour les filles [62]. C'est Antoine Dubois, semble-t-il au tout début du XIXe siècle, qui a retranché le clitoris à une malade que l'on avait essayé de guérir en vain, en lui attachant les mains et les jambes. On lui a ôté le clitoris « d'un seul coup de bistouri »   dit Antoine Dubois. Puis, on a cautérisé le moignon « au moyen d'un bouton de feu ». Le succès a été « complet » [63]. Graefe, en 1822, après un échec (il avait cautérisé la tête d'une malade, c'est-à-dire, il avait provoqué une blessure, une cicatrice au feu sur la tête de la malade, et il avait injecté du tartre dans la plaie pour qu'elle ne guérisse pas, mais malgré tout la masturbation avait continué), a pratiqué l'ablation du clitoris. Et « l'intelligence » de la malade – qui avait sombré, même, je crois, ne s'était jamais développée (c'était une jeune imbécile) – « retenue en quelque sorte captive jusqu'alors, prit son essor [64] ».

Bien sûr, on discute au XIXe siècle sur la légitimité de ces castrations ou quasi-castrations, mais Deslandes, le grand théoricien de la masturbation, en 1835, dit qu'« une telle détermination, loin de blesser le sens moral, est conforme à ses exigences les plus sévères. On fait alors, comme tous les jours, quand on ampute un membre ; on sacrifie l'accessoire pour le principal, la partie pour le tout ». Et, bien sûr ! dit-il, quand bien même on aurait ôté le clitoris à une femme, quel en serait l'inconvénient ? « Le plus grand inconvénient » serait de placer la femme ainsi amputée « dans la catégorie, déjà si nombreuse », des femmes qui sont « insensibles » aux plaisirs de l'amour, « ce qui ne les empêche pas de devenir bonnes mères, et épouses modèles [*rectius* : dévouées] [65] ». En 1883 encore, un chirurgien comme Garnier pratiquait l'ablation du clitoris sur les filles qui se livraient à la masturbation [66].

En tout cas – à travers tout ce qu'il faut bien appeler une grande persécution physique de l'enfance et de la masturbation au XIXe siècle qui, sans en avoir les conséquences, a presque l'ampleur des persécutions contre les sorciers au XVIe-XVIIe siècle – il se constitue une sorte d'interférence et de continuité médecine-malade. Mise en contact de la médecine et de la sexualité par l'intermédiaire de la famille : la famille – en faisant appel au médecin, en recevant, en acceptant et en appliquant au besoin les médications prescrites par le médecin – a lié entre elles la sexualité, d'une part, et puis cette médecine qui pratiquement, jusque-là, n'avait eu affaire que d'une manière très lointaine et indirecte à la sexualité. C'est la famille qui est devenue elle-même un agent de médicalisation de la sexualité dans son propre espace. Ainsi, on voit se dessiner des rapports complexes avec une sorte de partage, puisqu'il y a, d'un côté, la surveillance muette, l'investissement non discursif du corps de l'enfant par les parents, et puis, d'un autre côté, ce discours extrafamilial, scientifique, ou ce discours d'aveu, qui est localisé dans la seule pratique médicale, héritière ainsi des techniques de l'aveu chrétien. À côté de ce partage, vous avez la continuité, qui fait naître, avec la famille, dans la famille, une démarche perpétuelle de médecine sexuelle, une sorte de médicalisation de la sexualité, médicalisation de plus en plus appuyée, et qui introduit dans l'espace familial les techniques, les formes d'intervention de la médecine. En somme, un mouvement d'échange qui fait fonctionner la médecine comme moyen de contrôle éthique, corporel, sexuel, dans la morale familiale, et qui fait apparaître en revanche, comme besoin médical, les troubles internes du corps familial, centré sur le corps de l'enfant. Les vices de l'enfant, la culpabilité des parents, appellent la médecine à médicaliser ce problème de la masturbation, de la sexualité de l'enfant, du corps en général de l'enfant. Un engrenage médico-familial organise un champ à la fois éthique et pathologique, où les conduites sexuelles sont données comme objet de contrôle, de coercition, d'examen, de jugement, d'intervention. Bref, l'instance de la famille médicalisée fonctionne comme principe de normalisation. C'est cette famille, à laquelle on a donné tout pouvoir immédiat et sans intermédiaire sur le corps de l'enfant, mais que l'on contrôle de l'extérieur par le savoir et la technique médicaux, qui fait apparaître, qui va pouvoir faire apparaître maintenant, à partir des premières décennies du XIXe siècle, le normal et l'anormal dans l'ordre du sexuel. C'est la famille qui va être le principe de détermination, de discrimination de la sexualité, et le principe également de redressement de l'anormal.

Bien sûr, il y aurait une question à laquelle il faudrait répondre, et qui est celle-ci : Cette campagne d'où vient-elle et que signifie-t-elle ? Pourquoi a-t-on fait émerger ainsi la masturbation comme problème majeur, ou en tout cas comme l'un des problèmes majeurs posés au rapport entre parents et enfants ? Je crois qu'il faut replacer cette campagne à l'intérieur d'un processus général de constitution de cette famille cellulaire, dont je vous parlais tout à l'heure, qui – malgré son apparente fermeture – reconduit jusqu'à l'enfant, jusqu'aux individus, jusqu'aux corps et aux gestes, un pouvoir qui prend la forme du contrôle médical. Au fond, ce qu'on a demandé à la famille restreinte, ce qu'on a demandé à la famille-cellule, ce qu'on a demandé à la famille corporelle et substantielle, c'est de prendre en charge le corps de l'enfant qui, à la fin du XVIIIe siècle, était en train de devenir un enjeu important à deux titres. D'une part, on a demandé à cette famille restreinte de prendre soin du corps de l'enfant tout simplement parce qu'il vivait et parce qu'il ne devait pas mourir. L'intérêt politique et économique que l'on commence à découvrir à la survie de l'enfant est une des raisons, certainement, pour lesquelles on a voulu substituer à l'appareil lâche, polymorphe et complexe de la grande famille relationnelle, l'appareil limité, intense et constant de la surveillance familiale, de la surveillance des enfants par les parents. Les parents ont affaire à des enfants, les parents ont à garder leurs enfants, garder dans les deux sens du terme : empêcher qu'ils ne meurent et, bien sûr, les surveiller, et en même temps les dresser. La vie future des enfants est entre les mains des parents. Ce que l'État demande aux parents, ce que les nouvelles formes ou nouveaux rapports de production exigent, c'est que la dépense, qui est faite par l'existence même de la famille, des parents et des enfants qui viennent de naître, ne soit pas rendue inutile par la mort précoce des enfants. Prise en charge, par conséquent, du corps et de la vie des enfants par la famille : c'est certainement une des raisons pour lesquelles on demande aux parents de porter ainsi une attention continue et intense au corps des enfants.

C'est en tout cas dans ce contexte, je crois, qu'il faut placer la croisade anti-masturbation. Elle n'est, au fond, qu'un chapitre d'une sorte de croisade plus large que vous connaissez bien, qui est la croisade pour l'éducation naturelle des enfants. Or, qu'est-ce que c'est que cette fameuse idée d'une éducation naturelle, qui se développe au cours de la seconde moitié du XIXe [*rectius* : XVIIIe] siècle ? C'est l'idée d'une éducation qui serait telle que, primo, elle serait entièrement ou pour l'essentiel confiée aux parents eux-mêmes, qui sont les éducateurs naturels de leurs enfants. Tout ce qui est domestiques, précepteurs, gouverneurs, gouvernantes, etc., ne peut être, au mieux, que le relais, et le relais le plus fidèle possible, de ce rapport naturel entre parents et enfants. Mais l'idéal est que tous ces intermédiaires disparaissent et que les parents soient effectivement en charge directe des enfants. Mais éducation naturelle veut dire aussi ceci : cette éducation doit obéir à un certain schéma de rationalité, elle doit obéir à un certain nombre de règles qui précisément doivent assurer la survie des enfants d'une part, leur dressage et leur développement normalisé de l'autre. Or, ces règles et la rationalité de ces règles sont détenues par des instances comme les éducateurs, comme les médecins, comme le savoir pédagogique, comme le savoir médical. Bref, toute une série d'instances techniques qui encadrent et surplombent la famille elle-même. Quand on demande, à la fin du XVIIIe siècle, la mise en place d'une éducation naturelle, c'est à la fois ce contact immédiat des parents et des enfants, cette substantification de la petite famille autour du corps de l'enfant et, en même temps, la rationalisation ou la pénétrabilité du rapport parents-enfants par une rationalité et une discipline pédagogique ou médicale. En restreignant ainsi la famille, en lui donnant une apparence aussi compacte et serrée, on la rend effectivement pénétrable à des critères politiques et moraux ; on la rend pénétrable à un type de pouvoir ; on la rend pénétrable à toute une technique de pouvoir, dont la médecine et les médecins se font le relais auprès des familles.

Or, et c'est là où l'on va rencontrer la sexualité, au moment même où on demande ainsi aux parents de prendre en quelque sorte sérieusement et directement en charge les enfants dans leur corporéité même, dans leur corps même, c'est-à-dire dans leur vie, dans leur survie, dans leur possibilité de dressage, que se passe-t-il au moins au niveau des couches sociales dont j'ai parlé jusqu'à présent, c'est-à-dire en gros l'aristocratie et la bourgeoisie ? Au même moment, on demande aux parents non seulement de dresser les enfants pour qu'ils puissent être utiles à l'État, mais on demande à ces mêmes familles de rétrocéder effectivement les enfants à l'État, d'en confier sinon l'éducation de base, du moins l'instruction, du moins la formation technique, à un enseignement qui sera directement ou indirectement contrôlé par l'État. La grande revendication d'une éducation d'État, ou contrôlée par l'État, vous la trouvez exactement au moment où commence la campagne de la masturbation en France et en Allemagne, vers les années 1760-1780. C'est La Chalotois, avec son *Essai sur l'éducation nationale* ; c'est le thème que l'éducation doit être assurée par l'État [67]. Vous trouvez, à la même époque, Basedow avec son *Philantropinum,* c'est-à-dire l'idée d'une éducation destinée aux classes favorisées de la société, mais qui devrait se faire non pas dans l'espace douteux de la famille, mais dans l'espace, contrôlé par l'État, d'institutions spécialisées [68]. C'est l'époque, de toute façon – en dehors même de ces projets ou de ces lieux exemplaires et modèles, comme le *Philantropinum* de Basedow –, où se développent à travers toute l'Europe les grands établissements d'éducation, les grandes écoles, etc. : « Nous avons besoin de vos enfants – est-il dit. Donnez-les nous. Et nous avons besoin, comme vous avez besoin d'ailleurs, que ces enfants soient normalement for-més. Donc, confiez-les nous pour que nous les formions selon une cer-taine normalité. » De sorte que, au moment où on demande que les familles prennent en charge le corps même des enfants, au moment où on leur demande d'assurer la vie et la survie des enfants, on leur demande aussi de se dessaisir de ces mêmes enfants, de se dessaisir de leur présence réelle, du pouvoir qu'ils peuvent exercer sur eux. Bien sûr, ce n'est pas au même âge qu'on demande aux parents de s'occuper des enfants et de se dessaisir du corps des enfants. Mais on demande cependant un processus d'échange : « Gardez-nous vos enfants bien en vie et bien solides, corporellement bien sains, bien dociles et bien aptes, pour que nous puissions les faire passer dans une machine dont vous n'avez pas le contrôle, et qui sera le système d'éducation, d'instruc-tion, de formation, de l'État. » Je crois que dans cette sorte de double demande : « Occupez-vous des enfants », et puis : « Dessaisissez-vous plus tard de ces mêmes enfants », le corps sexuel de l'enfant sert, en quelque sorte, de monnaie d'échange. On dit aux parents : « Il y a dans le corps de l'enfant quelque chose qui, de toute façon, vous appartient imprescriptiblement et que vous n'aurez jamais à lâcher, car il ne vous lâchera jamais : c'est leur sexualité. Le corps sexuel de l'enfant, c'est cela qui appartient et qui appartiendra toujours à l'espace familial, et sur quoi personne d'autre n'aura effectivement de pouvoir et de rapport. Mais, en revanche, au moment même où nous vous constituons ce champ de pouvoir si total, si complet, nous vous demandons de nous céder le corps, si vous voulez, d'aptitude des enfants. Nous vous demandons de nous donner ces enfants pour que nous en fassions ce dont nous avons effectivement besoin. » Dans cet échange, vous comprenez bien où est le leurre, parce que la tâche que l'on donne aux parents, c'est précisément de prendre possession du corps des enfants, de le recouvrir, d'y veiller d'une manière si continue qu'ils ne puissent jamais se masturber. Or, non seulement jamais aucun parent n'a empêché ses enfants de se masturber, mais les médecins de l'époque le disent tout crûment et tout cyniquement : De toute façon, tous les enfants effectivement se masturbent. Au fond, on branche les parents sur cette tâche infinie de la possession et du contrôle d'une sexualité enfantine qui, de toute façon, leur échappera. Mais, grâce à cette prise de possession du corps sexuel, les parents lâcheront cet autre corps de l'enfant qui est son corps de performance ou d'aptitude.

La sexualité de l'enfant, c'est le leurre à travers lequel la famille solide, affective, substantielle et cellulaire, s'est constituée, et à l'abri duquel on a soutiré l'enfant à la famille. La sexualité des enfants a été le piège dans lequel sont tombés les parents. C'est un piège apparent – je veux dire, c'est un piège réel, mais destiné aux parents. Il a été un des vecteurs de la constitution de cette famille solide. Il a été l'un des instruments d'échange qui ont permis de déplacer l'enfant du milieu de sa famille à l'espace institutionnalisé et normalisé de l'éducation. Il est cette pièce fictive, sans valeur, cette monnaie de singe qui est restée entre les mains des parents ; monnaie de singe à laquelle pourtant les parents, vous le savez bien, tiennent énormément, puisqu'en 1974 encore, quand il est question de faire l'éducation sexuelle des enfants à l'école, les parents seraient en droit, s'ils savaient l'histoire, de dire : Mais voilà deux siècles qu'on nous a trompés ! Voilà deux siècles qu'on nous a dit : donnez-nous vos enfants, vous garderez leur sexualité ; donnez-nous vos enfants, mais nous vous garantissons que leur sexualité se développera dans un espace familial par vous contrôlé. Donnez-nous vos enfants et votre pouvoir sur le corps sexuel, sur le corps de plaisir des enfants, sera maintenu. Et voilà que maintenant les psychanalystes ont commencé à leur dire : « À nous ! à nous ! le corps de plaisir des enfants » ; et que l'État, les psychologues, les psycho-pathologues, etc., disent : « À nous ! à nous ! cette éducation. » C'est là la grande tromperie dans laquelle a été pris le pouvoir des parents. Pouvoir fictif, mais dont l'organisation fictive a permis la constitution réelle de cet espace auquel on tenait tant pour les raisons que je vous disais tout à l'heure, cet espace substantiel autour duquel la grande famille relationnelle s'est rétrécie et restreinte, et à l'intérieur duquel la vie de l'enfant, le corps de l'enfant, a été à la fois surveillé mais valorisé et sacralisé. La sexualité des enfants, à mon sens, ne concerne pas tellement les enfants que les parents. C'est en tout cas autour de ce lit douteux qu'est née la famille moderne, cette famille moderne sexuellement irradiée et saturée, et médicalement inquiète.

C'est cette sexualité ainsi investie, ainsi constituée à l'intérieur de la famille, que les médecins – qui ont déjà, dès la fin du XVIIIe siècle, contrôle sur elle – vont reprendre au milieu du XIXe siècle, pour constituer, avec l'instinct dont je vous parlais dans les séances précédentes, le grand domaine des anomalies.

*

NOTES

1. A. de Liguori, *Praxis confessarii...*, *op. cit.*, p. 72-73 (art. 39) ; p. 140-141 (art. 89) ; A.-M. de Liguory, *Le Conservateur des jeunes gens...*, *op. cit.*, p. 5-14.

2. *Onania or the Heinous Sin of Self-Pollution and All its Frightful Consequences in Both Sexes Considered, with spiritual and physical advice to those who have already injured themselves by this abominable practice*, London, 1718[4]. On ne connaît pas d'exemplaires des trois premières éditions. L'attribution du pamphlet à un certain Bekker dérive de *L'Onanisme* de Tissot (voir note suivante et *infra*, note 6), mais elle n'a jamais trouvé de confirmation.

3. Le livre de S.-A.-A.-D. Tissot, cité par M. Foucault, fut rédigé en latin *(Tentamen de morbis ex manu stupratione)*, et il fut inséré dans la *Dissertatio de febribus biliosis seu historia epidemiae biliosae lausannensis*, Losannae, 1758, p. 177-264. Cette édition, bien qu'elle fût accueillie avec faveur par quelques spécialistes, passa presque inaperçue.

4. J.B. Basedow, *Das Methodenbuch für Väter und Mütter der Familien und Völker*, Altona-Bremen, 1770 (trad. fr. : *Nouvelle Méthode d'éducation*, Francfort-Leipzig, 1772) ; Id., *Das Elementarwerk*, [s.l. : Leipzig], 1785[2] (trad. fr. : *Manuel élémentaire d'éducation*, Berlin-Dessau, 1774). Nous n'avons pas trouvé le *Petit Livre pour les enfants de toutes les classes* (1771) ni le *Petit Livre pour les parents et éducateurs de toutes les classes* (1771).

5. C.G. Salzmann, *Ists recht, über die eimichen Sünden der Jugend, öffentlich zu schreiben*, Schnepfenthal, 1785 ; Id., *Carl von Carlsberg oder über das menschliche Elend*, Leipzig, 1783 ; Id., *Über die heimlichen Sünden der Jugend*, Leipzig, 1785 (trad. fr. : *L'Ange protecteur de la jeunesse ou Histoires amusantes et instructives destinées à faire connaître aux jeunes gens les dangers que l'étourderie et l'inexpérience leur font courir*, Paris, 1825).

6. La circulation de la première édition en français de S.-A.-A.-D. Tissot, *L'Onanisme ou Dissertation physique sur les maladies produites par la masturbation*, Lausanne, 1760, ne dépassa pas le milieu médical. La jacasserie à laquelle M. Foucault fait ici référence, commence à partir de la troisième édition (1764), considérablement augmentée et suivie par 62 reproductions (jusqu'en 1905), y compris celles publiées avec les commentaires d'autres médecins qui s'attribuaient une certaine expérience dans la lutte contre la masturbation (par exemple : C.-T. Morel en 1830, E. Clément en 1875, X. André en 1886).

7. H. Kaan, *Psychopathia sexualis*, Lipsiae, 1844.

8. Nous n'avons pas identifié la source.

9. R. Krafft-Ebing, *Psychopathia sexualis, op. cit.*

10. H. Havelock Ellis, *Studies in the Psychology of Sex*, Philadelphia, 1905-1928 (trad. fr. par A. Van Gennep : *Études de psychologie sexuelle*, Paris, 1964-1965).

11. M. Foucault fait sans doute allusion à des textes tels que celui de J.-L. Alibert, *Nouveaux Éléments de thérapeutique*, II, Paris, 1827, p. 147, ou encore de L. Bourgeois, *Les Passions dans leurs rapports avec la santé et les maladies*, II, Paris, 1861, p. 131.

12. Passages non identifiés.

13. Par exemple : J.B. de Bourge, *Le Mémento du père de famille et de l'éducateur de l'enfance, ou les Conseils intimes sur les dangers de la masturbation*, Mirecourt, 1860.

14. L'ouvrage fut effectivement publié sous ce titre : *Le Livre sans titre*, Paris, 1830.

15. Dans la préface à l'ouvrage de C.G. Salzmann déjà cité, *Über die heimlichen Sünden der Jugend* (que l'édition française n'a pas traduite), on peut lire : « L'Allemagne a été réveillée de son sommeil, les Allemands ont eu l'attention attirée sur un mal qui rongeait les racines de l'humanité. Des milliers de jeunes Allemands, qui couraient le danger de finir leur vie flétrie dans les hôpitaux, ont été sauvés, et consacrent aujourd'hui leurs forces sauvegardées au bien de l'humanité, et surtout de l'humanité allemande. Des milliers d'autres enfants ont pu être préservés du serpent venimeux avant d'être mordus par lui. »

16. Voir le *Précis historique, physiologique et moral des principaux objets en cire préparée et colorée d'après nature, qui composent le museum de J.F. Bertrand-Rival*, Paris, 1801. Sur les visites au musée Dupuytren, cf. J.-L. Doussin-Dubreuil, *Nouveau Manuel sur les dangers de l'onanisme, et Conseils relatifs au traitement des maladies qui en résultent. Ouvrage nécessaire aux pères de famille et aux instituteurs*, Paris, 1839, p. 85. Il y a des traces d'un autre musée à la fin du siècle in P. Bonnetain, *Charlot s'amuse*, Bruxelles, 1883[2], p. 268.

17. L'*Histoire de la répression sexuelle* de Jos Van Ussel s'inspire essentiellement de H. Marcuse, *Eros and Civilisation. A philosophical inquiry into Freud*, Boston, 1955 (trad. fr. : *Éros et Civilisation*, Paris, 1971) ; *One-Dimensional Man. Studies in the ideology of advanced industrial society*, Boston, 1964 (trad. fr. : *L'Homme unidimensionnel*, Paris, 1970).

18. J.-B.-T. Serrurier, « Pollution », in *Dictionnaire des sciences médicales*, Paris, XLIV, 1820, p. 114. Cf. « Masturbation », *ibid.*, XXXI, 1819, p. 100-135.

19. E.-R.-A. Serres, *Anatomie comparée du cerveau*, II, Paris, 1826, p. 601-613 (« De l'action du cervelet sur les organes génitaux »).

20. L. Deslandes, *De l'onanisme et des autres abus vénériens considérés dans leurs rapports avec la santé*, Paris, 1835, p. 159, fait référence à la thèse de J.-L.-N. Payen, *Essai sur l'encéphalite ou inflammation du cerveau, considérée spécialement dans l'enfance*, Paris, 1826, p. 25.

21. G. Dupuytren, « Atrophie des branches antérieures de la moelle épinière ; paralysie générale du mouvement, mais non de la sensibilité ; traitement ; considérations pratiques. Hémiplégie guérie par une forte commotion électrique », *La Lancette française*, 114, 14 septembre 1833, p. 339-340.

22. A. Boyer, *Leçons sur les maladies des os, rédigées en un traité complet de ces maladies*, I, XI [1802-1803], p. 344.

23. L.-J. Sanson, « Amaurose », in *Dictionnaire de médecine et de chirurgie pratiques*, II, Paris, 1829, p. 85-119.

24. A. Scarpa, *Traité pratique de maladies des yeux, ou Expériences et Observations sur les maladies qui affectent ces organes*, II, trad. fr. Paris, 1802, p. 242-243 (éd. orig. : *Saggio di osservazione e di esperienze sulle principali malattie degli occhi*, Pavia, 1801).

25. P. Blaud, « Mémoire sur les concrétions fibrineuses polypiformes dans les cavités du cœur », *Revue médicale française et étrangère. Journal de clinique*, IV, 1833, p. 175-188, 331-352.

26. A. Portal, *Observations sur la nature et sur le traitement du rachitisme*, Paris, 1797, p. 224.

27. Lisle, « Des pertes séminales et de leur influence sur la production de la folie », *Annales médico-psychologiques*, 1851, III, p. 333 *sq.*

28. Sur la littérature citée, voir L. Deslandes, *De l'onanisme…, op. cit.*, p. 152-153, 159, 162-163, 189, 198, 220, 221, 223, 243-244, 254-255.

29. On peut ajouter aux lettres d'*Onania* et à celles publiées par Tissot, le recueil de J.-L. Doussin-Dubreuil, *Lettres sur les dangers de l'onanisme, et Conseils relatifs au traitement des maladies qui en résultent. Ouvrage utile aux pères de famille et aux instituteurs*, Paris, 1806 ; Id., *Nouveau Manuel sur les dangers de l'onanisme…, op. cit.* (édition revue, corrigée et augmentée par J. Morin).

30. M. Foucault utilise la troisième édition : Rozier, *Des habitudes secrètes ou des maladies produites par l'onanisme chez les femmes*, Paris, 1830, p. 81-82. (Les deux éditions précédentes portent des titres différents, mais le contenu est le même : *Lettres médicales et morales*, Paris, 1822 ; *Des habitudes secrètes ou de l'onanisme chez les femmes. Lettres médicales, anecdotiques et morales à une jeune malade et à une mère, dédiées aux mères de famille et aux maîtresses de pensions*, Paris, 1825.)

31. Rozier, *Des habitudes secrètes…, op. cit.*, p. 82 : « Je n'ai ni grandi, ni grossi. Je suis maigre, sans conceptions. Les matins surtout, il me semble que je sors de terre. Je ne retire aucun suc des aliments. Je me sens quelquefois piqué au creux de l'estomac, entre les épaules, et je commence à respirer difficilement. Depuis trois mois, j'ai une agitation continuelle dans les membres à mesure que la circulation de mon sang se fait. La moindre montée, la moindre promenade me fatigue. Je suis tout tremblant, les matins surtout. »

32. Cf. H. Fournier & Bégin, « Masturbation », in *Dictionnaire des sciences médicales,* XXXI, Paris, 1819, p. 108.

33. Cf. M. Foucault, *Naissance de la clinique, op. cit.,* p. 125-176.

34. Voir ses observations dans les *Confessions* et l'*Émile* (J.-J. Rousseau, *Œuvres complètes,* éditées sous la direction de B. Ganebin et M. Raymond, Paris, I, 1959, p. 66-67 ; IV, 1969, p. 663).

35. Rozier, *Des habitudes secrètes..., op. cit.,* p. 192-193 : « Le professeur Moreau de la Sarthe rapporte qu'il a eu occasion d'observer deux petites filles de sept ans, qu'une négligence coupable avait laissées se livrer à un excitement dont la fréquence et l'excès déterminèrent dans la suite l'épuisement et la consomption. »

36. *Ibid.,* p. 193 : « Enfin j'ai vu moi-même dans l'Hospice des Enfants, rue de Sèvres, à Paris, en l'an 1812, une petite personne de sept ans aussi, qui déjà était atteinte de ce penchant au plus haut degré. Elle était privée de presque toutes les facultés intellectuelles. »

37. L'observation de Sabatier est rapportée *ibid.,* p. 192 : « Ce que j'ai vu de plus terrible et le plus fréquemment à la suite de ce vice, ce sont les nodosités de l'épine. Mon opinion a toujours été regardée comme dénuée de fondement, attendu la grande jeunesse des malades ; mais j'étais instruit par des aveux récents que plusieurs s'étaient rendus coupables avant la sixième année de la vie. »

38. L.-A.-Ph. Cerise, *Le Médecin des salles d'asile, ou Manuel d'hygiène et d'éducation physique de l'enfance, destiné aux médecins et aux directeurs de ces établissements et pouvant servir aux mères de famille,* Paris, 1836, p. 72.

39. J.B. de Bourge, *Le Mémento du père de famille..., op. cit.,* p. 5-14.

40. [F.] Simon [de Metz], *Traité d'hygiène appliquée à la jeunesse,* Paris, 1827, p. 153.

41. Ch. Malo, *Le Tissot moderne, ou Réflexions morales et nouvelles sur l'onanisme, suivies des moyens de le prévenir chez les deux sexes,* Paris, 1815, p. 11-12.

42. Il pourrait s'agir de E. Jozan, *D'une cause fréquente et peu connue d'épuisement prématuré,* Paris, 1858, p. 22 : « Les enfants aux mains des nourrices ne sont pas à l'abri des dangers. »

43. L. Deslandes, *De l'onanisme..., op. cit.,* p. 516. Le même auteur développe la question dans son *Manuel d'hygiène publique et privée, ou Précis élémentaire des connaissances relatives à la conservation de la santé et au perfectionnement physique et moral des hommes,* Paris, 1827, p. 499-503, 513-519.

44. Le fait, dont l'authenticité est garantie par J. Andrieux, éditeur des *Annales d'obstétrique, des maladies des femmes et des enfants* (1842-1844) et de l'*Enseignement élémentaire universel, ou Encyclopédie de la jeunesse,* Paris, 1844, est signalé par L. Deslandes, *De l'onanisme..., op. cit.,* p. 516-517.

45. Ch. Malo, *Le Tissot moderne..., op. cit.,* p. 11.

46. La lettre est citée par M. Foucault, suivant Rozier, *Des habitudes secrètes..., op. cit.,* p. 194-195.

47. Nous n'avons pas identifié la source.

48. L. Deslandes, *De l'onanisme..., op. cit.,* p. 369-372.

49. Le cours de Michel Foucault se tenait dans une salle où figurait un portrait de Henri Bergson qui avait été lui-même professeur au Collège de France.

50. Cf. L. Deslandes, *De l'onanisme..., op. cit.,* p. 533.

51. Nous n'avons pas identifié la source.

52. Rozier, *Des habitudes secrètes…, op. cit.*, p. 229-230.

53. *Ibid.*, p. 230.

54. L. Deslandes, *De l'onanisme…, op. cit.*, p. 375-376.

55. S. La'Mert, *La Préservation personnelle. Traité médical sur les maladies des organes de la génération résultant des habitudes cachées, des excès de jeunesse ou de la contagion ; avec des observations pratiques sur l'impuissance prématurée*, Paris, 1847, p. 50-51 : « Le désir de l'auteur est que son livre puisse devenir familier à tous ceux qui dirigent les écoles et les collèges, au clergé, aux parents et aux surveillants, enfin à tous ceux auxquels est confiée l'éducation de la jeunesse. Il leur sera utile en les conduisant à découvrir les habitudes cachées de ceux qu'ils sont chargés de surveiller et en les engageant à prendre de sages précautions pour les prévenir ou en arrêter les suites. Il y a peu de gens parmi ceux qui se sont consacrés exclusivement au traitement des maladies sexuelles qui ne soient profondément convaincus de la généralité du vice de la masturbation. Les simples médecins eux-mêmes en doutent-ils ? Le nient-ils ? Eux qui de tous les hommes sont les moins capables de s'en faire une idée et qui sont les derniers auxquels on confierait le secret de semblables habitudes. Le médecin de famille peut être en possession de secrets de famille, il peut connaître les penchants héréditaires de toute une famille, mais c'est tout autre chose que de connaître les secrets individuels ou de recevoir la confession qui ne serait faite ni à un père, ni à une mère, ni à un frère, ni à une sœur. Le médecin ordinaire de la famille, qui n'est jamais consulté dans ce cas, et avec raison, est aussi ignorant de l'étendue de ces pernicieuses habitudes, que du mode de traitement qu'elles réclament. » Cet ouvrage, illustré de planches anatomiques, est traduit de la vingt-deuxième édition anglaise (éd. orig. : *Self Preservation. A popular inquiry into the […] causes of obscure disorders of the generative system*, Manchester, 1841).

56. Cf. M. Foucault, *La Volonté de savoir, op. cit.*, p. 145-147.

57. G. Jalade-Laffont, *Considérations sur la confection des corsets et des ceintures propres à s'opposer à la pernicieuse habitude de l'onanisme*, Paris, 1819. Le texte a été incorporé dans *Considérations sur les hernies abdominales, sur les bandages herniaires rénixigrades et sur de nouveaux moyens de s'opposer à l'onanisme*, I, Paris, 1821, p. 441-454. C'est ici que le médecin-inventeur annonce la découverte d'un corset pour préserver les personnes du sexe féminin des dangers de l'onanisme (p. x-xi).

58. L. Deslandes, *De l'onanisme…, op. cit.*, p. 546, qui cite A.J. Wender, *Essai sur les pollutions nocturnes produites par la masturbation, chez les hommes, et exposition d'un moyen simple et sûr de les guérir radicalement* (1811).

59. Les méthodes adoptées par Cl.-F. Lallemand sont mentionnées par L. Deslandes, *op. cit.*, p. 543, qui utilise probablement une recherche sur les *Maladies des organes génito-urinaires*, que nous n'avons pas pu consulter.

60. D'après L. Deslandes, *op. cit.*, p. 543-545, J. de Madrid-Davila, dans sa *Dissertation sur les pollutions involontaires*, Paris, 1831, propose aussi l'introduction d'une sonde dans l'urètre.

61. Il s'agit de Dominique-Jean Larrey : voir ses *Mémoires de chirurgie militaire*, I-IV, Paris, 1812-1817 ; *Recueil de mémoires de chirurgie*, Paris, 1821 ; *Clinique chirurgicale*, Paris, 1829-1836. Mais nous n'avons pas identifié la source.

62. Cf. L. Deslandes, *De l'onanisme…, op. cit.*, p. 429-430.

63. L'intervention effectuée par Antoine Dubois est rapportée par L. Deslandes, *ibid.*, p. 422, qui renvoie à A. Richerand, *Nosographie chirurgicale*, IV, Paris, 1808², p. 326-328.

64. L. Deslandes, *op. cit.*, p. 425. Sur l'intervention de E.A.G. Graefe, voir « Guérison d'une idiotie par l'extirpation du clitoris », *Nouvelle Bibliothèque médicale*, IX, 1825, p. 256-259.

65. L. Deslandes, *op. cit.*, p. 430-431.

66. P. Garnier, *Onanisme, seul et à deux, sous toutes ses formes et leurs conséquences*, Paris, 1883, p. 354-355.

67. L.-R. Caradeuc de la Chalotois, *Essai sur l'éducation nationale, ou Plan d'études pour la jeunesse*, Paris, 1763.

68. A. Pinloche, *La Réforme de l'éducation en Allemagne au dix-huitième siècle. Basedow et le Philantropinisme*, Paris, 1889. Cf. M. Foucault, *La Volonté de savoir, op. cit.*, p. 41.

COURS DU 12 MARS 1975

Ce qui rend acceptable à la famille bourgeoise la théorie psychanalytique de l'inceste (le danger vient du désir de l'enfant). – La normalisation du prolétariat urbain et la répartition optimale de la famille ouvrière (le danger vient du père et des frères). – Deux théories de l'inceste. – Les antécédents de l'anormal : engrenage psychiatrico-judiciaire et engrenage psychiatrico-familial. – La problématique de la sexualité et l'analyse de ses irrégularités. – La théorie jumelle de l'instinct et de la sexualité comme tâche épistémologico-politique de la psychiatrie. – Aux origines de la psychopathologie sexuelle (Heinrich Kaan). – Étiologie des folies à partir de l'histoire de l'instinct et de l'imagination sexuelle. – L'affaire du soldat Bertrand.

Je voudrais revenir sur un certain nombre de choses que je n'ai pas eu le temps de dire la dernière fois. Il me semble donc que la sexualité de l'enfant et de l'adolescent se trouve posée comme problème au cours du XVIIIᵉ siècle. Cette sexualité est posée initialement sous sa forme non relationnelle, c'est-à-dire qu'est posé en premier lieu le problème de l'auto-érotisme et de la masturbation ; masturbation qui est pourchassée, masturbation qui est valorisée comme danger majeur. À partir de ce moment-là, les corps, les gestes, les attitudes, les mines, les traits du visage, les lits, les linges, les taches, tout cela est mis en surveillance. Les parents sont requis d'aller à la chasse aux odeurs, aux traces, aux signes. Je crois qu'on a là l'instauration, la mise en place d'une des formes nouvelles des rapports entre parents et enfants : commence une sorte de grand corps à corps parents-enfants, qui me semble caractéristique de la situation non pas de toute famille, mais d'une certaine forme de famille à l'époque moderne.

Il est certain qu'on a là la transposition, dans l'élément de la famille, de la chair chrétienne. Transposition au sens strict du terme, puisqu'on a un déplacement local et spatial du confessionnal : le problème de la chair est passé au lit. Transposition, mais aussi transformation, et surtout réduction, dans la mesure où toute cette complexité strictement chrétienne de la direction de conscience que j'avais essayé d'évoquer un peu, et qui mettait en jeu toute une série de notions comme les incitations, les titillations, les désirs, la complaisance, la délectation, la volupté, se trouve maintenant réduite à un seul problème, au problème très simple du geste, de la main, du rapport de la main et du corps, à la question simple : « Est-ce qu'ils se touchent ? » Mais, en même temps qu'on assiste à cette réduction de la chair chrétienne à ce problème extraordinairement simple et comme squelettique, on assiste à trois transformations. D'une part, passage à la somatisation : le problème de la chair tend à devenir de plus en plus le problème du corps, du corps physique, du corps malade. Deuxièmement, infantilisation, en ce sens que le problème de la chair – qui était après tout le problème de tout chrétien, même s'il était centré, avec une certaine insistance, autour de l'adolescence – maintenant est essentiellement organisé autour de la sexualité ou de l'auto-érotisme enfantin et adolescent. Et enfin, troisièmement, médicalisation, puisque désormais ce problème se réfère à une forme de contrôle et de rationalité que l'on demande au savoir et au pouvoir médicaux. Tout le discours ambigu et proliférant du péché se ramène à la proclamation et au diagnostic d'un danger physique et à toutes les précautions matérielles pour le conjurer.

Ce que j'avais essayé de vous montrer la dernière fois, c'est que cette chasse à la masturbation ne me paraît pas être le résultat de la constitution de la famille étroite, cellulaire, substantielle, conjugale. Il me semble que, loin d'être le résultat de la constitution de cette famille d'un type nouveau, la chasse à la masturbation en a, au contraire, été l'instrument. C'est à travers cette chasse, c'est à travers cette croisade, que s'est constituée, petit à petit, cette famille restreinte et substantielle. Cette croisade, avec toutes les consignes pratiques qu'elle comportait, a été un moyen de resserrer les rapports familiaux et de refermer, comme une unité substantielle, solide et affectivement saturée, le rectangle central parents-enfants. Un des moyens pour coaguler la famille conjugale a été de rendre les parents responsables du corps de leurs enfants, de la vie et de la mort de leurs enfants, et ceci par l'intermédiaire d'un auto-érotisme qui avait été rendu fabuleusement dangereux dans et par le discours médical.

En bref, je voudrais refuser la série linéaire : d'abord, constitution, pour un certain nombre de raisons économiques, de la famille conjugale ; à l'intérieur de cette famille conjugale, interdit de sexualité ; à partir de cet interdit, retour pathologique de cette sexualité, névrose, et, à partir de là, simplement, problématisation de la sexualité de l'enfant. C'est le schéma ordinairement admis. Il me semble qu'il faut plutôt admettre toute une série d'éléments, qui sont circulairement liés, et où on trouve la valorisation du corps de l'enfant, la valorisation économique et affective de sa vie, l'instauration d'une peur autour de ce corps et d'une peur autour de la sexualité en tant qu'elle est détentrice des dangers courus par l'enfant et par le corps de l'enfant ; culpabilisation et responsabilisation simultanées des parents et des enfants autour de ce corps lui-même, aménagement d'une proximité obligatoire, statutaire, des parents et des enfants ; organisation donc d'un espace familial restreint et dense ; infiltration de la sexualité à travers tout cet espace et investissement de cet espace par des contrôles ou, en tout cas, par une rationalité médicale. Il me semble que c'est autour de tous ces processus et à partir de l'enchaînement circulaire de ces différents éléments que se cristallise finalement la famille conjugale, la famille restreinte, la famille quadrangulaire parents-enfants, qui caractérise une part au moins de notre société.

À partir de là, j'aurais voulu ajouter deux remarques.

La première, c'est celle-ci. Si on admet ce schéma, si on admet que la problématisation de la sexualité de l'enfant a été liée originairement à cette mise au contact du corps des parents et du corps des enfants, à un rabattement du corps des parents sur le corps des enfants, vous comprenez l'intensité qu'a pu prendre, à la fin du XIXe siècle, le thème de l'inceste, c'est-à-dire, à la fois, la difficulté et la facilité avec laquelle il a été accepté. Difficile d'accepter ce thème, puisque précisément, depuis la fin du XVIIIe siècle, il avait été dit, expliqué, surabondamment défini, que la sexualité de l'enfant était d'abord une sexualité auto-érotique, non relationnelle par conséquent, et non superposable à un rapport sexuel entre individus. D'autre part, cette sexualité ainsi non relationnelle et tout entière bloquée sur le corps même de l'enfant était in superposable à une sexualité de type adulte. Reprendre cette sexualité de l'enfant et la réinscrire dans un rapport incestueux avec l'adulte, remettre en contact ou en continuité la sexualité de l'enfant et la sexualité de l'adulte par le biais de l'inceste, ou du désir incestueux enfants-parents, représentait évidemment une difficulté considérable. Difficile donc d'admettre que les parents étaient atteints, investis par le désir incestueux de leurs enfants, alors que, depuis cent ans déjà, on les rassurait [sur le fait] que la sexualité de leurs enfants était entièrement localisée, bloquée, cadenassée à l'intérieur de cet auto-érotisme. Mais, d'un autre côté, on peut dire que toute la croisade anti-masturbation, à l'intérieur de laquelle va s'inscrire cette peur nouvelle de l'inceste, a rendu jusqu'à un certain point facile l'acceptation par les parents de ce thème que leurs enfants les désirent et les désirent incestueusement.

Cette facilité, à côté de cette difficulté ou s'entrecroisant avec elle, s'explique et on peut en rendre compte assez facilement. Depuis 1750-1760, depuis le milieu du XVIIIe siècle, qu'est-ce qu'on avait dit aux parents ? : Appliquez votre corps à celui de vos enfants ; regardez vos enfants ; approchez-vous de vos enfants ; mettez-vous éventuellement dans le lit de vos enfants ; glissez-vous entre leurs draps ; regardez, épiez, surprenez tous les signes de désir de vos enfants ; arrivez à pas de loup la nuit auprès de leur lit, soulevez leurs draps, regardez ce qu'ils font, mettez-y la main au moins pour empêcher. Et voilà qu'après leur avoir dit cela pendant cent ans, on leur dit : Ce désir redoutable que vous découvrez, au sens matériel du terme, c'est à vous qu'il est adressé. Ce qu'il y a de plus redoutable dans ce désir, c'est précisément qu'il vous concerne.

De là, un certain nombre d'effets, trois, je crois, qui sont essentiels. Premièrement, vous voyez que, à partir de là, on inverse en quelque sorte des parents vers les enfants la relation d'indiscrétion incestueuse qui avait été organisée pendant plus d'un siècle. Pendant plus d'un siècle, on avait demandé aux parents de s'approcher de leurs enfants ; on leur avait dicté une conduite d'indiscrétion incestueuse. Voilà qu'au bout d'un siècle, on les disculpait précisément de la culpabilité que, à la limite, ils auraient peut-être ressenti d'aller ainsi découvrir le corps désirant de leurs enfants, et on leur dit : Ne vous inquiétez pas, ce n'est pas vous qui êtes incestueux. L'inceste ne va pas de vous à eux, de votre indiscrétion, de votre curiosité à leur corps par vous mis à nu, mais c'est au contraire d'eux à vous que va l'inceste, puisque ce sont eux qui commencent, dès l'origine, à vous désirer. Au moment même, par conséquent, où on sature étiologiquement le rapport incestueux enfants-parents, on disculpe moralement les parents de l'indiscrétion, de la démarche, de l'approche incestueuse à laquelle on les avait contraints pendant plus d'un siècle. Donc, premier bénéfice moral, qui rend acceptable la théorie psychanalytique de l'inceste.

Deuxièmement, vous voyez qu'on donne au fond aux parents une garantie supplémentaire, puisqu'on leur dit non seulement que le corps sexuel de leurs enfants leur appartient en droit, qu'ils ont à y veiller, qu'ils ont à le surveiller, à le contrôler, à le surprendre, mais qu'il leur appartient à un niveau plus profond encore, puisque le désir des enfants leur est adressé, à eux. Dans cette mesure-là, non seulement c'est en quelque sorte la possession matérielle du corps de l'enfant dont ils sont les maîtres, mais, par-dessus le marché, du désir lui-même dont ils se trouvent disposer par le fait que c'est à eux qu'il est adressé. Peut-être cette nouvelle garantie donnée aux parents correspond-elle à une nouvelle vague dans la dépossession du corps de l'enfant à l'égard de la famille, lorsqu'à la fin du XIXe siècle l'extension de la scolarisation et des procédés de dressage disciplinaire a effectivement détaché plus encore l'enfant du milieu familial à l'intérieur duquel il était inscrit. Tout ceci serait à examiner d'un peu plus près. Mais il y a eu une véritable réappropriation de la sexualité de l'enfant par l'affirmation que le désir de l'enfant est adressé précisément aux parents. Ainsi a pu se desserrer le contrôle sur la masturbation, sans que les enfants [*rectius* : parents] perdent possession de la sexualité des enfants, puisque le désir enfantin les visait.

Enfin, troisième raison pour laquelle cette théorie de l'inceste a pu, malgré un certain nombre de difficultés, être au total finalement acceptée, c'est que, en plaçant une infraction aussi terrible au cœur même des rapports parents-enfants, en faisant de l'inceste – crime absolu – le point d'origine de toutes les petites anomalies, on renforçait l'urgence d'une intervention extérieure, d'une sorte d'élément médiateur, à la fois pour analyser, contrôler et corriger. Bref, on renforçait la possibilité d'une prise de la technologie médicale sur le faisceau des relations intrafamiliales ; on assurait, mieux encore, le branchement de la famille sur le pouvoir médical. En gros, il s'agit, dans cette théorie de l'inceste qui apparaît à la fin du XIXe siècle, d'une espèce de formidable gratification pour les parents, qui désormais se savent objet d'un désir fou et qui, en même temps, découvrent, par cette théorie même, qu'ils peuvent être eux-mêmes sujets d'un savoir rationnel sur leurs rapports avec leurs enfants : Ce que l'enfant désire, je n'ai plus simplement à le découvrir comme un domestique douteux, en allant le soir dans sa chambre soulever ses draps ; ce qu'il désire, je le sais d'un savoir scientifiquement authentifié, puisque c'est un savoir médical. Je suis donc sujet du savoir et, en même temps, objet de ce désir fou. On comprend, dans ces conditions, comment – depuis la psychanalyse, depuis le début du XXe siècle – les parents ont pu devenir (et bien volontiers !) les agents à la fois zélés, fiévreux et ravis d'une nouvelle vague de normalisation médicale de la famille. Je crois donc qu'il faut replacer le fonctionnement du thème incestueux dans la pratique séculaire de la croisade contre la masturbation. C'en est, à la limite, un épisode, ou en tout cas un retournement.

Deuxième remarque, c'est que ce que je viens de vous dire ne vaut certainement pas pour la société en général ou pour n'importe quel type de famille. La croisade anti-masturbation (je vous l'avais indiqué, je crois, la dernière fois en commençant) s'adresse presque exclusivement à la famille bourgeoise. Or, à l'époque où la croisade anti-masturbation battait son plein, se développait à côté d'elle, mais sans rapport direct, une tout autre campagne qui était adressée à la famille populaire ou, plus précisément, à la famille du prolétariat urbain en train de se constituer. Cette autre croisade, qui est un petit peu décalée dans le temps par rapport à la première (la première commence donc vers 1760 à peu près, la seconde se situe au tournant des deux siècles, au tout début du XIXᵉ, et elle s'épanouit vers les années 1820-1840), et qui est dirigée vers la famille prolétarienne urbaine, a de tout autres thèmes. D'abord celui-ci. Ce n'est pas : « Appliquez donc directement votre corps à celui de vos enfants » – comme on le dit à la famille bourgeoise. Ce n'est pas, bien sûr : « Supprimez tous ces intermédiaires domestiques et familiers, qui encombrent, perturbent, troublent vos rapports avec vos enfants. » La campagne est tout simplement : « Mariez-vous, ne faites pas des enfants d'abord, pour les abandonner ensuite. » C'est toute une campagne contre l'union libre, contre le concubinage, contre la fluidité extra- ou parafamiliale.

Je ne veux pas reprendre l'analyse, qui serait sans doute fort difficile et longue, sur ce point, mais simplement indiquer quelques hypothèses, qui sont actuellement, en gros, admises par la plupart des historiens. C'est que, jusqu'au XVIIIᵉ siècle, dans les campagnes et dans les populations urbaines, même pauvres, la règle du mariage avait été finalement fort respectée. La quantité d'unions libres et même la quantité d'enfants naturels sont étonnamment limitées. À quoi ceci est-il dû ? Au contrôle ecclésiastique sans doute, à un contrôle social et jusqu'à un certain point judiciaire aussi, peut-être. Vraisemblablement et plus fondamentalement, au fait que le mariage était lié à tout un système d'échange de biens, même chez les gens relativement pauvres. Il était lié, en tout cas, au maintien ou à la transformation des statuts sociaux. Il était lié aussi à la pression des formes de vie communautaire dans les villages, dans les paroisses, etc. Bref, le mariage n'était pas simplement la sanction religieuse ou juridique d'un rapport sexuel. C'était, finalement, tout le personnage social, avec ses liens, qui se trouvait engagé.

Or, il est évident que – à mesure que se constitue, se développe, au début du XIXᵉ siècle, un prolétariat urbain – toutes ces raisons d'être du mariage, tous ces liens, toutes ces pesanteurs, qui donnaient au mariage sa solidité et sa nécessité, tous ces supports du mariage deviennent inutiles. Du coup, se développe une sorte de sexualité extra-matrimoniale, qui est peut-être moins liée à une révolte explicite contre l'obligation du mariage qu'au constat, pur et simple, que le mariage, avec son système d'obligations et tous ses supports institutionnels et matériels, n'a plus de raison d'être à partir du moment où on est une population flottante, attendant ou cherchant un travail, qui est de toute façon un travail précaire et transitoire dans un lieu de passage. On a donc le développement, dans les milieux ouvriers, de l'union libre (on en a un certain nombre de signes ; en tout cas, beaucoup de protestations se sont formulées à ce sujet vers les années 1820-1840).

À ce caractère fragile, épisodique, transitoire du mariage, la bourgeoisie évidemment trouvait un certain nombre d'avantages, dans certaines conditions et à certains moments, ne serait-ce que justement la mobilité de la population ouvrière, la mobilité de la force de travail. Mais, d'un autre côté, est très vite venu le moment où la stabilité de la classe ouvrière est devenue nécessaire, pour des raisons économiques et aussi pour des raisons de quadrillage et de contrôle politique, de non-mobilité, non-agitation, etc. De là, en tout cas, quelles qu'en soient les raisons, toute une campagne sur le mariage, qui s'est développée très largement autour des années 1820-1840 ; campagne qui s'est faite par des moyens de propagande pure et simple (publication de livres, etc.), par des pressions économiques, par l'existence des sociétés de secours (qui n'attribuaient aide qu'aux gens légitimement mariés), par des mécanismes comme les Caisses d'Épargne, par une politique de logements, etc. Or, ce thème marieur, cette campagne pour la solidification matrimoniale s'est trouvée accompagnée, et jusqu'à un certain point corrigée, par une autre campagne, qui était celle-ci : Dans cet espace familial maintenant solide, que vous êtes requis de constituer et à l'intérieur duquel vous devez demeurer de façon stable, dans cet espace social faites bien attention. Ne vous mélangez pas, répartissez-vous, prenez le plus d'espace possible ; qu'il y ait entre vous le moins de contacts possible, que les relations familiales maintiennent, à l'intérieur de l'espace ainsi défini, ses spécifications et les différences entre les individus, entre les âges, entre les sexes. Campagne, dès lors, contre les chambres communes, contre les lits communs entre parents et enfants, contre les lits communs pour les enfants « de différent sexe ». À la limite, l'idéal c'est un lit par personne. L'idéal c'est, dans les cités ouvrières dont on fait à ce moment-là le projet, la fameuse petite maison de trois pièces : une pièce commune, une pièce pour les parents, une pièce pour les enfants ;

ou encore une pièce pour les parents, une pièce pour les enfants mâles, une pièce pour les enfants femelles [1]. Donc, pas de corps à corps, pas de contacts, pas de mélanges. Ce n'est pas du tout la lutte anti-masturbation, qui avait pour thème : « Rapprochez-vous de vos enfants, prenez contact avec eux, voyez leur corps au plus près » ; c'est tout au contraire : « Répartissez les corps avec le maximum de distance possible. » Et vous voyez que, dans la ligne de cette autre campagne, apparaît une autre problématisation de l'inceste. Ce n'est plus le danger de l'inceste, qui viendrait des enfants et dont la psychanalyse formule le péril. C'est le danger de l'inceste frère-sœur ; c'est le danger de l'inceste père-fille. L'essentiel, c'est d'éviter que de l'ascendant au descendant, ou de l'aîné au cadet, se trouve établie une promiscuité qui serait responsable d'un inceste possible.

Donc, les deux campagnes, les deux mécanismes, les deux peurs d'inceste, que l'on voit se former au XIXe siècle, sont parfaitement différentes. Bien sûr, il est certain que la campagne pour la constitution de cette famille bourgeoise coagulée, affectivement intense, autour de la sexualité de l'enfant, et puis la campagne pour la répartition et la solidification de la famille ouvrière, vont finalement aboutir, je ne dis pas exactement à un point de convergence, mais à une certaine forme qui est en quelque sorte échangeable ou commune, dans un cas comme dans l'autre. On a une sorte de modèle familial qu'on pourrait dire interclasses. C'est la petite cellule parents-enfants dont les éléments sont différenciés, mais puissamment solidaires, et qui sont à la fois liés et menacés par l'inceste. Mais, sous cette forme commune, qui n'est que l'enveloppe et comme la coquille abstraite, je crois qu'en fait on trouve deux processus parfaitement différents. D'un côté, le processus dont je vous parlais la dernière fois : processus de rapprochement-coagulation, qui permet de définir, dans le réseau large de la famille détentrice de statuts et biens, une petite cellule intense qui se regroupe autour du corps de l'enfant dangereusement sexualisé. Et puis, d'un autre côté, vous avez un autre processus. C'est le processus non plus du rapprochement-coagulation, mais de la stabilisation-répartition des rapports sexuels : instauration d'une distance optimale autour d'une sexualité adulte, qui, elle, est considérée comme dangereuse. Dans un cas, c'est la sexualité de l'enfant qui est dangereuse et qui appelle la coagulation de la famille ; dans l'autre cas, c'est la sexualité de l'adulte qui est considérée comme dangereuse et qui appelle, au contraire, la répartition optimale de la famille.

Deux processus de formation, deux manières d'organiser la famille cellulaire autour du danger de la sexualité, deux façons d'obtenir la sexualisation à la fois redoutable et indispensable de l'espace familial, deux façons d'y marquer le point d'ancrage d'une intervention autoritaire, ou plutôt d'une intervention autoritaire qui n'est pas la même dans un cas et dans l'autre. Car, d'un côté, la sexualisation dangereuse, périlleuse de la famille à partir de la sexualité de l'enfant, quelle forme d'intervention extérieure, quel type de rationalité externe appelle-t-elle – rationalité qui doit venir pénétrer la famille, arbitrer, contrôler et corriger ses rapports internes ? C'est évidemment la médecine. Aux dangers de la sexualité infantile, sur laquelle les parents se penchent, doivent répondre l'intervention et la rationalité médicales. En revanche, dans l'autre cas, la sexualité ou plutôt la sexualisation de la famille à partir de l'appétit incestueux et dangereux des parents ou des aînés, cette sexualisation autour de l'inceste possible venant d'en haut, venant des plus vieux, appelle aussi une puissance externe, une intervention de l'extérieur, un arbitrage ou plutôt une décision. Mais, cette fois, pas du tout de type médical : de type judiciaire. C'est le juge, ou c'est le gendarme, ou ce sont tous ces substituts que sont actuellement, depuis le début du XXᵉ siècle, toutes les instances dites de contrôle social, c'est l'assistant social – c'est tout ce personnel-là, qui doit intervenir dans la famille pour conjurer ce danger d'inceste qui vient des parents ou des aînés. Donc, beaucoup d'analogies formelles, mais en réalité des processus qui sont en profondeur différents : d'un côté, appel nécessaire à la médecine ; d'un autre côté, appel nécessaire au tribunal, au juge, à la police, etc.

En tout cas, il ne faut pas oublier la simultanéité, à la fin du XIXᵉ siècle, de ces deux mécanismes ou de ces deux corps institutionnels qui apparaissent. D'un côté, la psychanalyse, qui va apparaître comme la technique de gestion de l'inceste infantile et de tous ses effets perturbateurs dans l'espace familial. Et puis, simultanément à la psychanalyse – mais, je crois, à partir de ce second processus dont je vous ai parlé –, les institutions de quadrillage des familles populaires, qui ont essentiellement pour fonction non pas du tout de gérer les désirs incestueux des enfants, mais, comme on dit, de « protéger les enfants en danger » – c'est-à-dire les protéger du désir incestueux du père et de la mère – et de les retirer précisément du milieu familial. Dans un cas, la psychanalyse réinsérera le désir dans la famille (vous savez qui l'a démontré mieux que moi [2]), mais, dans l'autre cas, il ne faut pas oublier que, symétriquement à cela et d'une façon absolument contemporaine, vous avez eu cette autre opération, tout aussi réelle, qui a consisté à retirer l'enfant de la famille à partir de la peur de l'inceste adulte.

On pourrait peut-être aller plus loin sur ce repérage des deux formes d'inceste, des deux ensembles institutionnels qui répondent à ces deux formes d'inceste. On pourrait peut-être dire qu'il y a aussi deux théories de l'inceste, et qui sont radicalement différentes. L'une qui présente l'inceste justement comme fatalité du désir liée à la formation de l'enfant, cette théorie qui dit en sourdine aux parents : « Vos enfants, quand ils se touchent, soyez bien sûrs que c'est à vous qu'ils pensent. » Et puis l'autre, c'est la théorie sociologique et non plus psychanalytique de l'inceste, qui décrit l'interdiction de l'inceste comme nécessité sociale, comme condition des échanges et des biens, et qui dit en sourdine aux parents : « Surtout ne touchez pas vous-mêmes à vos enfants. Vous n'y gagneriez rien et, à dire vrai, vous y perdriez même beaucoup » – ne serait-ce que la structure d'échange qui définit et structure l'ensemble du corps social. On pourrait s'amuser ainsi à repérer le jeu de ces deux formes, et d'institutionnalisation de l'inceste et des procédés pour l'éviter, et de théorisation de l'inceste. En tout cas, ce sur quoi je voudrais insister, c'est sur le caractère finalement abstrait et académique de toute théorie générale de l'inceste et, en particulier, de cette espèce de tentative ethnopsychanalytique qui essayerait d'articuler l'interdit de l'inceste adulte sur le désir incestueux des enfants. Ce que je voudrais montrer, c'est le caractère abstrait de toute théorie qui consisterait à dire : C'est finalement parce que les enfants désirent trop les parents, que nous devons bien interdire aux parents de toucher à leurs enfants. Deux types de constitution de la cellule familiale, deux types de définition de l'inceste, deux caractérisations de la peur de l'inceste, deux faisceaux d'institutions autour de cette peur : je ne dirais pas qu'il y a deux sexualités, l'une bourgeoise et l'autre prolétarienne (ou populaire), mais je dirais qu'il y a eu deux modes de sexualisation de la famille ou deux modes de familialisation de la sexualité, deux espaces familiaux de la sexualité et de l'interdit sexuel[3]. Et cette dualité, aucune théorie ne peut valablement la surmonter.

Voilà donc ce par quoi j'aurais voulu prolonger mon cours de la dernière fois. Maintenant je voudrais faire retour en arrière, et essayer de rejoindre ces quelques propos sur la sexualité et ce que je vous avais dit sur l'instinct et le personnage du monstre, puisque je crois que le personnage de l'anormal – qui va prendre tout son statut et son ampleur à la fin du XIXᵉ siècle – avait en réalité deux ou trois antécédents. Sa généalogie, c'était le monstre judiciaire, dont je vous ai parlé ; c'était le petit masturbateur, dont je vous ai parlé encore les dernières séances ; et puis, le troisième, dont malheureusement je ne pourrai pas vous parler

(mais, vous verrez, cela n'a pas trop d'importance), c'était l'indiscipliné. En tout cas, je voudrais maintenant essayer de voir comment se
sont ajustées, l'une à l'autre, la problématique du monstre et de l'instinct, et la problématique du masturbateur et de la sexualité infantile.

Je vais essayer de vous montrer la formation d'un engrenage psychiatrico-judiciaire, qui s'était fait à partir du monstre ou du problème
du criminel sans raison. Dans cet engrenage et à partir de cet engrenage,
on avait vu apparaître trois choses, je crois, importantes. D'une part, la
définition d'un champ commun à la criminalité et à la folie. Champ
confus, complexe, réversible, puisqu'il apparaissait que, derrière tout
crime, il se pourrait bien qu'il y ait quelque chose comme une conduite
de folie, mais qu'inversement, dans toute folie, il pourrait bien y avoir
risque de crime. Champ, par conséquent, d'objets communs à la folie et
au crime. Deuxièmement, on avait vu apparaître, à partir de là, la nécessité sinon encore exactement d'une institution, du moins déjà d'une instance médico-judiciaire, représentée par le personnage du psychiatre, qui
commence déjà à être le criminaliste ; le psychiatre, qui est, en principe,
seul détenteur à la fois de la possibilité de faire le partage entre crime et
folie, et de juger ce qu'il peut y avoir de dangereux à l'intérieur de toute
folie. Enfin, troisièmement, on avait vu apparaître, comme concept privilégié de ce champ d'objets ainsi parcouru par le pouvoir psychiatrique, cette notion de l'instinct comme pulsion irrésistible, comme
conduite normalement intégrée ou anormalement déplacée sur l'axe du
volontaire et de l'involontaire : c'était le principe de Baillarger[4].

Maintenant, si on suit l'autre filière telle que j'ai essayé de la retracer ensuite, l'autre tracé généalogique, qu'est-ce qu'on voit ? À partir
du péché de la chair, on voit au XVIIIe siècle se former un engrenage qui
n'est pas psychiatrico-judiciaire, mais psychiatrico-familial, et qui se
fait à partir non pas du grand monstre, mais de ce personnage très quotidien de l'adolescent masturbateur, rendu fabuleusement monstrueux
ou, en tout cas, dangereux, pour les besoins de la cause. Dans cette
organisation et à partir de cet engrenage, qu'est-ce qu'on voit apparaître ? D'une part, je vous l'ai dit la dernière fois, l'appartenance
essentielle de la sexualité à la maladie ou, plus exactement, de la masturbation à l'étiologie générale de la maladie. Dans le champ de l'étiologie, dans le domaine des causes de la maladie, la sexualité, au moins
sous sa forme masturbatoire, apparaît comme élément à la fois constant
et fréquent : constant, dans la mesure où on le trouve partout, mais, à
dire vrai, aléatoire, dans la mesure où la masturbation peut provoquer
n'importe quelle maladie. Deuxièmement, cet engrenage fait apparaître

aussi la nécessité d'une instance médicale de recours, d'intervention et de rationalisation interne de l'espace familial. Et enfin, ce domaine commun à la maladie et à la masturbation, référé au pouvoir-savoir médical, est traversé par un élément dont le concept est en train de s'élaborer à cette époque-là : c'est la notion de « penchant » ou d'« instinct » sexuel ; l'instinct sexuel qui est voué, par sa fragilité même, à échapper à la norme hétérosexuelle et exogamique. Donc, d'un côté, on a un enclenchement de la psychiatrie sur le pouvoir judiciaire. À cet enclenchement, la psychiatrie doit la problématique de l'impulsion irrésistible et l'apparition de la sphère des mécanismes instinctifs comme domaine d'objets privilégié. À son enclenchement symétrique sur le pouvoir familial (et qui s'est fait selon une tout autre filière généalogique), la psychiatrie doit une autre problématique : c'est la problématique de la sexualité, et l'analyse de ses irrégularités.

De là, je crois, deux conséquences. La première, c'est bien entendu un formidable gain extensif dans le domaine d'ingérence possible de la psychiatrie. L'an dernier, j'ai essayé de vous montrer comment – limitée à ce qui était traditionnellement son domaine spécifique d'intervention, l'aliénation mentale, la démence, le délire – la folie s'était, à l'intérieur même des asiles, constituée comme gouvernement des fous en mettant en œuvre une certaine technologie de pouvoir[5]. Voilà que cette psychiatrie s'est trouvée maintenant enclenchée sur un tout autre domaine, qui n'est plus celui du gouvernement des fous, mais celui du contrôle de la famille et de l'intervention nécessaire dans le domaine pénal. Formidable extension : d'un côté, la psychiatrie a à reprendre en charge tout le champ des infractions et des irrégularités par rapport à la loi ; et puis, d'un autre côté, à partir de sa technologie du gouvernement des fous, elle a à reprendre en charge les irrégularités intrafamiliales. Depuis la petite souveraineté de la famille jusqu'à la forme générale et solennelle de la loi, la psychiatrie apparaît maintenant, doit apparaître et doit fonctionner comme une technologie de l'individu qui sera indispensable au fonctionnement des principaux mécanismes de pouvoir. Elle va être un des opérateurs internes qu'on va retrouver indifféremment ou communément dans des dispositifs de pouvoir aussi différents que la famille et le système judiciaire, dans le rapport parents-enfants, ou encore dans le rapport État-individu, dans la gestion des conflits intrafamiliaux comme dans le contrôle ou l'analyse des infractions aux interdits de la loi. Technologie générale des individus qu'on va retrouver finalement partout où il y a du pouvoir : famille, école, atelier, tribunal, prison, etc.

Donc, formidable extension du champ d'ingérence de la psychiatrie. Mais, en même temps, la psychiatrie va se trouver devant une tâche qui est pour elle toute nouvelle. C'est que cette fonction générale, cette omniprésence ou cette polyvalence, la psychiatrie ne pourra évidemment l'exercer, et l'exercer vraiment, qu'à la condition d'être capable d'organiser un champ unitaire de l'instinct et de la sexualité. Maintenant, si elle veut effectivement parcourir tout ce domaine dont j'ai essayé de montrer les limites, si elle veut effectivement fonctionner dans l'engrenage psychiatrico-familial comme dans l'engrenage psychiatrico-judiciaire, il faudra qu'elle montre le jeu entrecroisé de l'instinct et de la sexualité, à la limite le jeu de l'instinct sexuel comme élément de formation dans toutes les maladies mentales et, plus généralement encore, dans tous les désordres de comportement, qu'il s'agisse des grandes infractions qui violent les lois les plus importantes ou qu'il s'agisse des minuscules irrégularités qui perturbent la petite [cellule] familiale. En somme, il faut constituer non seulement un discours, mais des méthodes d'analyse, des concepts, des théories telles que l'on puisse aller, à l'intérieur de la psychiatrie et sans en sortir, de l'auto-érotisme enfantin jusqu'à l'assassinat, de l'inceste discret et frôleur jusqu'à la grande dévoration des anthropophages monstrueux. C'est la tâche maintenant de la psychiatrie, à partir des années 1840-1850 (puisque maintenant je vais reprendre le train que j'avais laissé avec Baillarger). Dans toute cette fin du XIXᵉ siècle, le problème va être de constituer un couplage instinct-sexualité, désir-folie, plaisir-crime, couplage qui soit tel que, d'une part, les grands monstres surgis à la limite de l'appareil judiciaire pourront être réduits, émiettés, analysés, rendus quotidiens et sous des profils adoucis à l'intérieur des rapports familiaux, et tel que, d'autre part, les petits masturbateurs qui tiédissaient à l'intérieur du nid familial pourront, par genèses, agrandissements, déboîtements successifs, devenir les grands criminels fous qui violent, qui découpent et qui dévorent. Comment se fait cette réunification? Autrement dit, comment s'élabore la théorie jumelle de l'instinct et de la sexualité comme tâche épistémologico-politique de la psychiatrie, à partir de 1840-1850? Voilà ce dont je voudrais vous parler maintenant.

Cette réunification va se faire d'abord par un décloisonnement, le décloisonnement de la masturbation par rapport aux autres irrégularités sexuelles. Vous vous souvenez en effet, j'y avais insisté la dernière fois, que la condition sous laquelle la masturbation avait pu devenir le grand souci de la cellule familiale, c'était au fond qu'elle avait été mise à part, par rapport à toutes les autres conduites sexuelles disqualifiées ou condamnées. J'avais essayé de vous montrer comment la masturbation était toujours définie comme quelque chose de très à part, de très singulier. Tellement singulier que, d'une part, elle était définie comme venant d'un instinct ou d'un mécanisme qui n'était aucunement celui que l'on retrouve dans la sexualité normale, relationnelle et hétérosexuelle (les théoriciens de la fin du XVIIIe siècle insistaient sur le fait que la masturbation enfantine avait de tout autres mécanismes que la sexualité adulte). Et, d'autre part, cette sexualité était, dans ses effets, mise au contact non pas d'une immoralité en général, non pas même de l'immoralité ou l'irrégularité sexuelle : ses effets se déployaient dans le champ de la pathologie somatique. C'était une sanction corporelle, c'était une sanction physiologique, à la limite même anatomopathologique : c'était cela qui finalement était porté par la masturbation comme principe de maladie. Il y avait, je dirais, le moins de sexualité possible dans la masturbation, telle qu'elle était définie, analysée, pourchassée au XVIIIe siècle. Et on peut dire sans doute que c'était là le clou de la croisade. On disait aux parents : « Occupez-vous de la masturbation de vos enfants ; vous êtes sûrs que vous ne toucherez pas à leur sexualité. »

Maintenant, à partir du moment où la psychiatrie du XIXe siècle a pour tâche de recouvrir ce grand domaine qui va de l'irrégularité familiale à l'infraction légale, la psychiatrie va avoir au contraire pour tâche non pas du tout d'isoler la masturbation, mais de faire communiquer entre elles toutes les irrégularités intra- ou extrafamiliales. Il faut que la psychiatrie arrive à dresser, à dessiner l'arbre généalogique de tous les troubles sexuels. C'est là que l'on trouve, comme première réalisation de cette tâche, les grands traités de psychopathologie sexuelle du XIXe siècle, dont le premier, vous le savez, c'est la *Psychopathia sexualis* de Heinrich Kaan, qui a été publiée à Leipzig en 1844 (à ma connaissance, c'est le premier des traités de psychiatrie à ne parler que de psychopathologie sexuelle, mais c'est le dernier à parler de la sexualité en latin ; il n'a malheureusement jamais été traduit, alors que c'est un texte qui, autant que mon latin le supporte encore, m'avait fort intéressé). Or, qu'est-ce qu'on trouve dans ce traité ? Dans cette *Psychopathia sexualis* de Heinrich Kaan, on trouve d'abord ce thème, qui inscrit très clairement le livre dans la théorie de la sexualité de l'époque. C'est le fait que la sexualité humaine s'insère, par ses mécanismes, par ses formes générales, dans l'histoire naturelle d'une sexualité que l'on peut faire remonter jusqu'aux plantes. C'est l'affirmation d'un instinct sexuel – *nisus sexualis,* dit le texte – qui est la manifestation, on ne peut pas dire psychique, disons simplement dynamique, la manifestation dynamique du fonctionnement des organes sexuels. Tout comme il existe un sentiment, une impression, une dynamique de la faim, qui correspond aux appareils de la nutrition, il va y avoir un instinct sexuel, qui correspond au fonctionnement des organes sexuels. C'est une naturalisation très marquée de la sexualité humaine et, en même temps, son principe de généralisation.

Pour cet instinct, pour ce *nisus sexualis* que décrit Kaan, la copulation (c'est-à-dire l'acte sexuel relationnel hétérosexuel) est à la fois naturelle et normale. Mais – dit H. Kaan – elle ne suffit pas à déterminer entièrement, ou plutôt à canaliser entièrement, la force et le dynamisme de cet instinct. L'instinct sexuel déborde, et déborde naturellement, sa fin naturelle. En d'autres termes, il est, par rapport à la copulation, normalement excessif et partiellement marginal [6]. C'est ainsi, dit H. Kaan, que ce débordement de la force de l'instinct sexuel, par rapport à la finalité copulatoire, est manifesté, prouvé empiriquement par un certain nombre de choses, essentiellement par la sexualité des enfants, et principalement par la sexualité manifeste dans le jeu des enfants. Quand les enfants jouent, on s'aperçoit en effet – bien que la détermination de leurs organes sexuels soit encore simplement à son principe et que le *nisus* sexuel n'ait pas du tout pris sa force – que leurs jeux sont, au contraire, sexuellement très nettement polarisés. Les jeux des filles et les jeux des garçons ne sont pas les mêmes, ce qui prouve bien que le comportement entier des enfants, jusque dans leurs jeux, est supporté, sous-tendu par un *nisus* sexuel, par un instinct sexuel, qui a déjà sa spécification, quand bien même l'appareil organique qu'il doit animer et qu'il doit traverser, pour le conduire jusqu'à la copulation, serait loin de faire encore l'affaire. On voit également apparaître l'existence de ce *nisus* sexuel dans un tout autre domaine, qui n'est plus celui du jeu, mais celui de la curiosité. Ainsi, dit H. Kaan, les enfants de sept ou huit ans éprouvent déjà une très grande curiosité, non seulement pour leurs organes sexuels, mais pour ceux de leurs partenaires de leur sexe ou du sexe adverse. En tout cas, il y a là – dans le fonctionnement même de l'esprit, dans ce désir de savoir qui anime les enfants et qui permet d'ailleurs l'éducation – la présence, le travail de l'instinct sexuel. L'instinct sexuel, dans sa vivacité, dans ce qu'il peut avoir de plus dynamique, passe donc bien au-delà de la pure et simple copulation : il commence avant et il la déborde [7].

Bien sûr, cet instinct sexuel se trouve, par la nature, finalisé, focalisé vers une copulation [8]. Mais, cette copulation n'étant, en quelque sorte, que sa fin chronologiquement dernière, vous comprenez pourquoi il est par sa nature fragile : il est beaucoup trop vif, il est beaucoup trop précoce, il est beaucoup trop ample, il traverse trop largement tout l'organisme et toute la conduite des individus pour pouvoir effectivement loger, s'effectuer uniquement dans la copulation adulte et hétérosexuelle. Et dans cette mesure-là – explique H. Kaan – il est exposé à toute une série d'anomalies, il est toujours exposé à dévier par rapport à la norme. C'est l'ensemble de ces aberrations, à la fois naturelles et anormales, qui va constituer le domaine de la *psychopathia sexualis,* et c'est ainsi que Heinrich Kaan établit la dynastie des différentes aberrations sexuelles, qui constituent à ses yeux un domaine, et un domaine unitaire[9]. Il les énumère : il y a l'*onania* (l'onanisme) ; il y a la pédérastie comme amour pour les impubères ; il y a ce qu'il appelle l'amour lesbien, qui est l'amour des individus hommes ou femmes, peu importe, pour leur propre sexe ; la violation des cadavres, la bestialité, et puis une sixième aberration[10]. En général, dans tous les traités de psychopathologie sexuelle, il y a toujours un petit quelque chose… je crois que c'est Krafft-Ebing qui trouvait qu'une des pires aberrations sexuelles, c'était celle qui était manifestée par ces gens qui, dans la rue, avec une paire de ciseaux, coupaient la tresse des petites filles. Alors, ça, c'est une obsession ![11] Quelques années auparavant, Heinrich Kaan trouve qu'il y a une aberration sexuelle, qui est très importante et qui le tracasse beaucoup, qui consiste à faire l'amour avec des statues. En tout cas, on a, là, la première grande dynastie globale des aberrations sexuelles. Or, dans ce domaine général de la *psychopathia sexualis,* l'onanisme – qui, vous le voyez, figure comme l'une de ces aberrations et qui n'est donc, par conséquent, qu'un élément dans cette classe générale – exerce un rôle tout à fait particulier, il a une place tout à fait privilégiée. En effet, les autres perversions, celles qui ne sont pas l'onanisme, d'où viennent-elles ? Comment peut-il se faire qu'il y ait une pareille déviation par rapport à l'acte naturel ? Eh bien ! ce qui est le facteur de la déviation, c'est l'imagination, c'est ce qu'il appelle la *phantasia,* l'imagination morbide. C'est celle-là qui crée prématurément le désir ou qui plutôt, animée par des désirs prématurés, va chercher les moyens annexes, dérivés, substitutifs de se satisfaire. Comme il le dit dans son texte, la *phantasia,* l'imagination, prépare la voie à toutes les aberrations sexuelles. Les anormaux sexuels se recrutent, par conséquent, toujours chez les enfants ou chez ceux qui, lorsqu'ils étaient enfants, ont fait usage, à travers l'onanisme et la masturbation, d'une imagination sexuellement polarisée[12].

Il me semble que dans cette analyse de Heinrich Kaan, qui peut, jusqu'à un certain point, paraître un peu rustique, il y a tout de même, dans l'histoire de la problématisation psychiatrique de la sexualité, un certain nombre de points très importants. D'une part, celui-ci : il est naturel à l'instinct d'être anormal. Deuxièmement, ce décalage entre la naturalité et la normalité de l'instinct, ou encore le lien intrinsèque et confus entre naturalité de l'instinct et anomalie de l'instinct, apparaît d'une façon privilégiée et déterminante au moment de l'enfance. Troisième thème important : il existe un lien privilégié entre l'instinct sexuel et la *phantasia* ou l'imagination. Alors que, à la même époque, l'instinct était invoqué, au fond, pour servir de support à des actions habituelles, irrésistibles, automatiques, sans accompagnement de pensées ou de représentations, l'instinct sexuel, qui est actuellement décrit par Heinrich Kaan, a partie liée avec l'imagination. C'est l'imagination qui lui ouvre l'espace où il va pouvoir développer sa nature anormale. C'est dans l'imagination que vont se manifester les effets du décrochage entre nature et normalité, et c'est elle, cette imagination, qui va, à partir de là, servir d'intermédiaire, de relais, à toutes les efficacités causales et pathologiques de l'instinct sexuel [13].

En gros, on peut dire ceci. À la même époque, la psychiatrie était en train de découvrir l'instinct, mais (vous vous souvenez de ce qu'on avait dit il y a trois ou quatre séances) cet instinct est, au fond, en position alternative par rapport au délire. Là où on ne peut pas trouver de délire, il faut bien invoquer les mécanismes muets et automatiques de l'instinct. Mais voilà que Heinrich Kaan est en train de découvrir, à travers l'instinct sexuel, un instinct qui, bien sûr, n'est pas du tout de l'ordre du délire, et pourtant porte avec lui un certain rapport, intense, privilégié et constant, avec l'imagination. C'est ce travail réciproque de l'instinct sur l'imagination et de l'imagination sur l'instinct, c'est leur couplage et leur système d'interférence qui vont permettre, à partir de là, d'établir une continuité qui ira depuis la mécanique de l'instinct jusqu'au déploiement signifiant du délire. Autrement dit, l'insertion, par l'intermédiaire de l'instinct sexuel, de l'imagination dans l'économie instinctuelle va avoir, pour la fécondité d'analyse des notions psychiatriques, une importance capitale.

Enfin, ce sur quoi il faut insister à propos de ce livre de Kaan, c'est qu'on y trouve également cette thèse, je crois, fondamentale. C'est que, à partir de ce mécanisme de l'instinct et de l'imagination, l'instinct sexuel va être au point d'origine non pas seulement des troubles somatiques. Heinrich Kaan traîne encore, dans son livre, toutes les vieilles étiologies dont je vous parlais la dernière fois, selon lesquelles, par exemple, l'hémiplégie, la paralysie générale, une tumeur du cerveau peuvent naître d'une masturbation excessive. On trouve encore ça dans son livre, mais on trouve ce qu'on ne trouvait pas dans la croisade anti-masturbatoire : la masturbation peut en elle-même entraîner toute une série de troubles qui sont précisément à la fois sexuels et psychiatriques. S'organise tout un champ unitaire de l'anomalie sexuelle dans le champ de la psychiatrie. Ce livre a donc été écrit en 1844, vous voyez où cela se situe. C'est l'époque, à peu près, où Prichard écrit son fameux livre sur les folies morales, qui met non pas exactement un point final, mais qui marque en tout cas un coup d'arrêt au développement de la théorie de l'aliénation mentale centrée sur le délire ; toute une série de troubles de comportement non délirant entrent dans le champ de la psychiatrie [14]. 1844, c'est à peu de chose près aussi le moment où Griesinger est en train de jeter les bases d'une neuropsychiatrie, en fonction de la règle générale que les principes explicatifs et analytiques des maladies mentales doivent être les mêmes que ceux des troubles neurologiques [15]. Et enfin, 1844 c'est aussi, à un ou deux ans près, l'année où Baillarger, dont je vous parlais, a établi le primat de l'axe volontaire-involontaire sur le vieux privilège accordé autrefois au délire [16]. 1844-45, en gros, c'est la fin des aliénistes ; c'est le début d'une psychiatrie, ou d'une neuropsychiatrie, qui est organisée autour des impulsions, des instincts et des automatismes. C'est aussi la date qui marque la fin de la fable de la masturbation ou, en tout cas, l'émergence d'une psychiatrie, d'une analyse de la sexualité, qui se caractérise par le repérage d'un instinct sexuel qui traverse tout le comportement, depuis la masturbation jusqu'au comportement normal. C'est l'époque où se constitue, avec Heinrich Kaan, une généalogie psychiatrique des aberrations sexuelles. C'est le moment où, toujours à travers ce même livre, se définit le rôle primordial et étiologique de l'imagination, ou plutôt de l'imagination couplée avec l'instinct. Et enfin, c'est le moment où les phases enfantines de l'histoire des instincts et de l'imagination prennent une valeur déterminante dans l'étiologie des maladies, et spécifiquement des maladies mentales. On a donc, avec ce livre de Heinrich Kaan, ce qu'on peut appeler la date de naissance, en tout cas la date d'émergence de la sexualité et des aberrations sexuelles dans le champ de la psychiatrie.

Mais je crois que ce n'était là qu'un premier temps : décloisonnement donc de cette masturbation, qui avait été si fortement, à la fois, soulignée et marginalisée par la croisade dont je vous parlais la dernière fois. Décloisonnement : la masturbation se lie, d'une part, à l'instinct sexuel en général, à l'imagination et, par là, à tout le champ des aberrations et finalement des maladies. Mais il faut (et c'est la seconde tâche ou, en tout cas, la seconde opération effectuée par la psychiatrie du milieu du XIXᵉ siècle) définir cette espèce de supplément de pouvoir, qui va donner à l'instinct sexuel un rôle tout particulier dans la genèse des troubles qui ne sont pas les troubles sexuels : constitution d'une étiologie des folies ou des maladies mentales, à partir de l'histoire de l'instinct sexuel et de l'imagination qui lui est liée. Il faut donc se débarrasser de la vieille étiologie dont je vous parlais la dernière fois (cette étiologie qui passait par l'épuisement du corps, le dessèchement du système nerveux, etc.), et trouver la mécanique propre à l'instinct sexuel et à ses anomalies. De cette valorisation étiologique ou de ce supplément de causalité, qui va être attribué d'une façon de plus en plus marquée à l'instinct sexuel, on a un certain nombre de témoignages théoriques, des affirmations comme celle justement de Heinrich Kaan disant : « L'instinct sexuel commande à toute la vie psychique et physique. » Mais je voudrais surtout m'arrêter sur un cas précis, qui montre bien comment on est en train de décaler la mécanique de l'instinct sexuel par rapport à la mécanique de tous les autres instincts, pour lui faire jouer ce rôle étiologique fondamental.

C'est une histoire qui s'est passée entre les années 1847 et 1849, c'est l'histoire du soldat Bertrand [17]. Jusqu'à ces dernières semaines, j'avais classé cette histoire dans la catégorie des affaires de monomanie, dont Henriette Cornier, par exemple, Léger, Papavoine, etc., étaient les cas notoires. Je crois même (et, si je l'ai fait, je vous en demande pardon) l'avoir située chronologiquement vers les années 1830 [18]. Si j'ai fait cette erreur chronologique, pardonnez-moi, l'histoire étant de 1847-49. En tout cas, erreur chronologique ou pas, j'avais fait, je crois, une erreur historique, épistémologique, comme vous voudrez. Car cette histoire, au moins par beaucoup de ses tenants et aboutissants, a une tout autre configuration que l'affaire Cornier, dont je vous parlais il y a cinq ou six semaines. Le soldat Bertrand est quelqu'un qui a été surpris un jour, au cimetière Montparnasse, en train de violer des tombes. En fait, depuis 1847 (il a été découvert en 1849), il avait commis un certain nombre de profanations dans les cimetières de province ou dans les cimetières de la région parisienne. Lorsque ces profanations s'étaient multipliées, lorsqu'elles avaient pris un caractère très ostentatoire, on avait dressé un guet-apens et, un soir, je crois, de mai 1849, Bertrand a été blessé par les gendarmes qui montaient la garde et s'est réfugié à l'hôpital du Val de Grâce (puisqu'il était soldat), et là il a fait spontanément des aveux aux médecins. Il a avoué que, depuis 1847, il avait, de temps en temps, à périodes régulières ou irrégulières, mais non d'une façon continue, été saisi du désir de fouiller les tombes, d'ouvrir des cercueils, d'en extraire des cadavres, de découper avec sa baïonnette ces cadavres, d'en arracher les intestins et les organes, et puis de les répandre, de les accrocher aux croix, aux branches des cyprès, et de faire de tout cela une grande guirlande. Or, en racontant cela, Bertrand ne soulignait pas que, parmi les cadavres qu'il profanait ainsi, la quantité de cadavres féminins l'emportait considérablement sur la quantité des cadavres masculins (un ou deux hommes seulement, je crois, tous les autres, une bonne quinzaine, étaient des cadavres de femmes et spécialement des cadavres de jeunes filles). C'est attirés, inquiétés par ce trait, que les médecins ou juges d'instruction avaient fait faire des examens des dépouilles. Et on s'est aperçu qu'il y avait des traces d'attentats sexuels sur les restes de ces cadavres, qui étaient d'ailleurs tous des cadavres en état de décomposition très avancée.

Qu'est-ce qu'il se passe à ce moment-là ? Bertrand lui-même et son premier médecin (un médecin militaire qui s'appelait Marchal et qui a fait l'expertise pour le tribunal militaire qui avait à juger Bertrand) présentent la chose de la manière suivante [19]. Ils disent ceci (Bertrand parlant à la première personne, Marchal dans son vocabulaire d'aliéniste) : « Ce qui a commencé, ce qui a été le premier, c'est le désir de profaner les tombes ; c'est le désir de détruire ces cadavres déjà pourtant détruits [20]. » Comme le dit Marchal dans son vocabulaire, ce dont Bertrand est atteint, c'est d'une « monomanie destructive ». Cette monomanie destructive était typiquement une monomanie, puisqu'il s'agissait de détruire quelque chose qui était déjà dans un état de destruction très avancée. C'était en quelque sorte la rage de la destruction à l'état pur que cette mise en charpie de corps déjà à moitié décomposés. Une fois cette monomanie destructive établie, explique Marchal, le soldat Bertrand a été pris d'une seconde monomanie, qui s'est en quelque sorte branchée sur la première, et dont la première garantit le caractère proprement pathologique. Cette seconde monomanie, c'est la « monomanie érotique », qui consiste à se servir de ces cadavres, ou de ces restes de cadavres, pour en jouir sexuellement [21]. Marchal fait une comparaison intéressante avec un autre cas, qui avait été relevé quelques mois ou quelques années auparavant. C'était l'histoire d'un débile mental, enfermé à l'hôpital de Troyes, qui servait un petit peu de domestique et avait accès à la morgue. Et là, à la morgue, il satisfaisait ses besoins sexuels sur les cadavres de femmes qu'il trouvait[22]. Or, dit Marchal, dans un cas comme celui-là, il n'y a pas de monomanie érotique, parce qu'on a affaire à quelqu'un qui a des besoins sexuels. Ces besoins sexuels, il ne peut pas les satisfaire sur le personnel vivant de l'hôpital, personne ne veut lui prêter aide et assistance. Il n'y a finalement que les cadavres et, par conséquent, la mécanique naturelle et en quelque sorte rationnelle des intérêts le conduit tout naturellement à violer les cadavres. En ce sens, le débile mental en question ne peut pas être considéré comme atteint d'une monomanie érotique. En revanche, le soldat Bertrand, qui a commencé à manifester son état pathologique par une manie de destruction, fait passer à travers la monomanie destructive cet autre symptôme qui est la monomanie érotique, alors qu'il pourrait très bien satisfaire ses besoins sexuels tout normalement. Il est jeune, il n'est pas contrefait, il a de l'argent. Pourquoi est-ce qu'il ne trouve pas normalement une fille pour satisfaire ses besoins ? Du coup, Marchal peut assigner – en termes qui sont tout à fait les termes de l'analyse d'Esquirol – le comportement sexuel de Bertrand à une monomanie, ou à une sorte de bourgeonnement érotique d'une monomanie qui est fondamentalement destructive.

En effet, au niveau du tableau clinique, il est absolument certain que la symptomatologie destructive l'emporte quantitativement de beaucoup sur la symptomatologie érotique. Or, en 1849, dans un journal qui s'appelle *L'Union médicale,* un psychiatre, Michéa, propose une analyse inverse, dans laquelle il entreprend de montrer que c'est la « monomanie érotique » qui est au centre de l'état pathologique de Bertrand et que la « monomanie destructive » n'est au fond qu'un dérivé d'une monomanie, ou en tout cas d'une maladie, qui est essentiellement celle de l'instinct, appelé à ce moment-là « génésique[23] ». L'analyse de Michéa est assez intéressante. Il commence par bien montrer qu'il ne s'agit là aucunement d'un délire, et il fait la différence entre le vampirisme et le cas du soldat Bertrand. Qu'est-ce que c'est que le vampirisme ? Le vampirisme, dit-il, c'est un délire dans lequel quelqu'un de vivant croit, comme dans un cauchemar (il dit : « c'est une variété diurne de cauchemar »), que les morts ou une certaine catégorie de morts viennent à sortir de leurs tombeaux et assaillent les vivants[24]. Bertrand, c'est le contraire. Premièrement, il ne délire pas, et d'ailleurs il n'est pas du tout le personnage lui-même du vampire. Il ne s'est pas absorbé lui-même dans le thème délirant du vampire, puisqu'il est plutôt un vampire retourné. Il est un vivant qui vient hanter les morts et, jusqu'à un certain point, sucer le sang des morts : aucune trace, par conséquent, de croyance délirante. On est donc dans la folie sans délire. Là-dessus, on est d'accord. Mais, dans cette folie sans délire, deux ensembles symptomatiques : le destructif d'une part, l'érotique de l'autre. Malgré le peu d'importance symptomatologique de l'érotisme, c'est lui qui va avoir, pour Michéa, la part la plus importante. Bien sûr, Michéa ne fait pas – et sans doute n'avait-il pas l'armature conceptuelle ou analytique qui lui permettait de le faire – une généalogie des symptômes à partir de l'érotisme. Mais il pose le principe général, le cadre général d'une généalogie possible [25]. Il dit ceci : l'instinct sexuel est, de toute façon, le plus important et le « plus impérieux des besoins qui stimulent l'homme et les animaux [26] ». De sorte que, en termes purement quantitatifs, en termes de dynamique ou en termes d'économie des instincts, en présence d'un trouble des instincts, il faut de toute façon se référer à l'instinct sexuel comme cause possible parce qu'il est, de tous, le plus impétueux, le plus impérieux, le plus étendu. Or, dit-il, cet instinct sexuel trouve à se satisfaire, en tout cas il est producteur de plaisir, bien autrement qu'à travers les seuls actes qui assurent la propagation de l'espèce [27]. C'est-à-dire que, pour Michéa, il y a une non-adéquation absolument essentielle, absolument naturelle à l'instinct, non-adéquation entre plaisir et acte de fécondation. Et cette inadéquation, il en voit la preuve dans la masturbation des enfants avant même la puberté, dans le plaisir que prennent les femmes soit quand elles sont enceintes, soit après la ménopause, c'est-à-dire à un moment où elles ne peuvent pas être fécondées [28].

Donc, l'instinct se décroche de l'acte de fécondation par le fait qu'il est essentiellement producteur de plaisir et que ce plaisir peut se localiser, ou peut s'actualiser, par une série innombrable d'actes. L'acte de génération ou de reproduction n'est que l'une des formes sous lesquelles le plaisir, qui est le principe d'économie intrinsèque à l'instinct sexuel, va effectivement être satisfait ou se produire. Dans cette mesure-là, en tant que producteur d'un plaisir non lié par nature à la génération, l'instinct sexuel va pouvoir donner lieu à toute une série de comportements qui ne sont pas ordonnés à la génération. Et Michéa les énumère : l'« amour grec », la « bestialité », l'« attrait pour un objet [de nature] insensible », l'« attrait pour le cadavre [humain] » (l'attrait pour la destruction, l'attrait pour la mort de quelqu'un, etc.), comme producteurs de « plaisir » [29]. Ainsi l'instinct sexuel est, par sa force, le plus important et, par conséquent, le dominateur dans l'économie générale des instincts. Mais, comme principe producteur de plaisir (et comme principe producteur de plaisir n'importe où, n'importe quand et dans n'importe quelle condition), il vient se brancher sur tous les autres, et le plaisir qu'on éprouvera en satisfaisant à un instinct doit être référé, pour une part, à l'instinct lui-même et, pour une autre part, à cet instinct sexuel qui est, en quelque sorte, le producteur universel du plaisir universel. Avec l'analyse de Michéa, je crois qu'on voit entrer dans la psychiatrie un objet ou un concept nouveau, qui n'avait jamais eu, jusque-là, sa place, sauf peut-être qu'on le voyait transparaître, se profiler parfois (je vous en ai parlé l'an dernier) à travers quelques analyses de Leuret : c'est le rôle du plaisir [30]. Le plaisir va devenir maintenant un objet psychiatrique ou psychiatrisable. Le décrochage de l'instinct sexuel, par rapport à la reproduction, est assuré par les mécanismes du plaisir, et c'est ce décrochage qui va permettre de constituer le champ unitaire des aberrations. Le plaisir non ordonné à la sexualité normale est le support de toute la série des conduites instinctives anormales, aberrantes, susceptibles de psychiatrisation. C'est ainsi que se dessinent – pour se substituer, en train de se substituer déjà, à la vieille théorie de l'aliénation qui était centrée sur la représentation, sur l'intérêt et sur l'erreur – une théorie de l'instinct et une théorie de ses aberrations, qui est liée à l'imagination et au plaisir.

Ce dont je voudrais vous parler la prochaine fois, c'est la manière dont la psychiatrie – découvrant devant elle ce champ nouveau de l'instinct lié à l'imagination et au plaisir, cette série nouvelle instinct-imagination-plaisir, qui est pour elle la seule manière de parcourir le domaine entier qui lui est politiquement assigné, ou, enfin, qui lui est assigné par l'organisation des mécanismes de pouvoir – eh bien, la psychiatrie, qui a cet instrument pour parcourir ce domaine, va être obligée maintenant de l'élaborer dans une théorie et dans une armature conceptuelle propre à elle. C'est en cela, je crois, que consiste la théorie de la dégénérescence. Avec la dégénérescence, avec le personnage du dégénéré, on aura la formule générale de recouvrement par la psychiatrie du domaine d'ingérence qui lui a été confié par la mécanique des pouvoirs.

*

NOTES

1. Cf. M. Foucault, « La politique de la santé au XVIIIᵉ siècle » (1976), in *Les Machines à guérir. Aux origines de l'hôpital moderne. Dossiers et documents,* Paris, 1976, p. 11-21 (*Dits et Écrits,* III, p. 13-27), qui se termine ainsi : « La réforme des hôpitaux [a dû son] importance, au XVIIIᵉ siècle, à cet ensemble de problèmes qui mettent en jeu l'espace urbain, la masse de la population avec ses caractéristiques biologiques, la cellule familiale dense et le corps des individus. » Voir aussi *Politique de l'habitat (1800-1850),* Paris, 1977 ; étude réalisée par J.-M. Alliaume, B. Barret-Kriegel, F. Béguin, D. Rancière, A. Thalamy.

2. G. Deleuze & F. Guattari, *Capitalisme et Schizophrénie. L'Anti-Œdipe,* Paris, 1972.

3. M. Foucault, *La Volonté de savoir, op. cit.,* p. 170-173.

4. Cf. *supra,* leçon du 12 février.

5. Voir le cours, déjà cité, *Le Pouvoir psychiatrique* (en particulier, 7 et 14 novembre, 5, 12 et 19 décembre 1973 ; 9 janvier 1974).

6. H. Kaan, *Psychopathia sexualis, op. cit.,* p. 34, 36 : « Instinctus ille, qui toti vitae psychicae quam physicae imperat omnibusque organis et symptomatibus suam notam imprimit, qui certa aetate (pubertate) incipit certaque silet, est nisus sexualis. Uti enim cuique functioni organismi humani, quae fit ope contactus cum rebus externis, inest sensus internus, qui hominem conscium reddit de statu vitali cuiusvis organi, ut sitis, fames, somnolentia, sic et functio procreationis gaudet peculiari instinctu, sensu interno, qui hominem conscium reddit de statu organorum genitalium et eum ad satisfaciendum huic instinctui incitat. [...] In toto regno animale instinctus sexualis conducit ad copulationem ; estque copulatio (coitus) naturalis via, qua ens instinctui sexuali satisfacit et munere vitae fungitur, genus suum conservans. »

7. *Ibid.,* p. 37 : « Etiamsi in homine nisus sexualis se exolit tempora pubertatis tamen et antea eius vestigia demonstrari possunt ; nam aetate infantili pueri amant occupationes virorum, puellae vero feminarum. Et id instinctu naturali ducti faciunt. Ille instinctus sexualis etiam specie curiositatis in investigandis functionibus vitae sexualis apud infantes apparet ; infantes octo vel novem annorum saepe sive invicem genitalia examinant et tales investigationes saepe parentum et pedagogorum curam aufugiunt (haec res est summi momenti et curiositas non expleta validum momentum facit in aetiologia morbi quam describo). »

8. *Ibid.,* p. 38, 40 : « Eo tempore prorumpit desiderium obscurum, quod omnibus ingenii facultatibus dominatur, cuique omnes vires corporis obediunt, desiderium amoris, ille animi adfectus et motus, quo quivis homo saltem una vice in vita adficitur et cuius vis certe a nemine denegari potest. [...] Instinctus sexualis invitat hominem ad coitum, quem natura humana exposcit, nec moralitas nec religio contradicunt. »

9. *Ibid.,* p. 43 : « Nisus sexualis, ut ad quantitatem mutationes numerosas offert, ita et ad qualitatem ab norma aberrat, et diversae rationes extant nisui sexuali satisfaciendi et coitum supplendi. »

10. *Ibid.,* p. 43-44 (« Onania sive masturbatio ») ; p. 44 (« Puerorum amor ») ; p. 44 (« Amor lesbicus ») ; p. 45 (« Violatio cadaverum ») ; p. 45 (« Concubitus cum animalibus ») ; p. 43 (« Expletio libidinis cum statuis »).

11. Il doit s'agir, en réalité, de A. Voisin, J. Socquet & A. Motet, « État mental de P., poursuivi pour avoir coupé les nattes de plusieurs jeunes filles », *Annales d'hygiène publique et de médecine-légale*, XXIII, 1890, p. 331-340. Voir aussi V. Magnan, « Des exhibitionnistes », *ibid.*, XXIV, 1890, p. 152-168.

12. H. Kaan, *Psychopathia sexualis, op. cit.*, p. 47-48. Le rapport entre aberration et fantaisie est établi dans le court chapitre : « Quid est psychopathia sexualis ? ».

13. *Ibid.*, p. 47 : « In omnibus itaque aberrationibus nisus sexualis phantasia viam parat qua ille contra leges naturae adimpletur. »

14. Il s'agit du *Treatise on Insanity* de J.C. Prichard.

15. W. Griesinger, *Die Pathologie und Therapie…, op. cit.*, p. 12.

16. Cf. *supra*, leçon du 12 février.

17. Les sources principales de cette affaire sont l'article déjà cité de Cl.-F. Michéa, « Des déviations maladives de l'appétit vénérien », et celui de L. Lunier, « Examen médico-légal d'un cas de monomanie instinctive. Affaire du sergent Bertrand », *Annales médico-psychologiques*, 1849, I, p. 351-379. Dans les *Factums* de la Bibliothèque nationale de France (8 Fm 3159), on peut aussi trouver *Le Violateur des tombeaux. Détails exacts et circonstanciés sur le nommé Bertrand qui s'introduisait pendant la nuit dans le cimetière Montparnasse où il y déterrait les cadavres des jeunes filles et des jeunes femmes, sur lesquels il commettait d'odieuses profanations,* [s.l.n.d.]. Voir aussi de Castelnau, « Exemple remarquable de monomanie destructive et érotique ayant pour objet la profanation de cadavres humains », *La Lancette française*, 82, 14 juillet 1849, p. 327-328 ; A. Brierre de Boismont, « Remarques médico-légales sur la perversion de l'instinct génésique », *Gazette médicale de Paris*, 29, 21 juillet 1849, p. 555-564 ; F.-J., « Des aberrations de l'appétit génésique », *ibid.*, 30, 28 juillet 1849, p. 575-578 ; le compte rendu de L. Lunier, in *Annales médico-psychologiques*, 1850, II, p. 105-109, 115-119 ; H. Legrand du Saulle, *La folie devant les tribunaux, op. cit.*, p. 524-529 ; A. Tardieu, *Études médico-légales sur les attentats aux mœurs*, Paris, 1878[7], p. 114-123.

18. Cf. *supra*, leçon du 29 janvier.

19. Sur l'intervention au procès du médecin militaire Marchal (de Calvi), qui présente aussi un document écrit par Bertrand, cf. L. Lunier, « Examen médico-légal d'un cas de monomanie instinctive… », *art. cit.*, p. 357-363.

20. *Ibid.*, p. 356.

21. *Ibid.*, p. 362 : « Le fait que nous avons sous les yeux est donc un exemple de monomanie destructive compliquée de monomanie érotique, et ayant débuté par une monomanie triste, ce qui est très commun ou même presque général. »

22. Le cas de Troyes auquel M. Foucault fait allusion n'a pas été divulgué par Marchal. Il s'agit de l'affaire – chronologiquement postérieure – d'un certain A. Siméon, rapportée par B.-A. Morel dans la première de ses lettres à Bédor : « Considérations médico-légales sur un imbécile érotique convaincu de profanation de cadavres », *Gazette hebdomadaire de médecine et de chirurgie*, 1857, 8, p. 123-125 (cas Siméon) ; 11, p. 185-187 (cas Bertrand) ; 12, p. 197-200 ; 13, p. 217-218. Cf. J.-G.-F. Baillarger, « Cas remarquable de maladie mentale », *art. cit.*

23. Cl.-F. Michéa, « Des déviations maladives de l'appétit vénérien », *art. cit.*, p. 339a : « Je pense que la monomanie érotique était le fond de cette folie monstrueuse ; qu'elle était antérieure à la monomanie destructive. » Mais B.-A. Morel, *Traité des maladies mentales, op. cit.*, p. 413, sous la rubrique « Perversion des instincts génésiques », explique le cas Bertrand comme un effet de lycanthropie.

24. Cl.-F. Michéa, *art. cit.,* p. 338c-339a : « Le vampirisme [...] était une variété de cauchemar, délire nocturne, prolongé durant l'état de veille, et caractérisé par cette croyance que les hommes morts depuis un temps plus ou moins considérable, sortaient de leurs sépultures pour venir sucer le sang des vivants. »

25. *Ibid.,* p. 338c : « À l'occasion de ce fait si curieux et si extraordinaire, veuillez me permettre de vous communiquer quelques réflexions qui me sont suggérées par la lecture attentive des pièces du procès, réflexions particulières auxquelles j'ajouterai certaines considérations générales de psychologie maladive qui se lient étroitement avec elles, qui en sont le complément logique, le corollaire naturel. »

26. *Ibid.,* p. 339a.

27. M. Foucault résume ce passage de Cl.-F. Michéa *(loc. cit.)* : « En réhabilitant la femme, le christianisme opéra une immense révolution dans les mœurs. Il fit de l'amour physique un moyen et non pas un but ; il lui assigna pour fin exclusive la propagation de l'espèce. Tout acte vénérien accompli en dehors de cette prévision devint à ses yeux un attentat qui, du domaine de la morale chrétienne, passait souvent dans celui du droit civil et criminel afin d'y recevoir parfois un châtiment atroce et capital. [...] Certains philosophes modernes, [Julien de] La Mettrie entre autres [*Œuvres philosophiques,* Paris, 1774, II, p. 209 ; III, p. 223], pensaient de même. [...] Si les organes sexuels, disent les physiologistes de l'école de La Mettrie, étaient, dans les desseins de la sagesse divine, exclusivement destinés au but de la propagation de l'espèce, la sensation du plaisir, émanant de l'exercice de ces organes, ne devrait pouvoir exister quand l'homme ne se trouve pas encore ou ne se trouve plus au milieu des conditions voulues pour qu'il se reproduise. »

28. Cl.-F. Michéa, *loc. cit.*

29. Voir l'analyse de ces quatre genres, *ibid.,* p. 339a-c.

30. Les analyses de F. Leuret sont esquissées dans *Fragments psychologiques sur la folie,* Paris, 1834, et sont développées in extenso dans *Du traitement moral de la folie,* Paris, 1840, p. 418-462. Voir aussi la fin du cours, déjà cité, *La Société punitive* (19 décembre 1972), et cet autre cours, déjà cité, *Le Pouvoir psychiatrique* (19 décembre 1973).

COURS DU 19 MARS 1975

Une figure mélangée : le monstre, le masturbateur et l'inassimilable au sys-
tème normatif de l'éducation. – L'affaire Charles Jouy et une famille branchée
sur le nouveau système de contrôle et de pouvoir. – L'enfance comme condi-
tion historique de la généralisation du savoir et du pouvoir psychiatriques. –
La psychiatrisation de l'infantilité et la constitution d'une science des
conduites normales et anormales. – Les grandes constructions théoriques de
la psychiatrie de la seconde moitié du XIXe siècle. – Psychiatrie et racisme ;
psychiatrie et défense sociale.

Je voudrais essayer de boucler le problème que j'ai traité cette
année, c'est-à-dire l'apparition du personnage de l'anormal, du
domaine des anomalies comme objet privilégié de la psychiatrie.
J'avais commencé en vous promettant de faire la généalogie de l'anormal à partir de trois personnages : le grand monstre, le petit masturbateur et l'enfant indocile. À ma généalogie manque le troisième terme,
veuillez m'en excuser. Vous en verrez apparaître le profil dans l'exposé
que je vais vous faire. Laissons en pointillé sa généalogie, que je n'ai
pas eu le temps de faire.

Je voudrais vous montrer aujourd'hui, à propos d'une affaire précise, la figure très exactement mixte et mélangée du monstre, du petit
masturbateur et, en même temps, de l'indocile ou, en tout cas, de
l'inassimilable au système normatif d'éducation. C'est une affaire qui
date de 1867, et qui est, vous allez le voir, d'une extrême banalité, mais
par laquelle on peut, sinon exactement marquer la date de naissance de
l'anormal comme individu psychiatrisable, au moins indiquer à peu
près la période pendant laquelle et la modalité selon laquelle le personnage de l'anormal a été psychiatrisé. C'est tout simplement l'affaire
d'un ouvrier agricole de la région de Nancy qui, au mois de septembre-
octobre 1867, a été dénoncé au maire de son village par les parents
d'une petite fille qu'il aurait à moitié, en partie, peu ou prou violée. Il

est inculpé. Il subit un premier examen psychiatrique par un médecin local, et puis il est envoyé à Maréville, qui était et qui est, je crois, toujours le grand asile de la région de Nancy. Là, il subit pendant plusieurs semaines un examen psychiatrique complet, fait par deux psychiatres, dont l'un au moins était notable et s'appelait Bonnet[1]. Qu'est-ce que révèle le dossier de ce personnage ? Il a une quarantaine d'années au moment des faits. C'est un enfant naturel, sa mère est morte quand il était encore très jeune. Il a vécu comme ça, un peu en marge du village, peu scolarisé, un peu ivrogne, solitaire, mal payé dans son salaire. Bref, il est un peu l'idiot du village. Et je vous assure que ce n'est pas de ma faute si ce personnage s'appelle Jouy. L'interrogatoire de la petite fille révèle que Charles Jouy se serait fait une première fois masturber par elle dans les champs. À vrai dire, la petite fille, Sophie Adam, et Charles Jouy n'étaient pas seuls. À côté d'eux, il y avait une autre petite fille qui regardait, mais qui a refusé de prendre la relève quand sa petite compagne le lui a demandé. Après, elles ont été raconter la chose à un paysan qui était là et qui rentrait des champs, se vantant d'avoir fait, comme elles disaient, du « maton », c'est-à-dire, dans le patois, du lait caillé avec Jouy[2]. Le paysan ne semblait pas s'en inquiéter davantage, et c'est simplement un peu après, le jour de la fête du village, que Jouy entraîne la petite Sophie Adam (à moins que ça soit Sophie Adam qui ait entraîné Charles Jouy, peu importe) dans le fossé de la route qui conduit à Nancy. Là, il se passe quelque chose : moitié viol, peut-être. En tout cas, Jouy donne très honnêtement quatre sous à la petite fille, qui court aussitôt à la foire acheter des amandes grillées. Elle ne dit rien, bien sûr, à ses parents de peur, raconte-t-elle ensuite, de recevoir une paire de gifles. C'est simplement quelques jours après que la mère soupçonne ce qui s'est passé, en lavant le linge de sa petite fille.

Que la psychiatrie légale ait pris en charge une affaire comme celle-ci, qu'elle ait été chercher au fond de la campagne un inculpé d'attentat aux mœurs (et j'allais dire un inculpé bien banal d'un attentat bien quotidien aux mœurs bien ordinaires), qu'elle ait donc pris ce personnage, qu'elle lui ait fait subir une première expertise psychiatrique, puis un second examen très approfondi, très complet, très méticuleux, qu'elle l'ait installé à l'asile, qu'elle ait demandé et qu'elle ait obtenu sans difficulté du juge d'instruction un non-lieu dans l'affaire, et qu'elle ait obtenu finalement le « renfermement » définitif (si on en croit le texte) de ce personnage, il y a là quelque chose qui caractérise non seulement un changement d'échelle dans le domaine d'objets auxquels s'adresse la psychiatrie, mais en fait tout un nouveau mode de fonctionnement.

Qu'est-ce que c'est que ce nouveau fonctionnement psychiatrique qu'on voit à l'œuvre dans une affaire comme celle-là ?

Je voudrais rappeler l'affaire modèle, l'affaire princeps, dont j'étais parti il y a quelques mois. C'était l'affaire d'Henriette Cornier[3]. Henriette Cornier, vous le savez, c'était la servante qui avait décapité, pratiquement sans un mot, sans une explication, sans le moindre appareil discursif, une petite fille. Henriette Cornier, c'était tout un paysage. C'était, bien sûr, elle aussi la paysanne, mais c'était la paysanne venue en ville. Fille perdue dans plusieurs sens du mot, puisqu'elle avait, comme ça, traîné de place en place ; elle avait été abandonnée par son mari ou par son amant ; elle avait eu plusieurs enfants qu'elle avait à son tour abandonnés ; elle avait été plus ou moins prostituée. Fille perdue, mais personnage muet qui, sans explications, commet ce geste monstrueux ; geste monstrueux qui fait irruption comme cela dans le milieu urbain où elle se trouve, et qui est passé devant les yeux des spectateurs comme un météore fantastique, noir, énigmatique, et sur lequel personne n'a rien pu dire. Personne n'aurait rien dit si les psychiatres, pour un certain nombre de raisons théoriques et politiques dont je vous ai parlé, ne s'y étaient intéressés.

L'affaire Charles Jouy est quelque chose d'assez proche, mais le paysage est en lui-même fort différent. Charles Jouy est donc, en un sens, le personnage assez familier de l'idiot au village : c'est le simple, c'est le muet. Il est sans origines, c'est l'enfant naturel, instable lui aussi. Il va de place en place : « Qu'est-ce que vous avez fait depuis l'âge de 14 ans ? – J'ai été chez l'un, chez l'autre », répond-il. Il est rejeté aussi de l'école : « Était-on content de vous […] à l'école ? – On n'a pas voulu me garder. » Il était exclu des jeux : « Vous amusiez-vous quelquefois avec les autres garçons ? » Réponse : « Ils ne voulaient pas de moi. » Il était aussi exclu des jeux sexuels. Le psychiatre lui demande, avec un certain bon sens, à propos de cette masturbation par les petites filles, pourquoi il ne s'adressait pas aux grandes filles plutôt qu'aux petites. Et Charles Jouy répond qu'elles se moquaient de lui. Rejeté également jusque dans son habitat : « Quand vous rentriez [du travail ; M.F.], que faisiez-vous ? – Je restais à l'écurie. » Bien sûr, c'est ce personnage marginal, mais il n'est pas, dans le village où il réside, l'étranger – loin de là. Il est profondément inscrit dans la configuration sociale où on le voit tourner et circuler : il y fonctionne. Il y fonctionne économiquement d'une façon très précise, puisqu'il est, au sens strict, le dernier des travailleurs ; c'est-à-dire qu'il fait la dernière part du travail, celle que personne ne veut faire, et il est payé au prix le plus bas :

« Combien gagnez-vous ? » Il répond : « Cent francs, nourri et une chemise. » Or, le prix de l'ouvrier agricole dans la région et à l'époque
était de quatre cents francs. Il est l'immigré sur place, il fonctionne, il
réside dans cette marginalité sociale qui constitue les bas salaires[4].

Dans cette mesure-là, son caractère flottant, instable, a une fonction
économique et sociale très précise, là où il est. Les jeux sexuels mêmes
auxquels il se livre et qui font l'objet de l'affaire, d'après ce qu'on peut
subodorer à travers le texte, me semblent aussi fortement inscrits que
son rôle économique. Parce que, quand les deux petites filles vont masturber dans un coin de bois ou sur le bord d'une route le simple d'esprit,
elles s'en vantent sans difficulté auprès d'un adulte ; elles racontent en
riant qu'elles ont fait du lait caillé, et l'adulte répond tout simplement :
« Oh, vous êtes "deux petites rosses" ![5] » Et l'affaire ne va pas plus
loin. Tout ceci s'inscrivait manifestement dans un paysage et dans des
pratiques très familières. La petite fille se laisse plus ou moins faire ;
elle reçoit, semble-t-il, tout naturellement quelques sous et elle court à
la foire acheter des amandes grillées. Elle se contente simplement de
n'en rien dire à ses parents, uniquement pour ne pas recevoir une paire
de taloches. D'ailleurs Jouy, au cours de son interrogatoire, racontera :
qu'est-ce qu'il a fait ? Il ne l'a fait que deux fois avec Sophie Adam,
mais il l'avait vue bien souvent le faire avec d'autres garçons.
D'ailleurs tout le village le savait. Un jour, il avait surpris Sophie Adam
en train de masturber un garçon de treize ou quatorze ans sur le bord de
la route, pendant qu'une autre petite fille, assise à côté d'eux, faisait la
même chose sur un autre petit garçon. Que ceci fasse partie de tout un
paysage jusque-là parfaitement familier et toléré, il semble que les psychiatres eux-mêmes l'aient reconnu, puisque Bonnet et Bulard disent
dans leur rapport : « Il a agi […] comme on voit souvent agir entre eux
des enfants de sexe différent ; nous entendons [ajoutent-ils par précaution ; M.F.] ces enfants mal élevés chez lesquels la surveillance et les
bons principes ne tempèrent pas [suffisamment ; M.F.] les mauvais penchants[6]. » On a là une sexualité enfantine villageoise, une sexualité de
plein air, de bord de chemin, une sexualité de sous-bois, que la médecine légale est en train de psychiatriser allègrement. Et avec une allé-
gresse dont il faut bien dire qu'elle fait problème, quand on songe avec
quelles difficultés, quelques années auparavant, on avait psychiatrisé
quelque chose de tout de même aussi énigmatique, monstrueux, que le
crime d'Henriette Cornier ou celui de Pierre Rivière.

Une première chose est à noter. C'est que cette psychiatrisation se fait
donc de ces pratiques, de ces personnages, qui ont l'air finalement si bien

inscrits dans le paysage villageois de l'époque. La première chose dont il faut tenir compte, je crois, c'est que cette psychiatrisation ne vient pas d'en haut, ou elle ne vient pas exclusivement d'en haut. Ce n'est pas un phénomène de surcodage externe, la psychiatrie venant pêcher là, parce qu'il y aurait eu problème, scandale ou énigme, ce personnage énigmatique de Jouy. Pas du tout : c'est à la base même que l'on peut commencer à déceler un véritable mécanisme d'appel à la psychiatrie. Il ne faut pas oublier que c'est la famille de la petite fille qui découvre les faits par cette fameuse inspection du linge, dont je vous avais parlé à propos de la masturbation, et dont je vous avais dit qu'elle avait été une de ces consignes, à la fois hygiéniques et morales, proposées aux familles depuis la fin du XVIIIe siècle [7]. C'est la famille donc qui s'en aperçoit, c'est la famille qui dénonce les faits eux-mêmes au maire et qui demande au maire de prendre des mesures. La petite fille s'attendait à une paire de taloches ; mais en fait la famille n'avait déjà plus ce type-là de réaction, elle était déjà branchée sur un autre système de contrôle et de pouvoir. Le premier expert, qui s'appelle le docteur Béchet, avait lui-même hésité. Il aurait très bien pu, devant ce personnage si connu, si familier, dire : « Bah, oui, il fait ça, il est responsable. » Or, le docteur Béchet, dans son premier rapport, dit : « Bien sûr, il est juridiquement, judiciairement responsable. » Mais, dans une lettre qui est jointe au rapport et qui est adressée au juge d'instruction, il dit que le « sens moral » est, chez l'inculpé, « insuffisant pour résister aux instincts animaux ». Il s'agit en fait d'« un pauvre d'esprit excusable par son obscurité [8] ». Phrase assez belle, assez mystérieuse dans ce qu'elle veut dire, mais qui indique bien finalement qu'il y a, chez ce médecin (qui est sans doute un médecin de campagne ou un médecin de canton, peu importe), un appel manifeste à la possibilité d'une psychiatrisation plus sérieuse et plus complète. Il semble que ce soit d'ailleurs le village lui-même qui ait pris en charge cette affaire, et qui l'ait fait passer du registre de l'affaire de gifles attendues par la petite fille sur un tout autre registre. C'est le maire qui a été saisi de l'affaire, c'est le maire qui saisit ensuite le parquet ; et d'ailleurs toute la population de Lupcourt (c'est le nom du village), vu le rapport des experts psychiatres, désire vivement que la petite Sophie Adam soit enfermée dans une maison de correction jusqu'à sa majorité [9]. On voit donc s'esquisser, à un niveau relativement profond, peut-être l'inquiétude nouvelle des adultes, d'une famille, d'un village, devant cette sexualité périphérique, flottante, où les enfants et les adultes marginaux venaient se joindre ; et puis on voit aussi s'esquisser, également à un niveau relativement profond, le recours à une instance de contrôle que je dirais à embranchements

multiples, puisque finalement ce qui est demandé par la famille, par le
village, par le maire, jusqu'à un certain point par le premier médecin,
c'est une maison de correction pour la petite fille et, pour l'adulte, soit
le tribunal soit l'asile psychiatrique.

Mécanisme d'appel en profondeur, référence à ces instances supérieures, à ces instances de contrôle techniques, médicales, judiciaires,
d'une façon un peu confuse, un peu indifférente et mêlée : c'est à tout
cela que la population du village fait appel devant ce fait qui, quelques
années auparavant, sans doute aurait paru parfaitement quotidien et ano-
din. Eh bien, devant cet appel, comment la psychiatrie réagit-elle ?
Comment va se faire la psychiatrisation, une psychiatrisation donc plus
demandée qu'imposée ? Je crois que pour comprendre comment s'est
faite la psychiatrisation d'un personnage comme celui-là, il faut se référer un petit peu à ce modèle dont je vous parlais tout à l'heure, c'est-à-
dire celui d'Henriette Cornier. Quand on avait voulu psychiatriser,
démontrer, en termes plus simples, la folie, la maladie mentale
d'Henriette Cornier, qu'est-ce qu'on avait cherché ? On avait d'abord
cherché une corrélation corporelle, c'est-à-dire un élément physique qui
aurait pu servir au moins de cause déclenchante au crime, et on avait
trouvé tout simplement : les règles [10]. On avait surtout, et plus sérieusement, plus fondamentalement, essayé d'inscrire le geste d'Henriette
Cornier, la décapitation de l'enfant, dans une maladie – une maladie,
bien sûr, très difficile à percevoir, mais dont un œil exercé aurait pu au
moins déceler les marques. Et c'est ainsi qu'on était arrivé, non sans
peine, non sans beaucoup de subtilité, à replacer tout cela d'abord dans
un certain changement d'humeur, qui aurait affecté Henriette Cornier à
une certaine époque de sa vie et qui aurait marqué comme l'invasion
insidieuse de cette maladie qui devait rester pratiquement sans autre
symptôme que le crime, mais qui se signale déjà par cette petite fêlure
dans l'humeur ; et puis, à l'intérieur de ce changement, on essaye d'assigner un certain instinct, en lui-même monstrueux, en lui-même malade
et pathologique, qui traverse la conduite comme un météore, instinct de
meurtre qui ne ressemble à rien, instinct de meurtre qui ne répond à
aucun intérêt et qui ne s'inscrit dans aucune économie du plaisir. Il est
là comme un automatisme, qui traverse comme une flèche la conduite
et le comportement d'Henriette Cornier, et que rien ne peut justifier
sinon précisément un support pathologique. Le caractère soudain, partiel, discontinu, hétérogène, non ressemblant de l'acte, par rapport à
l'ensemble de la personnalité – c'est cela qui permettait la psychiatrisation du geste d'Henriette Cornier.

Or, dans le rapport que Bonnet et Bulard ont fait sur Jouy, la psychiatrisation du geste, du comportement de Jouy, se fait tout autrement. Elle se fait d'abord par l'inscription non pas du tout à l'intérieur d'un processus chronologiquement situé, mais par l'inscription dans une sorte de constellation physique permanente. Ce qu'on cherche, pour arriver à démontrer que l'on a affaire à quelqu'un de psychiatrisable, ce que font les psychiatres pour revendiquer comme étant de leur compétence la conduite de Jouy, ce dont ils ont besoin, ce n'est pas d'un processus, ce sont des stigmates permanents qui marquent structurellement l'individu. Et c'est ainsi qu'ils font les observations suivantes : « La face n'offre pas avec le crâne la symétrie conforme qu'on devrait trouver normalement. Le tronc et les membres manquent de proportions. Le crâne est vicieusement développé ; le front fuit en arrière, ce qui, avec l'aplatissement postérieur, constitue la tête en pain de sucre ; les faces latérales sont également aplaties, ce qui fait remonter un peu plus haut que d'habitude les bosses pariétales [11]. » J'insiste sur toutes ces notations qui indiquent ce qui devrait être normal, la disposition que l'on trouve d'habitude. On soumet l'inculpé à toute une série de mesures de diamètre occipito-frontal, occipito-mentonnier, fronto-mentonnier, bipariétal ; mesures de la circonférence fronto-occipitale, de la demi-circonférence antéro-postérieure et bi-pariétale, etc. On constate ainsi que la bouche est trop large et que le palais présente une voussure qui est caractéristique de l'imbécillité. Vous voyez qu'aucun de ces éléments, qui sont ainsi apportés par l'examen, ne constitue une cause ni même un simple principe de déclenchement de la maladie – comme lorsqu'il s'agissait de l'observation d'Henriette Cornier, de la présence de ses règles au moment de l'acte. En réalité, tous ces éléments forment, avec l'acte lui-même, une sorte de constellation polymorphe. L'acte et ses stigmates se réfèrent – les uns et les autres, et en quelque sorte sur le même plan, même si leur nature est différente – à un état permanent, à un état constitutif, à un état congénital. Les dysmorphies du corps sont, en quelque sorte, les issues physiques et structurales de cet état, et les aberrations de la conduite, celles précisément qui ont valu à Jouy son inculpation, en sont les issues instinctives et dynamiques.

En gros, on peut dire ceci. Pour Henriette Cornier, et à l'époque de la médecine mentale de monomanie, on bâtissait un processus pathologique en dessous et à partir d'un crime qu'on voulait ériger en symptôme. Dans le cas de Charles Jouy et dans une psychiatrie de ce type, on intègre au contraire le délit à un schéma de stigmates qui sont permanents et stables. À une psychiatrie des processus pathologiques, qui sont instaurateurs de discontinuités, on est en train de substituer une psychiatrie de l'état permanent, un état permanent qui est garant d'un statut définitivement aberrant. Or, quelle est la forme générale de cet état ? Dans le cas d'Henriette Cornier et de ce qu'on appelait la « folie instinctive », qu'on avait bâtie à peu près autour d'affaires comme celle-ci, le processus pathologique, qui était censé supporter l'acte délictueux, avait deux caractères. D'une part, c'était comme le gonflement, la turgescence, le surgissement de l'instinct, la prolifération de son dynamisme. Bref, c'était un excès qui marquait pathologiquement le fonctionnement de l'instinct. Et à cet excès était lié, comme conséquence même de l'excès, un aveuglement qui faisait que le malade ne pouvait même pas concevoir les conséquences de son acte ; il n'était pas capable – tant la force de l'instinct était irrésistible – d'intégrer ses mécanismes à un calcul général d'intérêt. Donc, fondamentalement, surgissement, gonflement, exagération d'un instinct devenu irrésistible, qui est le noyau pathologique. Par conséquent, aveuglement, absence d'intérêt, absence de calcul. C'est cela qu'on appelait le « délire instinctif ». Dans le cas de Charles Jouy, au contraire, les signes que l'on va mettre en réseau, pour constituer cet état qui va permettre la psychiatrisation de l'acte, font apparaître une configuration très différente, dans laquelle ce qui prime, ce qui est fondamental, ce n'est pas (comme dans le cas des monomanies, des folies instinctives) l'excès, l'exagération de l'instinct, qui brusquement se boursoufle ; ce qui est premier, ce qui est fondamental, ce qui est le noyau même de l'état en question, c'est l'insuffisance, c'est le défaut, c'est l'arrêt de développement. C'est-à-dire que, dans la description que Bulard et Bonnet font de Jouy, ce qu'ils essayent de détecter comme étant le principe de la conduite, ce n'est pas une exagération intrinsèque ; c'est plutôt une sorte de déséquilibre fonctionnel qui fait que – à partir de l'absence d'une inhibition, ou de l'absence d'un contrôle, ou de l'absence des instances supérieures qui assurent la mise en place, la domination et l'assujettissement des instances inférieures – ces instances inférieures vont se développer pour leur propre compte. Non pas qu'il y ait en elles-mêmes, dans ces instances inférieures, une sorte de vibrion pathologique qui brusquement les ferait entrer en effervescence et multiplierait à la fois leur force, leur dynamique et leurs effets. Ce n'est pas cela du tout, ces instances restent ce qu'elles sont ; mais elles ne se mettent à dysfonctionner que dans la mesure où ce qui aurait dû à la fois les intégrer, les inhiber, les contrôler, se trouve mis hors jeu [12].

Il n'y a pas de maladie intrinsèque à l'instinct, il y a plutôt une sorte de déséquilibre fonctionnel de l'ensemble, une sorte de mauvais dispositif dans les structures, qui fait que l'instinct, ou un certain nombre d'instincts se mettent à fonctionner « normalement », selon leur régime propre, mais « anormalement » en ce sens que ce régime propre n'est pas contrôlé par des instances qui devraient précisément les reprendre en charge, les resituer et délimiter leur action. On pourrait trouver, dans le rapport de Bonnet et Bulard, toute une série d'exemples de ce nouveau type d'analyse. J'en prendrai simplement quelques-uns. Ils sont, je crois, importants pour bien comprendre le nouvel enclenchement ou le nouveau filtre fonctionnel selon lequel on essaye d'analyser les comportements pathologiques. Il s'agit, par exemple, de la manière dont on décrit les organes génitaux d'un adulte. Bonnet et Bulard ont donc examiné l'inculpé physiquement, ils ont examiné ses organes génitaux. Et ils notent ceci : « Malgré la taille très exiguë [de l'inculpé ; M.F.] et son arrêt de développement physique marqué, ses organes [génitaux ; M.F.] sont normalement développés comme ceux d'un homme ordinaire. Ce fait s'observe chez les imbéciles [13]. » Ce qui s'observe chez les imbéciles, ce n'est pas que le développement des organes génitaux soit anormal, mais c'est qu'il y ait un contraste entre une génitalité qui anatomiquement est précisément normale et puis un certain défaut de structure enveloppante, qui devrait resituer à sa place et selon ses vraies proportions le rôle de ces organes [14]. Toute la description clinique se fait sur le même mode. Réalité, par conséquent, du défaut, qui est l'épine première, qui est le point de départ du comportement à analyser. L'exagération n'est que la conséquence apparente de ce défaut premier et fondamental, le contraire, au fond, de ce qu'on trouvait chez les aliénistes, quand ils recherchaient dans l'irrésistibilité violente de l'instinct le noyau pathologique lui-même. C'est ainsi que vous trouvez, dans l'analyse, toute une série de textes comme celui-ci. Il n'est pas méchant, disent-ils à propos de Jouy, il est même « doux », mais « le sens moral est avorté » : « Il n'a pas la possession mentale suffisante pour résister par lui-même à certaines tendances qu'il pourra [...] regretter ensuite sans cependant qu'on puisse en conclure qu'il ne recommencera pas [...]. Ces mauvais instincts [...] tiennent à son arrêt de développement originel, et nous savons qu'ils ont parfois la plus grande irrésistibilité chez les imbéciles et les dégénérés [...]. Primordialement frappé d'avortement mental, n'ayant été soumis à aucun bénéfice de l'éducation, [...] il n'a pas ce qu'il faut pour contrebalancer la propension vers le mal et pour résister victorieusement aux tyrannies sensorielles. [...] Il n'a pas le pouvoir du "soi" qui lui permette d'amoindrir les incitations de ses pensées et les entraînements charnels [...]. L'animalité si puissante [...]

n'a pas pour être maîtrisée un concours de facultés susceptibles d'apprécier sainement la valeur des choses [15]. »

Vous voyez, par conséquent, que ce qui appelle la psychiatrisation et ce qui va caractériser l'état, ce n'est donc pas un excès en termes de quantité ou une absurdité en termes de satisfaction (comme c'était le cas, par exemple, quand on a voulu psychiatriser Henriette Cornier), c'est un défaut en termes d'inhibition, c'est une spontanéité des procédures inférieures et instinctives de satisfaction. D'où l'importance de cette « imbécillité », qui est fonctionnellement et primordialement liée aux aberrations de comportement. Si bien que ce qu'on peut dire, c'est que l'état qui permet de psychiatriser Jouy, c'est ce qui l'a précisément arrêté dans son développement : ce n'est pas un processus qui est venu se brancher ou se greffer sur lui, ou traverser son organisme ou son comportement ; c'est un arrêt de développement, c'est-à-dire tout simplement son infantilité. Enfance du comportement et enfance de l'intelligence, les psychiatres ne cessent pas de le dire : « Nous ne pouvons mieux comparer son mode de faire qu'à celui d'un enfant qui sera content qu'on lui adresse des compliments [16]. » Caractère enfantin de la morale de Jouy : « Comme les enfants qui ont mal fait [...], il a peur d'être puni [...]. Il comprendra qu'il a mal fait parce qu'on le lui dit ; il promettra de ne pas recommencer, mais il n'apprécie pas la valeur morale de ses actes [...]. Nous le trouvons puéril, sans consistance morale [17]. » Caractère aussi enfantin de sa sexualité. Je vous ai cité tout à l'heure le texte dans lequel les psychiatres disaient : « Il a agi comme un enfant et, dans l'espèce, comme on voit souvent agir entre eux des enfants de sexe différent », mais des « enfants mal élevés chez lesquels la surveillance... », etc. [18]. C'est là, me semble-t-il, le point important (en tout cas, je ne sais pas s'il est important, c'est seulement là où je voulais arriver) : c'est que l'on voit se définir là une nouvelle position de l'enfant par rapport à la pratique psychiatrique. Il s'agit d'une mise en continuité, ou plutôt d'une mise en immobilité de la vie autour de l'enfance. Et c'est cela, cette immobilisation de la vie, de la conduite, des performances autour de l'enfance, c'est cela qui va permettre fondamentalement la psychiatrisation.

Dans l'analyse que faisaient les aliénistes (les gens de l'école d'Esquirol, ceux justement qui se sont occupés d'Henriette Cornier), au fond, qu'est-ce qui permettait de dire que le sujet était malade ? C'était précisément que, devenu adulte, il ne ressemblait aucunement à l'enfant qu'il avait été. Pour arriver à montrer qu'Henriette Cornier n'était pas responsable de son acte, qu'est-ce qu'on disait ? On disait, souvenez-vous : « Quand elle était enfant, c'était une enfant riante, rieuse, gentille, affectionnée ; et puis voilà qu'à un moment donné, quand elle est devenue adolescente ou adulte, elle est devenue sombre, mélancolique, taciturne, ne disant pas un mot. » L'enfance doit être mise à l'écart du processus pathologique, pour que le processus pathologique puisse effectivement fonctionner et jouer un rôle dans l'irresponsabilisation du sujet. Vous comprenez pourquoi, dans toute cette médecine de l'aliénation mentale, les signes de méchanceté enfantine étaient l'objet d'un enjeu et d'une lutte si importante. Souvenez-vous, par exemple, dans l'affaire de Pierre Rivière [19], avec quel soin et en même temps avec quel acharnement on s'est battu autour des signes de la méchanceté enfantine. Parce que, avec ces signes, on pouvait finalement obtenir deux résultats. On pouvait très bien dire : Vous voyez bien, quand il était déjà tout petit, il crucifiait les grenouilles, il tuait les oiseaux, il brûlait la plante des pieds de son frère ; c'est-à-dire que déjà se préparait, du fond de son enfance, une conduite qui est la conduite même du personnage, et qui devait un jour l'amener à tuer sa mère, son frère et sa sœur. Et, par conséquent, nous n'avons pas affaire, dans ce crime, à quelque chose de pathologique, puisque toute sa vie, depuis le fond de son enfance, ressemble à son crime. Vous comprenez bien, dès lors, que les psychiatres, à partir du moment où ils voulaient psychiatriser la chose et déculpabiliser Rivière, étaient obligés de dire : Mais justement ces signes de méchanceté sont des signes de méchanceté paroxystiques, et tellement paroxystiques d'ailleurs qu'on ne les trouve qu'à une certaine période de son enfance. Quand il avait au-dessous de sept ans, on n'en trouve pas ; et puis, à partir de sept ans, ça commence. C'est donc que le processus pathologique était déjà au travail, processus pathologique qui devait aboutir, dix ou treize ans après, au crime qu'on connaît. D'où toute cette bataille juridico-psychiatrique autour de la méchanceté enfantine, bataille dont vous retrouvez les échos et les traces tout au long de cette psychiatrie légale des années 1820, 1860-1880, et même au-delà.

Avec ce nouveau mode de psychiatrisation que j'essaye de définir maintenant, dans cette nouvelle problématique, les signes de méchanceté vont jouer tout autrement. C'est dans la mesure même où un adulte ressemblera à ce qu'il était quand il était enfant, c'est dans la mesure où on pourra établir une continuité enfance-état adulte, c'est-à-dire dans la mesure où on pourra retrouver dans l'acte d'aujourd'hui la méchanceté d'autrefois, que du coup on pourra effectivement repérer cet état, avec ses stigmates, qui est la condition de la psychiatrisation. Les aliénistes disaient au fond à Henriette Cornier : « Tu n'étais pas alors ce que tu es devenue ensuite ; c'est pour ça qu'on ne peut pas te condamner » ; et les psychiatres disent à Charles Jouy : « Si on ne peut pas te condamner, c'est que tu étais déjà, quand tu étais enfant, ce que tu es maintenant. » Dans cette mesure-là, vous comprenez que, depuis le début du XIXᵉ siècle, le parcours biographique était de toute façon requis, que ce soit par la médecine de l'aliénation mentale de type Esquirol, ou que ce soit par cette nouvelle psychiatrie dont je vous parle maintenant. Mais ce parcours se fait selon de tout autres lignes, il trace des parcours qui sont entièrement différents, il produit de tout autres effets de disculpation. Dans la médecine de l'aliénation mentale du début du siècle, quand on disait : « Il était déjà ceci ; il était déjà ce qu'il est » – du coup, on inculpait. Alors que maintenant, quand on dit : « Ce qu'il est maintenant, il l'était déjà » – on disculpe. D'une façon générale, ce qui apparaît dans l'expertise de Jouy, c'est que l'enfance est en train de devenir une pièce-charnière dans le nouveau fonctionnement de la psychiatrie.

En deux mots, je dirai ceci. Henriette Cornier avait assassiné une enfant. On n'a pu la constituer comme malade mentale qu'à la condition de la séparer radicalement et deux fois de l'enfance. La séparer de l'enfant qu'elle a tuée, en montrant que, entre l'enfant qu'elle a tuée et elle, il n'y avait pas de liens ; elle ne connaissait pratiquement pas sa famille : aucun rapport de haine, aucun lien d'amour ; elle connaissait à peine l'enfant. Minimum de rapports avec l'enfant qu'elle a tuée : première condition pour psychiatriser Henriette Cornier. Deuxième condition : qu'elle soit séparée elle-même de sa propre enfance. Il faut que son passé, son passé d'enfant, son passé même de jeune fille, ressemble le moins possible à l'acte qu'elle a commis. Coupure, par conséquent, radicale de la folie avec l'enfance. Chez Charles Jouy, au contraire, on ne peut le psychiatriser qu'à la condition d'assurer le rapprochement extrême, et quasi la fusion, avec l'enfance qu'il a eu et même avec l'enfant auquel il a eu rapport. Il faut montrer que Charles Jouy et la petite fille qu'il a plus ou moins violée étaient finalement tout proches l'un de l'autre, qu'ils étaient du même grain, qu'ils étaient de la même eau, qu'ils étaient – le mot n'est pas employé, mais vous voyez qu'il se profile – du même niveau. C'est leur identité profonde qui va donner prise à la psychiatrie. C'est parce que l'enfant, l'enfance, l'infantilité est là comme trait commun entre le criminel et sa victime, que finalement Charles Jouy a pu être psychiatrisé. L'enfance comme phase historique du développement, comme forme générale de comportement, devient l'instrument majeur de la psychiatrisation. Et je dirai que c'est par l'enfance que la psychiatrie est arrivée à saisir l'adulte et la totalité de l'adulte. L'enfance a été le principe de la généralisation de la psychiatrie ; l'enfance a été, en psychiatrie comme ailleurs, le piège-à-adulte.

C'est maintenant sur ce fonctionnement, ce rôle, cette place de l'enfant dans la psychiatrie, que je voudrais dire deux mots. Parce que je crois qu'avec l'introduction non pas tellement de l'enfant que de l'enfance comme point de référence central et constant de la psychiatrie, on saisit assez clairement, à la fois, le nouveau fonctionnement de la psychiatrie par rapport à la médecine de l'aliénation mentale et un type de fonctionnement qui va durer pendant près d'un siècle, c'est-à-dire jusqu'à aujourd'hui. Découverte de l'enfant par la psychiatrie. Je voudrais noter ceci : premièrement, vous voyez que, si ce que je vous dis est vrai, cette découverte de l'enfant ou de l'enfance par la psychiatrie n'est pas un phénomène tardif, mais fort précoce. On en a donc un exemple en 1867, mais on pourrait certainement en trouver dans les années précédentes. Non seulement c'est un phénomène précoce, mais il me semble (c'est ce que je voudrais montrer) que [ce phénomène est] loin d'être la conséquence d'un élargissement de la psychiatrie. Loin, par conséquent, de considérer que l'enfance est un territoire nouveau qui a été, à partir d'un certain moment, annexé à la psychiatrie – il me semble que c'est en prenant l'enfance comme point de mire de son action, à la fois de son savoir et de son pouvoir, que la psychiatrie est arrivée à se généraliser. C'est-à-dire que l'enfance me paraît être une des conditions historiques de la généralisation du savoir et du pouvoir psychiatriques. Comment est-ce que la position centrale de l'enfance peut opérer cette généralisation de la psychiatrie ? Je crois qu'il est assez facile (en résumant beaucoup) de saisir ce rôle de généralisation de l'enfance dans la psychiatrie. Effet de l'extension de la psychiatrie, mais comme principe de sa généralisation : c'est qu'à partir du moment où l'enfance ou l'infantilité va être le filtre à analyser les comportements, vous comprenez que, pour psychiatriser une conduite, il ne sera plus nécessaire, comme c'était le cas à l'époque de la médecine des maladies mentales, de l'inscrire à l'intérieur d'une maladie, de la replacer à l'intérieur d'une symptomatologie cohérente et reconnue. Il ne sera pas nécessaire de découvrir cette espèce de petit bout de délire que les psychiatres, même à l'époque d'Esquirol, recherchaient avec tant de frénésie derrière un acte qui leur paraissait douteux. Pour qu'une conduite relève de la psychiatrie, pour qu'elle soit psychiatrisable, il suffira qu'elle soit porteuse d'une trace quelconque d'infantilité. Du coup, se trouveront donc soumises de plein droit à l'inspection psychiatrique toutes les conduites de l'enfant, dans la mesure du moins où elles sont capables de fixer, de bloquer, d'arrêter la conduite de l'adulte, et de se reproduire en elle. Et, inversement, seront psychiatrisables toutes les conduites de l'adulte, dans la mesure où elles peuvent, d'une manière ou d'une autre, sous la forme de la ressemblance, de l'analogie ou de la relation causale, être rabattues et rapportées sur les conduites de l'enfant. Parcours, par conséquent, intégral de toutes les conduites de l'enfant, puisqu'elles peuvent porter avec elles une fixation adulte ; et, inversement, parcours total des conduites de l'adulte pour déceler ce qu'il peut y avoir de traces d'infantilité. C'est là le premier effet de généralisation qui est apporté, par cette problématisation de l'enfance, au cœur même du champ de la psychiatrie. Deuxièmement, à partir de cette problématisation de l'enfance et de l'infantilité, il va être possible d'intégrer les uns aux autres trois éléments qui étaient restés jusque-là séparés. Ces trois éléments sont : le plaisir et son économie ; l'instinct et sa mécanique ; l'imbécillité ou, en tout cas, le retard, avec son inertie et ses manques.

Ce qu'il y avait en effet de très caractéristique dans la psychiatrie de l'époque dite « esquirolienne » (depuis le début du xixe siècle jusque vers 1840) c'est qu'au fond, et j'y avais insisté, entre le plaisir et l'instinct on n'était pas arrivé à trouver le point d'accrochage. Non pas que le plaisir ne puisse pas figurer dans la psychiatrie de type Esquirol, mais le plaisir ne figurait jamais qu'investi dans le délire [20]. C'est-à-dire que l'on admettait (et ceci, d'ailleurs, c'est un thème bien antérieur à Esquirol, qu'on trouve dès le xviie-xviiie siècle [21]) que l'imagination délirante d'un sujet peut parfaitement porter l'expression directe et immédiate d'un désir. C'est ainsi que vous avez toutes les descriptions classiques de quelqu'un qui, ayant un chagrin d'amour, imagine dans son délire que la personne qui l'a abandonné, au contraire, le couvre de son affection, de son amour, etc. [22]. L'investissement du délire par le désir est parfaitement admis dans la psychiatrie classique. En revanche, l'instinct, pour fonctionner comme mécanique pathologique, doit nécessairement être affranchi du plaisir, parce que, s'il y a plaisir, l'instinct n'est donc plus automatique. L'instinct accompagné de plaisir est nécessairement reconnu, enregistré par le sujet comme étant susceptible de provoquer un plaisir. Il entre donc naturellement à l'intérieur d'un calcul et l'on ne peut pas, par conséquent, considérer comme processus pathologique le mouvement même violent de l'instinct, dès lors qu'il est accompagné de plaisir. La pathologisation par l'instinct exclut le plaisir. Quant à l'imbécillité, elle était pathologisée, de son côté, tantôt comme étant la conséquence dernière d'une évolution délirante ou démentielle, tantôt au contraire comme une sorte d'inertie fondamentale de l'instinct.

Maintenant, vous voyez qu'avec un personnage comme celui de Charles Jouy, avec ce type d'individu psychiatrisé comme il l'est, ces trois éléments ou, si vous voulez, les trois personnages vont venir se rejoindre : le petit masturbateur, le grand monstre, et puis celui qui résiste à toutes les disciplines. Désormais, l'instinct peut parfaitement être un élément pathologique, tout en étant porteur de plaisir. L'instinct sexuel, les plaisirs de Charles Jouy sont effectivement pathologisés, au niveau même où ils apparaissent, sans qu'on ait à faire cette grande déconnexion plaisir/instinct qui était requise à l'époque des monomanies instinctives. Il suffit de montrer que la procédure, la mécanique de l'instinct, et les plaisirs qu'il se donne sont d'un niveau infantile et marqués d'infantilité. Plaisir-instinct-retard, plaisir-instinct-arriération : tout ceci va maintenant se constituer en configuration unitaire. Réunion, donc, de ces trois personnages.

La troisième manière dont la problématisation de l'enfant permet la généralisation de la psychiatrie, c'est que – à partir du moment où l'enfance, l'infantilité, le blocage et l'immobilisation autour de l'enfance, vont constituer la forme majeure et privilégiée de l'individu psychiatrisable – il va être possible à la psychiatrie d'entrer en corrélation avec, d'une part, la neurologie et, d'autre part, la biologie générale. Là encore, en se référant à la psychiatrie esquirolienne, on pourrait dire qu'elle n'a pu devenir effectivement une médecine qu'au prix de tout un tas de procédés que j'appellerai imitatifs. Il a fallu établir des symptômes comme dans la médecine organique ; il a fallu nommer, classer, organiser, les unes par rapport aux autres, les différentes maladies ; il a fallu faire des étiologies de type médecine organique, en cherchant du côté du corps ou du côté des prédispositions les éléments qui pouvaient expliquer la formation de la maladie. La médecine mentale de type Esquirol est médecine au titre de l'imitation. En revanche, à partir du moment où l'enfance va être considérée comme le point focal autour duquel va s'organiser la psychiatrie des individus et des conduites, vous comprenez comment il est possible de faire fonctionner la psychiatrie non pas sur le mode de l'imitation, mais sur celui de la corrélation, en ce sens que la neurologie du développement et des arrêts de développement, la biologie générale également – avec toute l'analyse qui peut être faite, soit au niveau des individus soit au niveau des espèces, de l'évolution – tout ceci va être en quelque sorte l'écart et le garant à l'intérieur duquel la psychiatrie va pouvoir fonctionner comme savoir scientifique et comme savoir médical.

Enfin, ce qui est, je crois, le plus important (et c'est la quatrième voie par laquelle l'enfance est un facteur de généralisation pour la psychiatrie), c'est que l'enfance et l'infantilité de la conduite offrent comme objet à la psychiatrie non plus tellement, et même peut-être non plus du tout, une maladie ou un processus pathologique, mais un certain état qui va être caractérisé comme état de déséquilibre, c'est-à-dire état dans lequel les éléments viennent à fonctionner sur un mode qui, sans être pathologique, sans être porteur de morbidité, n'est pas pourtant un mode normal. L'émergence d'un instinct qui n'est pas en lui-même malade, qui est en lui-même sain, mais qu'il est anormal de voir apparaître ici, maintenant, si tôt ou si tard, et avec si peu de contrôle ; l'apparition de tel type de conduite qui, en elle-même, n'est pas pathologique, mais qui, à l'intérieur de la constellation où elle figure, ne devrait pas normalement apparaître – c'est tout cela qui va maintenant être le système de référence, le domaine d'objets, en tout cas, que la psychiatrie va essayer de quadriller. C'est un contretemps, c'est une bousculade dans les structures, qui apparaissent en contraste avec un développement normal et qui vont constituer l'objet général de la psychiatrie. Et ce n'est que secondairement, par rapport à cette anomalie fondamentale, que les maladies vont apparaître comme une sorte d'épiphénomène par rapport à cet état qui est fondamentalement un état d'anomalie.

En devenant science de l'infantilité des conduites et des structures, la psychiatrie peut devenir la science des conduites normales et anormales. De sorte qu'on pourrait tirer ces deux conséquences. La première, c'est que par une espèce de trajet coudé, en se focalisant de plus en plus sur ce petit coin d'existence confuse qui est l'enfance, la psychiatrie a pu se constituer comme instance générale pour l'analyse des conduites. Ce n'est pas en conquérant la totalité de la vie, ce n'est pas en parcourant l'ensemble du développement des individus depuis leur naissance jusqu'à leur mort ; c'est au contraire en se limitant de plus en plus, en fouillant de plus en plus profondément l'enfance, que la psychiatrie a pu devenir l'espèce d'instance de contrôle général des conduites, le juge titulaire, si vous voulez, des comportements en général. Vous comprenez, dans cette mesure, pourquoi et comment la psychiatrie a pu manifester tant d'acharnement à mettre le nez dans la nursery ou dans l'enfance. Ce n'est pas parce qu'elle voulait ajouter une pièce annexe à son domaine déjà immense ; ce n'est pas parce qu'elle voulait coloniser encore une petite part d'existence à laquelle

elle n'aurait pas touché ; c'est au contraire qu'il y avait là, pour elle, l'instrument de son universalisation possible. Mais vous comprenez en même temps – et c'est la seconde conséquence sur laquelle je voulais insister – qu'en voyant ainsi la psychiatrie se focaliser sur l'enfance et en faire l'instrument de son universalisation, on peut, je crois, sinon lever, du moins dénoncer, en tout cas tout simplement souligner, ce qu'on pourrait appeler le secret de la psychiatrie moderne, celle qui s'inaugure vers les années 1860.

En effet, si on situe vers ces années-là (1850-1870) la naissance d'une psychiatrie qui est autre chose que la vieille médecine des aliénistes (celle symbolisée par Pinel et Esquirol) [23], il faut bien voir que cette nouvelle psychiatrie fait tout de même l'impasse sur quelque chose qui avait été jusque-là l'essentiel de la justification de la médecine mentale. Ce sur quoi elle fait l'impasse, c'est tout simplement sur la maladie. La psychiatrie cesse alors d'être une technique et un savoir de la maladie, ou ce n'est que secondairement qu'elle peut devenir – et comme à la limite – technique et savoir de la maladie. La psychiatrie, vers les années 1850-1870 (l'époque à laquelle je me place maintenant), a lâché à la fois le délire, l'aliénation mentale, la référence à la vérité, et puis la maladie. Ce qu'elle prend en compte maintenant, c'est le comportement, ce sont ses déviations, ses anomalies ; elle prend sa référence dans un développement normatif. Ce n'est plus donc, fondamentalement, à la maladie ou aux maladies qu'elle a affaire ; c'est une médecine qui fait purement et simplement l'impasse du pathologique. Et vous voyez dans quelle situation elle se trouve, depuis le milieu du XIXᵉ siècle. Situation paradoxale, puisque au fond la médecine mentale s'est constituée comme science, au tout début du XIXᵉ siècle, en aménageant la folie comme maladie ; par tout un tas de procédures (dont les procédures analogiques dont je vous parlais tout à l'heure), elle a constitué la folie comme maladie. C'est ainsi qu'elle a pu, elle, se constituer comme science spéciale à côté et à l'intérieur de la médecine. C'est en pathologisant la folie par l'analyse des symptômes, par la classification des formes, par la recherche des étiologies, qu'elle a pu constituer finalement une médecine propre de la folie : c'était la médecine des aliénistes. Or, voilà que, à partir de 1850-1870, il s'agit pour elle de garder son statut de médecine, puisque c'est ce statut de médecine qui détient (pour une part au moins) les effets de pouvoir qu'elle essaye de généraliser. Mais ces effets de pouvoir, et ce statut de médecine qui en est le principe, voilà qu'elle l'applique à quelque chose qui, dans son discours même, n'a plus statut de maladie, mais a statut d'anomalie.

Pour dire les choses d'une façon un peu plus simple, je dirai que la
psychiatrie, quand elle se constituait comme médecine de l'aliénation,
psychiatrisait une folie qui, peut-être, n'était pas une maladie, mais
qu'elle était bien obligée, pour être effectivement une médecine, de
considérer et de faire valoir dans son propre discours comme une maladie. Elle n'a pu établir son rapport de pouvoir sur les fous qu'en insti-
tuant un rapport d'objet qui était un rapport d'objet de médecine à
maladie : Tu seras maladie pour un savoir qui m'autorisera alors à fonctionner comme pouvoir médical. Voilà, en gros, ce que disait la psychiatrie au début du XIXe siècle. Mais, à partir du milieu du XIXe siècle,
on a un rapport de pouvoir qui ne tient (et qui ne tient encore aujour-
d'hui) que dans la mesure où c'est un pouvoir médicalement qualifié,
mais un pouvoir médicalement qualifié qui soumet à son contrôle un
domaine d'objets qui sont définis comme n'étant pas des processus
pathologiques. Dépathologisation de l'objet : cela a été la condition
pour que le pouvoir, cependant médical, de la psychiatrie puisse ainsi
se généraliser. Alors se pose le problème : comment peut fonctionner
un dispositif technologique, un savoir-pouvoir tel, que le savoir y dépa-
thologise d'entrée de jeu un domaine d'objets qu'il offre cependant à
un pouvoir qui, lui, ne peut exister que comme pouvoir médical ?
Pouvoir médical sur du non-pathologique : c'est là, je crois, le problème central – mais vous me direz, peut-être, évident – de la psychiatrie. En tout cas, c'est là qu'il se forme, et autour justement de cet
investissement de l'enfance comme point central à partir duquel la
généralisation a pu se faire.

Je voudrais maintenant restituer très schématiquement l'histoire de ce
qui s'est passé à ce moment-là et à partir de ce moment-là. Pour faire
jouer ces deux rapports, un rapport de pouvoir et un rapport d'objets,
qui ne vont pas dans le même sens, qui sont même hétérogènes l'un à
l'autre, rapport médical de pouvoir et rapport d'objets dépathologisés,
la psychiatrie de la seconde moitié du XIXe siècle a été obligée de
construire un certain nombre de ce qu'on pourrait appeler grands édifices théoriques, édifices théoriques qui ne sont pas tellement l'expression, la traduction de cette situation, mais qui sont au fond des
exigences fonctionnelles. Je crois qu'il faut essayer d'analyser les
grandes structures, les grands discours théoriques de la psychiatrie de la
fin du XIXe siècle ; il faut les analyser en termes de bénéfices technologiques, à partir du moment où ce dont il s'agit c'est, à travers ces discours théoriques ou spéculatifs, de maintenir, ou éventuellement de
majorer, les effets de pouvoir et les effets de savoir de la psychiatrie.

Ces grandes constructions théoriques, je voudrais simplement les schématiser. Tout d'abord, constitution d'une nosographie nouvelle, et ceci
sous trois aspects.

Premièrement, organiser et décrire non pas comme symptômes
d'une maladie, mais simplement comme syndromes en quelque sorte
valant pour eux-mêmes, comme syndromes d'anomalies, comme syndromes anormaux, toute une série de conduites aberrantes, déviantes,
etc. C'est ainsi qu'on assiste, dans cette seconde moitié ou ce dernier
tiers du XIXe siècle, à ce qu'on pourrait appeler la consolidation des
excentricités en syndromes bien spécifiés, autonomes et reconnaissables. Et c'est ainsi que le paysage de la psychiatrie vient s'animer de
tout un peuple qui est pour elle, à ce moment-là, tout à fait nouveau : la
population de ces gens porteurs non pas de symptômes d'une maladie,
mais de syndromes en eux-mêmes anormaux, d'excentricités consolidées en anomalies. Vous en avez toute une longue dynastie. Je crois
qu'un des premiers de ces syndromes d'anomalie, c'est la fameuse agoraphobie, décrite par Krafft-Ebing, à laquelle a fait suite la claustrophobie [24]. En 1867, il y a eu une thèse de médecine en France, écrite par
Zabé, consacrée aux malades incendiaires [25]. Vous avez les cleptomanes, décrits par Gorry, en 1879 [26] ; les exhibitionnistes de Lasègue,
qui datent de 1877 [27]. En 1870, Westphal, dans les *Archives de neurologie,* a décrit les invertis. C'est la première fois que l'homosexualité
apparaît comme syndrome à l'intérieur du champ psychiatrique [28]. Et
puis toute une série... les masochistes apparaissent vers 1875-1880.
Enfin, il y aurait toute une histoire de ce petit peuple des anormaux,
toute une histoire de ces syndromes d'anomalie émergeant dans la psychiatrie pratiquement tous à partir des années 1865-1870, et qui vont la
peupler jusqu'à la fin du XXe [*rectius* : XIXe] siècle. Lorsque, par
exemple, une société protectrice des animaux fera une campagne contre
la vivisection, Magnan, qui est un des grands psychiatres de la fin du
XIXe siècle, découvrira un syndrome : c'est le syndrome des antivivisectionnistes [29]. Or, ce sur quoi je voudrais insister, c'est que tout ceci
n'est pas, vous le voyez, symptôme de maladie : c'est un syndrome,
c'est-à-dire une configuration partielle et stable qui se réfère à un état
général d'anomalie [30].

Le second caractère de la nouvelle nosographie qui se constitue à
partir de là, c'est ce qu'on pourrait appeler le retour du délire, c'est-à-
dire la réévaluation du problème du délire. En effet, dans la mesure où
le délire était traditionnellement le noyau de la maladie mentale, vous
comprenez quel intérêt les psychiatres avaient, à partir du moment où

leur domaine d'intervention était l'anormal, à essayer de le recouvrir du délire, parce qu'avec le délire ils avaient précisément un objet médical. Reconvertir l'anormal en maladie, cela ils pouvaient le faire s'ils arrivaient à retrouver les traces ou les trames du délire à travers tous ces comportements anormaux dont ils étaient en train de constituer la grande « syndromatologie ». C'est ainsi que la médicalisation de l'anormal impliquait ou exigeait, ou rendait souhaitable en tout cas, l'ajustement de l'analyse du délire sur l'analyse des jeux de l'instinct et du plaisir. Joindre les effets du délire à la mécanique des instincts, à l'économie du plaisir : c'est cela qui permettrait, au fond, de constituer une vraie médecine mentale, une vraie psychiatrie de l'anormal. C'est ainsi que vous voyez, toujours dans ce dernier tiers du XIXe siècle, se développer les grandes typologies du délire, mais des typologies du délire dont le principe n'est plus, comme à l'époque d'Esquirol, l'objet, la thématique du délire, mais beaucoup plutôt la racine instinctuelle et affective, l'économie de l'instinct et du plaisir, qui est sous-jacente à ce délire. Et c'est ainsi que vous voyez apparaître les grandes classifications du délire – je passe : délire de persécution, délire de possession, les crises virulentes des érotomanes, etc.

Troisième caractère de cette nosographie, c'est l'apparition (et je crois que là est le point essentiel) de la curieuse notion d'« état », qui a été introduite vers les années 1860-1870 par Falret, et qu'on retrouve ensuite reformulée de mille façons, essentiellement sous le terme de « fond psychique [31] ». Or, qu'est-ce que c'est qu'un « état » ? L'état comme objet psychiatrique privilégié, ce n'est pas exactement une maladie, ce n'est même pas du tout une maladie, avec son déclenchement, ses causes, son processus. L'état est une sorte de fond causal permanent, à partir duquel peuvent se développer un certain nombre de processus, un certain nombre d'épisodes, qui, eux, seront précisément la maladie. Autrement dit, l'état est le socle anormal à partir duquel les maladies deviennent possibles. Vous me direz : quelle différence entre cette notion d'état et la vieille notion traditionnelle de prédisposition ? C'est que la prédisposition était, d'une part, une simple virtualité qui ne faisait pas tomber l'individu hors du normal : on pouvait être normal et être prédisposé à une maladie. Et, d'autre part, la prédisposition prédisposait précisément à tel type de maladie et pas à tel autre. L'état – tel que Falret et puis tous ses successeurs vont utiliser cette notion – a ceci de particulier. C'est qu'il ne se trouve pas précisément chez les individus normaux ; ce n'est pas un caractère plus ou moins accentué. L'état est un véritable discriminant radical. Celui qui est sujet à un état, celui qui est porteur d'un état, n'est pas un individu normal. D'autre part, cet état qui caractérise un individu dit anormal a ceci de particulier : sa fécondité étiologique est totale, elle est absolue. L'état peut produire absolument n'importe quoi et à n'importe quel moment et dans n'importe quel ordre. Il peut y avoir des maladies physiques qui viennent se brancher sur un état ; il peut y avoir des maladies psychologiques. Ça peut être une dysmorphie, un trouble fonctionnel, une impulsion, un acte de délinquance, l'ivrognerie. Bref, tout ce qui peut être ou pathologique ou déviant, dans le comportement ou dans le corps, peut être effectivement produit à partir de l'état. C'est que l'état ne consiste pas en un trait plus ou moins accentué. L'état consiste essentiellement en une sorte de déficit général des instances de coordination de l'individu. Perturbation générale dans le jeu des excitations et des inhibitions ; libération discontinue et imprévisible de ce qui devrait être inhibé, intégré et contrôlé ; absence d'unité dynamique – c'est tout cela qui caractérise l'état.

Or, vous voyez que cette notion d'état présente deux grands avantages. Le premier, c'est de permettre de mettre en rapport n'importe quel élément physique ou conduite déviante, aussi disparates et éloignés qu'ils soient, avec une sorte de fond unitaire qui en rend compte, un fond qui diffère de l'état de santé sans être pour autant une maladie. Formidable capacité d'intégration, par conséquent, de cette notion d'état, qui est à la fois en référence à la non-santé, mais qui peut accueillir dans son champ n'importe quelle conduite à partir du moment où elle est physiologiquement, psychologiquement, sociologiquement, moralement, et même juridiquement, déviante. La capacité d'intégration de la notion d'état dans cette pathologie, dans cette médicalisation de l'anormal est évidemment merveilleuse. En même temps, second avantage, il est possible, à partir de cette notion d'état, de retrouver un modèle physiologique. C'est celui qui a été présenté successivement par Luys, par Baillarger, par Jackson, etc. [32]. Qu'est-ce que c'est que l'état ? C'est précisément la structure ou l'ensemble structural caractéristique d'un individu, ou bien qui a été arrêté dans son développement, ou bien qui a régressé d'un état de développement ultérieur vers un état de développement antérieur.

La nosographie des syndromes, la nosographie des délires, la nosographie des états, tout ceci répond, dans la psychiatrie de la fin du XIXe siècle, à cette espèce de grande tâche qu'elle ne pouvait pas ne pas se donner et dans laquelle elle ne pouvait pas réussir : cette grande tâche de faire valoir un pouvoir médical sur un domaine dont l'extension nécessaire excluait qu'il soit organisé autour d'une maladie. C'est le paradoxe d'une pathologie de l'anormal qui a suscité, comme élément de fonctionnement, ces grandes théories ou ces grandes structurations. Seulement, si on isole et si on valorise (comme ont fait tous les psychiatres depuis Falret ou Griesinger, jusqu'à Magnan ou Kraepelin [33]) cette notion d'état, sorte de fond causal qui est en lui-même une anomalie, il faut replacer cet état à l'intérieur d'une série qui puisse le produire et le justifier. Quel corps peut produire un état, un état qui justement marque le corps d'un individu tout entier et d'une façon définitive ? D'où la nécessité (et alors, là, on débouche sur un autre immense édifice théorique de la psychiatrie de la fin du XIXe siècle) de découvrir, en quelque sorte, l'arrière-corps qui va justifier, expliquer par sa causalité propre, l'apparition d'un individu qui est victime, sujet, porteur de cet état de dysfonctionnement. Cet arrière-corps, ce corps qui est en arrière du corps anormal, qu'est-ce qu'il sera ? C'est le corps des parents, c'est le corps des ancêtres, c'est le corps de la famille, c'est le corps de l'hérédité.

L'étude de l'hérédité, ou l'assignation à l'hérédité de l'origine de l'état anormal, constitue cette « métasomatisation » qui est rendue nécessaire par tout l'édifice. Cette métasomatisation et cette étude de l'hérédité présentent à leur tour un certain nombre d'avantages dans la technologie psychiatrique. D'abord, un laxisme causal indéfini, laxisme qui se caractérise à la fois par le fait que tout peut être cause de tout. Dans la théorie de l'hérédité psychiatrique, il est établi que non seulement une maladie d'un certain type peut provoquer chez les descendants une maladie du même type, mais qu'elle peut produire également, avec autant de probabilités, n'importe quelle autre maladie de n'importe quel type. Bien plus, ce n'est pas forcément une maladie qui en provoque une autre, mais quelque chose comme un vice, un défaut. L'ivrognerie, par exemple, va provoquer chez la descendance n'importe quelle autre forme de déviation de comportement, que ce soit l'alcoolisme, bien sûr, ou que ce soit une maladie comme la tuberculose ou que ce soit une maladie mentale, ou même que ce soit un comportement délinquant. D'autre part, ce laxisme causal qui est donné à l'hérédité permet d'établir les réseaux héréditaires les plus fantastiques ou, en tout cas, les plus souples. Il suffira de trouver à n'importe quel point du réseau de l'hérédité un élément qui sera déviant, pour pouvoir expliquer, à partir de là, l'émergence d'un état chez un individu descendant. De ce fonctionnement ultralibéral de l'hérédité et de l'étiologie dans le champ de l'hérédité, je vous donnerai simplement un exemple. C'est une étude qui avait été faite par Lombroso sur un meurtrier italien. Ce meurtrier italien s'appelait Misdea [34]. Il avait une famille très nombreuse ; alors on établit l'arbre généalogique de sa famille pour arriver à ressaisir le point de formation de l'« état ». Son grand-père n'était pas très intelligent, mais très actif. Il avait un oncle qui était imbécile, un autre oncle qui était bizarre et irascible, un troisième oncle qui était boiteux, un quatrième oncle qui était prêtre semi-imbécile et irascible, et, quant à son père, il était bizarre et ivrogne. Le frère aîné était obscène, épileptique et ivrogne, son frère cadet était sain, le quatrième était impétueux et ivrogne, le cinquième avait un caractère indocile. Le second de la série, c'était donc notre meurtrier [35]. Vous voyez que l'hérédité fonctionne comme le corps fantastique des anomalies soit corporelles, soit psychiques, soit fonctionnelles, soit de comportement, qui vont être à l'origine – au niveau de ce métacorps, de cette méta-somatisation – de l'apparition de l'« état ».

Autre avantage de cette causalité héréditaire, avantage plus moral qu'épistémologique, c'est que, au moment où l'analyse de l'enfance et de ses anomalies montre manifestement que l'instinct sexuel n'est pas lié par nature à la fonction de reproduction (souvenez-vous de ce que je vous disais la dernière fois), l'hérédité va permettre de faire reporter sur les mécanismes antérieurs de la reproduction, chez les ascendants, la responsabilité des aberrations que l'on peut constater chez les descendants. Autrement dit, la théorie de l'hérédité va permettre à la psychiatrie de l'anormal de n'être pas simplement une technique du plaisir ou de l'instinct sexuel, et à vrai dire de n'être pas du tout une technologie du plaisir et de l'instinct sexuel, mais une technologie du mariage sain ou malsain, utile ou dangereux, profitable ou nuisible. Du coup, la psychiatrie se trouve à se centrer sur le problème de la reproduction, au moment même où elle intégrait dans son champ d'analyse toutes les aberrations de l'instinct sexuel qui dégageaient un fonctionnement non reproductif de cet instinct.

Remoralisation, par conséquent, au niveau de cette étiologie fantastique. Et finalement on peut dire ceci : la nosographie des états anormaux – replacée dans le grand corps à la fois polycéphale, labile, flottant, glissant de l'hérédité – va se formuler dans la grande théorie de la dégénérescence. La « dégénérescence » est formulée en 1857 par Morel [36], c'est-à-dire à l'époque même où Falret était en train de liquider la monomanie et de bâtir la notion d'état [37]. C'est l'époque où Baillarger, Griesinger, Luys, proposent des modèles neurologiques du comportement anormal ; c'est l'époque où Lucas parcourt le domaine de l'hérédité pathologique [38]. La dégénérescence est la pièce théorique majeure de la médicalisation de l'anormal. Le dégénéré, disons en un mot que c'est l'anormal mythologiquement – ou scientifiquement, comme vous voudrez – médicalisé.

Or, à partir de là, et à partir justement de la constitution de ce personnage du dégénéré replacé dans l'arbre des hérédités et porteur d'un état qui n'est pas un état de maladie, mais qui est un état d'anomalie, on peut voir non seulement que la dégénérescence permet le fonctionnement de cette psychiatrie dans laquelle le rapport de pouvoir et le rapport d'objet ne vont pas dans le même sens. Bien mieux : le dégénéré va permettre une formidable relance du pouvoir psychiatrique. En effet, du moment que la psychiatrie a acquis la possibilité de référer n'importe quelle déviance, écart, retard, à un état de dégénérescence, vous voyez qu'elle a désormais une possibilité d'ingérence indéfinie sur les comportements humains. Mais, en se donnant le pouvoir de passer au-dessus de la maladie, en se donnant le pouvoir de faire l'impasse sur le maladif ou sur le pathologique, et de mettre en rapport directement la déviation des conduites avec un état qui est à la fois héréditaire et définitif, la psychiatrie se donne le pouvoir de ne plus chercher à guérir. Bien sûr, la médecine mentale du début du siècle faisait une part très grande à l'incurabilité, mais précisément l'incurabilité était définie comme telle en fonction de ce qui devait être le rôle majeur de la médecine mentale, c'est-à-dire guérir. Et l'incurabilité n'était que la limite actuelle d'une curabilité essentielle de la folie. Mais à partir du moment où la folie se donne effectivement comme technologie de l'anormal, des états anormaux fixés héréditairement par la généalogie de l'individu, vous comprenez bien que le projet même de guérir n'a pas de sens. C'est en effet ce sens thérapeutique qui disparaît avec le contenu pathologique du domaine couvert par la psychiatrie. La psychiatrie ne cherche plus ou ne cherche plus essentiellement à guérir. Elle peut proposer (et c'est effectivement ce qui se produit à cette époque) de fonctionner simplement comme protection de la société contre les dangers définitifs dont elle peut être la victime de la part des gens qui sont dans un état anormal. À partir de cette médicalisation de l'anormal, à partir de cette impasse sur le maladif et donc sur le thérapeutique, la psychiatrie va pouvoir se donner effectivement une fonction qui sera simplement une fonction de protection et d'ordre. Elle se donne un rôle de défense sociale généralisée et, par la notion d'hérédité, elle se donne en même temps un droit d'ingérence dans la sexualité familiale. Elle devient la science de la protection scientifique de la société, elle devient la science de la protection biologique de l'espèce. C'est à ce point que je voudrais m'arrêter, en ce point où la psychiatrie, devenant science et gestion des anomalies individuelles, prend ce qui a été pour l'époque son maximum de pouvoir. Elle a pu effectivement (et c'est ce qu'elle a fait à la fin du XIXᵉ siècle) prétendre se substituer à la justice elle-même ; non seulement à la justice, mais à l'hygiène ; non seulement à l'hygiène, mais finalement à la plupart des manipulations et contrôles de la société, pour être l'instance générale de défense de la société contre les dangers qui la minent de l'intérieur.

Vous voyez, dans ces conditions, comment la psychiatrie peut effectivement, à partir de cette notion de dégénérescence, à partir de ces analyses de l'hérédité, se brancher ou plutôt donner lieu à un racisme, un racisme qui a été à cette époque-là fort différent de ce qu'on pourrait appeler le racisme traditionnel, historique, le « racisme ethnique »[39]. Le racisme qui naît dans la psychiatrie de cette époque, c'est le racisme contre l'anormal, c'est le racisme contre les individus qui, étant porteurs soit d'un état, soit d'un stigmate, soit d'un défaut quelconque, peuvent transmettre à leurs héritiers, de la manière la plus aléatoire, les conséquences imprévisibles du mal qu'ils portent en eux, ou plutôt du non-normal qu'ils portent en eux. C'est un racisme donc qui aura pour fonction non pas tellement la prévention ou la défense d'un groupe contre un autre, que la détection, à l'intérieur même d'un groupe, de tous ceux qui pourront être porteurs effectivement du danger. Racisme interne, racisme qui permet de filtrer tous les individus à l'intérieur d'une société donnée. Bien sûr, entre ce racisme et le racisme traditionnel, qui était essentiellement, en Occident, le racisme antisémite, il y a eu très vite toute une série d'interférences, mais sans qu'il y ait jamais eu d'organisation effective très cohérente de ces deux formes de racisme, avant précisément le nazisme. Que la psychiatrie allemande ait fonctionné si spontanément à l'intérieur du nazisme, il ne faut pas y voir quelque chose d'étonnant. Le racisme nouveau, le néo-racisme, celui qui est propre au XXᵉ siècle comme moyen de défense interne d'une société contre ses anormaux, est né de la psychiatrie, et le nazisme n'a pas fait autre chose que de brancher ce nouveau racisme sur le racisme ethnique qui était endémique au XIXᵉ siècle.

Je crois donc que les nouvelles formes de racisme, qui ont prise en Europe à la fin du XIXᵉ et au début du XXᵉ siècle, doivent être historiquement référées à la psychiatrie. Il est cependant certain que la psychiatrie, tout en ayant donné lieu à cet eugénisme, ne s'est pas résumée, loin de là, à cette forme de racisme qui n'en a couvert ou confisqué

qu'une partie relativement limitée. Mais, même lorsqu'elle s'est débar-
rassée de ce racisme ou lorsqu'elle n'a pas effectivement activé ces
formes-là de racisme, même dans ces cas-là la psychiatrie a toujours
fonctionné, à partir de la fin du XIXᵉ siècle, essentiellement comme
mécanisme et instance de la défense sociale. Les trois fameuses questions actuellement posées aux psychiatres qui viennent témoigner
devant les tribunaux : « L'individu est-il dangereux ? L'inculpé est-il
accessible à la peine ? L'inculpé est-il curable ? » – j'avais essayé de
vous montrer, à propos de ces trois questions, combien elles avaient
peu de sens par rapport à l'édifice juridique du Code pénal tel qu'il
fonctionne encore actuellement. Questions sans signification par rapport au droit, questions sans signification non plus par rapport à une
psychiatrie qui serait effectivement centrée sur la maladie ; mais questions qui ont un sens tout à fait précis à partir du moment où elles sont
posées à une psychiatrie qui fonctionne essentiellement comme défense
sociale ou, pour reprendre les termes du XIXᵉ siècle, qui fonctionne
comme « chasse aux dégénérés ». Le dégénéré, c'est celui qui est porteur de danger. Le dégénéré, c'est celui qui, quoi qu'on fasse, est inaccessible à la peine. Le dégénéré, c'est celui qui, en tout état de cause,
sera incurable. Ces trois questions, médicalement sans signification,
pathologiquement sans signification, juridiquement sans signification,
ont au contraire une signification très précise dans une médecine de
l'anormal, qui n'est pas une médecine du pathologique et de la maladie ; dans une médecine, par conséquent, qui continue à être, au fond, la
psychiatrie des dégénérés. Dans cette mesure-là, on peut dire que les
questions posées par l'appareil judiciaire encore actuellement aux psychiatres relancent, réactivent sans cesse une problématique, qui était la
problématique de la psychiatrie des dégénérés à la fin du XIXᵉ siècle. Et
ces fameuses descriptions ubuesques que l'on retrouve encore actuellement dans les expertises médico-légales, et où l'on fait un portrait si
incroyable à la fois de l'hérédité, de l'ascendance, de l'enfance, du
comportement de l'individu, elles ont un sens historique parfaitement
précis. Ce sont les restes (une fois, bien entendu, abolie la grande théorie, la grande systématisation de la dégénérescence, qui avait été faite
de Morel à Magnan), les blocs erratiques de cette théorie de la dégénérescence qui viennent effectivement se loger, et se loger normalement,
en réponse à des questions posées par le tribunal, mais qui, elles-
mêmes, ont leur origine historique dans la théorie de la dégénérescence.
    Au fond, ce que je voulais essayer de montrer, c'est que cette litté-
rature, qui paraît être une littérature à la fois tragique et loufoque, a sa

généalogie historique. C'est absolument liés à ce fonctionnement, à cette technologie de la psychiatrie de la seconde moitié du XIXe siècle, que l'on retrouve encore maintenant en activité ces procédés et ces notions. J'essayerai de reprendre le problème du fonctionnement, à la fin du XIXe siècle, de la psychiatrie comme défense sociale en prenant pour point de départ le problème de l'anarchie, du désordre social, de la psychiatrisation de l'anarchie. Donc, un travail sur crime politique, défense sociale et psychiatrie de l'ordre[40].

*

NOTES

1. Cf. H. Bonnet & J. Bulard, *Rapport médico-légal sur l'état mental de Charles-Joseph Jouy, inculpé d'attentats aux mœurs,* Nancy, 1868. Bonnet et Bulard étaient médecins-chefs de l'asile public d'aliénés de Maréville, où Ch. Jouy fut enfermé après la déclaration de non-lieu. M. Foucault fait référence à cette affaire dans *La Volonté de savoir, op. cit.,* p. 43-44.

2. Cf. H. Bonnet & J. Bulard, *op. cit.,* p. 3.

3. Cf. *supra,* leçon du 5 février.

4. H. Bonnet & J. Bulard, *op. cit.,* p. 8-9.

5. *Ibid.,* p. 3.

6. *Ibid.,* p. 10.

7. Cf. *supra,* leçon du 12 mars.

8. Le rapport de Béchet se trouve in H. Bonnet & J. Bulard, *Rapport médico-légal..., op. cit.,* p. 5-6.

9. *Ibid.,* p. 4 : « Le père de la petite Adam se plaint beaucoup de sa fille qui est des plus indisciplinées malgré toutes les corrections. La population de Lupcourt [...] désirerait vivement que la petite Adam fût enfermée dans une maison de correction jusqu'à sa majorité [...]. Il paraîtrait qu'à Lupcourt les mœurs sont assez relâchées chez les enfants et les jeunes gens. » Cf. les conférences données par J. Bulard en tant que président de la Société pour la protection de l'enfance (carton Rp 8941-8990 de la Bibliothèque nationale de France).

10. Cf. *supra,* leçon du 5 février. Cf. J.-E.-D. Esquirol, *Des maladies mentales..., op. cit.,* I, p. 35-36 ; II, p. 6, 52 ; A. Brierre de Boismont, *De la menstruation considérée dans ses rapports physiologiques et pathologiques avec la folie,* Paris, 1842 (repris dans « Recherches bibliographiques et cliniques sur la folie puerpérale, précédées d'un aperçu sur les rapports de la menstruation et de l'aliénation mentale », *Annales médico-psychologiques,* 1851, III, p. 574-610) ; E. Dauby, *De la menstruation dans ses rapports avec la folie,* Paris, 1866.

11. H. Bonnet & J. Bulard, *Rapport médico-légal..., op. cit.,* p. 6.

12. *Ibid.,* p. 11 : « Jouy est un enfant naturel, et il a été vicié congénitalement. L'avortement mental a marché simultanément avec la dégénérescence organique. Il a cependant

des facultés, mais leur ressort est très restreint. Si, dès l'enfance, il avait été éduqué et s'était trouvé en contact avec les principes généraux qui font la loi de la vie et des sociétés, si enfin il avait été soumis à une puissance moralisatrice, il aurait pu acquérir un peu, trouver un perfectionnement pour sa raison, apprendre à délibérer plus pertinemment ses pensées, améliorer un sens moral abâtardi et livré sans frein à des impulsions propres aux arriérés de son espèce, s'instruire peut-être par lui-même de la valeur d'un acte. Il n'aurait pas moins été toujours imparfait, mais la psychologie médicale aurait pu le placer dans les limites d'une certaine responsabilité devant la chose civile. »

13. *Ibid.*, p. 10-11.

14. *Ibid.*, p. 11 : « Ce fait s'observe chez les imbéciles, et c'est ce qui rend compte en partie de leurs tendances parce qu'ils ont des organes qui les incitent ; et, comme ils n'ont pas la faculté de juger la valeur des choses et le sens moral pour les retenir, ils se laissent brusquement entraîner. »

15. *Ibid.*, p. 9-12.

16. *Ibid.*, p. 7.

17. *Ibid.*, p. 9.

18. *Ibid.*, p. 10.

19. Cf. le dossier déjà cité sur *Moi, Pierre Rivière…*

20. Il s'agit des auteurs qui, jusqu'au tournant marqué par Griesinger et Falret (cf. *supra*, leçon du 12 février), ont appliqué les idées de J.-E.-D. Esquirol, *Note sur la monomanie homicide*, Paris, 1827.

21. Le thème est déjà présent dans des ouvrages tels que celui de Th. Fienus, *De viribus imaginationis tractatus*, Londini, 1608.

22. À la mélancolie érotique *(love melancholy)* sont consacrés le premier volume de R. Burton, *The Anatomy of Melancholy*, Oxford, 1621, et l'ouvrage de J. Ferrand, *De la maladie d'amour ou mélancolie érotique*, Paris, 1623.

23. Voir par exemple J.-P. Falret, *Des maladies mentales et des asiles d'aliénés. Leçons cliniques et considérations générales*, Paris, 1864, p. III : « La doctrine sensualiste de Locke et Condillac dominait alors en maîtresse presque absolue […]. Cette doctrine des philosophes […] fut importée par Pinel dans la pathologie mentale. » Bien plus radicales, la perception de la distance (« Les doctrines de nos maîtres, Pinel et Esquirol, ont dominé, d'une manière absolue, la médecine mentale […]. Il est rare de voir ainsi des doctrines scientifiques assez fermement assises pour pouvoir résister aux efforts successifs de trois générations ») et la conscience d'une rupture à partir des années cinquante, dans J. Falret, *Études cliniques sur les maladies mentales et nerveuses*, Paris, 1890, p. V-VII.

24. D'après H. Legrand du Saulle, *Étude clinique sur la peur des espaces (agoraphobie des Allemands), névrose émotive*, Paris, 1878, p. 5, le terme n'a pas été inventé par R. Krafft-Ebing, mais par C. Westphal, « Die Agoraphobie. Eine neuropathische Erscheinung », *Archiv für Psychiatrie und Nervenkrankheiten*, III/1, 1872, p. 138-161, sur la base d'une sollicitation de Griesinger de 1868.

25. La thèse de E. Zabé, *Les Aliénés incendiaires devant les tribunaux*, Paris, 1867, avait été précédée par Ch.-Ch.-H. Marc, *De la folie…, op. cit.*, II, p. 304-400 (publié initialement sous le titre : « Considérations médico-légales sur la monomanie et particulièrement sur la monomanie incendiaire », *Annales d'hygiène publique et de médecine légale*, X, 1833, p. 388-474) ; H. Legrand du Saulle, *De la monomanie incendiaire*, Paris, 1856 (cf. Id., *De la folie devant les tribunaux, op. cit.*, p. 461-484).

26. Th. Gorry, *Des aliénés voleurs. Non-existence de la kleptomanie et des monomanies en général comme entités morbides,* Paris, 1879. Voir aussi Ch.-Ch.-H. Marc, *De la folie..., op. cit.,* II, p. 247-303.

27. Ch. Lasègue, « Les exhibitionnistes », *Union médicale,* 50, 1ᵉʳ mai 1877, p. 709-714 (puis in *Études médicales,* I, Paris, 1884, p. 692-700). Cf. l'article cité, « Des exhibitionnistes », de V. Magnan.

28. J.C. Westphal, « Die conträre Sexualempfindung... », *art. cit.* (trad. fr. : « L'attraction des sexes semblables », *Gazette des hôpitaux,* 75, 29 juin 1878) ; Cf. H. Gock, « Beitrag zur Kenntniss der conträren Sexualempfindung », *Archiv für Psychiatrie und Nervenkrankheiten,* V, 1876, p. 564-574 ; J.C. Westphal, « Zur conträre Sexualempfindung », *Archiv für Psychiatrie und Nervenkrankheiten,* VI, 1876, p. 620-621.

29. V. Magnan, *De la folie des antivivisectionnistes,* Paris, [s.d. : 1884].

30. Cf. M. Foucault, *La Volonté de savoir, op. cit.,* p. 58-60.

31. Cf. J.-P. Falret, *Des maladies mentales et des asiles d'aliénés, op. cit.,* p. x : « Au lieu de remonter à la lésion initiale des facultés dans les maladies mentales, le médecin spécialiste doit s'attacher à l'étude des états psychiques complexes tels qu'ils existent dans la nature. »

32. Les études de J.-G.-F. Baillarger ont été citées *supra,* leçon du 12 février. Les travaux de J. Luys auxquels M. Foucault fait référence ont été recueillis in *Études de physiologie et de pathologie cérébrales. Des actions réflexes du cerveau, dans les conditions normales et morbides de leurs manifestations,* Paris, 1874. Entre 1879 et 1885, J.H. Jackson a édité la revue de neurologie *Brain.* Voir en particulier son essai, *On the Anatomical and Physiological Localisation of Movements in the Brain* (1875), in *Selected Writings,* London, 1931. L'intérêt de Foucault à l'égard des *Croonian Lectures* de Jackson et du jacksonisme remonte à *Maladie mentale et Psychologie,* Paris, 1995, p. 23, 30-31 (rééd. de *Maladie mentale et Personnalité,* Paris, 1954).

33. Aux auteurs déjà cités, il faut ajouter E. Kraepelin, *Lehrbuch der Psychiatrie,* Leipzig, 1883 ; Id., *Die psychiatrischen Aufgaben des Staates,* Jena, 1900 (trad. fr. : *Introduction à la psychiatrie clinique,* Paris, 1907, en particulier p. 5-16, 17-28, 88-99).

34. Sur le cas Misdea, voir C. Lombroso & A.G. Bianchi, *Misdea e la nuova scuola penale,* Torino, 1884, p. 86-95.

35. Cf. l'arbre généalogique de Misdea, *ibid.,* p. 89.

36. B.-A. Morel, *Traité des dégénérescences..., op. cit.*

37. J.-P. Falret, « De la non-existence de la monomanie » et « De la folie circulaire », in Id., *Des maladies mentales et des asiles d'aliénés, op. cit.,* p. 425-448, 456-475 (la première parution des deux articles date de 1854).

38. P. Lucas, *Traité philosophique et physiologique de l'hérédité naturelle..., op. cit.*

39. Cf. M. Foucault, *« Il faut défendre la société », op. cit.,* p. 230 et *passim.*

40. Michel Foucault consacrera son séminaire de l'année 1976 « à l'étude de la catégorie d'"individu dangereux" dans la psychiatrie criminelle », en comparant « les notions liées au thème de la "défense sociale" et les notions liées aux nouvelles théories de la responsabilité civile, telles qu'elles sont apparues à la fin du XIXᵉ siècle » (*Dits et Écrits,* III, p. 130). Ce séminaire met un terme au cycle de recherches consacrées à l'expertise psychiatrique, commencées en 1971.

Résumé du cours[*]

* Publié dans l'*Annuaire du Collège de France, 76ᵉ année, Histoire des systèmes de pensée, année 1974-1975*, 1975, p. 335-339. Repris dans *Dits et Écrits, 1954-1988*, éd. par D. Defert & F. Ewald, collab. J. Lagrange, Paris, Gallimard/« Bibliothèque des sciences humaines », 1994, 4 vol. ; cf. II, n° 165, p. 822-828.

La grande famille indéfinie et confuse des « anormaux », dont la peur hantera la fin du XIXe siècle, ne marque pas simplement une phase d'incertitude ou un épisode un peu malheureux dans l'histoire de la psychopathologie ; elle a été formée en corrélation avec tout un ensemble d'institutions de contrôle, toute une série de mécanismes de surveillance et de distribution ; et lorsqu'elle aura été presque entièrement recouverte par la catégorie de la « dégénérescence », elle donnera lieu à des élaborations théoriques dérisoires, mais à des effets durement réels.

Le groupe des anormaux s'est formé à partir de trois éléments dont la constitution n'a pas été exactement synchronique.

1/ Le monstre humain. Vieille notion dont le cadre de référence est la loi. Notion juridique, donc, mais au sens large, puisqu'il s'agit non seulement des lois de la société, mais aussi des lois de la nature ; le champ d'apparition du monstre est un domaine juridico-biologique. Tour à tour, les figures de l'être mi-homme, mi-bête (valorisées surtout au Moyen Âge), des individualités doubles (valorisées surtout à la Renaissance), des hermaphrodites (qui ont soulevé tant de problèmes aux XVIIe et XVIIIe siècles) ont représenté cette double infraction ; ce qui fait qu'un monstre humain est un monstre, ce n'est pas seulement l'exception par rapport à la forme de l'espèce, c'est le trouble qu'il apporte aux régularités juridiques (qu'il s'agisse des lois du mariage, des canons du baptême ou des règles de la succession). Le monstre humain combine l'impossible et l'interdit. Il faut étudier dans cette perspective les grands procès d'hermaphrodites où se sont affrontés juristes et médecins depuis l'affaire de Rouen (début du XVIIe siècle) jusqu'au procès d'Anne Grandjean au milieu du siècle suivant) ; et aussi des ouvrages comme l'*Embryologie sacrée* de Cangiamila, publié et traduit au XVIIIe siècle.

À partir de là, on peut comprendre un certain nombre d'équivoques qui vont continuer à hanter l'analyse et le statut de l'homme anormal, même lorsqu'il aura réduit et confisqué les traits propres du monstre. Au premier rang de ces équivoques, un jeu jamais tout à fait contrôlé, entre l'exception de nature et l'infraction au droit. Elles cessent de se superposer sans cesser de jouer l'une par rapport à l'autre. L'écart « naturel » à la « nature » modifie les effets juridiques de la transgression, et, pourtant, ne les efface pas tout à fait ; il ne renvoie pas purement et simplement à la loi, mais il ne la suspend pas non plus ; il la piège, suscitant des effets, déclenchant des mécanismes, appelant des institutions parajudiciaires et marginalement médicales. On a pu étudier dans ce sens l'évolution de l'expertise médico-légale en matière pénale, depuis l'acte « monstrueux » problématisé au début du XIXe siècle (avec les affaires Cornier, Léger, Papavoine) jusqu'à l'apparition de cette notion d'individu « dangereux » à laquelle il est impossible de donner un sens médical ou un statut juridique – et qui est pourtant la notion fondamentale des expertises contemporaines. En posant aujourd'hui au médecin la question proprement insensée : cet individu est-il dangereux ? (question qui contredit un droit pénal fondé sur la seule condamnation des actes et qui postule une appartenance de nature entre maladie et infraction), les tribunaux reconduisent, à travers des transformations qu'il s'agit d'analyser, les équivoques des vieux monstres séculaires.

2/ L'individu à corriger. C'est un personnage plus récent que le monstre. Il est le corrélatif moins des impératifs de la loi et des formes canoniques de la nature que des techniques de dressage avec leurs exigences propres. L'apparition de l'« incorrigible » est contemporaine de la mise en place des techniques de discipline, à laquelle on assiste, pendant le XVIIe et le XVIIIe siècle – à l'armée, dans les écoles, dans les ateliers, puis, un peu plus tard, dans les familles elles-mêmes. Les nouvelles procédures de dressage du corps, du comportement, des aptitudes ouvrent le problème de ceux qui échappent à cette normativité qui n'est plus la souveraineté de la loi.

L'« interdiction » constituait la mesure judiciaire par laquelle un individu était partiellement au moins disqualifié comme sujet de droit. Ce cadre, juridique et négatif, va être en partie rempli, en partie remplacé par un ensemble de techniques et de procédés par quoi on entreprendra de dresser ceux qui résistent au dressage et de corriger les incorrigibles. Le « renfermement » pratiqué sur une large échelle à partir du XVIIe siècle peut apparaître comme une sorte de formule intermédiaire entre la procédure négative de l'interdiction judiciaire et les procédés positifs de redressement. L'enfermement exclut de fait et fonctionne hors des lois, mais il se donne comme justification la nécessité de corriger, d'améliorer, de conduire à résipiscence, de faire revenir à de « bons sentiments ». À partir de cette forme confuse, mais historiquement décisive, il faut étudier l'apparition à des dates historiques précises des différentes institutions de redressement et des catégories d'individus auxquelles elles s'adressent. Naissances technico-institutionnelles de la cécité, de la surdi-mutité, des imbéciles, des retardés, des nerveux, des déséquilibrés.

Monstre banalisé et pâli, l'anormal du XIXᵉ siècle est aussi un descendant de ces incorrigibles qui sont apparus dans les marges des techniques modernes de « dressement ».

3/ L'onaniste. Figure toute nouvelle au XVIIIᵉ siècle. Il apparaît en corrélation avec les nouveaux rapports entre la sexualité et l'organisation familiale, avec la nouvelle position de l'enfant au milieu du groupe parental, avec la nouvelle importance accordée au corps et à la santé. Apparition du corps sexuel de l'enfant.

En fait, cette émergence a une longue préhistoire : le développement conjoint des techniques de direction de conscience (dans la nouvelle pastorale née de la Réforme et du concile de Trente) et des institutions d'éducation. De Gerson à Alphonse de Liguori, tout un quadrillage discursif du désir sexuel, du corps sensuel et du péché de *mollities* est assuré par l'obligation de l'aveu pénitentiaire et une pratique très codée des interrogatoires subtils. On peut dire schématiquement que le contrôle traditionnel des relations interdites (adultères, incestes, sodomie, bestialité) s'est doublé du contrôle de la « chair » dans les mouvements élémentaires de la concupiscence.

Mais, sur ce fond, la croisade contre la masturbation forme rupture. Elle débute avec fracas en Angleterre d'abord, vers les années 1710, avec la publication de l'*Onania,* puis en Allemagne, avant de se déclencher en France, vers 1760, avec le livre de Tissot. Sa raison d'être est énigmatique, mais ses effets, innombrables. Les uns et les autres ne peuvent être déterminés qu'en prenant en considération quelques-uns des traits essentiels de cette campagne. Il serait insuffisant, en effet, de n'y voir – et cela dans une perspective proche de Reich qui a inspiré récemment les travaux de Van Ussel – qu'un processus de répression lié aux nouvelles exigences de l'industrialisation : le corps productif contre le corps de plaisir. En fait, cette croisade ne prend pas, au moins au XVIIIᵉ siècle, la forme d'une discipline sexuelle générale : elle s'adresse, de manière privilégiée, sinon exclusive, aux adolescents ou aux enfants, et plus précisément encore à ceux des familles riches ou aisées. Elle place la sexualité, ou du moins l'usage sexuel de son propre corps, à l'origine d'une série indéfinie de troubles physiques qui peuvent faire sentir leurs effets sous toutes les formes et à tous les âges de la vie. La puissance étiologique illimitée de la sexualité, au niveau du corps et des maladies, est l'un des thèmes les plus constants non seulement dans les textes de cette nouvelle morale médicale, mais aussi dans les ouvrages de pathologie les plus sérieux. Or, si l'enfant devient par là responsable de son propre corps et de sa propre vie, dans l'« abus » qu'il fait de sa sexualité, les parents sont dénoncés comme les véritables coupables : défaut de surveillance, négligence, et surtout ce manque d'intérêt pour leurs enfants, leur corps et leur conduite, qui les amène à les confier à des nourrices, à des domestiques, à des précepteurs, tous ces intermédiaires dénoncés régulièrement comme les initiateurs de la débauche (Freud reprendra là sa théorie première de la « séduction »). Ce qui se dessine à travers cette campagne, c'est l'impératif d'un nouveau rapport parents-enfants, plus largement une nouvelle économie des rapports intrafamiliaux : solidification et intensification des rapports père-mère-enfants (aux dépens des rapports multiples qui caractérisaient la « maisonnée » large), renversement du système des obligations familiales (qui allaient, autrefois, des enfants aux parents et qui, maintenant, tendent à faire de l'enfant l'objet premier et incessant des devoirs des parents, assignés en responsabilité morale et médicale jusqu'au fin fond de leur descendance), apparition du principe de santé comme loi fondamentale des liens familiaux, distribution de la cellule familiale autour du corps – et du corps sexuel – de l'enfant, organisation d'un lien physique immédiat, d'un corps à corps parents-enfants où se nouent de façon complexe le désir et le pouvoir, nécessité, enfin, d'un contrôle et d'une connaissance médicale externe pour arbitrer et régler ces nouveaux rapports entre la vigilance obligatoire des parents et le corps si fragile, irritable, excitable des enfants. La croisade contre la masturbation traduit l'aménagement de la famille restreinte (parents, enfants) comme un nouvel appareil de savoir-pouvoir. La mise en question de la sexualité de l'enfant, et de toutes les anomalies dont elle serait responsable, a été l'un des procédés de constitution de ce nouveau dispositif. La petite famille incestueuse qui caractérise nos sociétés, le minuscule espace familial sexuellement saturé où nous sommes élevés et où nous vivons s'est formé là.

L'individu « anormal » que, depuis la fin du XIXe siècle, tant d'institutions, de discours et de savoirs prennent en compte dérive à la fois de l'exception juridico-naturelle du monstre, de la multitude des incorrigibles pris dans les appareils de redressement et de l'universel secret des sexualités enfantines. À vrai dire, les trois figures du monstre, de l'incorrigible et de l'onaniste ne vont pas exactement se confondre. Chacune s'inscrira dans des systèmes autonomes de référence scientifique : le monstre, dans une tératologie et une embryologie qui ont trouvé, avec Geoffroy Saint-Hilaire, leur première grande cohérence scientifique ; l'incorrigible, dans une psychophysiologie des sensations, de la motricité et des aptitudes ; l'onaniste, dans une théorie de la sexualité qui s'élabore lentement à partir de la *Psychopathia sexualis* de Kaan.

Mais la spécificité de ces références ne doit pas faire oublier trois phénomènes essentiels, qui l'annulent en partie ou du moins la modifient : la construction d'une théorie générale de la « dégénérescence » qui, à partir du livre de Morel (1857), va, pendant plus d'un demi-siècle, servir de cadre théorique, en même temps que de justification sociale et morale, à toutes les techniques de repérage, de classification et d'intervention sur les anormaux ; l'aménagement d'un réseau institutionnel complexe qui, aux confins de la médecine et de la justice, sert à la fois de structure d'« accueil » pour les anormaux et d'instrument pour la « défense » de la société ; enfin, le mouvement par lequel l'élément le plus récemment apparu dans l'histoire (le problème de la sexualité enfantine) va recouvrir les deux autres, pour devenir, au XXe siècle, le principe d'explication le plus fécond de toutes les anomalies.

L'Antiphysis, que l'épouvante du monstre portait jadis à la lumière d'un jour exceptionnel, c'est l'universelle sexualité des enfants qui la glisse maintenant sous les petites anomalies de tous les jours.

Depuis 1970, la série des cours a porté sur la lente formation d'un savoir et d'un pouvoir de normalisation à partir des procédures juridiques traditionnelles du châtiment. Le cours de l'année 1975-1976 terminera ce cycle par l'étude des mécanismes par lesquels, depuis la fin du XIXe siècle, on prétend « défendre la société ».

*

Le séminaire de cette année a été consacré à l'analyse des transformations de l'expertise psychiatrique en matière pénale depuis les grandes affaires de monstruosité criminelle (cas princeps : Henriette Cornier) jusqu'au diagnostic des délinquants « anormaux ».

Situation du cours

Les Anormaux est composé d'une série de onze leçons qui développent, entre le 8 janvier et le 19 mars 1975, le projet d'étudier et articuler les différents éléments qui ont permis, dans l'histoire de l'Occident moderne, la formation du concept d'anormalité.

Le résumé publié dans l'*Annuaire du Collège de France* pour l'année 1974-75, ici reproduit [1], offre une bonne synthèse du cours quant à la scansion claire et la description rigoureuse des « trois éléments » constituant le « groupe des anormaux », un ensemble dont le « statut » et l'« ampleur » ont été fixés seulement à la fin du XIXᵉ siècle : le *monstre*, l'*indiscipliné*, l'*onaniste*. Mais, par rapport au programme que Foucault présente dans la première séance, il faut préciser que la deuxième catégorie (celle des « individus à corriger »), étouffée entre les deux autres, a presque entièrement disparu en tant qu'objet bénéficiant d'une documentation autonome et, à certains égards, s'est dissoute dans l'exposition générale comme une figure de « l'inassimilable au système normatif d'éducation » (19 mars).

Foucault, dans la dixième séance, c'est-à-dire presque à la fin du cours, fait un premier bilan de son travail et rend compte d'un changement qui s'est produit. Après avoir délimité l'importance du thème de l'indiscipliné au regard de l'« ajustement de la problématique du monstre et de l'instinct à la problématique du masturbateur et de la sexualité infantile », Foucault tente de réparer, autant que possible, cette lacune. Le 19 mars, il expose le cas d'un « enfant indocile » soumis à un procédé de « psychiatrisation », mais déclare en même temps que sa généalogie, qu'il n'a pas eu « le temps de faire », va rester « en pointillé ». Elle le restera aussi dans *La Volonté de savoir*, qui reprend ce cas d'une manière plus concise encore et sans l'appui de la discus-

1. M. Foucault, *Dits et Écrits, 1954-1988*, éd. par D. Defert & F. Ewald, collab. J. Lagrange, Paris, Gallimard, 1994, II, n° 165, p. 822-828 (ci-après : *DE*, volume, n° art. : page(s)).

sion très complexe qui l'avait caractérisé dans ce cours [2]. La problématisation ici présente relève non seulement d'une famille désormais branchée sur un « système de contrôle et pouvoir » différent de celui de la culture villageoise ; d'une « inquiétude nouvelle » qui se fait jour et s'impose « devant une sexualité où les enfants et les adultes marginaux venaient se joindre », mais elle relève surtout d'une démarche importante qui fut accomplie, justement au cours de ces années, dans le processus de « découverte de l'enfant et de l'enfance par la psychiatrie ». Car, à partir du moment où l'« infantilité » de l'enfant commence à servir de critère pour « analyser les comportements » difformes (c'est-à-dire, le retard dans le développement), il faudra en chercher une trace dans les conduites pour qu'elle puisse être psychiatrisée. Dès lors, « seront psychiatrisables les conduites de l'adulte » où l'on peut surprendre des signes d'infantilité.

Si l'on établit un champ – celui qui avait été annoncé dans la première séance et a été désigné dans le résumé de l'*Annuaire* – à l'intérieur duquel on trouve non seulement le monstre humain (l'« exception » à la norme de la reproduction), dans une acception d'abord « juridico-naturelle », puis « juridico-biologique », mais aussi l'individu à corriger (« phénomène régulier dans son irrégularité ») et l'enfant masturbateur (« personnage quasi universel »), l'archéologie et la généalogie montrent que l'anormal, tel qu'il a été défini à la fin du XIXe siècle par les institutions qui l'ont pris en charge, est le descendant de ces trois figures. Il est vrai que, pour Foucault, elles ont une origine et une histoire tout à fait différentes. Elles restent longtemps distinctes (et séparées), parce que « les systèmes de pouvoir et les systèmes de savoir » qui les assument restent, à leur façon, distincts (et séparés). De plus, tout au long de l'Âge moderne, il s'est opéré un « renversement d'importance » complet, et parfois chaotique, dans leur hiérarchie. Mais ce qui compte, c'est que le *grand monstre* (inscrit désormais dans une tératologie et une embryologie de « grande cohérence scientifique »), l'*incorrigible* (« celui qui résiste à toutes les disciplines » et dont les comportements sont assez souvent déclinés selon une « psychophysiologie des sensations ») et le *petit masturbateur* (autour duquel est bâtie une véritable psychopathologie sexuelle) vont se rejoindre dans l'anormal.

Si le cas rapporté pendant la onzième séance a fait apparaître le « profil inquiétant » d'un enfant envisagé comme indocile parce que la famille et la communauté ont été intégrées dans une autre logique de

---

2. Cf. M. Foucault, *La Volonté de savoir*, Paris, Gallimard, 1976, p. 43-44.

contrôle, les leçons sur le monstre humain, devenu monstre judiciaire, et l'onaniste, enchaîné à la constellation des perversions, proposent au contraire un traitement systématique de ces deux figures fondamentales dans la formation de l'anormal. La recherche est approfondie et la documentation présente un caractère quasi exhaustif. La raison de ce décalage réside probablement dans le fait que Foucault développe ici, d'une part, le contenu d'un certain nombre de dossiers déjà prêts et qu'il envisageait, au moins en partie, de publier ; et qu'il reprend, d'autre part, la substance de quelques manuscrits destinés à prendre la forme du livre. De ces dossiers et de ces manuscrits, *Les Anormaux* proposent non seulement une trace bien nette, mais permettent aussi de reconstituer ce qui a été perdu.

LES « DOSSIERS » [*]

1/ Le dossier des expertises médico-légales

Michel Foucault, dans un « Entretien sur la prison », dit qu'il préparait à l'époque (1975) une étude sur l'expertise psychiatrique en matière pénale, qu'il envisageait de publier [3]. En effet, ce travail apparaît à plusieurs reprises au cours des leçons, sous forme de dossiers déjà élaborés et presque prêts pour l'édition (le carton est conservé parmi les papiers hérités par Daniel Defert). Il se présente en deux grands blocs. Certains dossiers, ceux qui sont analysés plus en profondeur par Foucault, remontent au début du XIXe siècle, au moment de la naissance de la psychiatrie judiciaire dont le discours est à peine en gestation ; d'autres datent de la seconde moitié du XXe siècle [4]. Entre les deux ensembles, il y a toute une série de cas qui témoignent de transformations importantes dans le processus d'intégration de la psychiatrie dans la médecine légale.

a/ *Les expertises contemporaines.* La première partie du dossier ouvrant la séance du 8 janvier est formée d'un ensemble d'expertises proposées à la justice française par des psychiatres qui ont joui d'une

---

[*] Nous désignons ainsi les recueils de notes classées par Michel Foucault, conservés par Daniel Defert.

3. M. Foucault, *DE*, II, 156 : 746. En effet, dans son séminaire au Collège de France, Michel Foucault travaillait à la même époque sur l'expertise psychiatrique.

4. *Ibid.*

grande renommée entre 1955 et 1974. Elles ont été choisies parmi les innombrables documents que Foucault avait puisés auprès des organes d'information courants. Elles se réfèrent à des procès encore en cours ou terminés depuis peu d'années. Le matériel recueilli, composé aussi d'informations relevant de faits divers ou d'articles de la presse spécialisée (revues juridiques), permet à Foucault de lire de longs passages où il apparaît, ici et là, qu'ils renferment un certain nombre de problèmes qui vont ensuite former la charpente d'une partie du cours. C'est ainsi qu'affleurent des questions capitales comme celle des énoncés qui ont « un pouvoir de vie et de mort », et « fonctionnent dans l'institution judiciaire comme discours de vérité » ; des thèmes comme celui du grotesque (« la souveraineté grotesque ») ou de l'ubuesque (« la terreur ubuesque »), qui devraient suggérer l'emploi d'une catégorie de l'« analyse historico-politique », puisqu'ils montrent le point le plus élevé des « effets de pouvoir à partir de la disqualification de celui qui les produit ». D'habitude, c'est à partir d'observations de ce type, d'analyses qui semblent d'abord purement interstitielles et développent souvent des arguments déjà abordés ou des hypothèses mises à l'épreuve dans les séances précédentes, que Foucault s'éloigne brusquement du « présent », qu'il s'enfonce dans l'« histoire », qu'il revient soudainement au « présent ». Il s'agit d'un périple qui relie de manière inhabituelle – et toujours inattendue – l'ensemble des problèmes sur lesquels Foucault était en train de travailler (par exemple, dans la première leçon, la question de ces discours qui ont des effets de pouvoir supérieurs à d'autres, et qui présentent des « valeurs démonstratives » appartenant au « sujet qui énonce ») aux indispensables informations d'ordre général ou même d'usage courant.

b/ *Les expertises des premières décennies du XIXe siècle.* La deuxième partie du dossier, utilisée dans la séance du 5 février et reprise plusieurs fois dans les leçons suivantes, est constituée par une série d'expertises demandées par la justice française à des psychiatres réputés, et réalisées à partir de 1826. C'est-à-dire, à partir du moment où l'application de l'article 64 du Code pénal de 1810 (« Il n'y a ni crime ni délit, lorsque le prévenu était en état de démence au temps de l'action, ou lorsqu'il a été contraint par une force à laquelle il n'a pu résister »)[5] fait que l'institution médicale doit prendre la relève, en cas

---

5. Cf. E. Garçon, *Code pénal annoté*, I, Paris, 1952, p. 207-226 ; R. Merle & A. Vitu, *Traité de droit criminel*, I, Paris, 1984[6], p. 759-766 (1re éd. 1967).

de folie, de l'institution judiciaire. Les problèmes les plus importants soulevés ici par Foucault – qui impliquent, si l'on en juge par les renvois assez fréquents, les cours des trois années précédentes *(Théorie et Institutions pénales, La Société punitive, Le Pouvoir psychiatrique[6])* – se trouvent disséminés, sous une forme parfois peu modifiée, dans le corpus de ses textes antérieurs ou contemporains (en particulier *Surveiller et Punir,* publié en février 1975), et postérieurs (notamment *La Volonté de savoir,* qui paraîtra en octobre 1976). Ces mêmes problèmes traversent le cycle d'enseignement au Collège de France qui se déroule de 1970-71 (quelques leçons de *La Volonté de savoir*[7]) à 1975-76 (quelques leçons de *« Il faut défendre la société »*[8]). C'est-à-dire, à partir de l'époque où Foucault, après avoir posé la question des « procédures juridiques traditionnelles du châtiment », a abordé l'étude de la « lente formation d'un savoir et d'un pouvoir de normalisation », jusqu'à ce que, ayant repéré les « mécanismes par lesquels, depuis la fin du XIXe siècle, on prétend "défendre la société" », il ait estimé que sa recherche avait touché à son terme[9]. On trouve, dans l'ensemble des cours qui portent sur l'implication de la psychiatrie dans la médecine légale, de remarquables anticipations des thèmes abordés *in extenso* dans les années suivantes (par exemple, *Naissance de la biopolitique* et *Du gouvernement des vivants,* respectivement de 1978-79[10] et 1979-80[11]) et, à certains égards, on y repère aussi les prémices d'études postérieures (le cours *Subjectivité et Vérité* est de 1980-81[12]). Mais bien souvent les problèmes soulevés dans ce cours ne sont développés qu'en fonction de leur valeur pédagogique. Ils sont donc destinés à disparaître avec le remaniement du plan de travail qui suivra le premier volume de l'*Histoire de la sexualité.* Le changement de perspective que comporte le tournant de 1981 (*L'Herméneutique du sujet*[13]) en fait foi, ce qui paraît évident si l'on compare les interventions réunies dans le

6. Résumés in M. Foucault, *DE,* II, 115 : 389-393 ; 131 : 456-470 ; 145 . 675-686.

7. Résumé in M. Foucault, *DE,* II, 101 : 240-244. Il s'agit ici du premier cours de Michel Foucault au Collège de France, dont il reprendra le titre, *La Volonté de savoir,* pour le premier volume de l'*Histoire de la sexualité.*

8. M. Foucault, *« Il faut défendre la société ».* Cours au Collège de France (1975-1976), éd. par M. Bertani & A. Fontana, Paris, Gallimard/Seuil, 1997.

9. M. Foucault, *DE,* II, 165 : 828.

10. Résumé in M. Foucault, *DE,* III, 274 : 818-825.

11. Résumé in M. Foucault, *DE,* IV, 289 : 125-129.

12. M. Foucault, *DE,* IV, 304 : 214 : « L'histoire de la subjectivité, on l'avait entreprise en étudiant les partages opérés dans la société au nom de la folie, de la maladie, de la délinquance, et leurs effets sur la constitution d'un sujet raisonnable et normal. »

13. Résumé in M. Foucault, *DE,* IV, 323 : 353-365.

quatrième volume des *Dits et Écrits* et l'ensemble des derniers
ouvrages publiés : *L'Usage des plaisirs* et *Le Souci de soi* (1984).

c/ *Les expertises de jonction.* Le premier « champ de l'anomalie »
(encore restreint et provisoire), dominé massivement par le « monstre
judiciaire », se trouve être traversé, dès sa constitution (séance du
12 mars), par le problème de la sexualité. Il y a, pour Foucault, deux
manières de traverser ce champ : par le moyen des notions d'hérédité et
de dégénérescence ; par le moyen des concepts de déviation et de perversion, d'aberration et d'inversion. La principale expertise de transi-
tion concerne un soldat auquel un médecin militaire (d'observance
esquirolienne, pourrait-on dire) diagnostique d'abord une monomanie.
Il est ensuite visité par un psychiatre qui introduit (mais encore à l'état
embryonnaire) la notion de « déviations maladives de l'appétit génésique », préparant ainsi la phase dans laquelle le plaisir deviendra un
« objet psychiatrique ou psychiatrisable », et sera bâtie une « théorie de
l'instinct » et « de ses aberrations, qui est liée à l'imagination ». Ces
théories vont dominer toute la deuxième moitié du XIXe siècle.

2/ *Le dossier sur le monstre humain*

Michel Foucault n'a évidemment pas eu l'intention d'aborder, sur la
base de la documentation qu'il avait recueillie, la question du monstre
au sens donné à ce terme dans la dernière grande *summa* tératologique
de la littérature européenne, celle de Cesare Taruffi [14]. Il a plutôt choisi
l'acception, extrêmement originale, proposée dans l'*Histoire* d'Ernest
Martin [15], qui lui a permis d'établir le cadre de référence de la
recherche : un cône d'ombre du discours occidental, que Foucault
appelle « tradition à la fois juridique et scientifique ».

a/ *Le monstre juridico-naturel et juridico-biologique.* Au sommet
de la tradition évoquée par Foucault se trouve, probablement d'après la

14. L'ouvrage, en 8 volumes, de C. Taruffi, *Storia della teratologia*, Bologna, 1881-
1894, reconstitue, dans les moindres détails, la bibliothèque et le musée des monstres
dont s'étaient occupés nombre de médecins et de chirurgiens de l'Âge moderne.
15. E. Martin, *Histoire des monstres depuis l'Antiquité jusqu'à nos jours*, Paris,
1880. Le premier chapitre (« Les législations antiques et les monstres », p. 4-16) propose un cadre synthétique de l'évolution de l'ancien droit romain sur les *monstra*, qui
commence par cette observation : « À Rome on découvre une législation tératologique
qui prouve que l'esprit juridique de cette nation ne négligeait aucun des sujets susceptibles d'une réglementation » (*ibid.*, p. 4).

suggestion du même Martin, l'*Embryologia sacra* de Francesco Emanuele Cangiamila [16]. Foucault, qui utilise la traduction française de Joseph-Antoine Dinouart, mais dans sa dernière édition, considérablement augmentée et approuvée par l'Académie royale de chirurgie [17], lit cet ouvrage comme un traité où fusionnent, vraisemblablement pour la première fois, deux théories jusqu'alors bien distinctes : la théorie juridico-naturelle et la théorie juridico-biologique.

b/ *Le monstre moral.* Ceci représente l'inversion, réalisée à la fin du XVIIIe siècle, de l'idée du *monstre juridico-naturel* et *juridico-biologique*. Alors qu'auparavant « la monstruosité portait en soi un indice de criminalité », maintenant il y a « un soupçon systématique de monstruosité au fond de la criminalité ». La première figure de monstre moral que Foucault repère dans l'histoire moderne de l'Occident est le monstre politique. Elle est élaborée à l'époque de la Révolution française, au moment même où se tisse la « parenté entre le criminel et le tyran », puisque l'un et l'autre brisent le « pacte social fondamental » et veulent imposer leur « loi arbitraire ». Dans cette perspective, « tous les monstres humains sont les descendants de Louis XVI ». Une grande partie des questions soulevées au cours des discussions sur la condamnation de Louis XVI vont être reprises au sujet de tous ceux qui (criminels de droit commun ou criminels politiques) repoussent le pacte social. De toute façon, entre la littérature jacobine qui rédige les annales des crimes royaux, interprétant l'histoire de la monarchie comme une suite ininterrompue de délits, et la littérature anti-jacobine, qui voit dans l'histoire de la Révolution l'œuvre de monstres ayant rompu le pacte social par la révolte, il y a un consensus lourd de conséquences.

c/ *Les monstres fondateurs de la psychiatrie criminelle.* En rouvrant le dossier des expertises médico-légales, et en en retirant celles qui ont

---

16. F.E. Cangiamila, *Embriologia sacra ovvero dell'uffizio de' sacerdoti, medici e superiori circa l'eterna salute de' bambini racchiusi nell'utero libri quattro*, Palermo, 1745. La diffusion de ce texte en Europe ne commence qu'avec sa traduction en latin, considérablement remaniée et augmentée : *Embryologia sacra sive de officio sacerdotum, medicorum et aliorum circa aeternam parvulorum in utero existentium salutem libri quatuor*, Panormi, 1758.

17. F.E. Cangiamila, *Abrégé de l'embryologie sacrée, ou Traité des devoirs des prêtres, des médecins, des chirurgiens, et des sages-femmes envers les enfants qui sont dans le sein de leurs mères*, Paris, 1766. La première édition française, parue sous un titre conforme à celui en latin (*Abrégé de l'embryologie sacrée ou Traité des devoirs des prêtres, des médecins et autres, sur le salut éternel des enfants qui sont dans le ventre de leur mère*) est de 1762.

fondé la discipline (les consultations sont signées par Jean-Étienne Esquirol, Étienne-Jean Georget, Charles-Chrétien Marc), Foucault examine quelques-uns des cas les plus importants de la première moitié du XIXᵉ siècle (en particulier, ceux qui ont le plus rapproché la psychiatrie des tribunaux). Dans les séances correspondantes, il exclut seulement, parmi les cas majeurs, ceux qui ont déjà été l'objet d'une publication spécifique [18]. Il s'agit d'une partition très importante pour comprendre le schème général du cours, car elle permet de présenter le « grand domaine d'ingérence » (l'anormal) qui s'est ouvert « devant la psychiatrie ».

3/ Le dossier sur l'onanisme

Après la réédition de maintes sources, surtout celles relatives aux origines, et après les études les plus récentes, menées dans plusieurs pays, qui apportent un matériel très vaste, la documentation sur l'onanisme présentée par Foucault dans *Les Anormaux* – et qu'il utilisera aussi, bien que dans une moindre mesure, dans *La Volonté de savoir* – paraît assez limitée. Elle dépend en grande partie – parfois sans les vérifications nécessaires – de l'*Onanisme* de Léopold Deslandes (1835) [19], que Foucault, sur la base d'une opinion de Claude-François Lallemand, appelle « le grand théoricien de la masturbation [20] ». La définition de Foucault ne doit pas étonner. En effet, en utilisant l'ouvrage de Deslandes contre l'*Onania* de Bekker (un livre, écrit Lallemand, sans importance) et *L'Onanisme* de Samuel Tissot (une modeste compilation, poursuit-il, qui, malgré son énorme succès et l'excellence de la croisade entreprise par l'auteur, n'a jamais joui d'aucun crédit auprès de la corporation médicale), Lallemand avait fait remarquer que, dans la culture européenne, étaient disponibles des sources bien plus intéressantes [21]. Par exemple : les confessions de Jean-Jacques Rousseau [22]

18. *Moi, Pierre Rivière, ayant égorgé ma mère, ma sœur et mon frère... Un cas de parricide au XIXᵉ siècle*, présenté par M. Foucault, Paris, Gallimard/Julliard, 1973.
19. L. Deslandes, *De l'onanisme et des autres abus vénériens considérés dans leurs rapports avec la santé*, Paris, 1835.
20. Cf. C.-F. Lallemand, *Des pertes séminales involontaires*, Paris-Montpellier, 1836, I, p. 313-488 (chap. VI, sur « les abus », entièrement consacré aux effets de la masturbation).
21. En particulier, il remarquait cette phase intermédiaire représentée par J.-L. Doussin-Dubreuil, *Lettres sur les dangers de l'onanisme, et Conseils relatifs au traitement des maladies qui en résultent. Ouvrage utile aux pères de famille et aux instituteurs*, Paris, 1806, et par J.-B. Téraube, *La Chiromanie*, Paris, 1826 (cf. la définition du terme et la proposition d'une nouvelle dénomination, p. 16-17).
22. C.-F. Lallemand, *Des pertes séminales involontaires, op. cit.*, I, p. 403-488.

(ce qui lui avait permis d'esquisser une véritable analyse des problèmes sexuels de l'auteur de l'*Émile* [23]) ; les informations sur la relation entre masturbation et aliénation mentale [24], ou sur le rapport entre testicules et cerveau [25] ; les propositions d'une thérapie de la masturbation (effet de la civilisation, qui a éloigné les enfants de la sexualité), consistant à ramener l'adolescence à l'expérience de l'autre sexe [26]. Le choix que Foucault a fait de l'*Onanisme* de Deslandes a donc été très approprié, puisque cela lui a permis de passer, avec une certaine facilité, à la deuxième phase de la croisade contre la masturbation : celle au cours de laquelle – après avoir abandonné la « fiction » ou « fabulation scientifique de la maladie totale » (l'étiologie qui passait par l'épuisement du corps, le dessèchement du système nerveux) [27], et les préoccupations purement physiques des ophtalmologues [28], des cardiologues [29], des ostéologues [30], ainsi que des spécialistes d'affections du cerveau et des poumons – on commence, avec Heinrich Kaan [31], à introduire l'idée d'une relation entre onanisme et psychopathologie sexuelle, et on réalise ainsi le passage « des aberrations sexuelles dans le champ de la

23. *Ibid.*, II, p. 265-293.

24. *Ibid.*, III, p. 182-200. Il s'agit d'un lieu commun de la littérature psychiatrique contemporaine. Cf., par exemple, Ch.-Ch.-H. Marc, *De la folie considérée dans ses rapports avec les questions médico-judiciaires*, I, Paris, 1840, p. 326.

25. Cf. le chapitre III du livre de J.-L. Doussin-Dubreil, *De la gonorrhée bénigne ou sans virus vénérien et des fleurs blanches,* Paris, VI [1797-1798].

26. C.-F. Lallemand, *Des pertes séminales involontaires, op. cit.,* III, p. 477-490.

27. M. Foucault utilise J.-B.-T. Serrurier, « Masturbation », in *Dictionnaire des sciences médicales*, XXXI, Paris, 1819, p. 100-135 ; « Pollution », *ibid.*, XLIV, 1820, p. 114 *et sq.* Dans la deuxième édition du *Dictionnaire* les deux articles vont disparaître ; ils seront remplacés respectivement par « Spermatorrhée » et « Onanisme » (*Dictionnaire de médecine ou Répertoire général des sciences médicales considérées sous les rapports théorique et pratique,* XXII, Paris, 1840, p. 77-80). L'article « Onanisme » est particulièrement intéressant, puisque s'y trouve déjà intégrée l'expérience médico-légale de la pathologie mentale.

28. L.-J. Sanson, « Amaurose », in *Dictionnaire de médecine et de chirurgie pratiques,* II, Paris, 1829, p. 98 ; A. Scarpa, *Traité pratique de maladies des yeux, ou Expériences et Observations sur les maladies qui affectent ces organes,* II, trad. fr. Paris, 1802, p. 242-243 (éd. orig. : *Saggio di osservazione e di esperienze sulle principali malattie degli occhi,* Pavia, 1801). Cf. A.-L.-M. Lullier-Winslow, « Amaurose », in *Dictionnaire des sciences médicales, op. cit.,* I, 1812, p. 430-433 ; J.-N. Marjolin, « Amaurose », in *Dictionnaire de médecine,* II, Paris, 1833, p. 306-334.

29. P. Blaud, « Mémoire sur les concrétions fibrineuses polypiformes dans les cavités du cœur », *Revue médicale française et étrangère. Journal de clinique,* IV, 1833, p. 175-188, 331-352.

30. A. Richerand, l'éditeur de A. Boyer, *Leçons sur les maladies des os rédigées en un traité complet de ces maladies,* I, XI [1802-1803], p. 344, remarque : « La masturbation est quelquefois la cause de la carie des vertèbres et des abcès par congestion. La pratique du citoyen Boyer lui en a fourni plusieurs exemples. »

31. H. Kaan, *Psychopathia sexualis,* Lipsiae, 1844.

psychiatrie ». Foucault a le mérite d'avoir étudié le texte de Kaan en profondeur, et d'y avoir découvert une théorie du *nisus sexualis* qui met au premier plan la réflexion sur la sexualité enfantine et l'importance de la *phantasia* comme instrument préparatoire des « aberrations sexuelles ». Donc : « généalogie psychiatrique des aberrations sexuelles » ; « constitution d'une étiologie des folies ou des maladies mentales à partir de l'histoire de l'instinct sexuel et de l'imagination qui lui est liée ».

LES « MANUSCRITS » [*]

Ils sont au moins deux : le premier concerne la tradition bisexuelle dans la littérature médico-juridique ; le deuxième, la pratique de la confession dans les traités chrétiens de pénitence.

1/ Le manuscrit sur l'hermaphrodisme

Il se présente au début comme le prolongement du dossier sur les monstres. Mais il devient bientôt autonome. Dans *Dits et Écrits,* à l'exception du résumé du cours sur les *Anormaux,* on perçoit très peu de traces de ce thème [32]. Cependant nous savons que l'un des volumes de l'*Histoire de la sexualité* devait porter sur l'hermaphrodisme. C'est Foucault lui-même qui le révèle lorsque, en 1978, il présente les *Souvenirs* d'Herculine Barbin : « La question des étranges destinées, qui sont semblables à la sienne et qui ont posé tant de problèmes à la médecine et au droit surtout depuis le XVIe siècle, sera traitée dans un volume de l'*Histoire de la sexualité* consacré aux hermaphrodites [33]. »

Qu'il s'agisse effectivement d'un livre entièrement consacré aux hermaphrodites ou bien plutôt, d'après le plan indiqué dans *La Volonté de savoir* (1976), d'une partie interne au tome sur les *Pervers* [34], il n'en reste pas moins que Foucault n'a rien publié d'autre sur ce thème que le dossier concernant Herculine Barbin (premier et seul volume de la col-

---

[*] Nous désignons par là les « dossiers » où figurent des notes et des commentaires de Michel Foucault, préparant sans doute de futures publications.

32. M. Foucault, *DE,* III, 237 : 624-625 ; 242 : 676-677.

33. *Herculine Barbin, dite Alexina B.,* présenté par M. Foucault, Paris, Gallimard, 1978, p. 131.

34. Voir aussi le chapitre : « L'implantation perverse », in M. Foucault, *La Volonté de savoir, op. cit.,* p. 50-67.

lection « Les vies parallèles », chez Gallimard). Car Foucault changea radicalement son projet de l'*Histoire de la sexualité*. Il en rend compte dans les « Modifications », rédigées à l'occasion de la parution de *L'Usage des plaisirs* [35], où il laisse entendre que, désormais, le « recentrement général » de ses études « sur la généalogie de l'homme de désir », limitée à la période qui va de l'« antiquité classique jusqu'aux premiers siècles du christianisme », ne comporte pas non plus *La Volonté de savoir* telle que nous l'avons connue [36]. Les observations sur les deux grands procès intentés contre Marie (Marin) Lemarcis (1601) et Anne (Jean-Baptiste) Grandjean (1765) dérivent d'une ample récolte de données, bibliographies et transcriptions, conservées dans un carton que nous avons pu consulter grâce à la libéralité de Daniel Defert, et qui indiquent clairement le plan d'édition d'une anthologie de textes. Les deux cas insérés dans le cours sur les *Anormaux* représentent la scansion la plus importante au sujet de la discussion médico-légale sur la bisexualité, au cours de l'Âge moderne.

2/ Le manuscrit sur les pratiques de confession et direction de conscience

Daniel Defert nous a signalé que Michel Foucault a détruit son manuscrit sur les pratiques de confession et de direction de conscience, intitulé *La Chair et le Corps* [37], dont il s'était servi pour organiser le cours sur les *Anormaux*. Quant au dernier volume inédit de l'*Histoire de la sexualité* – d'après le plan de 1984 – , *Les Aveux de la chair,* il porte uniquement sur les pères de l'Église. Mais on peut reconstituer au moins une partie de ce travail sur la base du cours de 1974-75.

Le point de départ de Foucault est la grande *History of Auricular Confession,* en trois volumes, de Henry Charles Lea, dont aucun chercheur ne saurait encore se dispenser [38]. Même la documentation citée n'excède presque jamais celle recueillie par l'historien américain [39]. On

35. M. Foucault, *L'Usage des plaisirs,* Paris, Gallimard, 1984, p. 9-39.
36. Feuille volante dans la première édition de *L'Usage des plaisirs.*
37. Le titre du manuscrit est indiqué par M. Foucault, *La Volonté de savoir, op. cit.,* p. 30.
38. H.Ch. Lea, *A History of Auricular Confession and Indulgences in the Latin Church,* Philadelphia, 1896.
39. M. Foucault ne semble pas avoir eu recours, du moins dans cette phase de la recherche, à la documentation très riche du *Dictionnaire de théologie catholique,* III/1, Paris, 1923, col. 838-894, 894-926, 942-960, 960-974 (sections de l'article « Confession » rédigées par E. Vacandard, P. Bernard, T. Ortolan & B. Dolhagaray); XII/1, Paris, 1933, col. 722-1127 (sections de l'article « Pénitence » rédigées par

peut le constater grâce aux citations d'Alcuin concernant le haut Moyen Âge [40] ; à la règle formulée par Angiolo de Chivasso selon laquelle le confesseur ne doit pas regarder le pénitent dans les yeux, si le pénitent est une femme ou un jeune homme [41] ; à l'allégation de Pierre Milhard pour les manuels traditionnels [42] ; aux dispositions de Strasbourg de 1722 [43]. Mais, une fois choisis les textes indispensables pour bâtir son discours, centré essentiellement sur la fin du XVIIe et le début du XVIIIe siècle, Foucault s'engage dans une lecture vraiment très pénétrante.

La décision d'examiner, pour le territoire français, l'œuvre sur la confession du « rigoriste » Louis Habert (1625-1718) a été certainement suggérée à Foucault par Lea – le premier historien à étudier la *Pratique du sacrement de pénitence ou méthode pour l'administrer utilement* [44]. La *Pratique* – rare exemple d'un livre qui reste en circulation parmi les traités moraux, alors même que son auteur est progressive-

---

E. Amann & A. Michel). Il ne semble pas non plus avoir utilisé les deux volumes de textes choisis, traduits et présentés par C. Vogel : *Le Pécheur et la Pénitence dans l'Église ancienne,* Paris, 1966 ; *Le Pécheur et la Pénitence au Moyen Âge,* Paris, 1969. Le remarquable essai de T.N. Tentler, *Sin and Confession on the Eve of Reformation,* Princeton, 1975, a été publié l'année même où M. Foucault discutait la question de l'aveu dans le cadre des *Anormaux.*

40. F. Albinus seu Alcuinus, *Opera omnia,* I (*Patrologiae cursus completus,* series secunda, tomus 100), Lutetiae Parisiorum, 1851, col. 337-339.

41. A. de Clavasio, *Summa angelica de casibus conscientiae,* cum additionibus I. Ungarelli, Venetiis, 1582, p. 678.

42. P. Milhard, *La Grande Guide des curés, vicaires et confesseurs,* Lyon, 1617. La première édition, connue sous le titre de *Le Vrai Guide des curés,* est de 1604. Rendue obligatoire par l'archevêque de Bordeaux dans sa juridiction, elle fut retirée de la circulation en 1619, à la suite de la condamnation de la Sorbonne.

43. Étant donnée leur rareté, Foucault n'a certainement pas pu consulter les *Monita generalia de officiis confessarii olim ad usum diocesis argentinensis,* Argentinae, 1722. Sa traduction est fondée sur la transcription de H.Ch. Lea, *A History of Auricular Confession...,* op. cit., I, p. 377.

44. La première édition de la *Pratique du sacrement de pénitence ou méthode pour l'administrer utilement* fut publiée anonymement en 1689, conjointement à Blois et à Paris. La préface incorpore l'*Avis touchant les qualités du confesseur* et le texte comprend quatre parties : pénitence, contrition, absolution, satisfaction. La deuxième édition, qui porte le même titre, a paru en 1691, corrigée et considérablement augmentée. Les huit éditions qui se sont succédé entre 1700 et 1729 doivent être considérées comme des réimpressions de la troisième édition (Paris, 1694), mais seule l'édition de 1722 porte le nom de l'auteur. Les éditions de 1748 et de 1755 ont été complétées par un extrait des canons pénitentiaux tirés des *Instructions* de Carlo Borromeo aux confesseurs et imprimés pour le compte du clergé français. Louis Habert fut impliqué dans une grande controverse à cause de sa *Theologia dogmatica et moralis,* publiée à Paris, en sept volumes, et dont on connaît quatre éditions jusqu'en 1723. Voir en particulier les *Défenses de l'auteur de la théologie du séminaire de Châlons contre un libelle intitulé « Dénonciation de la théologie de Monsieur Habert »,* Paris, 1711 ; *Réponse à la quatrième lettre d'un docteur de la Sorbonne à un homme de qualité,* Paris, 1714.

ment éloigné de l'enseignement de la doctrine et marginalisé dans le milieu théologique – a été choisie parmi les innombrables manuels disponibles parce qu'elle montre, mais portée au niveau du XVIIe siècle, l'ancienne conception juridique et médicale de la confession. En effet, tout le langage théologique d'Habert apparaît profondément contaminé par cette fusion, si bien que toute métaphore et tout *exemplum* comportent un renvoi aux deux disciplines.

La Volonté de savoir démontre l'importance que la pastorale (un terme qui désigne, en général, le ministère de la hiérarchie auprès des fidèles dont elle a la charge, et sur lesquels elle exerce son autorité) a eu dans la recherche de Foucault [45], aussi bien pour le champ catholique [46], que – avec les variations opportunes – pour les pays protestants [47]. Ici, Foucault suit le passage de la « pratique de la confession » à la « direction de conscience » selon la volonté de Carlo Borromeo [48], et sans aborder simultanément ce qu'il advient dans l'Europe réformée [49]. La grande *Methodus* de Tommaso Tamburini (un jésuite soumis à la procédure inquisitoriale et condamné par Innocent XI pour sa position "probabiliste") est l'objet du même traitement approfondi que la *Pratique*

45. Sur la complexité du thème, cf. M. Foucault, *DE,* IV, 291 : 134-161.
46. L'organisation de la pastorale catholique dans la période post-tridentine se développe à partir des *Acta ecclesiae mediolanensis,* Mediolani, 1583. Les *Reliqua secundae partis ad instructionem aliqua pertinentia* (p. 230r°-254r°) sont en langue vulgaire et comprennent *Le avvertenze ai confessori* (p. 230r°-326r°). L'in-folio pour la France a été publié à Paris, par J. Jost, en 1643.
47. M. Foucault, *La Volonté de savoir, op. cit.,* p. 30 : « La pastorale réformée, quoique d'une façon plus discrète, a posé aussi des règles de mise en discours du sexe. »
48. La réactivation du terme se produit après la publication, aux Pays-Bas, de C. Borromeus, *Pastorum instructiones ad concionandum, confessionisque eucharistiae sacramenta ministrandum utilissimae,* Antverpiae, 1586. La pastorale a été diffusée en France grâce à la traduction de Ch. Borromée, *Instructions aux confesseurs de sa ville et de son diocèse. Ensemble : la manière d'administrer le sacrement de pénitence, avec les canons pénitentiaux, suivant l'ordre du Décalogue. Et l'ordonnance du même saint sur l'obligation des paroissieurs d'assister à leurs paroisses,* Paris, 1648 (4e éd. : Ch. Boromée, Paris, 1665) ; *Règlements pour l'instruction du clergé, tirés des constitutions et décrets synodaux de saint Charles Borromée,* Paris, 1663. Mais il faut aussi remarquer que, bien avant les traductions des livres de l'archevêque de Milan, on avait divulgué le traité de l'archevêque de Cosenza, J.B. Constanzo, *Avertissements aux recteurs, curés, prêtres et vicaires qui désirent s'acquitter dignement de leur charge et faire bien et saintement tout ce qui appartient à leurs offices,* Bordeaux, 1613, ayant même pris, à la fin du siècle, le titre de *La Pastorale de saint Charles Borromée,* Lyon, 1697 et 1717 (le Ve livre : « De l'administration du sacrement de pénitence », se divise en « De l'office du confesseur en tant que juge » [p. 449-452], « maître » [p. 457-460], « médecin » [p. 462-463]).
49. M. Foucault, *La Volonté de savoir, op. cit.,* p. 30 : « Ceci sera développé dans le volume suivant, *La chair et le corps* » (il s'agit justement du manuscrit détruit).

d'Habert[50]. Le texte, très important, est pris comme une ramification extrême de la production religieuse qui précède le tournant de la « discrétion » dans les pratiques de confession (le *comment dire* devient un impératif), et il permet à Foucault de suivre les différentes lignes qui se disputent la direction de conscience. Le travail sur l'*Homo apostolicus* d'Alfonso Maria de Liguori (1696-1787)[51] – la célèbre *Praxis et instructio confessariorum* qui « donne une série de règles qui vont caractériser la confession moderne et contemporaine »[52], entraînant avec soi d'autres disciplines[53] et produisant la première interprétation pansexualiste du sacrement de la pénitence, dont l'exemple majeur est le recueil de Léo Taxil[54] – n'est pas moins approfondi. Foucault insiste beaucoup plus que dans *La Volonté de savoir* sur l'apparition soudaine de la bruyante croisade contre la masturbation dans la grande transformation de la confession et de la direction de conscience, provoquée par la « stylistique de la discrétion » liguorienne. Il tente aussi d'expliquer la précocité du « discours de la masturbation dans les pays protestants », qui pourtant ne connaissaient pas la « direction des âmes sous la forme catholique ». Mais ce qui compte, c'est que la littérature sur l'onanisme, « à la différence de la littérature chrétienne précédente », produit un discours dont sont « absents totalement le désir et le plaisir ».

Les remarques sur les « nouvelles formes » de mysticisme et les « nouvelles formes » de discours religieux, apparues au sommet de la société chrétienne en vertu de l'insistance de la direction de l'âme sur les fidèles et de la propagation de ses techniques, sont à peine ébauchées, mais très convaincantes. D'autres sont plus hardies, comme la thèse selon laquelle, « en bas », la pratique de gouvernement des consciences

50. T. Tamburinus, *Methodus expeditae confessionis tum pro confessariis tum pro poenitentibus,* Romae, 1645. Le VIIe livre de l'*Explicatio decalogi, duabus distincta partibus, in qua omnes fere conscientiae casus declarantur,* Venetiis, 1694, p. 201-203, reprend le contenu de la *Methodus,* p. 388-392, avec d'importantes adjonctions et explications. L'opposition principale au « probabilisme » de la *Methodus* de Tamburini fut organisée par les curés de Paris, qui, en 1659, présentèrent une pétition, sous forme de libelle, à l'archevêque (le cardinal de Retz) pour en obtenir une condamnation.
51. A. de Ligorius, *Homo apostolicus instructus in sua vocatione ad audiendas confessiones sive praxis et instructio confessariorum,* Bassani, 1782 (trad. fr. : A. de Liguori, *Praxis confessarii ou Conduite du confesseur,* Lyon, 1854).
52. Il faut remarquer son utilisation dans le *Manuel des confesseurs,* composé par J.-J. Gaume, Paris, 1854[7].
53. Sur le déplacement du liguorisme dans le champ médical, voir J.B. de Bourge, *Le Livre d'or des enfants ou Causeries maternelles et scolaires sur l'hygiène,* Mirecourt, 1865.
54. La version française de la *Praxis et instructio confessariorum,* publiée à Paris, sans date, par P. Mellier, a été insérée dans *Les Livres secrets des confesseurs dévoilés aux pères de famille,* par les soins de L. Taxil [G.-J. Pagès], Paris, 1883, p. 527-577.

a produit une suite de comportements qui – en indiquant la mise en place d'« appareils de contrôle » et de « systèmes de pouvoir » toujours nouveaux dans l'Église – conduit, dans la longue période, aux *possessions* (phénomène en même temps confus et « assez radicalement » distinct de la sorcellerie [55]), aux *convulsions* (« la convulsion est la forme plastique et visible du combat dans le corps de la possédée ») et finalement aux *apparitions* (qui « excluent absolument le corps à corps » et imposent « la règle du non-contact, du non-corps à corps, du non-mélange du corps spirituel de la Vierge et du corps matériel du miraculé »).

Si Foucault arrive à ces conclusions, c'est grâce à la fréquentation historique, par la littérature psychiatrique du XIXe siècle, des grands épisodes de possession, convulsion et apparition, au moment même où cette littérature donnait forme à la notion de pathologie du sentiment religieux. Nous nous référons surtout, en ce qui concerne les possessions et les convulsions, à la présence implicite, dans la leçon du 26 février, de l'œuvre de L.-F. Calmeil [56]. Mais on peut aussi reconstituer la trame de ce discours en analysant attentivement les articles que les historiens ont consacrés aux deux phénomènes dans les dictionnaires et les encyclopédies [57]. Parmi les lectures de Foucault, il ne faut pas non plus oublier les recherches que Bénédict-Auguste Morel a intégrées à son *Traité* de 1866 [58]. Elles sont encore essentiellement fondées sur les travaux de Calmeil, mais portent déjà les signes d'une transformation en cours : un processus qui fera des convulsions un « objet médical privilégié ».

On pourrait encore résumer la situation de reflux du discours médical vers le discours religieux par les mots d'un pasteur, dans une thèse sur les *Inspirés des Cévennes* présentée à la faculté de théologie protestante de Montauban : « Ces phénomènes d'inspiration ont été l'objet d'une étude sérieuse et approfondie de la part de plusieurs médecins-aliénistes distingués et en particulier de L.-F. Calmeil [*De la folie...*, *op. cit.*, II, p. 242-310] et A. Bertrand [*Du magnétisme animal en France et des jugements qu'en ont portés les sociétés savantes*, Paris,

55. « Qui dit *possession* ne dit pas *sorcellerie*. Les deux phénomènes sont distincts et se relaient, alors même que bien des traités anciens les associent, voire les confondent », écrit M. de Certeau dans la présentation à *La Possession de Loudun*, Paris, Gallimard/Julliard, 1980 (1re éd. 1970), p. 10.

56. L.-F. Calmeil, *De la folie considérée sous le point de vue pathologique, philosophique, historique et judiciaire*, Paris, 1842.

57. Par exemple : A.-F. Jenin de Montegre, « Convulsion », in *Dictionnaire des sciences médicales, op. cit.*, VI, 1813, p. 197-238.

58. B.-A. Morel, *Traité de la médecine légale des aliénés dans ses rapports avec la capacité civile et la responsabilité juridique des individus atteints de diverses affections aiguës ou chroniques du système nerveux*, Paris, 1866.

1826, p. 447]. Rappelons ici [...] les diverses explications qu'ils ont données. Calmeil [...] rapporte la théomanie extatique des calvinistes à des affections pathologiques, à l'hystérie pour les cas les plus simples, et à l'épilepsie pour les cas les plus graves. Bertrand conclut à "un état particulier qui n'est ni la veille, ni le sommeil, ni une maladie, qui est naturel à l'homme, c'est-à-dire qu'on le voit constamment apparaître toujours identique au fond dans certaines circonstances données" et qu'il appelle l'*extase* » ; « Qui en lisant l'histoire, si connue et si pleine d'intérêt, des convulsionnaires de Saint-Médard, des diables de Loudun, des tables tournantes, et du magnétisme animal, n'a été frappé de l'analogie de ces phénomènes avec ceux que raconte le *Théâtre sacré* ? » [M. Misson, *Le Théâtre sacré des Cévennes ou Récit des diverses merveilles opérées dans cette partie de la province de Languedoc*, Londres, 1707] ; « Le rapprochement, sans être porté à la hauteur d'une identité absolue, est réel, incontestable et, j'ose l'affirmer, incontesté. Par conséquent, si nous ne pouvons attribuer une cause surnaturelle aux phénomènes du magnétisme animal, aux possessions des Ursulines de Loudun, aux crises nerveuses des convulsionnaires jansénistes [...], pourrions-nous l'attribuer aux extases des prophètes cévenols ? [59] »

On pourrait donc dire que le paradigme s'impose dans la littérature spécialisée après une série de rapprochements complexes et à la fin de l'appropriation thérapeutique du phénomène par les magnétistes [60], avec les thèses de Calmeil ; qu'il entre à la Salpêtrière en 1872 avec Jean-Martin Charcot et qu'il y reste solidement installé avec Désiré-Magloire Bourneville, P. Vulet, P.-M.-L. Regnard, P. Richer [61]. À la conclusion de ce processus de déplacements, on trouve une autre intervention de Charcot [62], ce qui permet à Foucault de passer du thème des convulsions, médicalement disqualifiées, à celui des apparitions.

59. A. Kissel, *Les Inspirés des Cévennes*, Montauban, 1882, p. 70-71. Le livre de M. Misson fut réimprimé à l'époque où la psychiatrie découvrait les convulsions, sous le titre : *Les Prophètes protestants*, Paris, 1847.
60. J.-P. Deleuze, *Histoire critique du magnétisme animal*, Paris, 1913.
61. J.-M. Charcot, *Œuvres complètes*, I, Paris, 1886 ; D.-M. Bourneville & P. Vulet, *De la contracture hystérique permanente*, Paris, 1872 ; D.-M. Bourneville & P.-M.-L. Regnard, *L'Iconographie photographique de la Salpêtrière*, Paris, 1876-1878 ; P. Richer, *Études cliniques sur la grande hystérie ou hystéro-épilepsie*, Paris, 1881.
62. J.-M. Charcot, *La Foi qui guérit*, Paris, 1897. Pour comprendre l'allusion à la valorisation des apparitions, il est utile de connaître le point de vue de l'Église romaine, exprimé par un auteur qui avait suivi l'évolution de la psychiatrie. Voir les articles de R. Van der Elst, « Guérisons miraculeuses » et « Hystérie », in *Dictionnaire apologétique de la foi catholique contenant les épreuves de la vérité de la religion et les réponses aux objections tirées des sciences humaines*, II, Paris, 1911, p. 419-438, 534-540.

CRITÈRES D'ÉDITION DU TEXTE

La transcription du cours se fonde sur les règles générales de cette édition, rappelées dans l'« Avertissement » : la transposition de la voix de Michel Foucault du support magnétique à sa représentation visuelle, l'écriture, a été réalisée de la manière la plus fidèle possible.

Mais l'écriture conserve ses propres exigences et les fait valoir à l'égard de l'expression orale. Elle demande non seulement une ponctuation qui rende la lecture fluide ; une subdivision des idées qui leur assure une unité logique adéquate ; un découpage en paragraphes qui convienne à la forme du livre. Elle impose aussi de conclure toutes les phrases qui comportent une déviation ou une rupture dans l'enchaînement des dépendances syntactiques ; de joindre une proposition principale à une subordonnée qui est restée (quelle qu'en soit la raison) autonome ; de corriger les constructions grammaticales interdites par la norme expositive ; de renverser un ordre ou une disposition dictés par la fougue oratoire ; d'adapter certaines concordances inexactes (le plus souvent entre le singulier et le pluriel) de pronoms personnels et désinences verbales. L'écriture demanderait aussi – mais il s'agit d'une exigence beaucoup moins forte – que l'on supprime les désagréables répétitions provoquées par la rapidité et la spontanéité de l'expression orale ; les reprises qui n'obéissent pas à la modulation stylistique du discours ; les innombrables interjections et les exclamations, ou bien les formules d'hésitation, les locutions de liaison et d'accentuation (« disons », « si vous voulez », « aussi »).

Nous sommes toujours intervenus avec une très grande prudence et maintes précautions. En tout cas : seulement après avoir vérifié qu'on ne trahissait pas les intentions du locuteur. Il nous a paru opportun, par exemple, de mettre entre guillemets certaines expressions pour faire ressortir des mots ou leur donner un sens spécifique. Les changements qui font partie intégrante du passage de l'oral à l'écrit ne sont pas signalés ; la responsabilité en doit être attribuée aux éditeurs du texte, dont le premier souci a été de rendre parfaitement lisible ce qu'ils étaient en train d'écouter par la vive voix de Foucault.

Les règles générales, valables pour l'intégralité des cours au Collège de France, ont été adaptées aux nécessités particulières des *Anormaux*.

Les nombreuses transcriptions du français de l'Âge classique ont été faites, en principe, selon des critères modernes. Toutefois, dans les notes, les graphies des noms de personnes ont été restituées sous les différentes formes qu'elles présentent dans le frontispice des livres cités (par exemple : Borromée, Boromée et Borromeus ; Liguori, Liguory et Ligorius).

Nous avons corrigé la plupart des petites erreurs matérielles que nous avons pu relever, aussi bien celles qui ont pu être provoquées par un défaut de mémoire que celles qui ont pu résulter d'un manque d'attention ou d'un passage omis dans la lecture d'un texte. Le cas échéant, nous n'avons pas hésité à remplacer, dans une énumération, un faux « deuxièmement » par un correct « troisièmement » ; ou bien, à l'occasion, nous avons introduit sans réticence « d'une part » lorsqu'on avait seulement le terme corrélatif « d'autre part ». Nous n'avons pas non plus signalé les autocorrections, ni les plus simples (un vague « en quelque sorte » après un péremptoire « précisément »), ni les plus complexes (« d'après le règlement du diocèse de Châlons, euh ! le règlement pas du diocèse, du séminaire de Châlons, pardon » devient évidemment « d'après le règlement du séminaire de Châlons »). Dans les cas où il ne s'agissait que d'adapter l'oral à l'écrit, nous n'avons pas rendu compte de nos interventions ou de nos choix.

En d'autres circonstances, nous avons procédé autrement. Par exemple : lorsque Foucault présente le dossier de l'hermaphrodite de Rouen, Marie Lemarcis (séance du 22 janvier), il confond l'année du procès (1601) avec celle de la publication de certains textes qui le relatent (1614-15). Cette équivoque se reproduit à plusieurs reprises, mais elle ne porte aucun préjudice au sens du discours. À la première occasion nous avons noté l'erreur, et ensuite nous l'avons corrigée automatiquement chaque fois que Foucault fait référence au procès. Lorsque, par contre, nous avons été confrontés à des fautes (noms de personnes, datations, titres) qui n'apparaissent qu'une seule fois, nous avons introduit, entre crochets et précédée du terme *rectius,* la correction en suivant les normes courantes du travail d'édition des textes.

Le problème des citations a posé maintes difficultés. Foucault est assez fidèle aux textes qu'il propose en lecture à ses auditeurs. Mais il s'octroie la liberté d'adapter les temps pour offrir une *consecutio* correcte, il fait des inversions stylistiques, et supprime mots et phrases secondaires. Ayant retrouvé la presque totalité des sources alléguées, il aurait été très utile de reproduire en note le document original complet. Ce qui aurait contribué à faire mieux connaître la manière de travailler de Foucault et à faire mieux apprécier les sélections opérées. Nous avons donné un certain nombre de spécimens en proposant, par exemple, plusieurs passages du traité de Louis Habert *(Pratique du sacrement de pénitence*) qui ont servi à bâtir une partition importante du discours chrétien sur l'aveu. Mais, d'ordinaire, il nous a paru plus opportun, pour éviter une infrastructure trop encombrante, d'indiquer où l'on peut retrouver le passage en question (ce qui permet la consultation immédiate de la source) et nous avons mis des guillemets seulement autour des extraits effectivement cités.

Cependant le remaniement de Foucault a été parfois si profond qu'il a fallu comparer l'original. Dans certains cas, il a été possible, grâce au jeu des parenthèses et des guillemets, de le faire ressortir du texte. Dans d'autres cas (plus rarement), il a été nécessaire d'avoir recours à l'appareil critique. En présence de citations assez longues, où l'intervention (complémentaire ou modificative) de Foucault a été suggérée par la nécessité de rendre plus compréhensible le contexte, nous avons indiqué entre crochets l'addition ou l'explication, suivie du sigle M.F. (par exemple : « Huit jours ne s'étaient pas entièrement écoulés [après le mariage ; M.F.], que... » ; « Ces tendances impulsives trouvèrent dans les événements récents [c'est-à-dire la Commune ; M.F.] une occasion... »). Par contre, les interventions restrictives ont été habituellement signalées par des crochets et les points de suspension correspondants (par exemple, dans la phrase : « La vertu de la jeune femme sacrifiée serait digne d'un but plus élevé [...] », les crochets indiquent tout simplement une coupure).

Tout à fait différent a été notre comportement à l'égard des traductions ou paraphrases des textes latins. Aussi bien dans le cas du commentaire à une section de la *Methodus expeditae confessionis* (œuvre de Tommaso Tamburini, important théologien moral du xvııe siècle), que dans le cas de l'un des derniers traités de sexologie écrits dans la langue commune aux savants européens (la *Psychopathia sexualis* de Heinrich Kaan), nous avons reproduit les passages dans leur intégralité. La raison en est simple : ces versions latines démontrent, en regard des originaux, tout le soin que Foucault prenait de la préparation de ses cours.

Les cassettes que nous avons utilisées ne sont pas de grande qualité. Mais l'écoute n'a jamais présenté de difficultés insurmontables. Les lacunes mécaniques ont pu être restaurées [63]. Face à des ambiguïtés interprétatives impossibles à résoudre, nous avons utilisé des guillemets

---

63. Nous avons utilisé des cassettes enregistrées par Gilbert Burlet et Jacques Lagrange.

unciformes (<...>). Par exemple : plutôt que de choisir entre un pos-sible « percussion » et un possible « persuasion », nous avons opté pour <persuasion>. Les phrases reconstituées sont signalées par des crochets (par exemple : « on arrivera à comprendre pourquoi les possédé(e)s, pourquoi les convulsionnaires [sont apparus] »). Le même signe a été adopté pour réintroduire dans les citations des coupures de mots ou syntagmes.

Nous n'avons pas signalé certaines interventions extrinsèques (par exemple : dans la sixième séance nous avons coupé, sans le souligner, l'observation suivante : « Puisque tout le monde est en train de changer la petite machine [la cassette du magnétophone], je vais en profiter pour vous donner un autre exemple purement récréatif », exemple qui a été parfaitement enregistré). En outre, nous n'avons pas rendu compte des rires (de la salle) qui accompagnent souvent la lecture des textes et que Foucault, du reste, provoque – dès les premières expertises – en insis-tant sur certains détails (en particulier, le grotesque et la puérilité du langage psychiatrique en matière pénale).

CRITÈRES D'ÉDITION DE L'APPAREIL CRITIQUE

Les œuvres publiées par Michel Foucault sont assez avares de cita-tions littérales et de renvois à l'ensemble des sources utilisées dans le travail. Il y manque aussi complètement, à quelques exceptions près, le traditionnel système des notes qui tracent l'histoire de la question abor-dée et qui convoquent les études courantes sur le sujet fixé. Les cours, qui gardent toujours un profil et une valeur liés au compte rendu public d'une recherche, sont oraux. Ils présentent souvent des passages impro-visés, fondés sur une documentation qui n'a pas été révisée par l'auteur en vue d'une publication. De plus, en raison des références approxima-tives et des citations vagues (parfois prononcées de mémoire), ils posent à l'éditeur une grande responsabilité de contrôle : il faut non seulement offrir au lecteur d'aujourd'hui, qui n'est plus l'auditeur du Collège de France, un renvoi ponctuel et pratique aux différents docu-ments que Foucault avait déjà explorés, voire retranscrits dans ses notes, mais aussi signaler les traces, bien qu'imperceptibles à première vue, des livres qui forment sa bibliothèque. Notre appareil critique, en insistant avec force sur les sources (parfois proposées dans leur inté-gralité) au détriment de la bibliographie courante, cherche à démontrer la validité d'un jugement de Georges Canguilhem, qui nous a servi de guide : Foucault cite seulement des textes originaux comme s'il voulait lire le passé à travers la « grille » la plus mince possible [64].

En ce qui concerne les sources implicites (certaines sont plus évidentes, d'autres le sont moins), il faut remarquer que nos références constituent seulement une trace pour la recherche et qu'elles ne veulent en aucune façon faire croire qu'il s'agit de renvois suggérés par Foucault lui-même. Les éditeurs (qui ont suivi le principe de ne jamais citer d'œuvres postérieures à 1975, sauf dans les cas de rééditions sans variations ou de réimpressions anastatiques) en assument l'entière responsabilité.

En ce qui concerne la littérature historique secondaire, nous avons privilégié celle qui porte essentiellement sur la production historique des psychiatres et sur l'histoire de la médecine. Foucault avait une profonde connaissance de cette littérature, surtout par le biais des recherches publiées dans les revues spécialisées (par exemple, les *Annales d'hygiène publique et de médecine légale* ou les *Annales médico-psychologiques*), dans les périodiques (souvent émanant d'institutions locales) et dans les grandes collections (telles celles des éditions médicales Ballière). Et il l'utilisait comme une sorte de tracé, suffisamment clair, pour dessiner la carte des questions à problématiser en termes généalogiques. Il suffit d'examiner l'intérêt croissant de la littérature médicale du XIXe siècle pour les questions relatives à la monstruosité ou à l'onanisme (les deux dossiers principaux du cours), à l'hermaphrodisme ou à la confession (les deux manuscrits qui servent de support au cours), aux possessions-convulsions-apparitions, pour se rendre compte de cette particularité de son travail.

On pourrait aussi soutenir, par exemple, que la très vive perception de l'importance politique des mesures contre la peste est bien plus un effet de la lecture d'un certain nombre d'*Histoires médicales* du XIXe siècle, que de l'utilisation des recherches contemporaines. Cela ne signifie pas que Foucault ne soit pas au courant de la bibliographie existante et qu'il ne suive pas les démarches des historiens de son époque. Mais la position historique de la psychiatrie du XIXe siècle, par son agencement même des matériaux, stimule la problématisation de Foucault beaucoup plus que les orientations prédominantes dans les années qui ont vu prononcer la série des cours de 1970 à 1976. On peut citer, à ce propos, *Surveiller et Punir* (en amont) et *La Volonté de*

---

64. G. Canguilhem, « Mort de l'homme ou épuisement du cogito ? », *Critique*, 242, juillet 1967.

savoir (en aval), où Foucault, afin d'aborder la complexe question du « pouvoir de normalisation », accorde une place importante aux techniques de contrôle de la sexualité introduites après le XVIIᵉ siècle ; il reconnaît l'existence, pendant cette même période, d'une remarquable production d'œuvres sur la répression de la sexualité et sur son histoire ; il admet la nécessité d'adopter une autre théorie du pouvoir, qui met en question ses analyses antérieures de l'*Histoire de la folie* (et elles ont été effectivement modifiées, en plusieurs points, par les résultats de *Surveiller et Punir*).

Nous trouvons ici l'opposition entre le modèle de l'exclusion (la lèpre) et celui de la mise sous contrôle (la peste). Dans *Surveiller et Punir* Foucault fait référence à un règlement de la fin du XVIIᵉ siècle provenant des Archives militaires de Vincennes. Mais il ajoute : « Ce règlement est pour l'essentiel conforme à toute une série d'autres qui datent de cette même époque ou d'une période antérieure [65]. » Cette série est présente dans le cours que nous publions. Il est peu probable que, une fois examinées les concordances, Foucault n'ait pas utilisé, pour entreprendre sa recherche et en synthétiser le contenu (« Je vous cite – dit-il dans la séance du 15 janvier – toute une série de règlements, d'ailleurs absolument identiques les uns aux autres, qui ont été publiés depuis la fin du Moyen Âge jusqu'au début du XVIIIᵉ siècle »), au moins la description du quadrillage que nous a laissé la célèbre *Histoire médicale générale et particulière des maladies épidémiques* de Jean-Antoine-François Ozanam [66].

Ce qui importe, c'est que, par rapport à *Surveiller et Punir,* les conclusions sont très fortes et plus compréhensives : « la réaction à la lèpre est une réaction négative » *(exclusion)* ; « la réaction à la peste est une réaction positive » *(inclusion)*. Mais il apparaît que, dans la *Volonté de savoir,* le résultat du cours – évidemment forcé – n'est pas intégré à la section « L'hypothèse répressive », qui était destinée à l'accueillir. Il faut enfin remarquer que Foucault, dans la séance du 15 janvier, abandonne aussi, assez rapidement, le traditionnel « rêve littéraire » de la peste (sur lequel on disposait, à l'époque, d'une littérature considérable) pour insister sur le bien plus important « rêve politique », du moment où le pouvoir s'exerce à plein. C'est justement Ozanam qui

65. M. Foucault, *Surveiller et Punir. Naissance de la prison,* Paris, Gallimard, 1975, p. 197.
66. J.-A.-F. Ozanam, *Histoire médicale générale et particulière des maladies épidémiques, contagieuses et épizootiques, qui ont régné en Europe depuis les temps les plus reculés jusqu'à nos jours,* IV, Paris, 1835², p. 5-93.

propose une trame différente en prenant comme modèle, pour étudier
« les mesures de police sanitaire », les règlements adoptés par la ville
de Nola, dans le royaume de Naples, en 1815, « pleins de sagesse et de
prévoyance et qui peuvent servir de type et d'exemple à suivre dans
une semblable calamité »[67] ; qui rappelle que « l'un des meilleurs
ouvrages à consulter pour ce même objet, est celui de Ludovico
Antonio Muratori intitulé *Del governo in tempo di peste*, où l'« on
retrouve un résumé très bien fait de tous les moyens sanitaires pris dans
les différentes pestes de l'Europe jusqu'à celle de Marseille » ; qui fait
apprécier la grande documentation recueillie dans l'ouvrage du cardinal
Gastaldi, *De avertenda peste*, et dans le *Traité historique de la peste* de
Papon, « dont le second volume est consacré à retracer toutes les précautions que l'on doit prendre pour empêcher la propagation et l'introduction de la peste[68] ».

L'exemple de la vaste et très importante littérature politique sur la
peste *(Du gouvernement en temps de peste),* ici citée par l'intermédiaire
de l'*Histoire médicale* d'Ozanam, nous porte finalement à rappeler que,
entre les notes de l'appareil critique des *Anormaux,* telles que nous les
avons présentées à partir de traces évidentes, et la « Situation du
cours », il y a une contiguïté dont l'ambition a été celle de la continuité.
Nous avons en effet allégué, dans la « Situation du cours », toute une
série de références qu'il aurait été imprudent d'intégrer à l'appareil critique, car elles ne doivent aucunement être attribuées à Michel
Foucault. Il nous a paru néanmoins qu'elles pouvaient contribuer à
l'intelligence et à l'explication du texte.

VALERIO MARCHETTI et ANTONELLA SALOMONI[*]

* Valerio Marchetti est professeur d'histoire moderne à l'université de Bologne.
Antonella Salomoni enseigne l'histoire sociale à l'université de Sienne (section
d'Arezzo). Ils ont rédigé ensemble cette « Situation ». Pour l'établissement du texte du
cours, V. Marchetti s'est chargé des séances des 19 et 26 février, 5, 12 et 19 mars ;
A. Salomoni, de celles des 8, 15, 22 et 29 janvier, 5 et 12 février.

67. *Ibid.,* p. 64-69.
68. *Ibid.,* p. 69-70. Cf. H. Gastaldus, *Tractatus de avertenda et profliganda peste
politico-legalis, eo lucubratus tempore quo ipse loemocomiorum primo, mox sanitatis
commissarius generalis fuit, peste urbem invadente, anno 1656 et 57 ac nuperrime
Goritiam depopulante typis commissus,* Bononiae, 1684 ; L.A. Muratori, *Del governo
della peste e della maniera di guardarsene. Trattato diviso in politico, medico e eccle-
siastico, da conservarsi e aversi pronto per le occasioni, che dio tenga sempre lontane,*
Modena, 1714 ; J.-P. Papon, *De la peste ou époque mémorable de ce fléau et les
moyens de s'en préserver,* I-II, Paris, VIII [1799-1800].

Index des notions
et des concepts

(– comme pulsion irrésistible) : 120,
133, 145, 259 ;
(– et théorie de l'automatisme) : 121,
123, 266 ;
(dynamique de l'–) : 120-122, 270, 281 ;
(la nouvelle économie des rapports entre
folie et –) : 145 ;
(la psychiatrie et le champ unitaire de
l'– et de la sexualité) : 261 ;
(la psychiatrie et les perturbations de
l'–) : 208 ;
(le point de découverte des –) : 122 ;
(pathologisation de l'–) : 288 ;
(problématisation de l'–) : 129 ;
(sens moral insuffisant pour résister
aux – animaux) : 279 ;
(technologie de l'–) : 297.
Internement
(– au nom de la famille) : 34, 130, 133,
135-138 ;
(– sur ordre de l'administration préfectorale) : 130.
Intime conviction
(– et certitude totale) : 8 ;
(– et circonstances atténuantes) : 9-10, 30 ;
(– et démonstrativité de la preuve) : 9 ;
(– et modulation de la peine) : 9 ;
(– et vérité universelle) : 9 ;
(principe de l'–) : 8-11, 81.

Jury
(débat sur la suppression du –) : 36.

Laxisme
(le – reproché aux jésuites) : 204.
Lèpre
(la – comme modèle de contrôle politique) : 40-44.
Licence verbale : 65.
Luxure, voir : Sixième commandement.

Masochisme : 293.
Massacre(s)
(– de Septembre) : 91-92.
Masturbateur, voir : Onaniste.
Masturbation, voir : Onanisme.
Médecine
(la – prend pied dans l'ordre de la sexualité) : 207 ;
(la – fait parler la sexualité) : 236 ;
(– et convulsion : un objet privilégié) :
207 ;
(la famille comme agent du savoir de
la –) : 235.
Médicalisation et pathologisation
(– des relations et/ou sentiments du
champ intrafamilial) : 139.

Menstruation
(la – dans ses rapports avec la folie) :
118, 280.
Monomanie
(– destructive et érotique) : 268-269 ;
(– homicide) : 110, 132, 137, 145 ;
(– instinctive) : 282, 289 ;
(– respectueuse) : 133 ;
(– et danger social) : 110.
Monstre
(– incestueux représenté par la figure du
roi) : 87 ;
(– juridique) : 87-88 ;
(– moral) : 69, 75, 85 ;
(– politique) : 85, 92 ;
(– populaire) : 91, 95 ;
(– comme catégorie juridique et fantasme politique) : 102 ;
(– comme principe d'intelligibilité de
toutes les formes de l'anomalie) : 52 ;
(– et criminel quotidien) : 89 ;
(le – anthropophage ou le peuple
révolté) : 93-94, 97 ;
(le – sexuel) : 56 ;
(le – et la formation d'un engrenage
psychiatrico-judiciaire) : 259 ;
(le grand –) : 151, 259, 275, 289 ;
(grand – naturel et petit délinquant) : 52 ;
(champ d'apparition du – humain) : 51-
52, 90, 96 ;
(l'anormal est un – quotidien) : 53 ;
(notion juridico-biologique du –) : 51 ;
(passage du – à l'anormal) : 102.
Monstruosité
(– du puissant et de l'homme du peuple) :
97 ;
(– et droit canon) : 59-60 ;
(– et droit romain) : 58 ;
(– et embryologie sacrée) : 60 ;
(– et hermaphrodisme), voir : Hermaphrodites.

Neurologie
(la – fait communiquer psychiatrie et
médecine) : 149.
Normal
(le – et le pathologique) : 85.
Normalisation
(– médicale de la famille) : 253 ;
(émergence du pouvoir et des techniques
de –) : 24 ;
(pouvoir de –) : 39-40, 45-46, 48.
Nosographie
(la – des états anormaux et la théorie de
la dégénérescence) : 297 ;
(– des syndromes, des délires, des états) :
259.

Index
des noms de personnes

A., voir : Algarron (J.)
Adam (S.) : 276, 278, 279 & 301n.9.
Adelon (N.-P.) : 114 & 126n.12.
Albinus seu Alcuinus (F.) : 160 & 181n.13 - 161 & 181n.14-15, 326 & n.40.
Alcibiade : 25 n.3.
Alcuin, voir : Albinus seu Alcuinus (F.)
Algarron (J.) : 3 & 25n.1, 4 & 25n.6, 5, 16-17.
Alibert (J.-L.) : 244n.11.
Alliaume (J.-M.) : 272n.1.
Amann (E.) : 325-326n.39.
André (X.) : 244n.6.
Andrieux (J.) : 229-230 & 246n.44.
Arnaud de Ronsil (G.) : 73n.29, 74n.43.
Artaud (A.) : 50n.15.
Artois (C., comte de), voir : Charles X
Athanagild (roi des Wisigoth d'Espagne) : 98n.18.

Baillarger (J.-G.-F.) : 132 & 152n.5, 133, 137, 143, 146 & 154n.26 - 147, 148, 156 & 181n.4, 259, 261, 266, 295, 297.
Balzac (H. de) : 13.
Barbin (H.) : 324 & n.33.
Bardenat (C.) : 25n.4, 49n.1.
Barret-Kriegel (B.) : 272n.1.
Barruel (A.) : 91 & 99n.29.
Basedow (J.B.) : 219 & 243n.4, 241.
Beccaria (C.) : 8 & 26n.15, 119.
Béchet (docteur) : 279 & 301n.8.
Bédor (docteur) : 273n.22.
Bégin (docteur) : 246n.32.
Béguin (F.) : 272n.1.
Bekker (docteur) : 218 & 243n.2, 219, 322.
Belon (F.) : 118.
Benoît XIII (pape) : 215n.35.
Bergson (H.) : 232 & 246n.49.
Bernard (P.) : 325n.39.
Berry (M.-L. E., duchesse de) : 102.
Berryer (G.) : 152n.2.
Bertani (M.) : 319n.8.
Bertrand (A.) : 329-330.

Bertrand (F.) : 94, 267 & 273n.17 - 268 & 273n.19-21 - 269 & 273n.22-23.
Bertrand de Molleville (A.-F.) : 91 & 99n.31.
Beuvelet (M.) : 170 & 185n.55.
Bianchi (A.G.) : 303n.34.
Blaud (P.) : 224 & 245n.25, 323n.29.
Bleuler (E.) : 126n.10.
Bonnet (H.) : 276 & 301n.1, 278, 281, 282 & 301-302n.12, 283 & 302n.14.
Bonnetain (P.) : 244n.16.
Boromée (C.), voir : Borromée (C.)
Borromée (C.), voir : Borromeo (C.)
Borromeo (C.) : 165 & 182n.20, 167-168 & 184n.35-42, 169 & 184n.44-50, 176, 326n.44, 327 & n.48, 332.
Borromeus (C.), voir : Borromeo (C.)
Bottex (A.) : 137 & 153n.15.
Bourge (J.B. de) : 228, 244n.13, 328n.53.
Bourgeois (A.) : 50n.11.
Bourgeois (L.) : 244n.11.
Bourneville (D.-M.) : 213n.13, 330 & n.61.
Bouvier de la Motte (J.-M.) : 189 & 212n.1.
Boyer (A.) : 224 & 245n.22, 323n.30.
Brantôme (P. de Bourdeille, seigneur de) : 78 & 97n.3.
Bremond (H.) : 212n.1.
Brierre de Boismont (A.) : 156 & 180n.2, 273n.17, 301n.10.
Drillon (P. J.) : 62 & 72n.17, 72n.18.
Bruneau (A.) : 79 & 97n.4 & n.5
Brunehaut ou Brunhilde, princesse wisigothe d'Espagne : 89 & 98n.18.
Bulard (J.) : 278, 281, 282 & 301-302n.12, 283 & 302n.14, 301n.1 & n9.
Burlet (G.) : 333n.63.
Burton (R.) : 302n.22.

Caligula (empereur romain) : 26n.21.
Calmeil (L.-F.) : 329 & n.56, 330.
Camus (A.) : 50n.15.
Cangiamila (F.E.) : 60-61 & 71n.14, 71n.7 & n.9-10, 305, 307, 321 & n.16-17.

Table

pathologique de la criminalité. – Le monstre politique. – Le couple monstrueux : Louis XVI et Marie-Antoinette. – Le monstre dans la littérature jacobine (le tyran) et anti-jacobine (le peuple révolté). – Inceste et anthropophagie.

Au pays des ogres. – Passage du monstre à l'anormal. – Les trois grands monstres fondateurs de la psychiatrie criminelle. – Pouvoir médical et pouvoir judiciaire autour de la notion d'absence d'intérêt. – L'institutionnalisation de la psychiatrie comme branche spécialisée de l'hygiène publique et domaine particulier de la protection sociale. – Codage de la folie comme danger social. – Le crime sans raison et les épreuves d'intronisation de la psychiatrie. – L'affaire Henriette Cornier. – La découverte des instincts.

L'instinct comme grille d'intelligibilité du crime sans intérêt et non punissable. – Extension du savoir et du pouvoir psychiatriques à partir de la problématisation de l'instinct. – La loi de 1838 et le rôle réclamé par la psychiatrie dans la sûreté publique. – Psychiatrie et régulation administrative, demande familiale de psychiatrie, constitution d'un discriminant psychiatrico-politique entre les individus. – L'axe du volontaire et de l'involontaire, de l'instinctif et de l'automatique. – L'éclatement du champ symptomatologique. – La psychiatrie devient science et technique des anormaux. – L'anormal : un grand domaine d'ingérence.

Le champ de l'anomalie est traversé par le problème de la sexualité. – Les anciens rituels chrétiens de l'aveu. – De la confession tarifée au sacrement de la pénitence. – Développement de la pastorale. – La « Pratique du sacrement de pénitence » de Louis Habert et les « Instructions aux confesseurs » de Charles Borromée. – De la confession à la direction de conscience. – Le double filtre discursif de la vie dans la confession. – L'aveu après le concile de Trente. – Le sixième commandement : les modèles d'interrogatoire de Pierre Milhard et de Louis Habert. – Apparition du corps de plaisir et de désir au cœur des pratiques pénitentielles et spirituelles.

Une nouvelle procédure d'examen : disqualification du corps comme chair et culpabilisation du corps par la chair. – La direction de conscience, le développement du mysticisme catholique et le phénomène de la possession. – Distinction entre possession et sorcellerie. – La possession de Loudun. – La convulsion comme forme plastique et visible du combat dans le corps de la possédée. – Le problème des possédé(e)s et de leurs convulsions n'est pas inscrit dans l'histoire de la maladie. – Les anti-convulsifs : modulation stylistique de la confession et de la direction de conscience ; appel à la médecine ; recours aux systèmes disciplinaires et éducatifs du XVIIe siècle. – La convulsion comme modèle neurologique de la maladie mentale.

RÉALISATION : CURSIVES, PARIS
IMPRESSION : CPI FIRMIN DIDOT A MESNIL-SUR-L'ESTRÉE
DÉPÔT LÉGAL : MARS 1999. N° 30798-7 (121463)
Imprimé en France